The Family
BIBLE
ENCYCLOPEDIA

The Family BIBLE ENCYCLOPEDIA

Published in New York by Curtis Books, Inc.
and simultaneously in Toronto, Canada, by
Curtis Distributing Company, Ltd.

CREATED AND PRODUCED BY
COPYLAB PUBLISHING COUNSEL, INC., NEW YORK

Copyright © 1972
by
Copylab Publishing Counsel, Inc.

All rights reserved, including, without limitation, the right to reproduce this book or portions thereof in any form. Library of Congress Card Catalog Number 79-187552.

Printed in the United States of America

Surdah, an Arab village identified by some scholars as the biblical Zereda *(Counsel Collection)*.

ZEREDATHAH 4039

ZEPHO (ZEPHI) (Heb., *tsephi*, "watchtower"), a son of ELIPHAZ the son of ESAU, and one of the TWELVE DUKES OF EDOM (Gen. 36:11, 15; "Zepho"). In the parallel account of the PERIOD OF THE PATRIARCHY, the name is rendered "Zephi" (I Chron. 1:36).

ZEPHON (Heb., *tsephon*, "watching"), the eldest son of GAD, and eponym of a clan, the "Zephonites," within the TRIBE OF GAD (Num. 26:15); in the Book of GENESIS he is called ZIPHION (46:16).

ZER (Heb., *tser*, "flint"), a fortified city of the TRIBE OF NAPHTALI (Josh. 19:35); the SEPTUAGINT equates Zer with TYRE, but this is considered erroneous by modern scholars.

ZERAH (Heb., *tserah*, perhaps "eastern" or "rising"), a name borne by a number of OLD TESTAMENT personages, two of whom were LEVITES of the clan of GERSHON (I Chron. 6:21,41). Chapter thirty-six of the Book of GENESIS mentions two other Zerahs: a grandson of ESAU through REUEL (36:13,17, the latter reference citing him as one of the "dukes" of EDOM); and the father of JOBAB (36:33), one of the early Edomite kings, whose capital was at BOZRAH south of the DEAD SEA. According to the Second Book of the CHRONICLES (14:9), an Ethiopian king named Zerah invaded the Southern KINGDOM OF JUDAH during the reign of King ASA, but was defeated by Asa's forces despite the Ethiopian army's numerical superiority (*see also* ZEPHATHAH, THE VALLEY OF).

Zerah was also the alternate rendering (Num. 26:20) of ZARAH, the younger of the twins born to JUDAH by his daughter-in-law TAMAR (cf. Gen. 38:30); and of ZOHAR (Gen. 46:10), the fifth son of SIMEON (cf. Num. 26:13).

ZERAHIAH (Heb., *tserayah*, "rising of the Lord" or "the Lord is risen"), a name borne by two OLD TESTAMENT personages: an ancestor of EZRA (I Chron. 6:6,51; Ezra 7:4); and the ancestor of two hundred Israelites who returned with Ezra following the PERIOD OF THE BABYLONIAN CAPTIVITY (Ezra 8:4).

ZERED (Heb., *zeredh*, perhaps "growth of reeds"), a brook or wadi, on the border between EDOM and MOAB and emptying into the DEAD SEA, where, according to the Book of DEUTERONOMY (2:13), the Is-

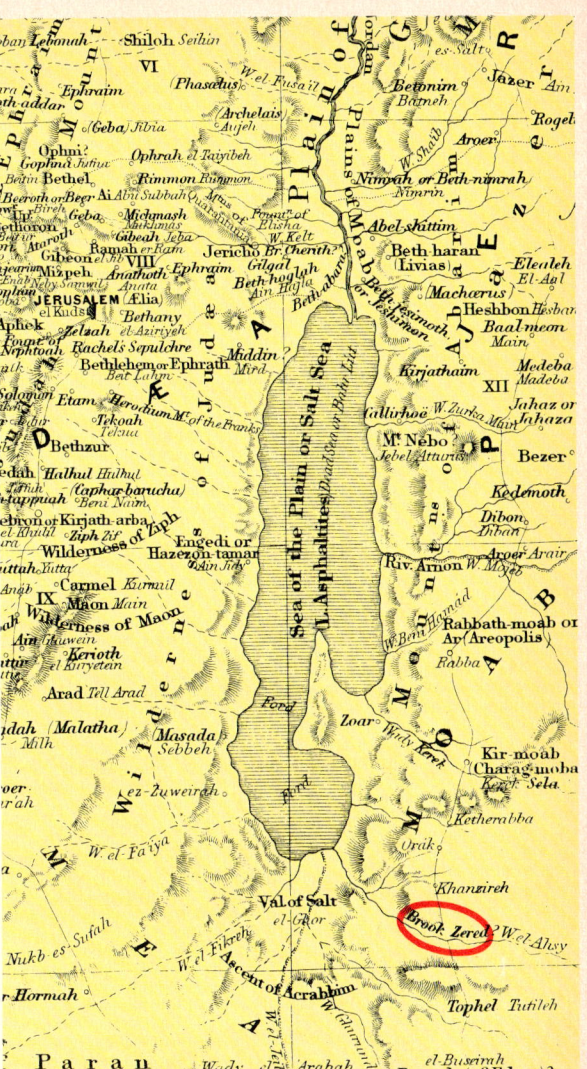

Indicated on map is area some scholars identify with the Israelite encampment site of Zered.

raelites encamped temporarily toward the conclusion of the PERIOD OF THE WILDERNESS; the site, which has never been authoritatively identified, is called Zared in the Book of NUMBERS (21:12).

ZEREDA (Heb., *tseredah*, perhaps "ambush"), an area in the JORDAN RIVER Valley, otherwise unidentified, which was the birthplace of JEROBOAM I, first monarch of the Northern KINGDOM OF ISRAEL (I Kings 11:26).

ZEREDATHAH, *see* ZARTHAN.

4040 THE FAMILY BIBLE ENCYCLOPEDIA

18th-century engraving shows Zerubbabel being greeted upon his return from Babylon (*New York Public Library*).

ZERERATH, an area in the JEZREEL Valley mentioned in connection with the flight of the MIDIANITES who were being pursued by the victorious Israelites under the command of GIDEON (Judg. 7:22).

ZERESH (Heb., *zeresh*, "golden"; the name was originally Persian), the wife of HAMAN, villain of the Book of ESTHER (5:10); it was she who suggested that Haman build a gallows "that Mordecai may be hanged thereon" (5:14). Zeresh lived to repent the actions of her husband, who was subsequently murdered with the collusion of King AHASUERUS, as were her ten sons (9:10).

ZERETH (Heb., *tsereth*, "splendor"), the first son of ASHUR through his second wife HELAH, and thus one of the early descendants of JUDAH, eponym of the TRIBE OF JUDAH (I Chron. 4:7).

ZERI (Heb., *tseri*, perhaps "built"), one of the musicians at the TABERNACLE during the reign of King DAVID (I Chron. 25:3).

ZEROR (Heb., *tseror*, "bound"), a paternal great-grandfather of King SAUL (I Sam. 9:1).

ZERUAH (Heb., *tseru'ah*, "leprous"), the mother of JEROBOAM I, first monarch of the Northern KINGDOM OF ISRAEL (I Kings 11:26).

ZERUBBABEL (from the Accad. *zer-babili*, "shoot [or scion] of Babylon"), the son of SHEALTIEL and grandson of King JEHOIACHIN; he led the first group of Israelites to return following the PERIOD OF THE BABYLONIAN CAPTIVITY and, as Persian governor in JERUSALEM, supervised the rebuilding of the TEMPLE, which had been destroyed by NEBUCHADNEZZAR in 586 B.C.

Zerubbabel is sometimes identified with SHESHBAZZAR but this is unlikely; and though one biblical passage (I Chron. 3:19) states that his father was PEDAIAH, all other genealogical references make him the son of Shealtiel (Ezra 3:2,8; Neh. 12:1; Hag. 1:1,12,14; 2:2,23). In either case, as a direct descendant of the last king of the Southern KINGDOM OF JUDAH, he was a member of the Davidic royal line and, according to the NEW TESTAMENT, an ancestor of JESUS CHRIST (Matt. 1:12; Luke 3:27; in the KING JAMES VERSION of the New Testament as well as the APOCRYPHA, the name is rendered "Zorobabel").

Zerubbabel was raised in BABYLON and, though a patriotic Jew, apparently assimilated Babylonian culture to a great extent: his name was Babylonian and later legends about him in the First Book of ESDRAS (3:1-5:6) portray him as one of the young guardsmen of King DARIUS; at the very least this indicates that he had some official status at the Persian court and was intimate as an equal with non-Jewish royal officers. (*See also* PERSIAN EMPIRE.)

During the reign of CYRUS, Zerubbabel led a band of Jewish exiles back to Jerusalem (Ezra 2:2; Neh. 7:7), and during the reign of Darius I Hystaspes, according to the best sources (e.g., Hag. 1:1; Ezra 3-4 is confused chronologically and not dependable), he became Persian governor in Jerusalem; many of the exhortations of the postexilic PROPHETS were addressed to him (e.g., Hag. 2:2-4, 20-23), and others (e.g., Zech. 6:12) are about him. The Temple was rebuilt during his administration, although he was apparently not actually present in Jerusalem in 516 B.C. when it was finally completed and dedicated. Some have thought that this absence means that he was removed from his office because he had planned a Jewish revolt, and some slight evidence has been found for their theory (most notably Zech. 6:11). But this is highly unlikely, for nothing in the biblical sources clearly suggests that Zerubbabel was a political activist.

It is more probable that by 516 B.C. his term of office had expired or he had died; indeed, although I Esdras portrays Zerubbabel as a young man when Darius appointed him governor, he may have been much older, for Jehoiachin was eighteen years of age in 597 B.C. and thus in 516 B.C. Zerubbabel could have been as old as sixty. A sixth-century A.D. Jewish source, the *Seder 'Olam Zuta*, says that Zerubbabel returned to Babylon and succeeded his father as exilarch, or prince of the Exile, i.e., ruler of the Jewish community in MESOPOTAMIA, but there is no reliable evidence to substantiate this.

Zerubbabel was an extremely important figure in Jewish postexilic history, not only because of his role in rebuilding the Temple and reestablishing a stable Jewish community in Jerusalem, but also because he was widely hailed as a messianic figure who personified the Davidic kingly ideal: both HAGGAI and ZECHARIAH applied messianic titles to him, such as "the Branch" (Zech. 3:8; 6:12), and the Lord's "signet," "chosen one," and "servant" (Hag. 2:23). Such exaltation of Zerubbabel was inspired by the fact that in him a descendant of DAVID once again ruled in Jerusalem. (*See also* MESSIAH.) Though much work remained to be done in JUDAEA by subsequent leaders, most especially EZRA and NEHEMIAH, the postexilic Jewish community in PALESTINE got its real start and firm basis under Zerubbabel; because of this, Jewish tradition remembered him and gave him a place of honor, as is shown by his inclusion among Israel's "famous men" in the apocryphal Book of ECCLESIASTICUS (49:11). — *R.J.M.*

THE STORY OF ZERUBBABEL

For Younger Readers

Zerubbabel was the son of Salathiel and the grandson of Jehoiachin, a king of Judaea. This king was taken into captivity by the monarch of Assyria, Nebuchadnezzar. He was deported to Babylonia, where he and his descendants remained for many years.

Zerubbabel was living in Babylonia when Cyrus, the Persian king, proclaimed that the Lord God of Heaven had asked him to build a temple in Jerusalem, in Judaea. "Who is there among you of all His people?" he asked the Jews living in Babylonia. "Let him go up to Jerusalem and build the house of the Lord God of Israel."

Forty-two thousand three hundred and sixty Jews, among them many priests, elders, and heads of tribes, decided to go to Jerusalem. Among them was Zerubbabel, who came to Jerusalem with the first band of exiles. Together with the High Priest Joshua, he celebrated the Feast of the Tabernacles and took steps to rebuild the Temple.

But he ran into many difficulties when he tried to reestablish Jewish life in Judaea. The Samaritans, whose offer to help with the rebuilding of the Temple had been refused, did all they could to block the work. For seventeen years, no further building was done.

After Darius, king of Persia, took the kingdom of Babylonia, he gave permission for the building to be continued. God sent the prophet Aggai to stir up Zerubbabel, who had become governor of Judaea. "Who is left among you that saw this house in its former glory?" Aggai asked, "And how do you see it now? Does it not seem like nothing in your eyes? But take courage, Zerubbabel, and take courage all you people of the land, says the Lord, and work!"

Aggai brought a second message from the Lord to Zerubbabel. "Tell this to Zerubbabel, the governor of Judaea," the Lord said. "I will shake the heavens and the earth. I will overthrow the kingdoms, destroy the power of the kingdoms . . . for I have chosen you."

The Temple was completed and was dedicated in 516 B.C. But, according to the Old Testament, Joshua, the High Priest, was anointed at the dedication. The Prophet Zachariah says, "This word of the Lord then came to me . . . . 'Silver and gold you shall take and make a crown; place it on the head of Joshua, the high priest.'" This, however, was probably a mistake, because it was Zerubbabel who belonged to the royal family.

Zerubbabel's influence in causing the Second Temple to be completed was so great that historians call it "Zerubbabel's Temple."

ZERUBBABEL 4043

"*Now these are the children . . . that went up out of the captivity . . . with Zerubbabel . . .*" (Ezra 2:1-2).

ZERUIAH (Heb., *tseruyah*, perhaps "bruised of the Lord"), the sister of King DAVID whose sons JOAB, ABISHAI, and ASAHEL were the leading heroes in David's army (cf. I Chron. 2:16). She was probably not a daughter of JESSE, but rather the issue of David's mother by an earlier marriage (cf. I Sam. 26:6; II Sam. 2:13,18; 17:25).

ZETHAM (Heb., *zetham*, "olive tree"), one of the Gershonite LEVITES who flourished during the reign of King DAVID. His descent is traced from GERSHON, the eldest son of LEVI (I Chron. 23:8; 26:22).

ZETHAN (Heb., variant of *zetham*, "olive tree"), member of the TRIBE OF BENJAMIN, mentioned only in the genealogies of the First Book of the CHRONICLES (7:10).

ZETHAR (Heb., *zethar*, "star"), one of the seven chamberlains of King AHASUERUS (Esth. 1:10; *see also* ESTHER, THE BOOK OF).

ZEUS, the principal deity of the ancient Greeks, and, for three years (December, 167 B.C.-December, 164 B.C.), the resident deity of the TEMPLE at JERUSALEM. He was considered, by the people of LYSTRA, to have descended to earth and appeared to them in the guise of the Christian missionary BARNABAS, while PAUL THE APOSTLE, as the spokesman for Barnabas-Zeus, was considered to be the incarnation of another Greek god, Hermes (Acts 14:11-12). The KING JAMES VERSION, using Latin instead of Greek nomenclature, usually refers to him as Jupiter, who, in the ancient world, was considered to be the Roman god equivalent to Zeus.

Though the ancient Greeks had an abundance of myths that recounted the origins and exploits of Zeus, the most prevalent agreed that he was the youngest son of the god Kronos. Since Kronos had devoured all his other children, Zeus' mother, Rhea, hid Zeus, and later, when Kronos, by a stratagem, was forced to disgorge all his other children, they joined with Zeus to overthrow Kronos. As leader of

The deity Zeus, king of the Gods, whose statue was used to profane the Temple.

the victory, Zeus thenceforth became ruler of Heaven, while Poseidon became ruler of the Sea, and Hades ruler of the Underworld, with the Earth and Mount Olympus in Thessaly (from which height Zeus was worshipped) to be held in common. Other siblings, such as Demeter, Hestia, and Hera, who later became Zeus' consort, were given lesser spheres of influence. Other myths recount an astonishing number of amorous adventures in which Zeus dallied with partners both human and divine. The progeny of his unions with goddesses were themselves divine (e.g., Aphrodite, Apollo, Hermes, and Athena), while his semihuman offspring were heroes, of whom the most prominent representative was Achilles.

In his capacity as a sky-god, Zeus controlled all forms of meteorological phenomena, such as thunder, wind, lightning, and rain. And gradually, because meteorological phenomena had so important an effect upon the Earth, he came to be considered as the world's sovereign ruler to whom the other gods, because of their inferior powers, were subordinate, so that the Greek poet Homer could call Zeus "the father of gods and men." Nonetheless, Zeus was not a universal god, in the monotheistic sense, as was the YAHWEH of the Jews, but rather the preeminent divinity among a host of other deities (see also MONOTHEISM).

In the tradition of Greek religious syncretism, Zeus was identified with a large number of other sky-gods (such as the Roman Jupiter), and also with such solar deities as the Egyptian *Re* (later Amon-Re). Oddly enough, however, he seems never to have been identified with the Yahweh of the Hebrews except in one unfortunate instance. This occurred during the reign of the SELEUCID DYNASTY monarch ANTIOCHUS IV EPIPHANES, who attempted to abolish the peculiar character of the Jewish religion and bring it within the aegis of Hellenistic paganism (see HELLENISM). Accordingly, he desecrated the Temple at Jerusalem, and rededicated it to Olympian Zeus (II Macc. 6:2). The plan was a foolhardy one, however, for though Antiochus may not have realized it, the principal deity of a polytheistic world could not but be ANATHEMA to the monotheistic religious sentiments of the Jews. Eventually, the resistance movement led by the MACCABEES emerged victorious, and three years later, the Temple that had been defiled by the presence of Zeus was cleansed and rededicated to Yahweh.

The proclaiming of Barnabas as Zeus is also indicative of the gap in religious understanding between the Greek and Jewish worlds. For when Paul miraculously healed a cripple, the Lystrans concluded that the "gods are come down to us in the likeness of men," and accordingly hailed Barnabas and Paul as Zeus and Hermes respectively. This so dismayed the missionary duo that "they rent their clothes," disclaimed their divinity, and attempted again to explain their mission. However, the Lystrans refused to accept the disclaimer until persuaded by some Jews from ANTIOCH and ICONIUM, whereupon Paul, no god but an impostor, was stoned, and dragged out of the city on the supposition that he was dead. *V.J.G.*

ZIA (Heb., *zia,* "moving"), one of the early members of the TRIBE OF GAD (I Chron. 5:13).

ZIBA (Heb., *tsiva,* "plant" or "statue"), the servant of King SAUL whom King DAVID assigned to serve MEPHIBOSHETH, Saul's lame surviving grandson (and son of David's bosom friend JONATHAN); his story is told in the Second Book of SAMUEL (cf. 9:2-13; 16:1-4; 19:17-29). Out of love for the memory of Jonathan, David had more or less adopted Mephibosheth. During the revolt against David by his son ABSALOM, Ziba treacherously slandered Mephibosheth by telling the king that the reason Mephibosheth did not accompany David on his flight from JERUSALEM was because he, Mephibosheth, aspired to the Davidic throne. As a consequence, David assigned to Ziba the rich estates of Saul that he had previously given the innocent Mephibosheth. After Absalom was slain and the conspiracy crushed, David, upon returning to his capital at Jerusalem, was apprised of the true facts: Ziba had persuaded Mephibosheth not to accompany David in flight from Absalom because of his lameness.

ZIBEON (Heb., *tsiveon,* perhaps "robber" or "hyena"), a HIVITE whose granddaughter AHOLIBAMAH became one of the wives of ESAU (Gen. 36:2).

ZIBIA (Heb., *tsivya,* "deer" or "gazelle"), an early member of the TRIBE OF BENJAMIN in direct descent from the tribe's eponym (I Chron. 8:9).

ZIBIAH (Heb., *tsivyah,* "gazelle"), the wife of AHAZIAH and mother of JOASH, sixth and seventh monarchs of the Southern KINGDOM OF JUDAH (II Kings 12:1; II Chron. 24:1). No mention is made of what became of Zibiah when, following her husband's death, her mother-in-law ATHALIAH usurped the throne; nor is it known whether she was still alive when her son, then seven years of age, was placed on the throne.

ZICHRI (Heb., *ziqri,* "remembered"), a name borne by a dozen OLD TESTAMENT personages: a grandson of KOHATH, ancestor of one of the major clans of LEVITES (Exod. 6:21); three early members of the TRIBE OF BENJAMIN, mentioned only in the genealogies of the First Book of the CHRONICLES (8:19,23,27); a son of ASAPH, one of the musicians at the TABERNACLE (I Chron. 9:15; rendered "Zabdi" in Neh. 11:17); a descendant of MOSES (I Chron. 26:25); the father of ELIEZER, prince of the TRIBE OF REUBEN during the reign of King DAVID (I Chron. 27:16); the father of AMASIAH, one of the leading military chieftains under King JEHOSHAPHAT (II Chron. 17:16); one of the military chieftains under JEHOIADA, the HIGH PRIEST who overthrew ATHALIAH and restored JOASH to the throne of the Southern KINGDOM OF JUDAH (II Chron. 23:1); a leader of the TRIBE OF EPHRAIM during the reign of PEKAH, penultimate monarch of the Northern KINGDOM OF ISRAEL (II Chron. 28:7); the father of one of the overseers of JERUSALEM following the PERIOD OF THE BABYLONIAN CAPTIVITY (Neh. 11:9); and one of the Levites who returned to Jerusalem with ZERUBBABEL following the Captivity (Neh. 12:17).

ZIDDIM (Heb., *tsiddim,* "steeps" or "sides"), one

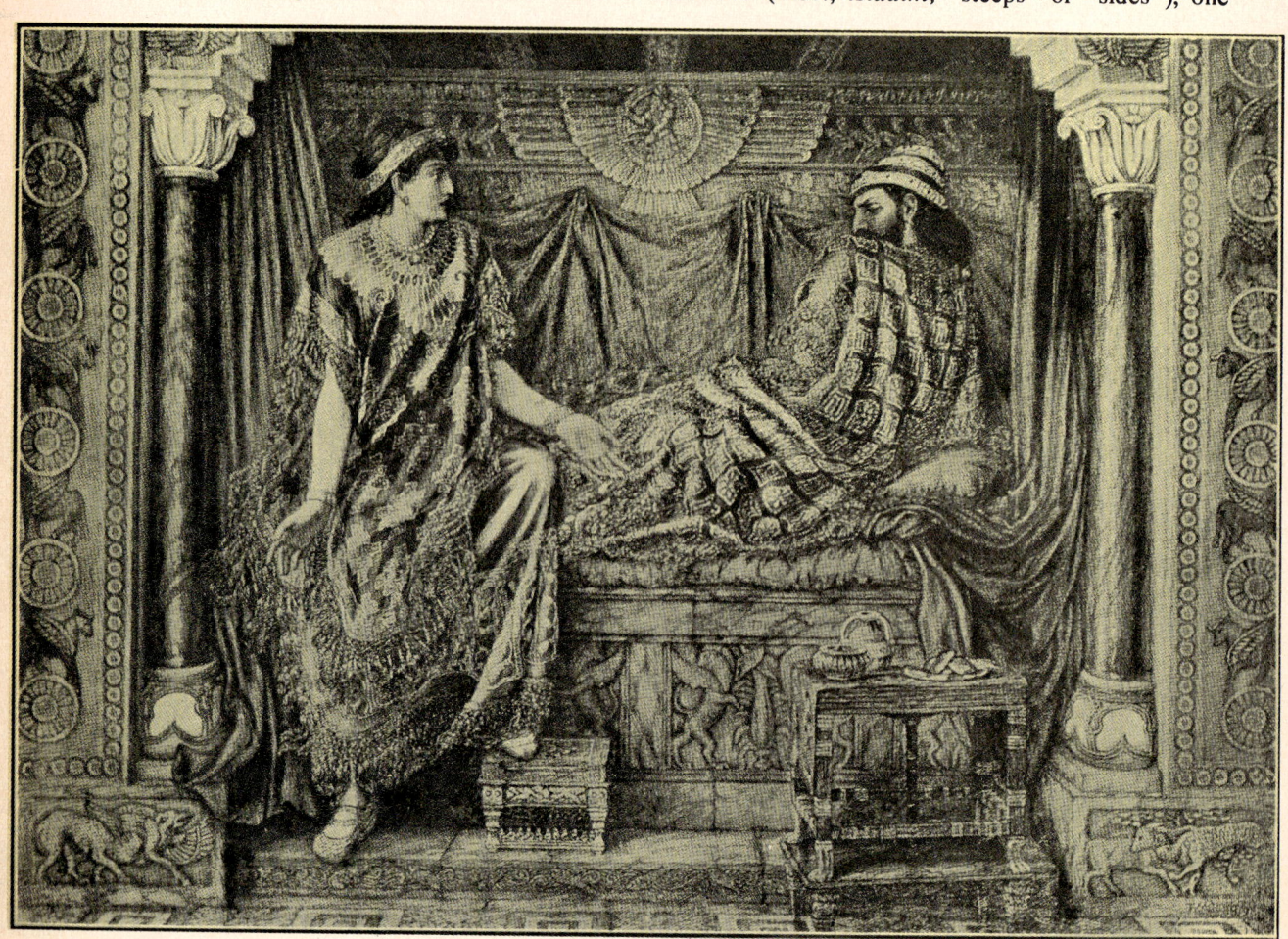

Jezebel, the most notorious of the biblical Zidonians, with her husband, King Ahab *(New York Public Library).*

ZIKLAG 4047

Old print shows Ziklag, which was given to the outlaw David by the king of Gath *(Counsel Collection)*.

of the fenced cities of the TRIBE OF NAPHTALI (Josh. 19:35), in the general vicinity west of the SEA OF GALILEE but otherwise unidentified.

ZIDKIJAH, one of the LEVITES who sealed the COVENANT with NEHEMIAH during the latter's royal governorship following the PERIOD OF THE BABYLONIAN CAPTIVITY (Neh. 10:1).

ZIDON, the variant, in the KING JAMES VERSION of the OLD TESTAMENT (e.g., Judg. 1:31; 10:12, etc.), of the ancient city of SIDON, a once powerful and wealthy city of PHOENICIA approximately twenty miles north of TYRE on the Mediterranean coast.

ZIDONIANS, a term found throughout the OLD TESTAMENT, in the KING JAMES VERSION, indicating natives of "Zidon" (more properly, SIDON). Perhaps the most notorious, if not the best known, of the biblical Zidonians was the Phoenician princess JEZEBEL, whose marriage to AHAB, seventh monarch of the Northern KINGDOM OF ISRAEL, introduced the Sidonian ASHTORETH cult into Israel (see also IDOLATRY).

ZIF, the second month of the sacred, and eighth of the civil, Hebrew CALENDAR; it corresponds to late April, early May. According to the First Book of the KINGS (6:1), it was "in the month Zif, which is the second month" that King SOLOMON began the construction of the TEMPLE at JERUSALEM.

ZIHA (Heb., *tsiha*, "dried"), head of a family of NETHINIM who returned to JERUSALEM with ZERUBBABEL following the PERIOD OF THE BABYLONIAN CAPTIVITY (Ezra 2:43; Neh. 7:46). Another biblical Ziha was the leader of the Nethinim in ORPHEL during the royal governorship of NEHEMIAH (Neh. 11:21).

ZIKLAG (Heb., *tsiqlag,* "flowing" or "winding"), a city belonging first to the TRIBE OF SIMEON, which probably lay approximately five miles south-southwest of DEBIR situated in the neighborhood of HEBRON (Josh. 19:5; I Chron. 4:30). Later, in the royal administrative division of the Southern KINGDOM OF JUDAH, Ziklag was made a part of the NEGEB province (Josh. 15:31). With the coming of the PHILISTINE invasion (early twelfth century B.C.), it fell under Philistine control, where it remained until the time of DAVID. During the reign of SAUL, ACHISH, king of GATH, gave Ziklag to the outlaw David, who used the town as a military base from which to launch raids against, among others, the AMALEKITES (I Sam. 27:6; 30:1 ff.; II Sam. 1:1; 4:10; I Chron. 12:1,20). When Ziklag was sacked by the Amalekites and its inhabitants carried off, David pursued the Amalekites, defeated them, and rescued the citizens and their property. Back in Ziklag, David sent gifts of captured Amalekite booty to cities in the Negeb and south Judaean hill country in gratitude for their generosity to himself and his soldiers (I Sam. 30 ff.; I Chron. 12:1-20). A few days later, at Ziklag, David was informed by an Amalekite of Saul's defeat and death on MOUNT GILBOA (II Sam. 1:1; 4:10). Ziklag was one of the cities reoccupied by the Israelites following the PERIOD OF THE BABYLONIAN CAPTIVITY (Neh. 11:28).

ZILLAH (Heb., *tsillah,* "shadow"), the second of the two wives of LAMECH, and the mother of TUBAL-CAIN (Gen. 4:19-23).

ZILPAH (Heb., *tsilpah,* "dropping"), the Mesopotamian slave girl presented by LABAN as a handmaiden to his elder daughter LEAH at the time of her marriage to JACOB. As Jacob's concubine (*see* CONCUBINAGE) Zilpah became the mother of ASHER and GAD, eponyms of two of the TWELVE TRIBES OF ISRAEL. Wedding gifts of slaves were common in the Middle East during the PERIOD OF THE PATRIARCHY (*see* SLAVERY). Zilpah must have been very young at the time of her entrance into Jacob's household, considerably younger than Leah; for "when Leah saw that she [Leah] had left bearing [i.e., was no longer fertile], she took Zilpah her maid, and gave her to Jacob to wife" (Gen. 30:9). Of the family of Jacob that went down to EGYPT sixteen sons and grandchildren were directly descended from Zilpah.

ZILTHAI (Heb., *tsillethay,* "shadow of the Lord"), a name borne by two OLD TESTAMENT personages: one of the men of the TRIBE OF BENJAMIN in descent from SHIMHI (I Chron. 8:20); and the captain of a thousand men of the TRIBE OF MANASSEH who joined DAVID at ZIKLAG during the future monarch's period of outlawry (I Chron. 12:20).

ZIMMAH (Heb., *zimmah,* "wickedness"), one of the Gershonite LEVITES, descended from GERSHON, the eldest son of LEVI; it is unclear from the four biblical references whether there was more than one person bearing this name or whether the four references were to one man (I Chron. 6:20,42; II Chron. 29:12).

ZIMRAN (Heb., *zimran,* "sung"), the FIRSTBORN son of ABRAHAM by the Patriarch's second wife, KETURAH (Gen. 25:2; I Chron. 1:32).

ZIMRI (reigned c. 885 B.C.) (Heb., *zimri,* perhaps "sung"), fifth ruler of the Northern KINGDOM OF ISRAEL; the history of his seven-day reign, which constituted the third of nine dynasties to rule the Northern Kingdom before its destruction in 721 B.C. by the Assyrians, is told in chapter sixteen of the First Book of the KINGS. Zimri seized the throne by murdering King ELAH while the Israelite army was besieging the PHILISTINES at GIBBETHON. Serving as "captain of half [Elah's] chariots," Zimri went to the monarch's capital at TIRZAH and murdered Elah while that king was "drinking himself drunk." Though Zimri succeeded in slaying all of the heirs of Elah's dynasty, he won no security: the men of the army, rejecting his seizure of power, made OMRI, their commander, "king over Israel that day in the camp" (16:16).

The newly acclaimed monarch then led his supporters in a march on Tirzah, and when Zimri saw that the city was about to fall he committed suicide by setting fire to the royal palace: "he went into the palace of the king's house, and burnt the king's house over him with fire, and died" (16:18). Zimri was, of course, denounced by the biblical chroniclers for his evildoing. A generation later, when JEHU slew Omri's grandson JEHORAM, the queen mother, JEZEBEL—who had herself shed much blood—taunted the regicide by comparing him with Zimri.

Zimri was a name borne by three other OLD TESTAMENT personages, of whom the most prominent was the prince of the TRIBE OF SIMEON during the PERIOD OF THE WILDERNESS: having brought a MIDIANITE woman into the Israelite camp in order to commit ADULTERY, he was slain by PHINEHAS, the grandson of AARON, for this offense against the LORD (cf. Num. 25:11 ff.). The two minor Zimris were a minor member of the TRIBE OF JUDAH (I Chron. 2:6) and a minor member of the TRIBE OF BENJAMIN (I Chron. 8:36; 9:42). "Zimri" is also the name of an

ZIN, WILDERNESS OF 4049

Zimri, king of Israel, commits suicide after a reign of seven days *(New York Public Library)*.

obscure tribe that flourished east of the JORDAN RIVER during the period of JEREMIAH (Jer. 25:25).

ZIN, WILDERNESS OF (Heb., *tsin*, "shrub"), a wilderness region traversed by the Israelites after the EXODUS in their desert wandering during the journey to CANAAN (Num. 13:21; 20:1; 27:14; 33:36; 34:3-4; Deut. 32:51; Josh. 15:1,3). Its location is revealed in passages in the Book of NUMBERS which delineate the future Israelite territory in Canaan: "Then your

4050 THE FAMILY BIBLE ENCYCLOPEDIA

south quarter shall be from the wilderness of Zin along by the coast of Edom, and your south border shall be the outmost coast of the salt sea eastward: And your border shall turn from the south to the ascent of Akrabbim, and pass on to Zin: and the going forth thereof shall be from the south to Kadesh-barnea . . ." (Num. 34:3-4; see also Josh. 15:1,3).

According to Numbers 13:21, the SPIES sent out by MOSES to reconnoiter the PROMISED LAND (i.e., Canaan) "searched the land from the wilderness of Zin unto Rehob." Numbers 20:1 records that "the children of Israel . . . [came] into the desert of Zin in the first month [the year is not stated]: and the people abode in Kadesh; and Miriam died there, and was buried there"; and the passages immediately following (Num. 20:2-13) relate the events that transpired at "the water of Meribah." The aforementioned accounts place the Wilderness of Zin north of PARAN and indicate that it included KADESH. Numbers 27:12-14 (and Deuteronomy 32:49-52, a

Map *(above)* shows presumed location of the Wilderness of Zin, and *(right)*, a general view of the ruins which now abound in the area *(Counsel Collection)*.

ZION 4051

duplicate account) relates the punishment that Moses received from YAHWEH for his offense at "the water of Meribah in Kadesh in the wilderness of Zin" (Num. 27:14). Numbers 33:36 refers to the wilderness of Zin as the first station in the desert wandering after EZION-GEBER.

The above-mentioned references would seem to justify the following conclusions: (1) the Wilderness of Zin lay north of, and adjacent to, the wilderness of Paran, and Kadesh was regarded, apparently, as being a part of either region; (2) the Wilderness of Zin constituted a portion of the southeastern frontier of ISRAEL toward the DEAD SEA; and (3) the Wilderness of Zin is not identical with the WILDERNESS OF SIN, as is sometimes suggested. M.L.F.

ZINA, a variant, in the KING JAMES VERSION (I Chron. 23:10), of ZIZAH (cf. verse 11), one of the LEVITES of the clan of GERSHON.

ZION (Heb., *tsiyon*, Gr., *sion*, perhaps "citadel," possibly "mount" or "sunny"), in a literal sense,

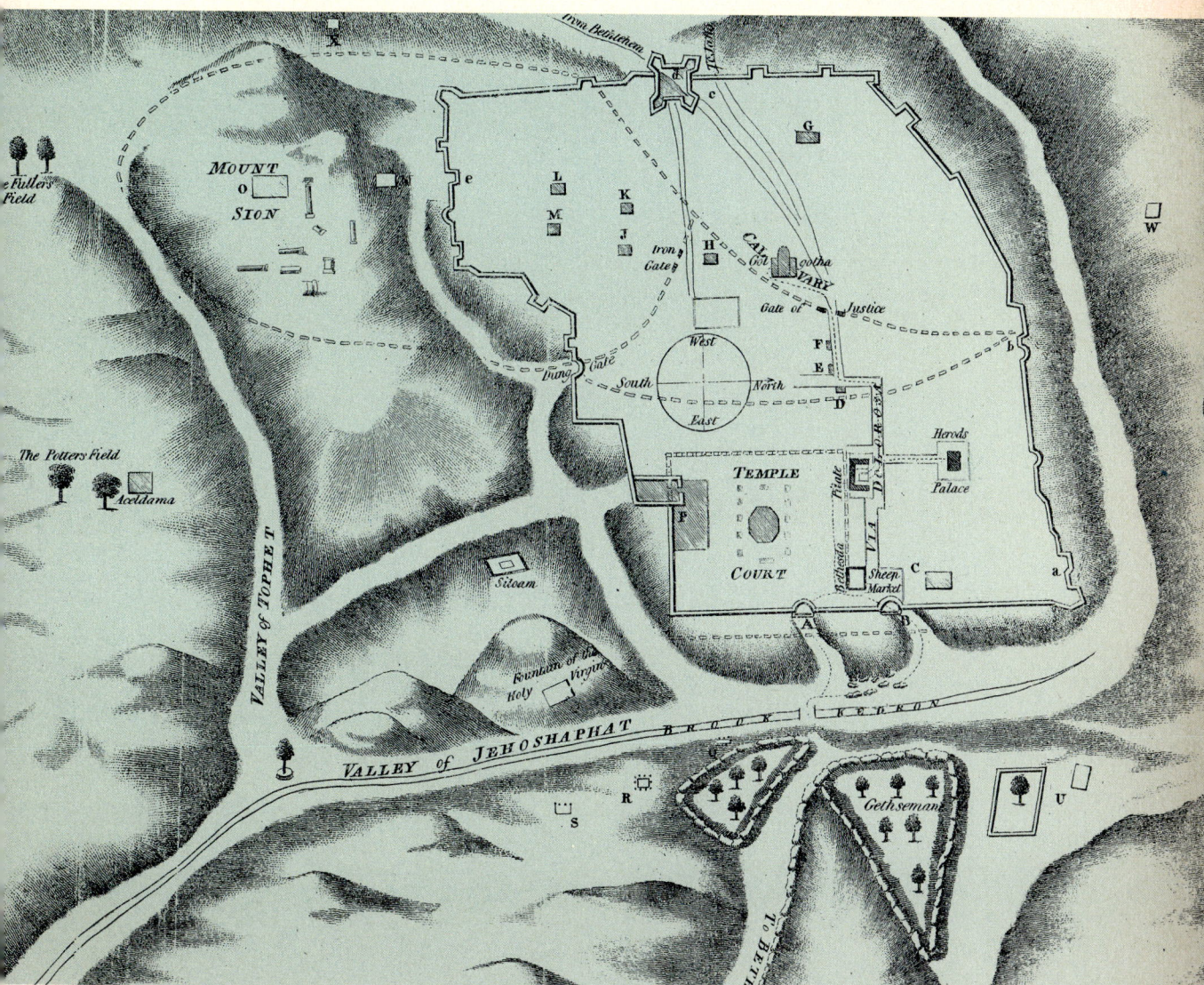

Old map shows the area of Jerusalem generally referred to as Zion (*New York Public Library*).

4052 THE FAMILY BIBLE ENCYCLOPEDIA

The Zion Gate which leads to Mount Zion in the Old City of Jerusalem *(Counsel Collection)*.

"Mount Zion"—originally a "strong hold" of the JEBUSITES (cf. II Sam. 5:7)—and in a symbolic sense, all of JERUSALEM. When King DAVID captured the fortress (II Sam. 5:6-9) and went on to make Jerusalem his capital, he "dwelt in the fort, and called it the city of David" (II Sam. 5:9; cf. I Chron. 11:5-8). Although scholars are in disagreement, the consensus of opinion is that the original fortress or

ZION 4053

"mount" was the highest area of elevation and in the southern- to southwesternmost part of the city. It was here that David brought the ARK OF THE COVENANT (cf. II Sam. 6:12, "into the city of David"), after which the hill became sacred (cf. I Kings 8:1; II Chron. 5:2). When David's son and successor King SOLOMON built the TEMPLE atop nearby MOUNT MORIAH and removed the Ark of the Covenant to the Temple, "Zion" as a place name was extended to embrace the entire Temple area (cf. I Kings 8:1 ff.). In time, the term came to be used generally for all of Jerusalem (cf. II Kings 19:21; Pss. 48; 69:35; 110:2,

In the background is the so-called Retaining Wall of the City of David *(Counsel Collection).*

10th-century Spanish manuscript illumination *(left)* shows the Adoration of the Lamb atop Mount Zion, and *(above)* a view of Mount Zion from the Mount of Olives which now overlooks the Kidron Valley village of Silwan *(Morgan Library; Counsel Collection)*.

among dozens of references). A usage reflected in the writings of some of the PROPHETS (e.g., Jer. 3:14; Joel 2:23; Amos 1:2; Zech. 1:17, to cite but four of countless OLD TESTAMENT references).

ZIOR (Heb., *tsior,* "smallness" or "little"), one of the towns allotted to the TRIBE OF JUDAH (Josh. 15:54); it was located in the hill country northeast of HEBRON, but is otherwise unidentified.

ZIPH (Heb., *ziph,* perhaps "that flows"), a proper noun identifying two (possibly three) place names and two personages mentioned in the KING JAMES VERSION of the OLD TESTAMENT. (Still another Ziph —more properly, the Wilderness of Ziph—is covered in the following entry).

In the allotment of the PROMISED LAND among the TWELVE TRIBES OF ISRAEL, as recorded in the Book of JOSHUA, a city named Ziph in the NEGEB ("toward the coast of Edom") was allotted to the TRIBE OF JUDAH (15:24), and a second Ziph was also allotted to Judah (cf. 15:55). It is probable that the two were one and the same place, and the phrase "toward the border of Edom" suggests that it was a few miles southeast of HEBRON.

According to the Second Book of the CHRONICLES (11:8), still another city named Ziph—but this one located in the western part of the territory of Judah

—was one of the cities fortified by REHOBOAM when the ten northern tribes, led by JEROBOAM I, seceded from the monarchy formed by Rehoboam's grandfather King DAVID and formed the Northern KINGDOM OF ISRAEL. (See also JUDAH, THE KINGDOM OF.)

The two personages named Ziph were both minor members of the Tribe of Judah, and are mentioned only in the genealogies of the First Book of the CHRONICLES (2:42; 4:16).

ZIPH, THE WILDERNESS OF, a wilderness area in the NEGEB (desert) region of the allotment of the TRIBE OF JUDAH, a few miles southeast of HEBRON, where DAVID, during his period of outlawry, hid

Map shows Negeb Desert area, the Wilderness of Ziph.

from King SAUL until he was betrayed by the "Ziphites." The incident is recorded in chapter twenty-three of the First Book of SAMUEL (14-24; cf. 26:1-2; see also preceding entry).

ZIPHAH (Heb., *ziphah,* "flowing"), the second son of JEHALELLEL, and thus a direct descendant of JUDAH, eponym of the TRIBE OF JUDAH (I Chron. 4:16).

ZIPHIMS, a term indicating natives of ZIPH; it is found in the superscription of Psalm 54, in the KING JAMES VERSION of the Book of PSALMS. (The superscription alludes to an incident recorded in the First Book of SAMUEL [23:19], where they are called "Ziphites".)

ZIPHION, according to the Book of GENESIS (46:16), the first son of GAD; elsewhere (Num. 26:15) he is referred to as "Zephon," and is listed as the ancestor of the Zephonites, a clan within the TRIBE OF GAD during the PERIOD OF THE WILDERNESS.

ZIPHITES, a term identifying natives of ZIPH (I Sam. 23:19; cf. the superscription to Psalm 54, where they are called ZIPHIMS).

ZIPHRON (Heb., *ziphron,* perhaps "perfume"), a place on the northern boundary of the PROMISED LAND, mentioned only in the Book of NUMBERS (34:9) and geographically unidentified.

ZIPPOR (Heb., *tsippor,* "sparrow"), the father of the MOABITE king BALAK; his name appears seven times in the OLD TESTAMENT, but always in a gentilic sense as regards his son, i.e., "son of Zippor" (Num. 22:2,4,16; 23:18; Josh. 24:9; Judg. 11:25).

ZIPPORAH (Heb., *tsipporah,* "bird"), the daughter of the MIDIANITE priest REUEL (also referred to as JETHRO) who became the wife of MOSES (Exod. 2:21) and the mother of his sons GERSHOM and ELIEZER. Although she probably accompanied Moses when he returned to EGYPT from Midian, she was not with him on the EXODUS: Moses had in all probability sent her back to Midian to remain with her father during the tumultuous events preceding the flight of the Israelites from Egypt. This surmise is based on the passage (cf. Exod. 18:2) that records Zipporah's father bringing her and her sons to join Moses in the SINAI Desert after the successful crossing of the RED SEA by the Israelites.

ZITHRI (Heb., *zithri,* "protected" or perhaps "my protection"), one of the LEVITES of the clan of KOHATH, and thus a first cousin of MOSES and AARON (Exod. 6:22).

ZIZ, CLIFF OF, a mountain pass, mentioned only once in the OLD TESTAMENT (II Chron. 20:16), which lay not far from EN-GEDI; it was via this pass that the invading MOABITES, AMMONITES, and Meunites advanced upward from En-gedi to attack the forces of King JEHOSHAPHAT at JERUSALEM.

ZIZA (Heb., *ziza,* "abundance"), a prince of the TRIBE OF SIMEON who, during the reign of HEZEKIAH, monarch of the Southern KINGDOM OF JUDAH, helped to drive out the inhabitants of GEDOR, which territory they then used as pasturage for their flocks (I Chron. 4:37-41). An earlier Ziza was a son of King REHOBOAM by the latter's favorite wife, MAACHAH (II Chron. 11:20).

ZIZAH (presumably a variant of *ziza,* "abundance"), second son of SHIMEI, one of the more important Gershonite LEVITES during the reign of King DAVID (I Chron. 23:11; note that presumably because of a copyist's error, he is called ZINA in the preceding verse).

ZOAN, a city in the northeastern part of Lower EGYPT which lay in the eastern section of the Nile Delta. It was known successively as Avaris (capital of the HYKSOS), Per-Ramses (capital and residence of RAMESES II, presumably the PHARAOH of the EXODUS), and TANIS. If the majority of scholarly opinion, which holds that the above-mentioned cities are identical, is correct, then Zoan is also to be identified with RAAMSES, one of the store-cities built by the Israelites in Egypt and the starting point of the Exodus (Exod. 1:11; 12:37; Num. 33:3,5). Zoan is mentioned briefly in the Book of the Prophet ISAIAH (19:11,13; 30:4) and in the Book of the Prophet EZEKIEL (30:14). In the Book of PSALMS, the "field of Zoan" appears as the scene of the miracles associated with the deliverance from Egypt (78:12,43; *see* MIRACLES OF THE BIBLE).

ZOAR (Heb., *zar,* "little"), one of the CITIES OF THE PLAIN. When the LORD decided to destroy the cities

Zipporah, with her father and two sons, greets her husband Moses in the Sinai Desert *(Counsel Collection).*

of the VALE OF SIDDIM (Gen. 14:8) because of their depravity, He warned LOT to "escape to the mountain, lest thou be consumed" (Gen. 19:17). Lot, fearing that he would not be able to reach the mountain in safety, begged the Lord to let him escape to "this city [that] is near to flee unto, and it is a little one . . . . Therefore the name of the city was called Zoar" (19:20-22). Zoar apparently was spared the devastation by fire that befell the other four Cities of the Plain, for the Lord promised Lot "that I will not overthrow this city, for the which thou hast spoken" (19:21); yet the seeming safety of Zoar seems to conflict with references to the destruction of the entire valley (e.g., 19:25). Perhaps Zoar was not actually in the valley, but only in close proximity to it; a later tradition, recorded in the WISDOM OF SOLOMON, states that "fire . . . fell down upon the five cities" (10:6) and indicates that Lot was afraid to remain in Zoar. In any event, a Zoar (either the original city or a rebuilt one) did exist at a later date (cf. Deut. 34:3), and the books of the Prophets JEREMIAH (48:34) and ISAIAH (15:5) record that fugitives from MOAB fled there.

ZOBA, ZOBAH (Heb., *zobah,* "encampment"), an ancient town and kingdom mentioned in the OLD TESTAMENT; its location remains uncertain, but it lay, apparently, somewhere in the valley that separates the Lebanon and Anti-Lebanon mountain ranges. King SAUL "fought against . . . the kings of

The entrance of Lot into Zoar following his break with his uncle, Abraham *(Counsel Collection).*

ZORAH, ZOREAH, ZORAH-AZEKAH 4059

Zobah" (I Sam. 14:47), and King DAVID "smote... Hadadezer, the son of Rehob, king of Zobah" (II Sam. 8:3 ff.). Subsequently, "the children of Ammon sent and hired the Syrians of Beth-rehob, and the Syrians of Zoba, twenty thousand footmen, and of king Maacah a thousand men, and of Ish-tob twelve thousand men" (II Sam. 10:6), but this entire allied force was routed by David's general JOAB.

ZOBEBAH (Heb., *tsovevah,* "slothful"), a descendant of JUDAH, mentioned only in the genealogies of the ancestors of the TWELVE TRIBES OF ISRAEL (I Chron. 4:8).

ZOHAR (Heb., *tsohar,* "white"), a name borne by two OLD TESTAMENT personages, of whom the earliest in time was the HITTITE whose son EPHRON sold the field at MACHPELAH to the Patriarch ABRAHAM (Gen. 23:8; 25:9; *see also* CAVE OF MACHPELAH).

According to the genealogies of the ancestors of the TWELVE TRIBES OF ISRAEL, the name Zohar was that of the fifth of the six sons of SIMEON (Gen. 46:10; cf. Exod. 6:15). In the Book of NUMBERS (26:13), where he is called "Zerah," Zohar is named as the ancestor of the Zarhites, a clan within the TRIBE OF SIMEON (cf. I Chron. 4:24).

Indicated on map is the biblical city of Zorah.

ZOHELETH, THE STONE OF, the site near EN-ROGEL where, according to the First Book of the KINGS (1:9), ADONIJAH, the son of King DAVID, "slew sheep and oxen and fat cattle" in the company of "all his brethren" preparatory to his attempt to usurp the throne of his aged father. As a result of this plot, which was revealed to David, Adonijah's younger brother SOLOMON was anointed king. The meaning of "Zoheleth" is a matter of interpretation of the original Hebrew-language text, which is uncertain and which can be interpreted either as "to withdraw" or "the serpent's stone." Other than its textual reference to being "by En-rogel," that is, southeast of JERUSALEM, Zoheleth is geographically unidentified.

ZOHETH, a son of ISHI and thus a direct descendant of JUDAH, eponym of the TRIBE OF JUDAH (I Chron. 4:20).

ZOPHAH (Heb., *zophah,* "viol"), one of the grandsons of HEBER, and thus a direct descendant of ASHER, eponym of the TRIBE OF ASHER (I Chron. 7:35).

ZOPHAI (Heb., *tsophay,* "honeycomb"), one of the paternal ancestors of the Judge-Prophet SAMUEL (I Chron. 6:26). In the opening verse of the First Book of SAMUEL, he is called "Zuph."

ZOPHAR (Heb., *tsophar,* perhaps "little bird"), the third of the three friends who came to offer comfort to the afflicted JOB (Job 2:11, ff.).

ZOPHIM (Heb., *zophim,* "watchers"), a place, geographically unidentified, mentioned as the site to which BALAK brought BALAAM for his second view of the Israelites (Num. 23:14). According to the text, the two men went "into the field of Zophim, to the top of Pisgah, and built seven altars," but it is by no means certain that Zophim is actually a proper name. On the contrary, the correct reading might be "field of watchers" or "field of lookers out," and Zophim would thus designate merely a place of reasonable altitude, perhaps atop a hill, commanding a good view of the surrounding countryside.

ZORAH, ZOREAH, ZORAH-AZEKAH (Heb., *zorah,* "hornet"), a city of the OLD TESTAMENT which lay on a high summit on the northern side of

View of the village of Zorah, northwest of Beth Shemesh (*Counsel Collection*).

the Valley of SOREK, opposite BETH-SHEMESH; it is alternately rendered "Zoreah" (Josh. 15:33) and "Zareah" (Neh. 11:29), and its inhabitants are referred to as "Zorathites" (I Chron. 4:2), "Zorites" (2:54), and "Zareathites" (2:53). Apparently, it initially belonged to the TRIBE OF DAN (Josh. 19:41); later in the royal administrative division of the Southern KINGDOM OF JUDAH, it was included in the SHEPHELAH district of "Zorah-Azekah" (15:33). Zorah was the birthplace of SAMSON (Judg. 13:25), last of the great JUDGES OF ISRAEL, and it was between Zorah and ESHTAOL that the spirit of the Lord "began to move" Samson. He was also buried between those cities (16:31). During the PERIOD OF THE MONARCHY, King REHOBOAM fortified the city (II Chron. 11:10), and following the PERIOD OF THE BABYLONIAN CAPTIVITY some of those who returned repopulated it (Neh. 11:29).

ZORATHITES, a gentilic applied to inhabitants of ZORAH, specifically to those of the TRIBE OF JUDAH descended from the clan of SHOBAL (cf. I Chron. 4:2).

ZORITES, a gentilic found only in the First Book of the CHRONICLES (2:54); it is probably a corruption of ZORATHITES, and indicates inhabitants of ZORAH (*see preceding entry*).

ZOROBABEL, the variant of ZERUBBABEL—leader of the first group to return to JERUSALEM following the PERIOD OF THE BABYLONIAN CAPTIVITY—as it appears in the APOCRYPHA and NEW TESTAMENT.

ZUAR (Heb., *tsuar*, "small"), the father of NETHANEEL, leader of the TRIBE OF ISSACHAR during the PERIOD OF THE WILDERNESS (Num. 1:8).

ZUPH (Heb., *tsuph,* "honeycomb"), a district, presumably in the northern area of the TRIBE OF BENJAMIN—that is, north of JERUSALEM—but otherwise unidentified geographically, where SAUL encountered the Judge-Prophet SAMUEL, who anointed the young shepherd as the first king over the Israelite people (cf. I Sam. 9:5-16; *see also* PERIOD OF THE MONARCHY).

Zuph was also the name of one of Samuel's ancestors (cf. I Sam. 1:1); he was one of the LEVITES of the clan of KOHATH (I Chron. 6:35; called "Zophai" in I Chron. 6:26).

ZUR (Heb., *tsur,* "rock"), a name borne by two OLD TESTAMENT personages: one of the five kings of MIDIAN slain by the Israelites during the PERIOD OF THE WILDERNESS (Num. 31:8) and the father of COZBI (cf. Num. 25:15); and the ancestor of a clan of the TRIBE OF BENJAMIN who settled in GIBEON (I Chron. 8:30; 9:36).

ZURIEL (Heb., *tsuriel,* "God is my rock"), the son of ABIHAIL, leader of the Merarite LEVITES (those descended from MERARI, the youngest son of LEVI) during the PERIOD OF THE WILDERNESS (Num. 3:35).

ZURISHADDAI (Heb., *tsurishadday,* "the Almighty is my rock"), the father of SHELUMIEL, who was the chief of the TRIBE OF SIMEON during the PERIOD OF THE WILDERNESS (Num. 1:6).

ZUZIMS, one of the nations (more properly, tribe) destroyed by the coalition led by CHEDORLAOMER, as recounted in chapter fourteen of the Book of GENESIS. The text suggests that they were descendants of HAM, and lived east of the JORDAN RIVER.

Samuel anoints Saul first king of Israel following their meeting at Zuph *(Counsel Collection).*

INDEX 4063

INDEX
AND BIBLIOGRAPHY

GUIDE TO THE USE OF THIS INDEX

Order of entry. All entries are alphabetized to the comma. In cases where the name of a person and a place name are identical, the entry referring to the person will take precedence over the place name, and the place name will carry the parenthetical identification "place," e.g.:

>ADAM
>ADAM (place).

In cases where the same name is borne by two or more persons of importance, each will be identified parenthetically, e.g.,

>ZECHARIAH (king of Israel)
>ZECHARIAH (Prophet).

In those instances where the same name is borne by a number of biblical personages one of whom is of paramount importance, the major personage will be followed by an entry bearing the parenthetical identification "others"; and where a name applies to a number of minor biblical personages, the overall entry will carry the parenthetical identification "various minor personages."

Typography. All subjects on which there are articles in this Encyclopedia are set in capital letters, e.g., ABRAHAM. All entries referring to works of art and literature, foreign words, and foreign phrases, are italicized. Cross-references to entries within the Index are indicated with the italicized phrase *see also*, followed by the entry in quotation marks, e.g.,

>(*see also* "Song of the Three Holy Children" in Index).

Exceptions. All major biblical personages are identified parenthetically, as are the canonical books, i.e., the books of the Old Testament, New Testament, and Apocrypha, e.g.,

>SAUL (king of Israel)
>JAMES, GENERAL EPISTLE OF (New Testament).

Historical personages other than those mentioned in the Bible whose birth and death dates are not given in the text are given parenthetically following the entry in the Index, e.g.,

>Bach, Johann Sebastian (composer) (1685-1750).

Abbreviations. For purposes of clarity, abbreviations have been deleted from this Index.

Pagination. Roman numerals refer to the specific volume of this Encyclopedia in which the page numbers following those numerals are to be found.

Bibliography. A complete bibliography used by the authors in the preparation of material for the Family Bible Encyclopedia is to be found at the conclusion of this Index.

INDEX

AALAR, I, 13.
AARON (first High Priest of Israel), I, 13-17, 24, 79, 118, 123, 133, 147, 161; II, 275, 313; III, 488, 495, 502, 536; IV, 731; V, 775, 785, 798, 830, 842, 878-879, 884, 908, 918; VI, 989, 1000, 1004-1005, 1027-1028, 1032, 1040, 1071, 1147; VII, 1160, 1185, 1239, 1256, 1297, 1339; VIII, 1355, 1436, 1472, 1535; IX, 1659; X, 1745, 1771, 1874, 1877; XI, 1935, 1937, 1939, 1941-1942, 1946, 1949, 1952-1953, 1957, 2007, 2071; XII, 2201, 2212, 2217, 2270-2271, 2273, 2275, 2291, 2293, 2295, 2297; XIII, 2332, 2336-2337, 2340-2341, 2343-2345, 2375, 2390, 2407, 2413, 2419, 2493; XIV, 2503, 2590-2591, 2627, 2645-2648; XV, 2699, 2774, 2820, 2872; XVI, 2931, 2944-2945, 2947, 3006, 3010, 3013-3015, 3038-3039; XVII, 3125, 3128, 3209; XVIII, 3298, 3310, 3352, 3374, 3402; XIX, 3491, 3588; XXI, 3971, 3997; XXII, 4048, 4056.
Aaron ben Asher, XII, 2145.
AARONITES, I, 16; VIII, 1485.
AARON'S ROD, I, 13, 16-17, 133; XII, 2270; XIX, 3470.
AB (month), I, 17.
ABACUC, I, 17.
ABADDON, I, 17.
ABADIAS, I, 18.
ABAGTHA, I, 18.
ABANA (river), I, 18, 143; XIII, 2411; XVI, 2910.
Abarah, III, 406.
Abarbanel, Isaac (1437-1508), XIX, 3530.
ABARIM, I, 18; II, 287; XIII, 2378, 2460; XVI, 2942.
ABBA, I, 18.
Abba Arika (Rab), XIX, 3624.
Abbot, Ezra, III, 472; IV, 640.
Abd-Asherta, II, 293.
ABDA, I, 18; XIV, 2605.
ABDI, I, 18.
Abdi-Khiba, IX, 1546.
ABDEEL, I, 18.

ABDON (Judge of Israel, and others), I, 18; II, 375; V, 921, 947; VII, 1300; X, 1811, 1819; XII, 2233; XV, 2859; XVI, 2941.
ABDON (city), I, 18; VII, 1265.
ABDIEL, I, 18.
ABEDNEGO, I, 18, 88; IV, 718, 722; V, 836; XII, 2279; XIII, 2470; XIX, 3541 (see also "Song of the Three Holy Children" in Index).
ABEL (second son of Adam and Eve), I, 18-20, 98; III, 514-515; VI, 997, 1136; VII, 1263; XIV, 2578, 2580, 2595, 2618; XVI, 3010; XVIII, 3288, 3414, 3432.
ABEL-BETH-MAACHAH (Abel-Maim), I, 21-22; XV, 2819; XVIII, 3427; XXI, 3945.
ABEL-CHERAMIM (Abel-Keramim), I, 22.
ABEL-MEHOLAH, I, 22; V, 908; XII, 2201.
ABEL-MIZRAIM, I, 22; II, 308.
ABEL-SHITTIM, I, 22.
Abelard, Peter (theologian) (1079-1142), IV, 600.
ABEZ, I, 22.
Abgar the Black, II, 215; XX, 3686.
ABI, I, 22.
ABI-ALBON, I, 23; II, 234.
Abi-baal (monarch), VII, 1301.
ABIAH, I, 22; II, 378.
ABIASAPH, I, 22; V, 848.
ABIATHAR (High Priest of Israel), I, 22-23, 49, 91, 115, 165; IV, 735, 745, 749; VII, 1298; VIII, 1436, 1506; IX, 1701; XI, 1946; XVI, 3014; XVIII, 3369; XIX, 3510, 3513, 3614; XXI, 3997-3998.
ABIB, I, 23; III, 524; XIV, 2563.
ABIDA, ABIDAH, I, 23.
ABIDAN, I, 23; III, 399; VII, 1168.
ABIEL, I, 23; II, 234.
ABIEZER, I, 23; VIII, 1479; XV, 2704.
ABIGAIL (wife of King David), I, 23-24, 142; III, 554, 575; IV, 736; VI, 1079; XI, 2074; XIII, 2414-2415, 2428.
ABIGAIL (others), I, 23-24; VIII, 1437; XIII, 2421.

THE FAMILY BIBLE ENCYCLOPEDIA

ABIHAIL, I, 24; V, 887; VI, 974; XXII, 4061.
ABIHU (son of Aaron), I, 13-15, 24; V, 879, 918; VIII, 1436; XI, 1952-1953; XII, 2273, 2295; XIII, 2419; XIX, 3491.
ABIJAH, ABIJAM (king of Judah), I, 24-25, 30; II, 279-280, 326; IV, 705; V, 949; VII, 1160; VIII, 1353, 1536; IX, 1567; X, 1778, 1780; XI, 2004; XII, 2243; XIII, 2388; XV, 2742; XVII, 3184; XXI, 4029.
ABIJAH (others), I, 22; XIV, 2623.
ABILENE, I, 25; XI, 2001; XX, 3685.
ABIHU, I, 24.
ABIMAEL, I, 25.
ABIMELECH (son of Gideon), I, 25-26; II, 279, 376; V, 847, 947; VI, 1107; VII, 1164; X, 1809, 1811, 1819; XI, 2104; XIII, 2373; XV, 2704, 2757, 2858; XVIII, 3272; XX, 3690; XXI, 3954, 3998, 4009.
ABIMELECH (king of Gerar, and others), I, 26-27, 39, 118-119; II, 378; IV, 608, 657; V, 775; VI, 1139, 1145-1146; VIII, 1385; XVI, 2912, 2925, 3062; XVIII, 3347, 3432.
ABINADAB (various), I, 28-29, 116; II, 332; V, 823, 879; VII, 1160; XIII, 2418; XVIII, 3369, 3423; XIX, 3629; XXI, 3853.
ABINOAM, I, 29.
ABIRAM (conspirator), I, 29; IV, 731; X, 1877; XIII, 2344, 2493; XVII, 3209.
ABIRAM (son of Hiel), I, 29; VII, 1333.
ABISHAG (concubine of King David), I, 29, 91-92; IV, 749; XIX, 3463-3465, 3512, 3532.
ABISHAI (nephew of King David), I, 29-31; II, 280; IV, 738; VI, 1151; VIII, 1404; IX, 1636; XVIII, 3447; XXII, 4044.
ABISHALOM, I, 30, 50; XI, 2004.
ABISHUA, I, 30; XVIII, 3310.
ABISHUR, I, 31.
ABITAL, I, 31.
ABITUB, I, 31.
ABIUD, I, 31.
ABNER (cousin of King Saul), I, 23, 30-34, 146; II, 280, 335; IV, 657, 738; VI, 1052, 1060, 1151; VII, 1161, 1269; VIII, 1405-1406, 1441; IX, 1636; XI, 2054; XII, 2179; XIII, 2389, 2391; XIV, 2503; XVI, 2928; XVII, 3174, 3243, 3245; XVIII, 3286, 3326, 3365; XIX, 3495, 3513; XXI, 3907.
Abodah Zarah, I, 98.
ABOMINATION OF DESOLATION, I, 34; III, 526; IV, 724; XI, 2010, 2013; XX, 3729.
ABRAHAM (the first Patriarch), I, 20, 23, 26, 28, 34-41, 47, 97, 101, 118-119, 150, 167, 169; II, 230, 234, 262, 294, 296, 342, 346, 363, 376, 378; III, 410, 477-478, 481, 488, 493, 504, 507, 529-530, 556-558, 563, 565-566, 572; IV, 606, 618, 620, 641, 657-659, 705, 731, 767; V, 796-797, 818, 845, 848, 874, 877, 889, 891, 934, 936, 949, 955-956, 960; VI, 1000, 1052, 1054, 1071, 1075, 1112, 1115, 1133-1134, 1136, 1138-1139, 1143, 1145-1146; VII, 1168, 1174, 1179, 1181, 1200-1201, 1207, 1223-1224, 1235; VII, 1244, 1246, 1261-1263, 1265, 1296, 1306, 1309, 1327; VIII, 1360, 1382, 1384-1386, 1404, 1406-1408, 1413, 1415, 1430, 1445, 1456, 1458, 1469, 1496; IX, 1546, 1636, 1643, 1645, 1653, 1663, 1689; X, 1746-1747, 1766, 1791, 1836-1837, 1839, 1842-1843, 1847, 1850, 1863, 1880, 1913, 1915, 1917; XI, 1934, 1974-1976, 2005, 2062-2063, 2103, 2109; XII, 2146, 2178, 2183, 2189, 2201-2202, 2221-2222, 2229, 2246-2247, 2249, 2302; XIII, 2312, 2314, 2317, 2326, 2330, 2346, 2373, 2376-2378, 2389, 2419, 2423, 2475, 2482; XIV, 2568, 2594, 2599, 2606-2607, 2632, 2642, 2645, 2656; XV, 2726, 2728, 2755, 2785, 2832, 2851, 2867, 2869-2870; XVI, 2904, 2925, 2930, 2940, 2995, 3005-3006, 3010-3011, 3038, 3044, 3057, 3062, 3065; XVII, 3082, 3151, 3155, 3163, 3165, 3168, 3171, 3187, 3212; XVIII, 3277, 3288, 3292, 3297-3298, 3339, 3345-3347, 3349-3350, 3357, 3384, 3398, 3414, 3426-3427, 3430, 3433, 3437-3439; XIX, 3463, 3465, 3497, 3499, 3505, 3507, 3553, 3637, 3646; XX, 3657, 3678, 3686, 3691, 3712, 3728, 3747, 3753, 3801, 3811, 3837; XXI, 3874, 3901, 3928, 3954, 3987; XXII, 4048, 4059.
Abraham Azulai, XX, 3668.
Abraham Farisol, XX, 3668.
Abraham ibn Ezra (c. 1092-1167), V, 790, 793; XIX, 3531; XX, 3668.
Abraham and Melchizedek (painting), I, 41.
ABRAHAM'S BOSOM, I, 47.
ABRAM, I, 34, 47; VII, 1179; XVI, 3011; XVIII, 3297 (*see also* ABRAHAM).
ABSALOM (son of King David), I, 22, 24, 30, 47-50, 90-91, 115-117, 143; II, 233, 333, 349, 364; III, 576; IV, 594, 696, 744-747, 751; V, 936, 949; VI, 1148; VII, 1171-1172, 1229, 1265, 1339-1340; VIII, 1417, 1437, 1486; IX, 1622, 1636-1637, 1701; X, 1845, 1865; XI, 2004-2005, 2042, 2054; XII, 2209-2210; XIII, 2380, 2421; XIV, 2619, 2656; XV, 2737, 2758, 2865; XVI, 2955, 2963; XVII, 3080, 3184, 3246; XVIII, 3426, 3447, 3455; XIX, 3510, 3622, 3627-3628, 3637; XXI, 3998; XXII, 4045.
ABSALOM (others), I, 50.
ABUBUS, I, 54.
Abu Ghosh, V, 924.
Abyss, *see* BOTTOMLESS PIT.
Abyssinia, XX, 3667-3668.
ACATAN, I, 54.
ACCAD, I, 54, 95; VI, 1074; XIV, 2560; XVIII, 3448 (*see also* "AKKAD, AKKADIANS" in Index).
ACCHO, I, 54-56; II, 287; VI, 1118; VIII, 1434; XVII, 3110-3111; XX, 3831.

INDEX 4067

ACCOS, I, 56.
ACELDAMA (AKELDAMA), I, 56-57; VII, 1301; X, 1795; XVI, 2990.
Achaeus (Syrian general), I, 184-185.
Achaea, II, 316.
Achaemenidian Dynasty, IV, 699.
ACHAIA, I, 57; IV, 647; V, 784, 936; VI, 1119; XII, 2298; XV, 2790; XVII, 3263; XIX, 3563.
Achaian League, I, 57.
ACHAICUS, I, 57; VI, 1087.
ACHAN (ACHAR), I, 57-59, 120; II, 347; III, 555; X, 1751; XI, 2047; XII, 2259; XIII, 2320; XIX, 3570; XX, 3991, 4001.
ACHBOR, I, 58; XII, 2243.
ACHISH (king of Gath), I, 28; IV, 736; VI, 1126; XI, 2074; XIII, 2475; XVI, 2927.
ACHMETHA, I, 58; V, 848; VI, 1040; XII, 2191.
ACHOR, I, 59-60.
ACHSAH, I, 60; III, 519; VII, 1169; XV, 2719.
ACHSHAPH, I, 60; II, 405.
ACHZIB, I, 60; II, 287; III, 573; IV, 584.
ACIPHA, I, 60.
ACITHO, I, 60.
A Concordance of the Hebrew and Chaldee Scriptures, IV, 640.
ACRE, I, 60-61; XIII, 2441; XIV, 2617.
Actium, Battle of (31 B.C.), I, 132; II, 324; IV, 632; XI, 2078; XIV, 2554; XVI, 2918; XVII, 3123, 3248, 3263; XIX, 3635.
Acts of Andrew, I, 167; II, 214.
Acts of Andrew and Matthias, I, 166; II, 214.
Acts of John, II, 214.
Acts of Paul, II, 214.
Acts of Paul and Thecla, II, 214.
Acts of Peter, II, 214.
Acts of Peter and Andrew, I, 166.
Acts of Pilate, II, 213; VI, 1088; XVI, 2984.
Acts of Solomon, X, 1856; XIV, 2640.
ACTS OF THE APOSTLES (New Testament), I, 57, 61-79, 95, 163, 166, 175, 181; II, 199, 214, 218, 222, 261, 281, 358, 360; III, 429, 433, 436, 443, 447, 459, 476, 486, 501, 508, 512, 540, 553, 556, 559, 576; IV, 585, 589, 591, 598-599, 615-616, 621, 634, 648, 652, 655, 669, 698, 707, 759; V, 785, 790, 801-802, 810, 873, 941, 950; VI, 988, 993, 995, 998, 1014, 1078, 1089, 1091, 1095, 1114, 1116; VII, 1274-1275, 1287, 1312-1313; VIII, 1352, 1468, 1471; IX, 1674, 1685; X, 1737, 1795, 1822, 1834, 1903; XI, 1967, 1980, 1982, 1987, 1989, 2000-2001, 2003, 2063, 2085, 2109; XII, 2133, 2156, 2174, 2203, 2226, 2231, 2270, 2301; XIII, 2381, 2408, 2453; XIV, 2522, 2524-2526, 2531, 2536, 2538-2541, 2547, 2631; XV, 2789-2791, 2793, 2795-2796, 2800, 2802-2804, 2812-2815, 2839; XVI, 2895, 2912, 2915, 2918, 2920, 2935-2937, 2942, 2986, 3000, 3002, 3010; XVII, 3111, 3125, 3186, 3232, 3238, 3250, 3260; XVIII, 3272, 3310, 3312, 3314, 3344, 3356, 3375, 3380, 3387, 3408, 3425, 3452; XIX, 3474, 3478, 3485, 3491, 3551, 3561, 3567, 3586-3587, 3593, 3608; XX, 3680, 3685; XX, 3692, 3694, 3698-3700, 3704, 3718, 3722-3723, 3749, 3790, 3792-3793, 3795, 3823.
Acts of Thomas, II, 214-215; XX, 3700, 3703.
ACUA, I, 123.
Adad (deity), XIX, 3576.
Adad-Nirari III (monarch), VIII, 1430.
Adadnirari II (monarch), II, 298; III, 396; XX, 3828.
ADAH (wife of Esau), I, 79; II, 365; V, 906, 952.
ADAH (wife of Lamech), I, 79; X, 1889.
ADAIAH (various), I, 79, 161.
ADALIA, I, 79.
ADAM (the first man), I, 18, 20, 79-86; II, 202, 285; III, 440, 512, 515-516; IV, 592, 606, 645, 708; V, 804, 819, 829, 934; VI, 995, 997, 1048-1049, 1051, 1067, 1083-1084, 1124, 1133, 1136, 1144; VII, 1177, 1179; VIII, 1353, 1358; IX, 1643; X, 1819, 1841; XI, 1957, 1989, 2061; XIV, 2565, 2607, 2642; XV, 2756, 2766, 2785; XVII, 3082, 3101-3102, 3165; XVIII, 3359, 3377, 3413-3414, 3441; XIX, 3487, 3527; XX, 3691, 3721, 3753, 3771, 3773; XXI, 3986.
ADAM (place), I, 86; IX, 1708.
ADAMAH, I, 86; XXI, 3857, 4009.
ADAMANT, I, 86-87; XII, 2266.
ADAMI, I, 87.
ADAR, I, 87; VII, 1256; XIV, 2550-2551; XVII, 3126-3127.
ADASA, I, 87; X, 1800; XIV, 2551.
ADBEEL, I, 87.
ADDAN, ADDON, I, 87; III, 569; XV, 2848.
ADDAR, I, 87.
ADDER, I, 87.
ADDITIONS TO DANIEL (Apocrypha), I, 87-88; II, 210, 379; IV, 716, 724-725; VII, 1303; XIV, 2678; XIX, 3541.
ADDO, I, 88.
ADDUS, I, 88.
ADER, I, 88.
Adiabene, XV, 2773; XX, 3667.
ADIDA, I, 88-89; VII, 1222.
ADIEL, I, 88.
ADIN, I, 88.
ADINA, I, 88; XVII, 3210; XVIII, 3454.
ADINO, I, 88-89; VI, 1028; VIII, 1475.
ADITHAIM, I, 89.
ADLAI, I, 89.
ADMAH, I, 89; III, 402, 481, 565; IV, 620; VII, 1195; XVIII, 3448; XIX, 3505, 3507.

ADMATHA, I, 89.
ADNA, I, 89; XIII, 2413.
ADNAH, I, 89.
Adon, II, 287.
ADONI-BEZEK, I, 89-90; III, 426.
ADONIJAH (son of King David), I, 22-23, 90-92, 139; II, 368; IV, 594, 749; V, 936; VII, 1227; VIII, 1417; IX, 1637; X, 1858; XI, 1946; XIII, 2446; XIV, 2656; XV, 2865; XIX, 3510, 3512; XXII, 4059.
ADONIJAH (Levite), I, 92; VII, 1203; XVII, 3185.
ADONIJAH (Adonikam), I, 92.
ADONIKAM, I, 92.
ADONIRAM (ADORAM), I, 92; VII, 1222; X, 1778; XVII, 3183.
Adonis, XV, 2800.
Adonis-Tammuz Cult, XIX, 3530.
ADONI-ZEDEK (Amorite monarch), I, 92-93; II, 328; V, 863; VII, 1265; VIII, 1478; IX, 1546; X, 1751; XII, 2202; XVI, 2941; XVIII, 3298.
ADORAIM (ADORA), I, 93; XIX, 3570.
ADRAMMELECH (Son of Sennacherib), I, 93-94; XVIII, 3402, 3424.
ADRAMMELECH (deity), I, 93-94; V, 951; XIV, 2561, 2563.
ADRAMYTTIUM, I, 94; II, 297; XVIII, 3453.
ADRIA, I, 94.
Adriatic Sea, XVII, 3246; *passim.*
ADRIEL, I, 94; II, 364; XII, 2211-2212.
ADUEL, I, 94.
ADULLAM, I, 94; III, 573; VI, 1111; IX, 1569; X, 1773, 1775.
ADULTERY, I, 94-95; II, 368; III, 478; IV, 674; V, 819; VI, 1115; VII, 1303; IX, 1586; XI, 1949; XIV, 2589, 2648; XVI, 3042; XIX, 3570, 3581, 3625; XXI, 3914, 3957.
ADUMMIN, I, 95; VII, 1172.
ADVOCATE, I, 95.
AEDIAS, I, 95.
Aegean Islands, II, 238; XVIII, 3314.
Aegean Sea, I, 161; II, 297; XV, 2843; XVII, 3180; XIX, 3632.
Aelia Capitolina, IX, 1560, 1629; X, 1769; XVII, 3252.
AENEAS, I, 95; XI, 1964; XII, 2287.
AENON, I, 95.
Aeolian Greeks, XIX, 3503.
Aelius Gallus, XVIII, 3429.
Aemilii, XV, 2786.
Aeneas, XVII, 3261.
Aeschylus (dramatist) (525-456 B.C.), II, 314; XVII, 3116.
Aesculapius (deity), IV, 646.
Aesop (c. 620-560 B.C.), XVIII, 3314.
Aesop's Fables, XVIII, 3314.
Aetolia, I, 57.

Aetolians, I, 185.
Afghanistan, I, 125; XX, 3670, 3672.
Africanus, Julius Sextus (historian), III, 474.
Afridis, XX, 3672.
AGABUS, I, 95, 182; III, 510; VI, 1054.
AGADE, I, 95; XVIII, 3398.
AGAG (Amalekite monarch), I, 95-96, 142; VI, 975; VII, 1172; XVIII, 3324-3325, 3340, 3364.
AGAGITE, I, 96; VII, 1232.
Against Apion (book), X, 1738, 1743; XVI, 3065.
Against Flaccus (book), XVI, 2929.
AGAPE, I, 96-97; VI, 989.
AGAR, I, 97.
Agarenes, I, 97.
AGE, OLD, I, 97.
AGEE, I, 97.
AGGEUS, I, 97.
AGRAPHA, I, 97-98; II, 213; IX, 1609; XIX, 3597.
AGRICULTURE, I, 98-101; V, 857; VI, 1054; XIV, 2610; XIX, 3501, 3576; XXI, 3874, 3895, 3989.
Agrippina (mother of Nero), IV, 622; XIV, 2504; XX, 3710.
AGUR, I, 101-102; VIII, 1436.
Agur Ben Yakeh, XXI, 3949.
AHAB (king of Israel), I, 102-105, 111-112; II, 201, 260, 310, 331, 334; III, 393-395, 518; V, 879, 891-893, 897, 908, 910, 912; VI, 986, 1100; VII, 1257, 1289, 1295, 1333; VIII, 1356, 1359, 1419, 1427-1428, 1440, 1480, 1488, 1490, 1492, 1496-1497, 1530; IX, 1629, 1631, 1635; X, 1780, 1858, 1862-1863; XII, 2189, 2198, 2218, 2239-2240, 2276, 2304; XIII, 2311, 2411, 2416-2417; XIV, 2560, 2599, 2603-2604, 2619, 2657; XV, 2697, 2742, 2760-2761; XVI, 2932, 3032, 3040, 3043; XVII, 3083, 3162; XVIII, 3286, 3306, 3308, 3383, 3420, 3427; XIX, 3470; XX, 3764, 3827; XXII, 4047.
AHAB (False Prophet), I, 105, 149.
AHARAH, AHIRAM, I, 108.
AHARHEL, I, 108.
AHASAI, I, 108.
AHASBAI, I, 108.
AHASUERUS (Persian monarch), I, 18, 89, 108; III, 477, 485, 553, 555; IV, 731; VI, 974-976, 978, 981, 987, 1107; VII, 1232, 1247, 1253, 1266; VIII, 1364, 1436; XI, 2109; XII, 2201, 2205, 2216; XIII, 2328-2329; XIV, 2619; XV, 2768, 2770; XVI, 2987; XVII, 3125, 3198; XVIII, 3383, 3418, 3441; XIX, 3465, 3632; XX, 3678; XXI, 3857, 3861, 3983-3985; XXII, 4041, 4044.
AHAVAH, I, 108-109; III, 555; V, 920; VI, 991, 1032, 1040; XX, 3692.
AHAZ (king of Judah), I, 109-111; II, 302, 330; III, 423, 507; IV, 595, 609; V, 877, 919; VII, 1172, 1291-

The Four Evangelists from a 9th-century French illustration (*New York Public Library*).

1292, 1300; VIII, 1360-1363, 1390, 1392, 1397, 1432, 1480; IX, 1551; X, 1763, 1783; XI, 2064; XIII, 2314; XIV, 2605, 2618, 2670-2671; XV, 2742, 2818-2819; XVI, 2929; XVII, 3233-3234; XVIII, 3400, 3455; XIX, 3610; XX, 3712, 3735, 3750, 3840; XXI, 3850.
AHAZ (descendant of King Saul), I, 111, 140.
AHAZIAH (king of Israel), I, 105, 112-113; II, 334; III, 393; V, 819, 836, 874, 889, 897; VIII, 1351, 1428, 1488; IX, 1631; XII, 2218, 2276; XVIII, 3306.
AHAZIAH (king of Judah), I, 111; II, 311; V, 912; VI, 1124; VII, 1216, 1254; VIII, 1485, 1488, 1490, 1494, 1497; IX, 1636, 1639; X, 1780; XII, 2198; XV, 2742; XVIII, 3427.
AHBAN, I, 113.
Ahenobarbus, G. Domitius (Nero's father), XIV, 2504.
AHER, I, 113.
AHI, I, 113.
AHIAH (various persons), I, 113-114; XVI, 2931; XVIII, 3378, 3426, 3453.
AHIAM, I, 113.
AHIAN, I, 113.
AHIEZER, I, 113, 147; IV, 710; VII, 1160; XVIII, 3438.
AHIHUD, I, 113; II, 287; XVIII, 3436.
AHIKAM, I, 114; VI, 1129; VIII, 1508; XVIII, 3424.
AHIJAH (Prophet), I, 113; V, 818; VIII, 1423, 1425, 1534, 1536; XIV, 2623; XV, 2822; XVI, 3040, 3042, 3048; XVII, 3102; XVIII, 3446; XIX, 3515.
Ahikar, I, 143.
AHILUD, I, 114-115; XIV, 2625.
AHIMAAZ (various persons), I, 115; II, 349, 366; V, 936; XXI, 3998.
AHIMELECH (High Priest), I, 22, 113, 115-116; IV, 735.
AHIMAN, I, 115, 162; VII, 1265.
AHIMELECH (High Priest), I, 116, 118; V, 820; XIV, 2577; XVIII, 3367, 3456; XIX, 3614; XXI, 3997.
AHIMELECH (Hittite), I, 116.
AHIMOTH, I, 116.
AHINADAB, I, 116; VII, 1171; VIII, 1353; XI, 2054.
AHINOAM (wife of King David), I, 47, 142, 149; IV, 736; IX, 1636.
AHINOAM (wife of King Saul), I, 115-116.
AHIO (various persons), I, 28, 116; XIII, 2418.
AHIRA, I, 116; V, 929; XIII, 2439.
Ahiram, V, 873.
Ahiramites, V, 873.
AHISAMACH, I, 116.
AHISHAHAR, I, 116.
AHISHAR, I, 116; XIV, 2619.
AHITHOPHEL, I, 48, 116-117; VII, 1172, 1339; VIII, 1486; XIV, 2619; XXI, 3998.
AHITUB (Levites), I, 113, 118.

AHLAB, I, 118; XI, 1930.
AHLAI, I, 118; II, 321; VIII, 1474.
Ahmose II (monarch), VII, 1317.
AHOAH, I, 118.
Ahoites, I, 118.
AHOLAH AND AHOLIBAH, I, 118; VI, 1022.
AHOLIAB, I, 116, 118; IV, 710; XIX, 3610.
AHOLIBAH, I, 118.
AHOLIBAMAH, I, 118; XXII, 4045.
AHOLIBAMAH (place), I, 116; V, 952.
AHUMAI, I, 118.
Ahuramazda, XIX, 3588.
AHUZAM, I, 118; XIII, 2412.
AHUZZATH, I, 118-119.
AI (city), I, 119-120; III, 408-409; VII, 1160, 1228, 1331; X, 1746, 1751; XII, 2244, 2274; XV, 2729; XVIII, 3429; XXI, 3899.
AIAH, I, 120.
AIJALON, I, 120-121; V, 921.
AIJELETH SHAHAR, I, 121.
AIN, I, 121; II, 285.
Ain Duk, V, 819.
Ain en-Natuf, XIV, 2509.
Ain esh-Shemsiyen, III, 423.
Ain Hawarah, XI, 2075.
Ain Jidi, V, 931.
AIN KARIM, I, 121-122.
Ain Lifta, XIV, 2503.
Ain Sarah, XIX, 3495.
Airus, XVII, 3168.
Aitken, Robert, X, 1856.
Aiyun esh-Shain, XVIII, 3449.
AJAH, I, 122.
AJALON, I, 120-121; X, 1751.
Akaba, VI, 1027.
Akabat el Aila, V, 877.
AKAN, I, 122.
Akarnania, I, 57.
Akeldama (see "Aceldama" in Index).
AKHENATON (Egyptian king), I, 122-123; II, 242; V, 867; VI, 1009-1010; XIII, 2357, 2359-2360; XVI, 2902; XIX, 3579, 3638; XX, 3688, 3824.
Akhetaton, XLX, 3638.
Akiba, Rabbi (died A.D. 135), XII, 2142; XIX, 3529, 3624.
Akkad, Akkadians, XIII, 2348; XVII, 3166; XVIII, 3398; XIX, 3572-3574, 3576, 3606.
Akki, XIII, 2348; XVIII, 3354.
AKKUB, I, 123; IV, 702.
Akra, IX, 1556; XI, 2012-2014, 2018, 2020, 2033.
AKRABBIM, I, 123; X, 1775; XI, 2006; XVIII, 3389.
Alaca, VII, 1308.
ALAMETH, I, 123.

INDEX 4071

Al Asq Mosque, II, 234; XII, 2702.
Al Ayzariyah, IX, 1589.
Albana River, IV, 705-706.
Albanopolis, II, 362.
Albinus, L. Lucceius, IX, 1560; XIV, 2506; XIX, 3468.
Albright W. F. (scholar), III, 526; VI, 1040; VII, 1296; IX, 1653; XIII, 2488.
ALCIMUS, I, 123, 187; II, 296, 348; V, 785; X, 1798; XI, 2014-2015; XVIII, 3380.
Aldhelm of Malmesbury, III, 448.
Aldrich, Thomas Bailey (1836-1907), X, 1822.
ALEMA, I, 123.
ALEMETH, I, 123.
ALEPH, I, 123.
Aleppo, Syria, III, 403, 526; VII, 1306.
ALEXANDER (Hasmonaean), I, 124; XI, 2025, 2077, 2081.
ALEXANDER (son of Herod), I, 124; II, 264; VII, 1279.
ALEXANDER (New Testament personages), I, 124; VII, 1343.
ALEXANDER BALAS (Seleucid monarch), I, 124, 188-189; IV, 627; V, 786-787, 883; IX, 1704-1705; X, 1910; XI, 2017-2018; XVI, 3111, 3120; XVIII, 3392; XIX, 3478; XX, 3794; XXI, 3991.
ALEXANDER JANNAEUS (Hasmonaean monarch), I, 124-125, 129, 191; II, 199, 261, 264; V, 787-788; VI, 968, 1112, 1127, 1146; VII, 1205, 1284; VIII, 1380, 1422; IX, 1556, 1701; X, 1767; XI, 2023-2024, 2030, 2033, 2042; XII, 2136; XVII, 3136; XVIII, 3296; XIX, 3482, 3645.
ALEXANDER THE GREAT, I, 59, 125-130, 182, 185; II, 274, 296, 344; III, 429, 550, 573; IV, 617, 625-627, 637, 697-698, 707, 723, 731; V, 782, 802, 852, 860, 869, 872, 926; VI, 1127, 1146; VII, 1209, 1212, 1218, 1252, 1270-1272; VIII, 1365, 1377, 1379, 1420-1421; IX, 1554, 1582; X, 1766, 1873, 1893; XI, 1930, 2001, 2008, 2031, 2042; XII, 2147-2148, 2205, 2226, 2298; XIII, 2436; XV, 2745; XVI, 2909, 2917, 2934, 2936, 2993; XVII, 3105, 3107, 3109, 3112, 3114, 3116, 3152, 3238, 3263; XVIII, 3310, 3353, 3390, 3392, 3394-3395, 3434-3435; XIX, 3470, 3563, 3587, 3606, 3621, 3623, 3634, 3644; XX, 3698, 3704, 3829-3830; XXI, 3930, 4019.
Alexander I (Czar), III, 471.
Alexander II (Czar), III, 471.
Alexander II Zabinas, XVIII, 3392.
Alexander, Tiberius, IX, 1560; XXI, 3866.
Alexander Polyhistor, X, 1742.
Alexander's Complete Bible, III, 452.
ALEXANDRA SALOME (Hasmonaean monarch), I, 124-125, 128-129; II, 264; VII, 1284, 1343; VIII, 1380, 1422; X, 1767-1768; XI, 2023-2024; XVIII, 3296, 3301, 3342; XIX, 3482-3483.
ALEXANDRA II (Hasmonaean), I, 124, 128; VII, 1277; VIII, 1381; XI, 2027, 2078, 2081.
ALEXANDRIA, I, 125, 128-132, 180; II, 218, 360; III, 445, 459, 525; IV, 621, 630, 632-633, 647; V, 802, 823, 855; VI, 1092; VII, 1212, 1214; VIII, 1420, 1469; IX, 1571; X, 1829, 1832; XI, 2009, 2037, 2052, 2077, 2085; XII, 2155, 2205; XV, 2800, 2816, 2844; XVI, 2929; XVII, 3109, 3114, 3116, 3121-3122, 3197; XVIII, 3404, 3453; XIX, 3466, 3468, 3523, 3527, 3657, 3587, 3590, 3607, 3635.
Alexandrian Vulgate, III, 444.
Alexandrian War, XI, 2025.
Alexandrion, XI, 2025.
Alfric of Bath, III, 449.
Alfred (English king) (848-901), III, 448.
ALGUM, I, 136; XI, 1930.
ALIAH, I, 133, 140.
ALIAN, I, 133.
A Liberal Translation of the New Testament, III, 452.
Alkush, V, 919.
Allegory of the Jewish Law (book), XVI, 2930.
Allen, Cardinal William, XVII, 3236.
ALLOM, I, 133.
ALLON, I, 133.
ALLON (place), I, 133.
ALLON-BACHUTH, I, 133; XIV, 2622.
Almah, VIII, 1360-1362, 1397.
Almit, I, 123.
ALMODAD, I, 133.
ALMON, I, 123.
ALMOND, I, 133.
ALMON-DIBLATHAIM, I, 134; III, 410.
ALMS, I, 134-136; IV, 614; VI, 995; VII, 1169; XVI, 2997, 3009; XVIII, 3293.
ALMUG, I, 136; VII, 1250.
ALNATHAN, I, 136.
ALOES, I, 136.
ALOTH, I, 136.
Alphabet of Ben Sirach, IX, 1573.
ALPHAEUS, I, 136; IV, 625, 634; VIII, 1466, 1468, 1471; XII, 2133.
Alphonse X (monarch), III, 471.
ALTANEUS, I, 136.
Altaqu, V, 921.
ALTAR, I, 136-140, 186; II, 233, 287, 320; III, 399, 489, 491, 493, 497, 507, 562; IV, 647; V, 813, 843-844, 856; VI, 1039, 1067, 1073; VII, 1216, 1244, 1296; VIII, 1355, 1456, 1506; XI, 1942, 1949, 1955, 1960, 2010, 2036, 2062; XIII, 2320, 2331, 2395; XIV, 2513, 2566; XV, 2817; XVIII, 3288-3289, 3292-3293, 3430; XIX, 3491, 3561, 3579, 3610, 3612, 3614, 3617; XXI, 3967.

Altar of Incense, I, 139; XIX, 3612.
AL-TASCHITH, I, 140.
ALUSH, I, 140.
ALVAH, I, 140.
ALVAN, I, 133.
Alyattes, XIX, 3503-3504.
AMAD, I, 140.
AMADATHA, AMADATHUS, I, 140; VII, 1235.
AMAL, I, 140.
AMALEK, I, 140; XX, 3716.
AMALEKITES, I, 13, 95-96, 136, 140-143, 147; II, 309; III, 405, 554; IV, 716, 738; V, 863, 906; VI, 975-976, 1003-1004; VII, 1317, 1339; VIII, 1458, 1496; IX, 1634; X, 1744, 1752, 1842; XII, 2248; XIII, 2340, 2475; XIV, 2583-2584; XV, 2820; XVI, 2927; XVII, 3189; XVIII, 3324-3325, 3340, 3362; XIX, 3465, 3481, 3495, 3638; XXII, 4048.
AMAM, I, 143.
AMAN, I, 143; VII, 1232.
AMANA, I, 143.
Amanus Mountains, IV, 617.
AMARIAH (various personages), I, 118, 143; XXI, 3999.
Amarna Period, the, I, 161.
Amarna Revolution, XIX, 3638.
Amarna, Tablets (*see* "Tel El-Amarna Letters" in Index).
AMASA (various personages), I, 24, 143; VII, 1161; VIII, 1437; IX, 1622, 1637; XIX, 3513.
AMASAI, I, 143.
AMASHAI, I, 143; XII, 2220.
Amasis (monarch), V, 883; VII, 1317.
AMASIAH, I, 143; XXII, 4046.
AMATHEIS, I, 143.
AMATHIS, I, 143-144; VII, 1234.
AMAZIAH (king of Judah), I, 144-145; III, 414, 423, 562; IV, 608-609; V, 858; VIII, 1390, 1430, 1480, 1482; IX, 1551, 1564, 1641, 1690; X, 1781-1782, 1884; XI, 2080; XIV, 2607; XV, 2761; XVI, 3233; XVIII, 3308, 3389; XXI, 3854, 3859.
AMAZIAH (idolatrous priest), I, 145, 153-154, 157; III, 411.
AMAZIAH (Simeonite), I, 145.
AMAZIAH (Levite), I, 145.
Ambrose of Milan (c. 340-397), XVI, 2931.
Amel-Marduk (monarch), VI, 998.
AMEN, I, 145; XVII, 3080.
Amen-em-Opet, XVI, 3070, 3072.
Amenhotep III (monarch), XIX, 3638.
Amenhotep IV (monarch), I, 122; VI, 1009; XIII, 2356-2357; XIX, 3479, 3638.
Amenophis III (monarch), X, 1899.
Amenophis IV (monarch), V, 867.

American Bible Society, II, 210; VII, 1306.
American School of Oriental Research, IV, 762.
AMERICAN STANDARD VERSION, I, 146; III, 440, 454, 457, 463, 468; V, 889; VIII, 1445; XII, 2144, 2232; XIV, 2512; XVII, 3229-3230.
AMI, I, 146.
Amidah, XIX, 3588.
AMITTAI, I, 146; IX, 1691, 1693.
AMMAH, I, 146.
Amman, Jordan, VII, 1232; IX, 1662; XII, 2209; XVII, 3139.
AMMI, I, 146.
AMMIDIOI, I, 146.
AMMIEL, I, 146-147; IV, 710; V, 888; VI, 1131.
AMMIHUD, I, 147.
AMMINADAB, I, 147; X, 1771.
AMMISHADDAI, I, 147; XVIII, 3419.
AMMIZABAD, I, 147.
AMMON, I, 147.
AMMONITES, I, 22, 30, 142, 147-149, 156; II, 238, 278, 333; III, 393, 403, 420, 426, 532, 567-568; IV, 618, 731, 743, 766; V, 863, 931; VI, 1022, 1111, 1129, 1139, 1152; VII, 1171, 1191, 1213, 1232, 1244, 1256; VIII, 1409, 1411, 1417, 1441-1443, 1462, 1464, 1476, 1486, 1492, 1500, 1502, 1516; IX, 1543, 1636, 1663; X, 1763, 1782, 1811, 1823, 1848; XI, 1977, 2004, 2060, 2067; XII, 2188-2189, 2207, 2222, 2268, 2301; XIII, 2312, 2411, 2420, 2481; XIV, 2629, 2681; XV, 2721, 2733, 2737, 2858, 2860, 2864; XVII, 3139-3141, 3165, 3182, 3187; XVIII, 3324, 3360, 3398, 3400, 3455; XIX, 3500, 3515, 3579, 3643; XX, 3718, 3735; XXI, 3856, 3991, 3999, 4023, 4027, 4032; XXII, 4057.
AMMON (son of King David), I, 47, 91, 116, 149; II, 333; IV, 594, 736, 744; VI, 1148; XI, 2004; XV, 2758, 2864-2865; XIX, 3622, 3628.
AMMON (son of Shimon), I, 149.
Ammon Ra (diety), VII, 1212; XXII, 4045.
AMOK, I, 149.
AMON (king of Judah), I, 149; V, 795; VII, 1251; VIII, 1479; X, 1757, 1762, 1785, 1863; XI, 2065; XII, 2220; XXI, 3853, 4029.
AMON (various personages), I, 146, 149.
Amoraim, XIX, 3624, 3626.
AMORITES, I, 37, 92, 121, 147, 149-150, 167; II, 201, 268-269, 277, 342, 344, 352, 364; III, 508, 531-532, 566; IV, 616, 710; V, 931, 960; VI, 1133; VII, 1160, 1171-1172, 1200, 1221, 1257, 1265, 1274, 1289; VIII, 1413, 1441, 1478; IX, 1546; X, 1751, 1895; XI, 2042, 2062, 2080-2081; XII, 2223, 2302; XIII, 2344; XIV, 2558, 2590, 2628; XV, 2725-2726, 2869; XVI, 2932; XVII, 3152; XVIII, 3398-3399, 3417; XIX, 3469, 3474, 3476, 3577, 3579; XXI, 3898, 4032.

INDEX

AMOS (Prophet), I, 150-158; II, 302, 317; III, 411, 543; IV, 583, 758, 762; V, 792, 955; VII, 1171, 1234, 1250, 1256, 1320; VIII, 1390, 1430-1431, 1440; IX, 1573, 1661, 1693; X, 1867; XI, 1965, 1969; XII, 2179, 2235; XIII, 2326, 2458; XIV, 2558, 2618, 2680-2681; XV, 2828; XVI, 3006, 3028-3029, 3033, 3043, 3050, 3058, 3060; XVIII, 3293; XIX, 3528, 3638; XXI, 3855, 3967.
AMOS, THE BOOK OF (Old Testament), I, 153-158; II, 204, 292, 374; III, 428, 435, 545; IV, 758; V, 857, 874; X, 1842; XI, 1964; XIV, 2635-2636, 2680-2681; XVI, 2972; XVII, 3186; XX, 3827.
Amos, the Social Reformer (painting), I, 154.
Amosis (monarch), V, 867; VII, 1343.
AMOZ, I, 161; V, 793; VIII, 1390.
AMPHIPOLIS, I, 161; II, 217; XI, 2041; XIII, 2460; XVI, 2918.
AMPLIAS, I, 161.
AMRAM, I, 13, 15; V, 922; VII, 1273; IX, 1659; X, 1874; XIII, 2335; XV, 2697.
AMRAN, I, 161; XII, 2291.
AMRAPHEL, I, 161; III, 402, 565; IV, 606; VII, 1235; XX, 3712.
Amsterdam, Holland, III, 464, 466, 475.
Amun Karnak, XVI, 2925.
Amur-utu (deity), XII, 2217.
Amwas, V, 925.
Amyntas (monarch), VI, 1113.
Amyrtaeus (monarch), V, 869.
Amytis (wife of Nebuchadnezzar), XII, 2191; XIII, 2462, 2465.
AMZI, I, 161.
An (deity), XIX, 3576.
ANAB, I, 162.
ANAEL, I, 162.
ANAH, I, 162.
ANAHARATH, I, 162.
ANAIAH, I, 162.
ANAK, ANAKIM, I, 115, 162; II, 234, 285; III, 519; IV, 768; V, 923-924; VI, 1126, 1152; VII, 1191, 1265; XIV, 2590; XVIII, 3441; XIX, 3622; XXI, 3999.
Analytical Bible Concordance, IV, 640.
Analytical Concordance, IV, 640.
ANAMIM, I, 162.
ANAMMELECH, I, 162.
ANAN, I, 162.
ANANI, I, 163.
ANANIAH, I, 163.
ANANIAS (various personages), I, 66, 72, 163-164; V, 814; VII, 1240; VIII, 1468, 1471; XII, 2287; XIII, 2453; XV, 2795, 2804; XVIII, 3344, 3359; XX, 3680.
ANANIEL, I, 164.
Anat (deity), III, 406, 532; XVII, 3166.

ANATH, I, 164.
Anath-bethel (deity), V, 883.
ANATHEMA, I, 164; XI, 2075.
ANATHOTH, I, 164.
ANATHOTH (deity), I, 23, 164-165; II, 328, 363; III, 399, 409; VI, 1119; VIII, 1506; XI, 1946; XIV, 2577; XVIII, 3436; XIX, 3513.
Anatolia, VII, 1209; XII, 2254; XV, 2713.
Anaximander (philosopher) (c. 611-547 B.C.), II, 306; XII, 2250.
Anaximenes (historian), XII, 2250.
Ancient Heresies, III, 431.
ANCIENT OF DAYS, I, 165; IV, 723.
Andalusia, Spain, XIX, 3551.
ANDREW (Apostle), I, 165-167; II, 213-214; III, 420, 550; VI, 1073; VIII, 1466; IX, 1666, 1668; XI, 2094, 2098; XII, 2280; XIV, 2619; XVI, 2887, 2915; XVIII, 3452; XX, 3795.
"Andrew's Cross," the, I, 167; II, 214; IV, 676.
ANDRONICUS, I, 167; II, 220.
ANDRONICUS (Seleucid general), I, 167; IV, 730; XV, 2701.
ANEM, I, 167.
ANER, I, 167; III, 566.
A New and Literal Translation of All the Books of the Old and New Testaments, III, 452.
ANGEL OF THE LORD, I, 40, 167-169; II, 253, 303, 349, 380; III, 493; IV, 749; VI, 1000; VII, 1163, 1224, 1294; VIII, 1406, 1411; IX, 1553; X, 1737; XI, 2073; XII, 2218; XIII, 2449; XIV, 2619; XV, 2780; XVI, 2890; XVIII, 3315, 3358, 3402; XIX, 3465; XX, 3691, 3706, 3725.
ANGELOLOGY, I, 168-172; III, 444; V, 933; X, 1766; XV, 2853; XVI, 2910.
ANGELS OF THE SEVEN CHURCHES, I, 172-173.
"Angels and Universe," V, 933.
ANIAM, I, 173.
ANIM, I, 173.
ANIMALS OF THE BIBLE, I, 173; III, 479 (*see also* entries in Index under various animals).
ANISE, I, 173.
Anittas (monarch), VII, 1306.
Ankara, Turkey, VI, 1116; VII, 1306; XV, 2814.
ANNA (Prophetess), I, 174; IV, 644; XI, 1994; XVI, 2902.
ANNA (wife of Tobit), I, 174.
ANNAAS, I, 174.
Annals of Tacitus, I, 76.
ANNAS, I, 174; IX, 1584, 1601; XX, 3778.
Anne (mother of Mary), XII, 2119.
ANNUNCIATION, I, 175-177; VI, 1108-1109; VII, 1206, 1241; XI, 1992; XIII, 2455; XXI, 3880.
ANNUUS, I, 178.

ANOINTING, I, 178-179; XII, 2226; XV, 2842; XVI, 2954; XVII, 3163; XVIII, 3290; XIX, 3355.

ANOS, I, 179; XXI, 3859.

Anshan, IV, 699.

Antaki, Turkey, I, 180.

Antakya, Turkey, I, 67; XII, 2155.

Antalya, Turkey, XI, 2085; XV, 2797.

ANTICHRIST, I, 179; II, 283; III, 451; IV, 713; IX, 1665; XI, 2101; XV, 2768, 2840; XX, 3696.

ANTIGONUS I (Hasmonaean), I, 124, 179-180; II, 264; VII, 1277; XI, 2022-2023.

ANTIGONUS II (Hasmonaean), I, 180; II, 264; VII, 1252, 1344; VIII, 1381, 1422; XI, 2025-2026; XV, 2772.

Antigonus Monophthalmus (monarch), XVII, 3112-3113.

Anti-Lebanon Mountains, I, 18, 25; III, 559; IV, 705; XI, 1928, 1930; XIII, 2375; XV, 2713; XVI, 2911; XVIII, 3399; XX, 3711; XXII, 4058.

ANTIOCH, I, 67-68, 70-71, 74, 76, 95, 123, 180-183, 186, 188; II, 359-360, 375; III, 486; IV, 585-586, 614-615, 627-628, 662, 698, 730; V, 786-787, 790, 811; VI, 1092, 1115; VII, 1274; VIII, 1471, 1476; IX, 1664; X, 1792; XI, 1930, 1980, 1982, 1987, 2000, 2002, 2008, 2013, 2015, 2018, 2025, 2027, 2038, 2063, 2077, 2083; XII, 2155, 2207; XIV, 2521, 2528, 2538; XV, 2700-2701, 2715, 2747, 2790, 2796-2798, 2800, 2802, 2843; XVI, 2890-2891, 2937, 2942, 3007, 3027, 3065; XVII, 3260; XVIII, 3272, 3390-3392, 3395; XIX, 3476, 3478, 3567, 3590, 3597, 3606-3608; XX, 3667, 3706, 3710, 3734; XXII, 4045.

ANTIOCHIS, I, 182.

ANTIOCHUS I SOTER (Seleucid monarch), I, 180, 183; IV, 723; XVII, 3114, 3116; XVIII, 3395.

ANTIOCHUS II THEOS (Seleucid monarch), I, 183; IV, 723; XVII, 3114; XVIII, 3395.

ANTIOCHUS III THE GREAT (Seleucid monarch), I, 181-185; III, 512; IX, 625-626, 637, 723; VI, 991, 1112; VII, 1213; VIII, 1365, 1377, 1421; X, 1766; XI, 2001, 2037; XIII, 2387; XVII, 3108, 3117-3119, 3238, 3263; XVIII, 3353, 3391-3392, 3394-3396; XIX, 3468, 3634.

ANTIOCHUS IV EPIPHANES (Seleucid monarch), I, 34, 124, 140, 167, 181-182, 185-189; II, 210, 217, 261, 296; III, 392, 550; IV, 625-626, 662, 720, 722-724; V, 785-786, 836, 848, 860, 921; VI, 979, 1065, 1121, 1146; VII, 1199, 1204, 1213, 1244, 1267, 1272, 1274, 1297, 1311; VIII, 1380, 1421, 1476; IX, 1556, 1573, 1582, 1705; X, 1740, 1766, 1798, 1883; XI, 1960, 1963, 2002, 2008-2010, 2012-2014, 2017, 2031, 2035-2036, 2061; XII, 2148, 2204; XIII, 2311, 2436, 2470; XIV, 2550; XV, 2701, 2880; XVI, 2917; XVII, 3120; XVIII, 3283, 3312, 3392-3394, 3396; XIX, 3463, 3547, 3584, 3587, 3617, 3624, 3634, 3644; XXI, 3864; XXII, 4045.

ANTIOCHUS V EUPATOR (Seleucid monarch), I, 186-188; II, 217, 372; V, 785, 789, 880; VII, 1295; XI, 2014, 2042; XII, 2207; XVI, 2917; XX, 3734, 3791.

ANTIOCHUS VI EPIPHANES (Seleucid monarch), I, 188; IX, 1705; XI, 2018; XIX, 3478, 3483; XX, 3794.

ANTIOCHUS VII EUERGETES (Seleucid monarch), I, 188-189; II, 313; III, 560; IV, 627; V, 787; IX, 1687-1688; XI, 2018, 2020-2021; XIX, 3483; XX, 3794.

ANTIOCHUS VIII GRYPUS (Seleucid monarch), I, 189; IV, 627-628; V, 787; XVIII, 3397.

ANTIOCHUS IX CYZICANUS (Seleucid monarch), I, 189; IV, 628.

ANTIOCHUS X EUSEBES (Seleucid monarch), I, 189, 191; IV, 628.

ANTIOCHUS XI EPIPHANES PHILADELPHUS (Seleucid monarch), I, 189.

ANTIOCHUS XII DIONYSUS (Seleucid monarch), I, 191.

ANTIOCHUS XIII ASIATICUS (Seleucid monarch), I, 189, 191; IV, 628.

Antiochus Hierax, XVIII, 3396.

Antiochus of Commagene, XI, 1999.

ANTIPAS, II, 199.

ANTIPATER (father of Herod), II, 199, 264; IV, 630; VII, 1276, 1284-1285, 1343-1344; VIII, 1380-1381, 1422; X, 1832; XI, 2024-2025.

ANTIPATER (Maccabean ambassador), II, 199; VIII, 1476.

Antipater (son of Herod), VII, 1279.

ANTIPATRIS, II, 199; VII, 1172.

Antiquitates Judaicae (of Josephus), X, 1738.

Antonello da Messina, IV, 690.

ANTONIA, TOWER OF (at Jerusalem), II, 199-200; VI, 1108; VII, 1277; IX, 1559-1560, 1602; X, 1822; XI, 2003; XV, 2804; XVI, 3019; XX, 3729.

Antonio Montensino, XX, 3670.

Antony and Cleopatra (drama), IV, 630; XI, 2075, 2077; XIX, 3635.

ANTOTHIJAH, II, 200.

ANTOTHITE, II, 200.

Antrium, XIV, 2503.

Antwerp, Belgium, XII, 2173.

Antwort auf Job (of Jung), IX, 1646.

Anu (deity), XII, 2217; XIV, 2596; XIX, 3576.

ANUB, II, 200.

Anubis (deity), V, 864.

ANUS, II, 200; III, 478.

APAME, II, 200, 361.

Apamea, Peace of (188 B.C.), I, 185.
APHARSATHCHITES, II, 200.
APHARSITES, II, 200.
APHEK, II, 201; III, 394; XV, 2860; XVI, 2926, 2931; XVIII, 3425.
APHEKAH, II, 201.
APHEREMA, II, 201; V, 949.
APHERRA, II, 201.
APHIAH, II, 202.
APHIK, II, 201.
APHRAH, II, 202.
Aphrodite (deity), II, 293; IV, 651; XIII, 2436; XIV, 2540; XXII, 4045.
APHSES, II, 202.
Apion, X, 1743.
Apiru, VII, 1219.
APOCALYPSE OF BARUCH, II, 202, 207, 362; V, 934; XVI, 2973.
Apocalypse of Daniel, IV, 719.
APOCALYPSE OF EZRA, II, 202-203, 207; V, 934, 958; XVI, 2973.
"Apocalypse of Moses," the, X, 1764; XVII, 3102.
Apocalypse of Noah, V, 933-934.
Apocalypse of Paul, II, 217.
Apocalypse of Peter, II, 216; III, 540.
Apocalypse of St. John, II, 216.
Apocalypse of the Virgin, II, 217.
Apocalypse of Thomas, II, 217.
"Apocalypse of Weeks," the, V, 934.
APOCALYPTIC LITERATURE, II, 202, 204-208, 283; III, 550; IV, 720; V, 846, 933-934, 958; VI, 1018, 1133; IX, 1661; X, 1765, 1848; XIV, 2526, 2675, 2687; XV, 2763, 2841; XVI, 3072; XVII, 3101, 3216.
APOCRYPHA, I, 17-18, 50, 54, 59-60, 87-88, 93, 95, 97, 123, 125, 132-133, 136, 140, 143, 146, 162, 164, 167-168, 174, 178-179; II, 200-204, 208, 210-211, 231, 234, 253, 260-261, 277-280, 285, 291-292, 294, 313, 326-329, 335, 348-349, 352-354, 358, 360-364, 366, 373, 375, 379; III, 391, 403, 405, 409, 411, 416, 421, 423-429, 433, 440, 455, 459-460, 465-466, 477-478, 481, 483, 492, 495-496, 502, 508, 518, 526, 543, 552-553, 555-556, 558-559, 562-565, 567-569, 572, 576; IV, 583, 616, 618-619, 634, 646-647, 660, 666, 696, 702, 704, 716, 731, 759, 761, 767-768; V, 784, 790, 823-824, 846-848, 850, 855-857, 874, 879-880, 883, 888-889, 906, 920-921, 924, 926, 929-931, 938, 949-951, 957, 959; VI, 979, 989, 1014-1015, 1027, 1029, 1037, 1065, 1072, 1080, 1107-1108, 1112, 1119, 1124, 1126, 1128, 1144, 1146, 1148; VII, 1170, 1222, 1227, 1230, 1232, 1234, 1244, 1248, 1251, 1267, 1269, 1295, 1303, 1306, 1311; VIII, 1358, 1365, 1377, 1404, 1411, 1444, 1458, 1464, 1472, 1475, 1477-1480, 1499, 1504, 1523, 1526; IX, 1554, 1571, 1634, 1638, 1641, 1659, 1663, 1705, 1711-1712; X, 1761, 1792, 1822, 1829, 1837, 1842, 1848, 1852, 1868, 1873, 1882, 1884, 1910; XI, 1958, 1980, 2003, 2006, 2008, 2030, 2033, 2040, 2043, 2057, 2060-2063, 2071, 2083, 2101; XII, 2142, 2147-2148, 2175, 2187-2188, 2196, 2201, 2218, 2230, 2232, 2301; XIII, 2312, 2314, 2326, 2371, 2408, 2413, 2415, 2417, 2419, 2425, 2436, 2439, 2443, 2448, 2474, 2478, 2493; XIV, 2503, 2512, 2526, 2550, 2562, 2579, 2607, 2609, 2627-2628, 2631, 2662, 2678; XV, 2697, 2702, 2715, 2719, 2764, 2777, 2782, 2818, 2820-2821, 2877; XVI, 2901-2902, 2906, 2911-2913, 2917, 2931, 2936, 2938, 2999-3000; XVII, 3101, 3105, 3111-3112, 3139, 3151-3152, 3158, 3162, 3166, 3168, 3181, 3185, 3197-3198, 3229, 3238, 3246, 3264; XVIII, 3281, 3284, 3286, 3293-3294, 3297, 3299, 3306, 3313-3314, 3336, 3345, 3352, 3357, 3359, 3374, 3387-3388, 3390, 3397, 3403-3404, 3413, 3419-3420, 3426, 3440, 3447; XIX, 3465, 3468, 3483, 3495-3496, 3527, 3541, 3546, 3549, 3570-3571, 3579, 3581, 3586, 3609-3610, 3624, 3627, 3629, 3639; XX, 3678, 3684, 3686, 3690, 3692, 3704, 3714, 3718, 3735, 3738, 3830-3831; XXI, 3848, 3852, 3859, 3943, 3951, 3991-3992, 3999-4002, 4009, 4021; XXII, 4041, 4060.
"Apocryphal Ezra," the, V, 957.
APOCRYPHAL NEW TESTAMENT, I, 98, 166-167; II, 211-217; III, 433, 447, 540; VI, 1088; VIII, 1468; X, 1900; XX, 3700.
Apocryphon of John, II, 217.
Apollinarus of Hierapolis, XIV, 2518.
Apollo (deity), IV, 730; V, 784; XV, 2782; XVII, 3129.
APOLLONIA, II, 217; XI, 2041; XII, 2460; XVI, 2918.
APOLLONIUS (Syrian general), I, 124, 186; II, 217; VI, 1144; VIII, 1444; IX, 1706; X, 1798; XI, 2013; XII, 2207; XV, 2700; XIX, 3487; XX, 3704.
Apollonius Molon, XVII, 3238.
APOLLOPHANES, II, 217-218.
APOLLOS, II, 219, 228; IV, 647-649; VII, 1264; XIV, 2544; XV, 2816.
Apollyon, I, 17.
Apology (of Justin), XIX, 3485.
Apology for the Jews (of Philo), XVI, 2930.
APOSTASY, II, 218-219; X, 1889, 1913; XI, 2054; XVI, 3013; XIX, 3564.
APOSTLES, I, 76, 95, 172; II, 211, 215, 219-222, 227, 233, 281, 356, 358; III, 431, 483, 512, 537-538, 546; IV, 585-586, 613, 615; V, 938; VI, 995; VII, 1169, 1312-1313; VIII, 1468; X, 1804, 1819; XII, 2270, 2287; XIV, 2521; XV, 2816, 2839; XVI, 3058; XVII, 3079, 3187; XVIII, 3380; XIX, 3593, 3600; XX, (*see also* entries in Index on "Disciples," "Twelve Apostles," and on the individual Apostles).

"Apostles' Creed," II, 222.
APOSTOLIC AGE, I, 72, 96; II, 220, 227; III, 537; IV, 586, 598, 613; V, 938; VI, 989, 999, 1097; VII, 1263; X, 1893; XI, 1986; XIV, 2536, 2553; XV, 2812; XVI, 3002; XVII, 3261; XVIII, 3283, 3377; XIX, 3502, 3561.
Apostolic Church Order 19 (A.D. 300), VI, 995.
Apostolic Constitutions, III, 541.
Apostolic History of Abdias, II, 215.
APPAIM, II, 227.
APPELES, II, 200.
Appian Way (Rome), XV, 2804.
APPHIA, II, 227, 254; XVI, 2914.
APPHUS, II, 227; IX, 1704.
APPII FORUM, II, 227.
Appollonius of Rhodes, I, 131.
Apries (monarch), XII, 2474; XVI, 2904.
Apsu (deity), IV, 666.
AQABA, GULF OF, II, 227-228; V, 848, 857, 876, 905; VII, 1256; X, 1780, 1865; XII, 2254; XIII, 2384, 2474; XIV, 2612; XVII, 3178, 3180-3181; XVIII, 3388; XIX, 3491; XXI, 3934.
Aqhat, XVII, 3166.
AQUILA AND PRISCILLA, I, 71; II, 218, 228; IV, 621, 647; V, 941; VII, 1264; VIII, 1437; XIV, 2617; XV, 2790, 2802, 2814; XVI, 2987; XVII, 3260, 3264.
Aquila (2nd century A.D. convert), XVIII, 3404-3405.
Aquila of Pontus, III, 460-461; VII, 1291; VIII, 1362.
AR, II, 228.
ARA, II, 228.
ARAB (place), II, 228.
ARABAH, II, 228, 234; III, 408; V, 857; IX, 1708; X, 1751; XII, 2254, 2257; XIII, 2474; XV, 2722; XVIII, 3388; XXI, 3934.
ARABIA, II, 228-231; III, 444, 507, 565; V, 782, 905; VI, 1054, 1115; VII, 1232; VIII, 1440; IX, 1689; X, 1839, 1843; XI, 1934, 1941, 2047; XII, 2247, 2252-2253, 2260, 2263; XIII, 2384, 2409, 2412, 2481; XV, 2717, 2774, 2796; XVI, 2959; XVII, 3129, 3133, 3178; XVIII, 3387, 3389, 3398; XIX, 3555, 3612; XX, 3667, 3670, 3714, 3763, 3828; XXI, 3934, 3940.
Arabia Petraea, XV, 2796; XX, 3768.
Arabic Gospel of the Infancy, II, 212.
Arab-Israel War of 1967, IV, 762, 767; IX, 1561; XIX, 3646.
Ara'ir, II, 277.
ARAD, II, 231; VII, 1317; XV, 2872; XVIII, 3341.
ARAD (place), II, 231, 238.
ARADUS, II, 231, 279.
ARAH, II, 231; XX, 3831.
ARAM, II, 231; VI, 1148; IX, 1635; X, 1841; XVII, 3162, 3182; XXI, 3852.
ARAMAEANS, I, 147; II, 231-233; III, 563; V, 883; VI, 1111, 1119; VIII, 1411; X, 1897; XI, 1930; XII, 2223; XIII, 2415, 2423; XV, 2721, 2728, 2733, 2737, 2820, 2858, 2864; XVIII, 3398; XIX, 3514; XX, 3811.
ARAN, II, 233.
Araq el-Menshiyeh, VI, 1126.
ARARAT, II, 233, 291; VI, 1074; XIV, 2566, 2572; XXI, 3474.
Arasmes, V, 883.
ARAUNAH, II, 233; VI, 1110; VII, 1295; IX, 1548; XIII, 2316; XV, 2713; XVIII, 3341; XIX, 3639; XX, 3706.
Arava mines, VI, 1028.
ARBA, II, 234; VII, 1265.
ARBAH, II, 234.
ARBATHITE, II, 234.
ARBELA, II, 234-235; III, 408.
ARBITE, II, 235; XIII, 2413; XV, 2720.
ARBONAI, II, 235.
Archaemenian Dynasty, II, 278-279.
ARCHAEOLOGY, I, 98, 102, 120, 161; II, 235-253; III, 475; IV, 606; V, 807, 824, 951; VI, 1038; VII, 1297; VIII, 1439; IX, 1545; X, 1747; XIII, 2424; XV, 2705, 2724; XIX, 3563, 3572.
ARCHANGELS, I, 171; II, 253; VI, 1108; XII, 2241; XVII, 3163, 3165; XX, 3736; XXI, 3848.
ARCHELAUS (son of Herod), II, 253, 324; VI, 968; VII, 1279, 1281, 1283; VIII, 1422; IX, 1559, 1582; X, 1768; XII, 2123; XVII, 3136; XVIII, 3310; XX, 3685.
ARCHEVITES, II, 253-254; V, 951.
ARCHI, II, 254.
ARCHIPPUS, II, 254; XVI, 2913-2914.
ARCHITE, II, 254.
ARCHITECTURE, II, 254-260; VII, 1330; XVI, 2955.
Arch of Titus (at Rome), III, 536; XIII, 2407; XVII, 3252; XVIII, 3293; XIX, 3463.
Arctic Institute of North America, XIV, 2572.
ARD, I, 87; II, 260; III, 399.
ARDATH, II, 260.
ARDITES, I, 87; II, 260.
ARDON, II, 260, 330.
ARELI, II, 260; VI, 1110.
Arelites, II, 260.
AREOPAGUS (at Athens), II, 260-261, 316; V, 810; XI, 2109; XV, 2801; XIX, 3568; XX, 3834.
ARES, II, 231.
Ares (deity), II, 261.
ARETAS (four Arabian monarchs), II, 261; IV, 707; VII, 1283; XI, 2025; XV, 2796; XVI, 2901; XVIII, 3389; XX, 3710.
AREUS, II, 261.

INDEX 4077

Areus (Spartan king), XIX, 3553.
ARGOB, II, 261, 365.
ARGOB (place), II, 261; XX, 3758.
Arian Controversy, the, I, 132.
ARIARATHES, II, 261; III, 553.
Aribi, XVIII, 3428-3429.
Aridah, VIII, 1433-1434.
ARIDAI, II, 261.
ARIDATHA, II, 262.
ARIEH, II, 262.
ARIEL, II, 262; VIII, 1358.
ARIMATHAEA, II, 262; X, 1738; XVIII, 3272.
ARIOCH, II, 262-263; III, 402, 565; V, 919; XX, 3712.
ARISAI, II, 263.
ARISTARCHUS, II, 263; XVI, 2913; XVIII, 3387.
Aristeas, XVII, 3102; XVIII, 3404.
ARISTOBULUS I (Hasmonaean monarch), I, 129, 179; II, 263-264; VII, 1214, 1252; VIII, 1380, 1422; IX, 1688; XI, 2022-2023.
ARISTOBULUS II (Hasmonaean monarch), I, 124-125, 129, 180; II, 199, 261, 264; IV, 764; VII, 1343; VIII, 1380, 1422; IX, 1556; XI, 2024-2025, 2077, 2081; XIII, 2387; XVI, 2979; XVII, 3263-3264.
ARISTOBULUS III (High Priest), I, 124, 128; II, 264-265; IV, 630; VII, 1277; XI, 2027, 2078, 2083.
Aristophanes (dramatist) (c. 448-380 B.C.), II, 314.
Aristotle (philosopher) (384-322 B.C.), II, 307, 314; V, 844; X, 1901.
Arka, II, 267.
ARKITES, II, 267.
ARK OF THE COVENANT, I, 22, 28-29, 116, 143, 147, 170; II, 238, 257, 265-267, 281, 286, 332; III, 392, 404, 411, 423, 491, 507, 564, 567, 571, 573; IV, 594, 635, 703-704, 740, 742; V, 812-813, 848, 874, 879, 884, 889, 907, 919, 942; VI, 1124, 1126; VII, 1160, 1183, 1186, 1202, 1315, 1318, 1329; VIII, 1352, 1355, 1416, 1463, 1480, 1493, 1508; IX, 1661, 1699, 1724; X, 1746-1748, 1869, 1874; XI, 1937, 1942-1943, 1968, 2053, 2072; XII, 2175, 2213, 2215, 2260, 2273-2275; XIII, 2392, 2407, 2417-2418; XIV, 2508, 2580, 2607; XV, 2705, 2729, 2733, 2842, 2857, 2859, 2864; XVI, 2926, 2960; XVII, 3083, 3226; XVIII, 3283-3284, 3323, 3329, 3340, 3429, 3435, 3444-3446, 3454; XIX, 3470, 3491, 3518, 3520, 3555, 3590, 3612-3614, 3616, 3642, 3644; XX, 3662, 3678, 3754; XXI, 3853, 3862, 3864, 3902, 3924, 3997; XXII, 4053.
ARMAGEDDON, I, 179; II, 267-268; IX, 1634; XII, 2197.
Armenia (ancient), I, 185; II, 233, 291, 298, 362; III, 553; IV, 632; V, 951; VI, 993; XI, 2078; XII, 2188; XX, 3675, 3716.
Armenian Gospel of the Infancy, II, 212.

ARMONI, II, 268-269; XVII, 3243.
ARMS AND ARMOR, II, 269-274.
ARMY, II, 274-277; III, 562; *passim.*
ARNA, II, 277.
ARNAN, II, 277.
ARNON (River), I, 147; II, 228, 277, 352-353; VII, 1289; X, 1839, 1867; XII, 2302; XIII, 2419; XV, 2872; XIX, 3474; XXI, 3907.
AROD, ARODI, II, 277; VI, 1110.
Arodites, II, 277.
AROER, I, 147; II, 277-278; VI, 1111.
AROM, II, 278.
ARPAD, II, 278.
ARPHAD, II, 278; III, 526.
ARPHAXAD (various personages), II, 278; III, 516; IX, 1689; XVII, 3152; XVIII, 3296, 3436.
ARSACES (monarch), II, 278; XV, 2771; XVIII, 3396; XX, 3794.
ARSARETH, II, 278.
Arsinoe I, XVII, 3112, 3114.
Arsinoe II, XVII, 3114-3115.
Arsinoe III, XVII, 3117.
ARTAXERXES (three Persian monarchs), II, 248, 253, 278-279, 281, 375; III, 391, 482, 576; IV, 695; V, 869; VI, 1029-1030, 1032, 1038-1040, 1042, 1148; VIII, 1365, 1377; IX, 1564; XIII, 2477, 2481, 2484; XVI, 2901-2902; XVII, 3166, 3185, 3198; XVIII, 3397, 3448; XIX, 3465, 3610, 3643; XX, 3756, 3761.
Artaxerxes Longimanus (465-424 B.C.) (*see* "Artaxerxes" in Index).
Artaxerxes II Mnemon (404-359 B.C.) (*see* "Artaxerxes" in Index).
Artaxerxes III Ochus, XIX, 3470.
ARTEMAS, II, 279.
Artemis (deity), V, 784, 801; VI, 1146; XIII, 2436; XV, 2800, 2843; XVIII, 3353.
Arts and Crafts (*see* "Occupations and Professions" in Index).
ARUBOTH, II, 279.
ARUMAH, II, 279; V, 946; VI, 1107; XVIII, 3272.
Aruru (deity), VI, 1074.
ARVAD, II, 231, 279; XVIII, 3400; XX, 3791.
Arvadites, II, 279.
ARZA, II, 279.
ASA (king of Judah), I, 25; II, 279-280, 336; III, 505; IV, 595-596, 618, 705, 714; V, 815; VI, 1128, 1146; VII, 1238; VIII, 1356, 1427, 1490; X, 1780, 1847; XI, 2005, 2069, 2080; XII, 2301; XIV, 2614, 2628; XV, 2742; XVI, 2929; XVII, 3158; XVIII, 3444; XIX, 3481, 3579; XXI, 4032; XXII, 4039.
ASADIAS, II, 280.
ASAEL, II, 280.
ASAHEL (brother of Joab), I, 29, 31; II, 280; III,

416; VI, 1052; VIII, 1406; IX, 1636; XXII, 4044.
ASAHEL (others), II, 280.
ASAHIAH, II, 281.
ASAIAH, II, 281.
ASANA, II, 294.
ASAPH (various personages), II, 281, 336; III, 403; IX, 1701; XIII, 2394; XIV, 2508, 2625; XVII, 3080; XVIII, 3446; XXI, 3992, 4012; XXII, 4046.
ASAREEL, II, 281.
ASARELAH, II, 281.
ASCALON, II, 290.
ASCENSION OF CHRIST, I, 63-64; II, 217, 281-283; IV, 615; VI, 1088; XI, 1989, 1997, 2100; XIV, 2536, 2538; XV, 2764; XVIII, 3387; XIX, 3635; XX, 3771, 3790.
ASCENSION OF ISAIAH, II, 207, 283-285; III, 501; VIII, 1394; IX, 1667; XVII, 3102.
Asclepius, III, 499.
ASEAS, II, 285.
ASEBIA, II, 285.
ASENATH (wife of Joseph), II, 285; V, 943, 945; VII, 1268; IX, 1712; XI, 2065; XV, 2699; XVI, 2989; XIX, 3579; XX, 3811.
ASER, II, 285.
Aseru (deity), II, 288.
ASHAN, I, 121; II, 285; IV, 583.
ASHBEA, II, 285.
ASHBEL, II, 285; III, 399.
Ashbelites, II, 285.
ASHDOD, II, 238-239, 267, 285-287, 290, 328-329; III, 422; IV, 703; V, 786; VI, 1126; VIII, 1444; IX, 1551; X, 1783; XI, 1972, 2018; XVI, 2923, 2925; XVIII, 3356, 3400, 3454; XIX, 3636.
ASHDOTH-PISGAH, II, 287.
ASHER (eighth son of Jacob), I, 140; II, 287-289; III, 404, 478; VI, 1109; VII, 1260; VIII, 1411, 1436-1437, 1446, 1474; IX, 1622, 1636; XVIII, 3350, 3407, 3436, 3455; XIX, 3463; XX, 3801, 3831; XXII, 4048, 4059.
ASHER, TRIBE OF, I, 60, 113, 118, 140, 174; II, 201, 228, 231, 287-289, 294, 376; III, 404-405, 410-411, 478, 482, 508, 553; IV, 710; V, 779, 823; VI, 1118, 1147; VII, 1163, 1230, 1235, 1240, 1249, 1266-1268, 1309, 1318, 1329, 1338; VIII, 1363, 1411, 1436, 1497, 1504; IX, 1571, 1636; X, 1751, 1838; XI, 1944, 2060; XII, 2142; XIII, 2372, 2439, 2459, 2493; XIV, 2627; XV, 2720, 2729, 2774, 2857; XVI, 2902, 2943; XVII, 3110, 3155, 3157, 3182, 3233; XVIII, 3414, 3422-3423, 3436, 3442, 3446, 3449; XIX, 3463, 3469, 3570; XX, 3667, 3804, 3813, 3815-3816, 3831; XXI, 4010-4011; XXII, 4059.
Asherah (deity), III, 532.
Asherites, II, 294.
ASHES, II, 289.

Ashkenazim, II, 291.
Ashtar (deity), II, 292.
Ashtar-Chemosh, II, 293.
ASHIMA, II, 289.
ASHKELON, II, 239-240, 290-291, 309; III, 422; VI, 1072, 1126; X, 1784; XI, 1972, 2021; XV, 2758; XVI, 2923.
ASHKENAZ, II, 291; VII, 1195; XX, 3741.
ASHNAH, II, 291-292.
ASHPENAZ, II, 292; III, 392.
ASHTAROTH, I, 102; II, 292, 364, 378; VI, 1060; VIII, 1354; XI, 2064; XIV, 2629; XVIII, 3369; XXI, 3854.
ASHTEROTH-KARNAIM, II, 292; III, 555; IV, 731; XVII, 3187.
ASHTORETH, II, 292-293, 378; VI, 981, 1016; VII, 1163; X, 1863; XVI, 2925, 2935; XVII, 3131, 3166; XIX, 3530; XX, 3678; XXII, 4047.
Ashunkak (monarch), XIX, 3574.
ASHUR, I, 118; II, 293, 298; VII, 1217, 1266, 1273; XIII, 2412; XIX, 3639; XXII, 4041.
ASHURBANIPAL (Assyrian monarch), II, 200, 253, 289, 293-294, 303; V, 783, 809, 876, 951-952; VI, 1074; VIII, 1427; X, 1760, 1785, 1839; XI, 2064-2065; XII, 2191, 2224; XIII, 2472; XIV, 2561-2562, 2564; XVI, 3044; XVII, 3110; XIX, 3573, 3579; XX, 3726; XXI, 3940.
Ashur-dan (monarch), IV, 713.
ASHURITES, II, 293-294.
Ashurnasirpal II (Assyrian king) (d. 869 B.C.), II, 298; XIII, 2224; XVIII, 3420; XX, 3828.
ASHVATH, II, 294.
ASIBIAS, II, 294.
ASIEL, II, 294; XVIII, 3407.
ASIPHA, II, 294.
ASKELON, II, 290.
ASMODEUS, II, 294; VI, 1014; XX, 3736.
ASNAH, II, 294.
ASNAPPER, II, 293-294; V, 809.
ASOM, VII, 1252.
ASP, II, 294 (*see also* "Reptiles of the Bible" in Index).
ASPALATHUS, II, 294.
ASPATHA, II, 294.
ASPHAR, II, 294.
ASRIEL, II, 294-295.
ASS, II, 295-296, 349; IV, 656.
ASSABIAS, II, 296.
ASSALIMOTH, II, 296.
ASSARION, II, 296; XIII, 2326; XXI, 3930.
ASSHUR, II, 296; VI, 1132; XVII, 3197.
ASSHURIM, II, 294, 296.
ASSIDEANS, I, 123, 186; V, 785; VI, 968; VIII, 1380;

INDEX 4079

IX, 1573, 1688; X, 1800-1801; XI, 2012-2013, 2015, 2021, 2032-2033, 2037; XII, 2148; XVI, 2908; XVII, 3105; XVIII, 3379.
ASSIR, II, 297.
ASSOS, II, 297.
Assuerus, I, 108.
Assumption, the, XII, 2126.
ASSUMPTION OF MOSES, II, 208, 297-298; V, 934; X, 1804; XVII, 3102.
ASSUR, I, 150; II, 298; VII, 1248.
Assurbanapal, XIII, 2472.
Assur-nadin-sum, XVIII, 3402.
ASSYRIAN EMPIRE, I, 104, 109-110, 112, 143, 148-149, 152, 156, 162, 170; II, 200, 232-233, 238, 240, 253, 277, 286, 288, 293, 296, 298-305, 325, 336, 343, 346, 363-364, 376; III, 395, 402, 411, 507, 516, 553, 564; IV, 592, 609, 696, 706, 712, 714; V, 783, 790-791, 795, 802, 835, 841, 858, 868, 888, 926, 929, 947, 951, 955; VI, 1022, 1074, 1086, 1111-1112, 1121, 1129; VII, 1204, 1218, 1220, 1222, 1230, 1246, 1255, 1273, 1292, 1320-1321, 1324; VIII, 1360, 1390, 1392-1393, 1395, 1397-1398, 1419-1420, 1423, 1427-1428, 1430-1432, 1435, 1439, 1482, 1496, 1506; IX, 1551-1553, 1653, 1660-1663, 1693; X, 1759-1761, 1783, 1785, 1852, 1856, 1867; XI, 1930, 1940-1941, 2056, 2064, 2070; XII, 2191, 2205, 2217, 2223-2224, 2235, 2260, 2304; XIII, 2316, 2399, 2423, 2462, 2472, 2486, 2493-2495; XIV, 2560, 2564, 2581, 2606, 2633, 2650, 2658, 2670, 2681, 2684; XV, 2697, 2699, 2742, 2744-2745, 2818, 2820; XVI, 2904, 2933, 3044; XVII, 3099, 3125, 3131, 3143, 3185, 3210, 3233-3234; XVIII, 3288, 3306, 3309-3311, 3334, 3352, 3354, 3356, 3380, 3398-3400, 3402-3403, 3419-3422, 3424, 3427, 3432, 3434, 3455; XIX, 3470, 3499, 3504, 3532, 3571, 3576, 3579, 3606, 3621, 3631, 3633-3634, 3636; XX, 3666, 3689, 3712, 3714, 3724, 3738, 3808, 3827-3828; XXI, 3856, 4011, 4029, 4032.
Astarte (deity), II, 292; III, 532; VIII, 1354; XIX, 3530.
ASTROLOGY, II, 305, 342, 346; III, 564; IV, 637; XI, 2051; XIX, 3568.
ASTRONOMY, II, 305-308, 342, 346.
Astruc, Jean (physician/scholar) (1684-1766), III, 475-476; XV, 2835.
ASTYAGES, II, 308; IV, 699; XII, 2191.
ASUPPIM, II, 308.
Aswan, XIV, 2593; XIX, 3587.
ASYNCRITUS, II, 308.
ATAD, II, 308; XX, 3706.
ATARAH, II, 308.
ATARGATIS, II, 309.
ATAROTH, II, 309; VI, 1111-1112.
ATER, II, 309.

ATEREZIAS, II, 309.
ATHACH, II, 309.
ATHAIAH, II, 309; XXI, 3852.
ATHALIAH (usurper queen of Judah), I, 79, 104, 111, 128; II, 309-311, 334; V, 918; VI, 986; VII, 1254, 1318; VIII, 1409, 1419, 1428, 1480, 1482, 1485, 1490, 1492, 1494-1495; IX, 1543, 1564, 1631, 1639; X, 1780, 1852, 1856, 1862-1863; XII, 2239; XIV, 2607, 2657-2658; XV, 2742; XXI, 3957; XXII, 4046.
Athalie (drama), II, 311.
Athanasios Chastoupsis, III, 466.
Athanasius of Alexandria (Church Father), III, 433, 459, 540; XIV, 2516.
Athanasius Yeshue Sanuel, IV, 762.
ATHARATES, II, 313.
ATHARIAS, II, 313.
Athenian Mouseion, I, 130.
ATHENOBIUS, II, 313.
Athenodorus, XIX, 3635.
ATHENS, I, 69, 72, 185; II, 260, 313-316; III, 466; IV, 621, 647; V, 784, 810, 950; VII, 1211, 1277; VIII, 1357; XV, 2801; XVII, 3236; XIX, 3553, 3568, 3590, 3604, 3635; XX, 3694, 3834; XXI, 3930.
ATHLAI, I, 143; II, 316.
ATIPHA, II, 316.
Atlantis ("Lost Continent"), XVII, 3180.
Aton (Egyptian sun god), I, 122; VII, 1268; XIII, 2356, 2360; XIX, 3579.
ATONEMENT, I, 136; II, 317-321, 443; IV, 642; V, 854; VII, 1263; IX, 1649; X, 1792; XI, 1953; XII, 2229; XIV, 2544; XV, 2816; XVI, 3015; XVII, 3079; XVIII, 3287; XIX, 3488, 3612; XX, 3790; XXI, 3928, 3970.
ATONEMENT, DAY OF, I, 139; II, 317, 319-321; III, 489, 491; VI, 1060, 1064, 1066; VII, 1239, 1262-1263, 1297; IX, 1655, 1695; X, 1886; XI, 1949, 1953, 1955, 1957, 2047; XII, 2215; XIII, 2407; XVI, 3015; XVIII, 3281, 3284, 3288, 3374; XIX, 3490-3491, 3561, 3614, 3616, 3625; XXI, 3862, 3989.
Atonism, XIII, 2361.
Aton-Re (deity), VII, 1268.
Atrahasis (deity), VI, 1075.
Atrahasis Epic, VI, 1074-1075.
ATROTH-SHOPHAN, II, 321; VI, 1111.
ATTAI, II, 321-322.
ATTALIA, II, 322; XV, 2747, 2843.
ATTALUS (three kings of Pergamos), II, 322; VI, 1113; XI, 2001; XV, 2844; XVI, 2913, 2937; XV, 2844; XVIII, 3396.
Attic League, XII, 2298.
AUGIA, II, 322.
AGUSTUS (first Roman emperor), I, 57, 132; II, 322-325; III, 420, 508, 512, 560, 562; IV, 620, 630, 632;

V, 927; VII, 1277, 1279, 1283; VIII, 1357; IX, 1559, 1582; X, 1735, 1833; XI, 2003, 2075, 2077-2078; XIII, 2449; XIV, 2504, 2554; XV, 2772, 2709, 2844; XVI, 2918, 2942, 2995; XVII, 3123, 3128, 3246, 3248, 3250-3251, 3253, 3263-3264; XVIII, 3310, 3312, 3344, 3429; XIX, 3551, 3604, 3635; XX, 3685, 3704, 3709-3710.
AUGUSTUS' BAND, II, 324-325.
Aulus Plautius, XVII, 3253.
Auranitis, VII, 1254.
AURANUS, II, 325.
AUTEAS, II, 325.
AVA, II, 325; VIII, 1439; XVIII, 3356.
AVARAN, II, 325; V, 880; XVIII, 3374.
Avaris, V, 867; VII, 1343; XVII, 3139, 3159-3160; XXII, 4057.
Ave Maria, XI, 1992.
AVEN, II, 325; XVI, 2939.
AVENGER OF THE BLOOD, II, 325-326; III, 489; IV, 620, 670; XIV, 2593.
AVIM, II, 326; XVI, 2923.
Avites, XIV, 2550; XIX, 3636.
AVITH, II, 326.
Awil-Marduk (Evil-Merodach), XIII, 2494.
Ayassoluk, V, 941.
AZAELUS, II, 325.
AZAL, II, 326.
AZALIAH, II, 326.
AZANIAH, II, 326.
AZAPHION, II, 326.
AZARA, II, 326.
AZAREEL, II, 326; VI, 968; IX, 1543.
AZAREL, II, 326.
AZARIAH (king of Judah), V, 877; XI, 1934; XXI, 3998.
AZARIAH (friend of Daniel), I, 18; II, 327; IV, 718; XIX, 3541 (*see also* "Abed-Nego" and "Song of the Three Holy Children" in Index).
AZARIAH (various other personages), I, 163; II, 326-327; VI, 1027; VII, 1324; IX, 1543, 1663; XIV, 2607, 2628; XVIII, 3407.
AZARIAS, II, 327; XVII, 3163.
AZAZ, II, 327.
Azazel, XVIII, 3375.
AZAZIAH, II, 327.
AZBAZARETH, II, 327.
AZBUK, II, 327.
AZEKAH, II, 251, 327-328; V, 863.
AZEL, II, 328.
AZEM, II, 328; III, 412; VI, 1027.
AZEPHURITH, II, 328.
AZETAS, II, 328.
AZGAD, II, 328.
AZIA, II, 328.
AZIEI, II, 328.
AZIEL, II, 328.
Azius of Emesa, VII, 1282.
AZIZA, II, 328.
AZMAVETH (various personages), I, 88; II, 328, 358.
AZMAVETH (place), II, 328; III, 409, 421.
AZMON, II, 328.
AZNOTH-TABOR, II, 328.
AZOR, II, 328.
AZOTUS, II, 285, 328-329; III, 560; IV, 704; XVI, 2916.
AZRIEL, II, 329; XVIII, 3407.
AZRIKAM, II, 330.
AZUBAH (various personages), II, 330.
Azupirani, XIII, 2348.
AZUR, II, 330.
AZURAN, II, 330.
AZZAH, VI, 1127.
AZZAN, II, 330.
AZZUR, II, 330.

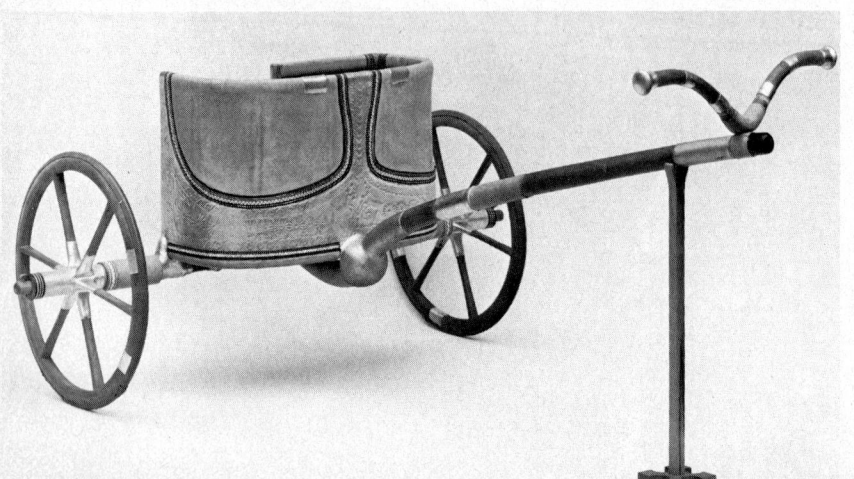

XVIII Egyptian dynasty chariot from Thebes (*Metropolitan Museum of Art; Rogers Fund, 1921*).

B

BAAL (persons), II, 332.
BAAL (deities), I, 102, 109, 111-112, 151; II, 331-332, 349, 353; III, 411, 532, 554; V, 826, 874, 891, 893-894, 897, 912, 947, 955; VI, 1016, 1060; VII, 1163, 1182, 1186, 1297, 1299; VIII, 1356, 1419, 1428, 1485, 1488, 1490, 1492, 1495-1496; IX, 1543, 1629, 1639, 1641; X, 1780, 1863, 1870; XI, 1967, 2064; XIV, 2604; XV, 2697, 2704, 2732, 2742; XVI, 2935, 3032; XVII, 3166, 3174; XVIII, 3306, 3308, 3341, 3454; XIX, 3479, 3530, 3579.
BAALAH, II, 332, 352; X, 1868; XII, 2239; XIII, 2553.
BAALAH, MOUNT, II, 332; VIII, 1443.
BAALATH, II, 332.
BAALATH-BEER, II, 331-332.
Baalbek, XI, 1930; XV, 2713.
BAAL-BERITH, II, 332.
BAALE OF JUDAH, II, 332; X, 1868.
BAAL-GAD, II, 332; III, 512.
BAAL-HAMON, II, 332.
BAAL-HANAN, II, 332-333; IV, 732; V, 884; VI, 1130.
BAAL-HAZOR, I, 47; II, 333; V, 949; XIV, 2619.
BAAL-HERMON, II, 333; III, 512; XIX, 3579.
BAALIS, II, 333-334; VI, 1129; VIII, 1409.
Baal Melkarth, II, 331.
Baal Melqart, VIII, 1430.
BAAL-MEON, II, 334; III, 409, 419.
BAAL-PEOR, II, 334; XV, 2840; XVII, 3209.
BAAL-PERAZIM, II, 334; XIII, 2382; XVI, 2929.
BAAL-SHALISHA, II, 334; XVIII, 3419.
BAAL-TAMAR, II, 331, 334; V, 775.
Baal Tars, XIX, 3635.
BAAL-ZEBUB, I, 112; II, 331, 334-335, 376; V, 874, 897; XII, 2276; XVI, 2925.
BAAL-ZEPHON, II, 335.
BAANA (various personages), I, 115; II, 335; III, 422; XI, 2006; XII, 2198; XXI, 3998.
BAANAH, II, 335-336, 377; VIII, 1406; XI, 2054; XIV, 2510; XVII, 3174, 3241.
BAARA, II, 336.
BAASEIAH, II, 336.
BAASHA (king of Israel), I, 113; II, 280, 336; III, 393; IV, 705; V, 874-875; VII, 1159; VIII, 1359, 1425, 1427, 1434, 1497; X, 1780; XII, 2301; XIII, 2419, 2442; XIV, 2658; XV, 2742; XVII, 3158; XX, 3727.
Baba Bathra, XVIII, 3349; XXI, 3945.
Baba Metzia, XIX, 3624.
BABEL, I, 54; II, 340.
BABEL, TOWER OF, II, 336, 339-340, 342; VI, 1138; VII, 1237; X, 1891; XIV, 2513; XV, 2830; XVIII, 3449; XX, 3753.
BABI, II, 375.
BABYLON, I, 54, 108-109, 125, 149-150, 183; II, 232, 240, 293, 298, 305, 333-334, 339, 342-344, 346-347, 363; III, 392, 402, 405, 429, 484, 499, 564-565; IV, 696, 699-700, 716, 718-719, 722-723, 731, 758; V, 787, 791-793, 802, 826-827, 836, 845, 850, 858, 868, 876, 922, 926, 951, 958; VI, 999, 1014-1015, 1018, 1067, 1074, 1129, 1131, 1133-1134, 1148; VII, 1232, 1237-1238, 1246, 1299, 1303, 1306, 1316, 1324; VIII, 1377, 1420, 1483, 1483-1486, 1511, 1520, 1523; IX, 1573; X, 1761, 1776, 1784-1786, 1789, 1874, 1891, 1911, 1980; XI, 2051, 2065; XII, 2191, 2207, 2209, 2217, 2224, 2304; XIII, 2314, 2348, 2396, 2464-2466, 2472, 2492-2495; XIV, 2503, 2560, 2581, 2593, 2658-2659, 2662, 2685; XV, 2745, 2777, 2779, 2820, 2845-2846; XVI, 2891, 3000, 3044, 3058; XVII, 3083, 3158, 3181, 3239; XVIII, 3311, 3334, 3356, 3392, 3395, 3398, 3400, 3402, 3407, 3424, 3430, 3438, 3440, 3448; XIX, 3497, 3541, 3555-3556, 3574, 3581, 3604, 3617, 3638, 3643; XX, 3714, 3724, 3840; XXI, 3852, 4014, 4017, 4021, 4024; XXII, 4041.
Babylonia, I, 185, 189; II, 292, 298, 336; III, 444, 526, 563-564; V, 876; VI, 1018, 1021-1022, 1028, 1030, 1034; VIII, 1398, 1432, 1506, 1516-1517; IX, 1554; XIV, 2560; XIX, 3587; 3623-3624, 3645.
(*see also* "Babylon" and "Babylonian Empire" in Index).
Babylonian Captivity (*see* "Period of the Babylonian Captivity" in Index).
BABYLONIAN EMPIRE, I, 54; II, 305, 342, 344-347; III, 563-564; V, 876; VI, 1074, 1121; VII, 1235, 1237-1238, 1292; IX, 1661; XI, 1941, 2049; XII, 2223, 2304; XIII, 2493; XIV, 2633; XV, 2835, 2845,

2848; XVII, 3099, 3131; XVIII, 3288, 3398, 3434; XIX, 3606, 3643; XX, 3823; XXI, 3954.
(see also "Neo-Babylonian Empire" in Index).
Babylonian Talmud, V, 802; IX, 1573; XIV, 2603; XIX, 3623-3624, 3626; XX, 3675.
BABYLONISH GARMENT, II, 347.
BACA, VALLEY OF, II, 347.
BACCHIDES (Syrian general), II, 235, 248, 294, 347-348; III, 408-409, 411, 414, 426; V, 785-786; VI, 1127, 1151; VIII, 1531; IX, 1704-1705; X, 1801; XI, 2015-2016; XIV, 2551; XVI, 2906; XIX, 3629, 3638; XX, 3686, 3690, 3718.
BACCHURUS, II, 348.
BACENOR, II, 348.
Bach, Johann Sebastian (composer) (1685-1750), XI, 1992.
"Bachrites," the, II, 375.
Bactiali, II, 375.
Bactria, I, 125; XVIII, 3392, 3396.
BADGER, II, 348.
Baetica, XIX, 3551.
Baghdad, Iraq, II, 342; V, 951; VI, 1018; XVIII, 3455.
"Baghdad Button," IX, 1643.
BAGO, II, 348.
BAGOAS, II, 348; V, 883; VIII, 1377; X, 1824; XII, 2182.
BAGOI, II, 349; III, 477.
Bahr Tabariyeh, XVIII, 3387.
Bahr Yusuf, IX, 1722.
BAHURIM, II, 349, 358; XIII, 2380.
BAJITH, II, 349.
BAKBAKKAR, II, 349.
BAKBUK, II, 349.
BAKBUKIAH, II, 349.
Bakotic Bible, III, 471.
BALAAM (Prophet), I, 172; II, 296, 331-332, 349-353; III, 402, 419, 495; V, 955; VII, 1339; IX, 1645; XI, 2051; XII, 2222, 2247, 2273, 2302; XIII, 2382; XIV, 2553, 2583, 2648; XV, 2757, 2840, 2845; XVI, 2901; XVIII, 3441; XIX, 3563; XXII, 4059.
BALAC, II, 352.
BALAH, II, 332, 352.
BALAK (Moabite king), II, 331, 352, 349-350, 353; III, 419; X, 1868; XI, 2052; XII, 2222, 2302; XIV, 2583, 2648; XV, 2757, 2840, 2845; XVI, 2901; XXII, 4056, 4059.
BALAMO, II, 352.
BALASAMUS, II, 352.
Baldwin, XIX, 3636.
Baleazar (monarch), VII, 1303.
Balfour Declaration (1917), IX, 1561.
Balikh River, VII, 1246.
Balkans, the, XVII, 3246.

Ballantine, William G., III, 454.
BALNUUS, II, 352.
BALTHASAR, II, 352.
Baluchistan, XIX, 3572.
BAMAH, II, 352.
Bamidbar, XIV, 2583.
BAMOTH, II, 352.
BAMOTH-BAAL, II, 353.
BANI, BANID, II, 353; III, 478, 502; XI, 2063, 2071; XIII, 2446; XVIII, 3422, 3424, 3426; XX, 3831, 3859; XXI, 3999.
Banias, IX, 1708.
Baniyas, III, 511; XVI, 2917.
Bannus, III, 478.
BANUAS, II, 353.
BAPTISM, I, 64; II, 353-356; IV, 619, 644; V, 825; VII, 1240; IX, 1576, 1584-1585, 1667, 1678; X, 1889, 1902; XI, 1982; XII, 2159, 2231; XVI, 2896, 3065; XVII, 3181; XIX, 3485; XXI, 3970.
Baptist Church, XVII, 3232.
BARABBAS, II, 356-357; IX, 1602-1604; XI, 1997; XII, 2170; XX, 3781; XXI, 4002.
BARACHEL, II, 357.
BARACHIAS, II, 357.
Baraitha, XIX, 3624.
BARAK (Judge of Israel), I, 29; II, 288, 357-358, 375; IV, 702; V, 775-777, 929; VII, 1249; VIII, 1434, 1443, 1458; IX, 1634; X, 1751, 1809, 1811, 1819, 1840, 1842, 1870; XI, 2069; XII, 2198, 2218; XIII, 2386, 2439, 2442; XV, 2732, 2858; XVII, 3210; XIX, 3496, 3609; XX, 3760; XXI, 4010.
BARBARIAN, II, 358.
Barbary Sheep, III, 564.
Barbelos Mythos, VII, 1177.
Barca, VII, 1212; XIX, 3608.
Bareighit, IX, 1708.
BARHUMITE, II, 358.
BARIAH, II, 358.
BAR-JESUS, II, 358; VII, 1179; XV, 2748; XVIII, 3408.
BAR-JONA(S), II, 358; XIX, 3482.
BARKOS, II, 358.
Bar Mitzvah, IX, 1584.
BARNABAS (companion of Paul the Apostle), I, 66-69, 70-71, 95, 182; II, 220, 222, 322, 358-360; IV, 614, 697-698; V, 790; VI, 1113, 1115; VIII, 1352; IX, 1664; X, 1744, 1792, 1845; XI, 2000, 2003, 2080, 2083, 2085, 2093; XII, 2133, 2215, 2288, 2301; XIV, 2538, 2554; XV, 2747, 2796-2798, 2801, 2843; XVI, 2890, 2937, 2942, 3010; XVIII, 3297, 3391, 3408; XX, 3795; XXI, 3897; XXII, 4445.
Barada River, I, 25.
Barnaki, XIX, 3638.

INDEX

BARODIS, II, 360.
BARREN FIG TREE PARABLE, II, 360; XIII, 2408; XV, 2750 (*see also* "Parables of Jesus Christ" in Index).
BARSABAS, II, 360.
BARTACUS, II, 361.
BARTHOLOMEW, II, 361-362; XIII, 2448; XX, 3795.
BARTIMAEUS, II, 362; VIII, 1531; XI, 2098; XX, 3716.
BARUCH (various personages), II, 362; XXI, 3991.
Baruch ben Samuel of Pinsk, XX, 3670.
BARUCH THE SCRIBE (amanuensis of Jeremiah), II, 202, 207, 362-363; III, 475; IV, 696; V, 836, 920; VI, 1029, 1131; VIII, 1366, 1498, 1504, 1508, 1511-1512, 1515-1516; XI, 2006; XII, 2243; XIV, 2503, 2509, 2672; XVII, 3102; XVIII, 3388, 3407, 3424, 3436, 3438.
BARUCH, THE BOOK OF (Apocrypha), II, 208, 210, 363-364; VIII, 1523; IX, 1554; XV, 2812, 2848; XVIII, 3404; XXI, 3943.
BARZILLAI (the Meholathite), I, 94; II, 364; III, 405, 576.
BARZILLAI (various personages), II, 364; XVII, 3246.
BASALOTH, II, 373.
BASCAMA, II, 364.
Basel, Switzerland, III, 471; IV, 640.
BASHAN, II, 292, 364-365, 378; III, 393; V, 858; VI, 1084, 1103, 1111, 1147-1148, 1152; VII, 1170, 1254; VIII, 1441; XI, 2004, 2067; XIV, 2628-2629; XV, 2722; XVII, 3139, 3188; XVIII, 3297, 3424-3425; XXI, 3898, 3923.
BASHAN-HAVOTH-JAIR, II, 365.
BASHEMATH, I, 79; II, 365; V, 921, 952.
Basilica of the Agony, VI, 1151.
Basilica of the Nativity, III, 417.
Basilica of St. Peter's, XVII, 3264.
Basilides (Gnostic), (d. c. A.D. 140), VII, 1177; XIX, 3485.
BASIN, II, 365-366.
BASMATH, I, 115; II, 366.
BASSA, II, 366; III, 425.
BASTAI, III, 405.
Bastet, XVI, 2939.
BAT, II, 366.
Batanaea, III, 525.
BATH-RABBIM, II, 366.
BATHSHEBA (wife of King David), I, 91-92, 94, 116, 146; II, 366-369, 372; IV, 594-595, 743, 749, 751; V, 888; VI, 1060; IX, 1636; XIII, 2390, 2445-2446; XIV, 2654; XV, 2758, 2864-2865; XVI, 3042; XVII, 3092; XVIII, 3446; XIX, 3510; XX, 3840; XXI, 3847.
BATH-SHUA, II, 366, 372.
BATHZACHARIAS, II, 372; V, 880; VIII, 1365; X, 1798; XI, 2014.
BAVAI, II, 372-373; III, 479.
BAZLITH, II, 373.
BAZLUTH, II, 373.
BDELLIUM, II, 373.
BEALIAH, II, 373.
BEALOTH, II, 373.
BEAN, II, 373.
BEAR, II, 373-374.
BEARDS, II, 374.
BEATITUDES, THE, II, 374-375; VII, 1182; IX, 1586; XII, 2168; XIII, 2378; XVIII, 3408, 3410; XIX, 3599.
Beautiful Gate, the, XIX, 3645.
BEBAI, II, 375.
BECHER, II, 375; III, 399, 404; V, 889; IX, 1641; XXI, 4029.
BECORATH, II, 375.
BECTILETH, II, 375.
BEDAD, II, 375.
Bede, the Venerable (theologian) (673-735), III, 448.
BEDEIAH, II, 375; XV, 2821.
Beder, Prince, XVI, 2925.
BEELIADA, II, 375.
BEELSARUS, II, 375; III, 478.
BEELTETHMUS, II, 375-376.
BEELZEBUB, II, 376; III, 486; V, 788, 799, 801; XVIII, 3359.
BEER, II, 376.
BEERA, II, 376.
BEERAH, II, 376; VII, 1320; XVII, 3210.
BEER-ELIM, II, 376.
BEERI, II, 376; VII, 1320.
BEER-LAHOI-ROI, II, 376, 404; VII, 1181.
BEEROTH, II, 376-377; III, 393, 405; XIII, 2420.
Beerothites, VII, 1174; XIII, 2420.
BEERSHEBA, I, 22, 39-40, 87, 118; II, 377-378; III, 409, 485; IV, 713; V, 894; VI, 1128, 1146; VII, 1181, 1224, 1296, 1301, 1317; VIII, 1385, 1406, 1449, 1492; IX, 1721; X, 1776, 1780, 1837; XIII, 2312, 2330, 2377, 2474; XIV, 2550; XVI, 3062; XVII, 3185; XVIII, 3429; XIX, 3480; XXI, 3932, 3954.
BEESH-TERAH, II, 364, 378.
BEGGARS, II, 378-379.
BEHEMOTH, II, 379; V, 883.
Behistun, Iran, IV, 731.
Beirut, Lebanon, II, 279; XI, 1930; XVI, 2934; XIX, 3468.
Beisan, III, 422.
Beitab, III, 410.

Beitin, XVIII, 3444.
Beit el-Ma, IV, 730.
Beit Fased, V, 937.
Beit Kad, XVIII, 3427.
Beit Lahum, III, 415.
Beit Nabala, XIII, 2460.
Beit Sira, XX, 3854.
Beit Ur el-Foqa, III, 414.
Beit Ur et-Tahta, III, 414.
Bel (deity), XII, 2217; XIV, 2596.
BELA (son of Benjamin), I, 24, 30, 87, 118; II, 379; III, 402; VII, 1339; VIII, 1381; XIII, 2412; XVIII, 3440; XXI, 3854, 3856.
BELA (king of Edom), II, 379; V, 809.
BELAH, II, 379; III, 399.
BEL AND THE DRAGON (Apocrypha), I, 87-88; II, 208, 210, 331, 379-381; IV, 719; VII, 1219; XIX, 3541.
BELEMUS, III, 391, 482.
BELIAL, I, 179; III, 391, 401; IV, 712; VI, 970; XIII, 2417; XVIII, 3359; XIX, 3487.
Beliar-Sammael, II, 283.
Bellum Judaicum (of Josephus), X, 1738.
BELMAIM, III, 391.
BELMEN, III, 391.
BELSHAZZAR, II, 352; III, 391-392; IV, 699, 722, 731, 767; X, 1820; XII, 2205, 2207, 2226; XIII, 2496; XV, 2852.
BELTESHAZZAR (Daniel), II, 292; III, 392; IV, 718.
BEN, III, 392.
BENAIAH, I, 92, 147; III, 392-393; VIII, 1485-1486; X, 1837; XI, 2008; XIII, 2425; XVIII, 3447.
BEN-AMMI, I, 147; III, 393; XI, 1977.
BENE-BERAK, III, 393.
BEN-GEBER, III, 393; VII, 1171.
Benedict XIV, Pope (1675-1758), III, 466.
Benedictus, the, XI, 1992-1993; XVII, 3084.
Bene Moshe, XX, 3667.
Ben-Gurion, David, XX, 3815.
BEN-HADAD (four Damascene monarchs), I, 22, 104; II, 201, 280, 336; III, 393-396; IV, 618, 705-706, 714; V, 897, 911-912; VI, 1054, 1118; VII, 1254; VIII, 1359, 1427-1428, 1482, 1488, 1492; X, 1780; XII, 2239; XIII, 2411, 2442; XV, 2760-2761; XVII, 3158; XIX, 3618.
BEN-HAIL, III, 396.
BEN-HANAN, III, 396; VIII, 1492.
Beni Israel, XX, 3668.
BENINU, III, 396.
BENJAMIN (twelfth son of Jacob), I, 22, 30, 87, 108, 113, 116, 118, 123; II, 260, 285, 375, 379; III, 396-399, 402, 557; V, 856, 873, 889, 943, 945, 949; VI, 1015, 1139, 1145; VII, 1246, 1339; VIII, 1381, 1449, 1452, 1479; IX, 1712-1713, 1717-1720; X, 1770-1771; XI, 2065; XII, 2177; XIII, 2393, 2412; XIV, 2579; XV, 2870; XVII, 3145, 3148, 3152, 3163, 3208, 3211; XVIII, 3271, 3419, 3440; XIX, 3465, 3478, 3632; XX, 3801, 3813, 3831; XXI, 3852, 3854, 3856, 4007, 4029.
BENJAMIN, TRIBE OF, I, 18, 23-24, 31, 60, 79, 88, 96, 113, 118-119, 123, 147; II, 200, 231, 260, 311, 326, 328, 334, 336, 358, 375-376; III, 396, 399-404, 408-409, 411, 413-416, 421, 478, 493, 562, 565, 567-568, 576; IV, 618-619, 695; V, 779, 848, 873-876, 879, 882, 887-889, 906, 921, 936, 946-947; VI, 974, 976, 1038, 1060, 1107-1108, 1121, 1128, 1130-1131, 1145; VII, 1159-1160, 1168, 1171, 1174, 1222, 1238, 1258, 1291, 1300, 1309, 1320, 1339-1340; VIII, 1351, 1381-1382, 1411, 1419, 1423, 1436, 1438, 1441, 1443, 1464, 1474, 1478, 1506, 1526, 1529, 1534-1535; IX, 1543, 1546, 1563, 1623, 1632, 1641, 1659, 1661-1663; X, 1752, 1775-1777, 1780, 1808, 1811, 1868-1869, 1875; XI, 1944, 1963, 1999, 2043, 2047, 2060, 2063, 2067, 2070, 2081; XII, 2146, 2218, 2220, 2244, 2246, 2249, 2295, 2301, 2328, 2393; XIII, 2412, 2420, 2460, 2486; XIV, 2503, 2605, 2614; XV, 2701, 2704, 2729, 2732, 2747, 2767, 2790, 2818, 2820, 2839, 2857-2858, 2862; XVI, 2902, 2922; XVII, 3152, 3155, 3157, 3165, 3183, 3185, 3210, 3238, 3241; XVIII, 3271, 3298-3299, 3324, 3329, 3340, 3359, 3419, 3422-3423, 3426-3427, 3434, 3438-3440, 3445, 3447; XIX, 3463, 3465, 3618, 3631; XX, 3666, 3672, 3802, 3804-3805, 3807-3808, 3811, 3813, 3815, 3817, 3831; XXI, 3854, 3991, 3999, 4027-4028; XXII, 4044-4046, 4048, 4061.
BENJAMIN GATE, III, 402; VIII, 1381; IX, 1563.
Benjamin of Tudela (Jewish traveler) (d. 1173), IV, 719; VI, 1029; XIV, 2560; XX, 3675.
BENO, III, 402.
BEN-ONI, III, 402.
BEN-ZOHETH, III, 402.
BEON, II, 334; III, 402, 409, 419.
BEOR, III, 402, 495.
BERA, III, 402; XIX, 3507.
BERACHAH, III, 402-403.
BERACHAH, VALLEY OF, III, 403.
BERACHIAH, III, 403; VIII, 1493.
BERAIAH, III, 403.
Berakhot, XVIII, 3345.
BEREA, III, 403; XIX, 3476, 3545, 3590; XX, 3719.
BERECHIAH, III, 403-405; XII, 2220; XXI, 4013-4014.
BERED, II, 376; III, 404.
Bereikut, III, 403.
Berenice (wife of Antiochus II), I, 183; XVII, 3114-3116; XVIII, 3395.
Berenice III, XVII, 3121.

Berenice (deity), XVII, 3123.
Bereshith, VI, 1136.
BERI, III, 404.
BERIAH, II, 287; III, 404.
Berit, XIV, 2631.
BERITES, BERIITES, III, 404.
Bernard of Clairvaux (ecclesiastic) (1091-1153), XIX, 3530.
BERNICE, III, 404-405, 511; VII, 1282-1283; XV, 2804; XX, 3729-3730.
BERODACH-BALADAN, II, 343; III, 405.
BEROTH, III, 405.
BEROTHAH, III, 405.
BEROTHAI, III, 405; IV, 612.
Berothite, XIII, 2420.
BERYL, III, 405; XII, 2266.
Berytus, Lebanon, XI, 1930.
BERZELUS, II, 364; III, 405.
BESAI, III, 405.
BESODEIAH, III, 405.
BESOM, III, 405.
BESOR, III, 405; IV, 738.
BETAH, III, 405; XX, 3711.
Bessus, I, 125.
BETANE, III, 405.
BETEN, III, 405.
BETHABARA, III, 405-406, 409.
BETH-ANATH, III, 406.
BETH-ANOTH, III, 405-406.
BETHANY, III, 406-408, 419; VII, 1240; IX, 1589, 1592; X, 1904, 1917; XI, 2098, 2110-2111; XII, 2130, 2287; XIII, 2381; XIX, 3487.
BETH-ARABAH, III, 408.
BETH-ARAM, III, 408, 412.
BETH-ARBEL, II, 235; III, 408; XVIII, 3420.
BETH-AVEN, II, 325; III, 408-409; IX, 1592.
BETH-AZMAVETH, III, 409, 421.
BETH-BAAL-MEON, II, 334; III, 402, 409, 419.
BETH-BARAH, III, 406, 409.
BETHBASI, III, 409.
BETH-BIREI, III, 409, 415; XI, 1930.
BETH-CAR, III, 409.
BETH-DAGON, III, 409-410; IV, 703.
BETH-DIBLATHAIM, III, 410.
BETHEL, I, 35, 119, 133, 152-154, 157; II, 254-255; III, 396, 399, 409-411, 424; IV, 714; V, 775, 795, 829, 844, 910, 947, 949; VI, 1139; VII, 1168, 1172, 1186, 1295-1297, 1320, 1322, 1331; VIII, 1355-1356, 1425, 1445, 1448-1450, 1456, 1529, 1535; IX, 1567, 1594; X, 1751, 1759, 1825, 1862; XI, 1931, 1946, 1999; XII, 2244; XIV, 2622; XV, 2704, 2729, 2826, 2840; XVI, 3033, 3040; XVII, 3183, 3241; XVIII, 3323, 3339, 3430, 3444; XIX, 3614, 3618, 3642; XX, 3808; XXI, 3890, 4029.
BETH-EMEK, III, 411.
BETHESDA, III, 412; XII, 2283.
BETH-EZEL, III, 412.
BETH-GADER, III, 412.
BETH-GAMUL, III, 412.
BETH-HACCEREM, III, 412.
Beth-Hammedrash, XIX, 3588.
BETH-HARAN, III, 408, 412; VI, 1111.
BETH-HOGLA (-HOGLAH), III, 409, 413; X, 1775.
BETH-HORON, III, 413-415; V, 879; VII, 1318; X, 1751, 1789; XI, 2013, 2015; XIII, 2311; XIV, 2551; XVIII, 3337, 3413, 3440; XIX, 3517; XXI, 3854.
BETH-JESIMOTH (-JESHIMOTH), III, 415.
Beth Knesseth, XIX, 3588.
BETH-LEBAOTH, III, 409, 415; XI, 1930.
BETHLEHEM, I, 60; II, 308; III, 410, 415-419, 491, 576; IV, 620, 733; V, 884, 905-906, 921, 949, 956; VII, 1160, 1265, 1330; VIII, 1352-1353; IX, 1569, 1584; X, 1735; XI, 1993, 2074; XII, 2123, 2159, 2167, 2226, 2239; XIII, 2436, 2450, 2456; XV, 2715; XVII, 3148-3149, 3155, 3158, 3264; XVIII, 3273-3274, 3299, 3325, 3364, 3448, 3454; XIX, 3496, 3637; XXI, 3859, 4028.
BETHLEHEM-JUDAH, III, 415; XII, 2234.
Bethlomon (*see* "Bethlehem" in Index).
BETH-MARCABOTH, III, 419; XI, 2042.
BETH-MEON, II, 334; III, 419.
BETH-NIMRAH, III, 419; VI, 1111; XIV, 2558.
BETH-PALET (-PHELET), III, 419.
BETH-PAZZEZ, III, 419.
BETH-PEOR, III, 419.
BETHPHAGE, III, 419-420; XIII, 3281.
BETH-RAPHA, III, 420.
BETH-REHOB, II, 232-233; III, 420; XVII, 3182.
BETHSAIDA, I, 165-166; III, 420-421; XI, 2098; XII, 2285; XVI, 2887, 2915; XXI, 4009.
BETHSAMOS, III, 409, 421.
BETHSAN, III, 421.
BETH-SHAN, II, 240, 255; III, 421-423; VIII, 1443; IX, 1634, 1701; X, 1751; XIII, 2375; XV, 2725; XVI, 2926; XVII, 3182; XVIII, 3369; XX, 3689, 3737.
BETH-SHEAN, II, 335; III, 421-422; V, 950; IX, 1708; XVIII, 3298, 3383.
BETH-SHEMESH, I, 145; II, 255, 267; III, 422-423; V, 929; VII, 1268, 1320; VIII, 1382, 1482; X, 1747, 1775, 1781; XI, 2057; XII, 2275; XV, 2846; XVI, 2926; XVIII, 3308, 3417; XIX, 3579.
BETH-SHITTAH, III, 423.
BETH-SURA, I, 187; III, 423-424; XI, 2002.
BETH-TAPPUAH, III, 424; XIX, 3630.
BETHUEL, III, 424; VIII, 1384; X, 1880; XII, 2249; XIII, 2423; XV, 2720; XVII, 3168.

BETHUL, III, 424, 572.
BETHULIA, III, 424, 563, 565, 572; IV, 696; V, 823; VII, 1200; X, 1822-1826; XII, 2201; XV, 2719; XVIII, 3432.
Beth-Zechariah, I, 187.
BETH-ZUR, III, 424-425; X, 1798; XI, 2013-2014, 2074.
Bet Lahm, III, 419.
BETONIM, III, 425.
Betulah, VIII, 1361.
Betuleius, Xystus, IV, 640.
BEULAH, III, 425.
Beza, Archbishop Theodore (1519-1608), III, 447; V, 940.
BEZAI, II, 366; III, 425.
BEZALEEL, III, 425-426; IV, 710; VII, 1339; X, 1771; XII, 2260; XV, 2706; XIX, 3610; XX, 3840.
BEZEK, I, 89; III, 426; XIII, 2420.
BEZER, III, 426, 496; IV, 619.
BEZETH, III, 426.
BIATAS, III, 426; XV, 2820.
BIBLE, 427-443; *passim*.
BIBLE, ARABIC VERSIONS, III, 444.
BIBLE, ARAMAIC TARGUMS OF THE OLD TESTAMENT, III, 444-445.
BIBLE, ARMENIAN VERSIONS, III, 445.
BIBLE, CODEX VERSIONS, III, 405, 445-448.
BIBLE, COPTIC VERSIONS, III, 448.
BIBLE, ENGLISH VERSIONS, II, 319; III, 448-459 (see also "King James Version" in Index).
BIBLE, ETHIOPIC VERSIONS, III, 459.
BIBLE, GOTHIC VERSIONS, III, 459.
BIBLE, GREEK VERSIONS, III, 459-461 (see also "Septuagint" in Index).
BIBLE, LATIN VERSIONS, III, 461-463 (see also "Vulgate" in Index).
BIBLE, MEDIEVAL AND MODERN (NON-ENGLISH) VERSIONS, III, 463-472.
BIBLE, SYRIAC VERSIONS, III, 472-473.
Bible de Jerusalem, III, 457, 464; IX, 1567.
Bible du Centenaire de la Jeunesse, II, 464.
"Bible of Elizabeth," the, III, 469.
Bible Society of Brazil, III, 468.
Bible Society of France, III, 464.
Bible Society of St. Petersburg, III, 471.
BIBLICAL CRITICISM, III, 436, 441, 473-477; IV, 719, 722; V, 791, 806, 845, 850, 855; VI, 1037, 1092; IX, 1646; X, 1747, 1776; XI, 2070, 2089; XIII, 2331, 2351; XIV, 2566; XV, 2835; XVI, 3032; XVII, 3084; XVIII, 3328, 3405; XIX, 3518; XX, 3751, 3801.
Bibliotheque Nationale, Paris, VII, 1216.
Biblos Psalmon, XVII, 3079.
BICHRI, III, 404, 477; XV, 2737; XVIII, 3427.

BIDKAR, III, 477.
BIGTHA, III, 477.
BIGTHAN, BIGTHANA, III, 477; VI, 1107.
BIGVAI, II, 348-349; III, 477; V, 930; XVII, 3181; XXI, 3852.
BILDAD, III, 477, 502; IX, 1643, 1647.
BILEAM, III, 477; VI, 1127.
BILGAH, III, 478.
BILGAI, III, 478.
BILHAH (concubine of Jacob), III, 396, 478; IV, 641, 709, 713; VI, 1139; VIII, 1446; IX, 1713; X, 1771, 1873, 1880; XIII, 2439; XIV, 2503, 2645; XVII, 3146, 3148; XX, 3801.
BILHAH (place), II, 332, 352; III, 478.
BILHAN, III, 478; V, 874.
BILSHAN, II, 375; III, 478.
BIMHAL, III, 478.
BINDING AND LOOSING, III, 478; X, 1845.
BINEA, III, 478.
BINNUI, II, 352, 373; III, 478-479, 502.
Bir Ayyub, V, 936; IX, 1646.
BIRDS OF THE BIBLE, III, 479-481; VII, 1168.
Birds of the Old Testament, III, 485.
BIRSHA, III, 481; VII, 1195.
Birth of John the Baptist (Tintoretto), XI, 1992.
Birth of Mary, XII, 2119.
BIRTHRIGHT, III, 481, 575; V, 943, 952; VI, 1068, 1079, 1139; VIII, 1386, 1408, 1445; X, 1771; XII, 2185; XIII, 2428.
BIRZAVITH, III, 482.
BISHLAM, III, 391, 482.
BISHOP, II, 200, 218; III, 482-483; IV, 759, 766.
BISHOPS' BIBLE, THE, III, 440, 452, 483; X, 1852-1854.
Bishops' Committee of the Confraternity of Christian Doctrine, XIV, 2510.
BITHIAH, III, 483-484; VIII, 1498; XVI, 2904.
BITHRON, III, 484.
BITHYNIA, III, 484; VI, 1113; XV, 2800; XVI, 2986; XX, 3766, 3791.
Bithynia-Pontus, XVI, 2986-2987.
BITTER HERBS, III, 484; XVI, 2958.
Bitter Lakes, XVII, 3180.
BITTERN, III, 484-485.
Bit-Yakin, XII, 2217.
BIZJOTHJAH, III, 485.
BIZTHA, III, 485.
BLADE, EAR, AND FULL CORN PARABLE, III, 485; XIII, 2408; XV, 2750 (see also "Parables of Jesus Christ" in Index).
Blake, William (artist, poet), (1757-1827), VI, 1018.
BLASPHEMY, III, 485-487; IV, 672; V, 897; VII, 1313; VIII, 1471; IX, 1580; X, 1792; XI, 1949, 1994,

Holy Sepulchre. Greek Orthodox chapel built over the site of Jesus' crucifixion (*Counsel Collection*).

2093; XII, 2281; XIV, 2533; XV, 2793; XVI, 2909; XIX, 3570.
BLASTUS, III, 487; XIV, 2619.
Blayney, Benjamin, X, 1855.
Blessing of Jacob, the, VIII, 1452; *passim.*
Blessing of Moses, the, XIX, 3527; *passim.*
BLESSINGS AND CURSES, III, 487-488; XI, 2052; XV, 2833.
Bliqis, XVII, 3133.
BLOOD, III, 488-490; XIX, 3490, 3547, 3584.
BLOOD-OFFERING, I, 20, 138; III, 489-491; V, 844; XVIII, 3289, 3291; XIX, 3561.
Blue Nile, XIV, 2556.
B'Nai Yisrael, XX, 3813.
BOANERGES, III, 491; VIII, 1466; IX, 1674.
BOAR, III, 491.
BOAZ, (husband of Ruth), I, 101; III, 491-492; V, 879, 906; VI, 1057, 1079, 1134; VIII, 1352; IX, 1569; X, 1855, 1867; XI, 1951, 2057; XII, 2177, 2303; XIII, 2413, 2437; XIV, 2607; XV, 2839; XVI, 2906; XVII, 3144-3145, 3175; XVIII, 3273-3274, 3276-3278, 3299; XX, 3706.
BOAZ (pillar), III, 492; XIX, 3641.
BOCCAS, III, 492, 495, 502.
BOCHERU, III, 493.
BOCHIM, III, 493.
Bodner Papyrus II, IX, 1666.
Bodrun, VII, 1230.
Boethus (monarch), XIX, 3635.
Boghazkoy, Turkey, VII, 1306; X, 1898-1899.
Bohemian Bible, the, III, 469.
BOHAN, III, 493.
Boiotia, XI, 1982.
Bomberg, Daniel (printer) (d. 1549), X, 1856; XIII, 2479; XVIII, 3326; XIX, 3626.
Bonah, XIX, 3478.
Bone, Algeria, XIV, 2516.
Bonner, Bishop Edmund (c. 1500-1569), VII, 1208.
"Book of Adam's Daughters," the, X, 1764; XVII, 3102.
Book of Ahikar, I, 143.
Book of Common Prayer, the, VII, 1208, 1311; XI, 1992; XVI, 2892; XXI, 3893.
Book of Jasher (*see* "Jasher, the book of" in Index).
Book of Mormon, XX, 3670.
"Book of Nathan," the, XVI, 3042.
"Book of Noah," the, XVII, 3165.
BOOK OF THE COVENANT, III, 431, 493-495; IV, 671; V, 795, 798; VI, 1006-1007; VII, 1235; X, 1912; XIII, 2330; XIV, 2623; XIX, 3497, 3499, 3501, 3616; XX, 3662; XXI, 3957, 3960.
Book of the Dead, XX, 3662.
Book of the Secrets of Enoch, V, 934.

Book of Zohar, XIII, 2446.
Booz, XVIII, 3273.
BORITH, III, 492, 495, 502.
Borshippa (deity), XIII, 2465.
Borysthenes River, XVIII, 3381.
BOSCATH, III, 495.
BOSOR, III, 495.
BOSORA, III, 495-496.
BOTTOMLESS PIT, III, 495; VII, 1258; XII, 2250.
Bouts, Dirk (artist) (c. 1410-1475), I, 41.
BOZEZ, III, 495; XVIII, 3399.
BOZKATH, III, 495.
BOZRAH, III, 496; X, 1841; XXII, 4039.
Brandon, S. G. F. (scholar), IX, 1604; XI, 2093; XII, 2155.
BRASS, III, 496-497.
Brazen Altar, I, 139; XIX, 3612.
BRAZEN SEA, III, 497; IV, 612; XIX, 3642.
BRAZEN SERPENT, III, 497-499; VII, 1292; XIII, 2344, 2493; XIX, 3642.
BREAD, III, 499-500; XVI, 2956; XXI, 3971.
BREASTPLATE OF THE PRIESTHOOD, III, 405, 500; V, 942; VIII, 1434, 1477; IX, 1624; X, 1771; XI, 1960, 2049; XII, 2266; XIV, 2513; XV, 2702, 2712; XVIII, 3345, 3353; XIX, 3559; XX, 3749; XXI, 3971, 3975.
"Breeches Bible," the, III, 440; VI, 1144.
Brest Bible, the, III, 469.
BRETHREN OF JESUS CHRIST, III, 501; VIII, 1468; IX, 1576, 1585; X, 1766, 1792, 1804; XII, 2119; XIX, 3482.
Bright, John (scholar), XIII, 2488.
BRIMSTONE, III, 501-502.
Brindisi, Italy, XVI, 2987.
Britain (ancient), IV, 621.
British Bible Society, II, 210; III, 465; VII, 1306.
British Museum, II, 300; III, 447; XVIII, 3399; XX, 3823.
British Philadelphian Sect, III, 464.
Broad Wall, IX, 1566.
Brook Zered, II, 228; XII, 2302.
Brooklyn (N.Y.) Museum, V, 883.
Brothers, Richard, XX, 3672.
Brueghel, Pieter, the Elder (artist) (c. 1520-1569), X, 1891.
Brundisium, XVI, 2981.
Brutus, Marcus Junius (Roman politician) (c. 85-42 B.C.), VII, 1344; XI, 2077; XVI, 2918; XIX, 3635.
Bubastis, XVI, 2939.
Buber, Martin (philosopher), I, 152; III, 465; VIII, 1392.
Budapest, Hungary, III, 466, 471.
BUKKI, I, 30; III, 492, 495, 502; IV, 710; IX, 1663;

XXI, 3854.
BUKKIAH, III, 502.
Bukkaran Jews, XX, 3675-3676.
BUL, III, 502, 524.
BULRUSH, III, 502.
Bultmann, Rudolf (theologian), III, 476; IV, 600; VI, 1096; IX, 1586, 1668.
BUNAH, III, 502.
BUNNI, 478, 502.
Bunyan, John (writer) (1628-1688), VI, 1144; XV, 2756.
BURIAL CUSTOMS, III, 502-506; VII, 1297; XII, 2192; XIV, 2630.
BURNING BUSH, I, 167, 169; III, 506-507; V, 841; VII, 1179; XIII, 2336, 2376; XX, 3691; XXI, 3967, 3986.
BURNT-OFFERING, I, 39-40, 138-139; II, 251, 366; III, 507, 576; IV, 749; V, 893; VI, 1033, 1067; VII, 1161, 1317; VIII, 1363, 1382, 1413; X, 1886; XI, 1952-1953, 1957; XIII, 2377, 2459; XIV, 2566; XV, 2817; XVI, 2939, 3010; XVII, 3177; XVIII, 3288, 3290, 3292-3293, 3360; XIX, 3491, 3587, 3610; XXI, 3890.
Burrus, XIV, 2504.
Buseirah, III, 496.
BUZ, III, 507.
BUZI, III, 507; VI, 1017.
Buzites, III, 507.
Byblos, III, 502; X, 1930; XV, 2725; XVI, 2925; XVIII, 3400; XX, 3758, 3791.
Byzantine Empire, VI, 1113; VII, 1215; XV, 2746; XIX, 3636.
Byzantium, XVI, 2918; XVII, 3253.

C

CAB, III, 508.
CABBON, III, 508; XI, 2042.
CABUL, III, 508.
CADDIS, III, 508; IX, 1688.
CADES, III, 508; X, 1837.
Cades-Barne, X, 1837.
Cadiz, Spain, VII, 1302; XVI, 2932; XIX, 3550; XX, 3825.
CADMIEL, III, 508; X, 1837.
Caesar and Cleopatra (drama), IV, 630.
Caesar, Julius (*see* "Julius Caesar" in Index).
CAESAREA, I, 71, 95, 163; II, 199, 324; III, 404, 487, 508-511; IV, 655; V, 844, 927; VI, 1062, 1066, 1092; VII, 1282; VIII, 1381; X, 1822, 1829; XI, 1982, 2003, 2083; XII, 2301; XV, 2796, 2803-2804, 2815; XVI, 2914, 2916, 2919, 2982-2983, 3002; XVIII, 3425, 3453; XIX, 3590, 3597; XX, 3706, 3710, 3749.
CAESAREA PHILIPPI, III, 511-512; IV, 644; X, 1843; XI, 2098; XII, 2163; XIII, 2375; XIV, 2531; XVI, 2890, 2917.
CAIAPHAS, JOSEPH, I, 174; III, 512, 559; IX, 1598, 1601; XI, 2061; XVI, 3020; XX, 3778.
CAIN (first son of Adam and Eve), I, 18, 20, 98; III, 512-515; V, 933; VI, 997, 1136, 1152; VIII, 1381; X, 1889; XI, 2100; XII, 2188, 2201, 2254; XIV, 2578, 2580, 2595, 2618; XVI, 3010; XVIII, 3288, 3414, 3432; XX, 3691.
CAIN (place), III, 515.
CAINAN, III, 516; X, 1841.
Cairo, Egypt, III, 423; V, 855; VII, 1268; IX, 1722; XII, 2205; XV, 2701; XIX, 3638; XX, 3686.
CALAH, II, 296; III, 516, 518; XVII, 3185, 3197; XVIII, 3420.
CALAMOLALUS, III, 518.
CALCOL, III, 518, 563.
CALEB, I, 60, 146, 162; II, 260, 330; III, 424, 518-519; V, 875, 936, 949; VI, 1132, 1148; VII, 1159, 1169, 1246, 1248-1249, 1265; VIII, 1382, 1463, 1504, 1534; IX, 1567; X, 1744, 1775, 1777, 1811, 1841, 1877; XI, 2005, 2042, 2074; XII, 2209; XIII, 2343, 2393, 2410, 2413, 2419; XIV, 2590-2591, 2647-2648; XV, 2717, 2719; XVII, 3125, 3152, 3181; XVIII, 3417-3418, 3423, 3429, 3441-3442, 3455; XIX, 3555, 3613, 3622; XX, 3726.
CALEB-EPHRATAH, III, 523.
Calebites, III, 519; X, 1777.
CALENDAR, I, 87; II, 305, 319; III, 502, 523-524, 576; IV, 606, 685; V, 883, 921; VI, 986, 1064; XIV, 2515, 2563; XV, 2837; XVIII, 3281, 3284, 3387, 3456; XIX, 3496, 3615-3616, 3637; XX, 3727, 3793; XXI, 3975; XXII, 4047.
Caliari, Paolo, XII, 2153.

CALIGULA (Roman emperor), I, 132; III, 524-526; IV, 620; V, 821, 927; VI, 1112; VII, 1214, 1281-1284; VIII, 1357; X, 1742; XV, 2796; XVI, 2929, 2995; XVII, 3251-3252, 3263-3264; XXI, 3864.
Caliph-Abdal-Malik, XIX, 3646.
CALITAS, III, 526.
CALLISTHENES, III, 526.
CALNEH, I, 54; III, 526; XIV, 2560; XVIII, 3448.
CALNO, III, 526, 536.
CALPHI, III, 526.
CALVARY, III, 526-529; IV, 678, 690; XXI, 3868.
Calvin, John (theologian), (1509-1564), III, 440, 464, 541; VII, 1207; IX, 1643; XVII, 3263; XX, 3721.
"Cambridge LXX," the, XVIII, 3407.
Cambridge University, III, 447, 449; X, 1852; XX, 3822.
Cambyses (Persian king), I, 58; IV, 695, 699; V, 869, 883; XII, 2191, 2297; XX, 3829.
CAMEL, III, 529-530, 556; XX, 3760.
CAMON, III, 530.
Campania, XVII, 3261.
CANA, III, 530; IX, 1589, 1667; XI, 2103; XII, 2124, 2187, 2279; XIII, 2448; XIV, 2536; XIX, 3485.
CANAAN (son of Ham), II, 267; VII, 1231-1232; XIV, 2570; XVIII, 3437; XIX, 3469, 3494.
CANAAN, CANAANITES (land and people), I, 18, 20, 22, 29, 35, 37, 60, 86, 89, 92, 94, 113, 115, 118, 120-121, 136, 146, 149-150, 162; II, 219, 228, 238-240, 243, 253-254, 260, 279, 287-289, 292, 308, 320, 328, 331-332, 335, 353, 357, 378; III, 399, 402, 406, 410-411, 413, 415, 421, 426, 493, 495, 502, 505, 518, 524, 530-534, 543, 554, 560, 563-565; IV, 616, 620, 624, 696, 703, 710, 768; V, 775-779, 796-798, 806-807, 812, 824, 848, 859, 863, 873, 879, 883, 889, 919, 923, 929, 944-945, 947, 955, 960; VI, 995, 1000, 1005, 1007, 1009, 1033, 1054, 1059-1060, 1068, 1072, 1079, 1085, 1109-1110, 1112, 1119, 1121, 1127, 1130-1133, 1138, 1141, 1145, 1151-1152; VII, 1162-1163, 1172, 1174, 1181, 1185-1186, 1195, 1200, 1220, 1232, 1246, 1254, 1257, 1260, 1265-1267, 1273, 1296-1297, 1306, 1309, 1314, 1317, 1331, 1343; VIII, 1351, 1353, 1355-1356, 1358, 1363, 1365, 1369, 1373, 1384, 1413, 1416-1417, 1425, 1430, 1434, 1445, 1448-1450, 1456, 1458, 1473, 1478, 1500, 1528, 1535; IX, 1546-1547, 1634, 1659, 1711, 1713, 1717-1718, 1721-1722, 1724; X, 1744, 1746-1748, 1751-1752, 1770, 1775-1776, 1806, 1808, 1811-1812, 1817-1818, 1837, 1839-1841, 1847, 1851, 1863, 1865, 1869, 1874, 1877, 1880, 1884, 1895, 1901, 1912; XI, 1927, 1930, 1935, 1938, 1943, 1947, 1959, 1967, 1975, 1999, 2005, 2042-2043, 2047, 2057, 2067, 2069-2070, 2101, 2103; XII, 2196-2197, 2202, 2212, 2217-2218, 2234, 2247, 2249, 2254, 2273, 2293, 2297, 2302; XIII, 2312, 2314, 2326, 2330, 2336, 2338, 2340-2341, 2343-2344, 2351, 2378, 2386, 2419, 2421, 2439, 2442, 2458, 2460, 2474-2475; XIV, 2583, 2589-2590, 2593, 2599, 2622, 2629, 2636, 2647-2648, 2650-2651; XV, 2695, 2719, 2721, 2728, 2731-2732, 2734, 2747, 2767-2768, 2780, 2818, 2829, 2856-2858, 2869-2870, 2872, 2877; XVI, 2904, 2923, 2926, 2929, 2931-2932, 2935, 2942, 2977, 2990, 3029, 3033, 3058, 3062; XVII, 3110, 3131, 3147-3148, 3155, 3160, 3165, 3168, 3177, 3182, 3187, 3209, 3239; XVIII, 3283, 3288, 3292, 3297, 3326, 3329, 3339-3341, 3360, 3370, 3383, 3398, 3414, 3424-3426, 3430, 3432-3433, 3439, 3444, 3448-3449, 3454; XIX, 3474, 3478-3481, 3485, 3496, 3499-3500, 3505, 3507, 3517, 3527, 3530, 3555-3556, 3570, 3576, 3579, 3583, 3586, 3609, 3612-3613, 3622, 3630, 3639-3640; XX, 3717, 3758, 3801, 3804, 3811, 3813, 3815, 3837; XXI, 3847, 3862, 3874, 3890, 3898, 3937, 3940, 3945, 3954, 3967, 3973, 3992, 3997, 4007-4010, 4029, 4032; XXII, 4049.
CANDACE, III, 534-535; VI, 988; XVI, 2916.
CANDLESTICK, I, 133; III, 535-536; VI, 1068; X, 1874; XII, 2260; XIV, 2599; XVI, 2952; XVIII, 3293; XIX, 3612.
"Canisius" Bible, the, III, 463.
CANKERWORM, III, 536.
CANNEH, III, 526, 536.
CANON OF THE NEW TESTAMENT, I, 61, 97; II, 211; III, 447, 536-541, 556; VII, 1177, 1275, 1287; X, 1804, 1826; XIV, 2522, 2524; XV, 2700, 2782; XVI, 2901, 2983; XVII, 3256, 3264; XX, 3694.
CANON OF THE OLD TESTAMENT, III, 436, 443-444, 541-550; IV, 702, 722; V, 792, 796, 848, 850; VI, 974, 1005, 1024, 1029-1030, 1042; VIII, 1377, 1517; IX, 1573, 1649, 1660; X, 1747, 1806; XI, 1952, 2057; XII, 2209, 2230, 2235; XIII, 2331; XIV, 2662-2663, 2678; XV, 2823; XVI, 2972-2973, 3072; XVII, 3101, 3127; XVIII, 3378; XIX, 3530, 3559; XXI, 3947.
Canticum Canticorum, XIX, 3529.
CAPERNAUM, I, 165-166; III, 420, 501, 530, 537, 550-551; IV, 583; V, 813; IX, 1589; XI, 1994, 2094-2095; XII, 2124, 2279-2280; XIII, 2379, 2456; XV, 2790; XVI, 2887; XX, 3707.
CAPH, III, 551.
CAPHARSALAMA, III, 551; X, 1799; XIV, 2551.
CAPHENATHA, III, 552.
CAPHIRA, III, 552-553, 568.
CAPHTOR, CAPHTORIM, III, 553; IV, 670; XVI, 2923.
Capitoline Hill, XVII, 3263.
CAPPADOCIA, II, 261; III, 553; VI, 1113; VII, 1219; XI, 1999, 2020; XVI, 2892, 2987.
Capri, XX, 3711.
Captivity Letters, the, XIV, 2542-2543; XV, 2813,

INDEX 4091

2815.
CARABASION, III, 553.
Caracalla (Roman emperor) (A.D. 188-217), XV, 2844.
Caravaggio, Michelangelo da (artist) (c. 1565-1609), I, 76; VIII, 1386; XII, 2153.
CARCAS, III, 553.
CARCHEMISH, CARCHAMIS, III, 553; V, 868; VI, 993; VIII, 1486, 1506; X, 1761, 1786; XIII, 2494; XVI, 2901, 2904; XIX, 3606; XX, 3712, 3741.
Carchemish, Battle of, II, 291; XIII, 2462, 2494.
CAREAH, III, 553; X, 1838.
Caria, VII, 1230.
Carlstadt, Andreas Rudolf (Protestant reformer) (1480-1541), XV, 2834.
CARMEL III, 553-555; IV, 736; XVIII, 3440; XIX, 3464.
CARMI, III, 555; XVII, 3208, 3210.
Carmites, III, 555.
CARNAIM, II, 292; III, 555; IX, 1646.
CARNION, II, 292, 309; III, 555.
CARPUS, III, 555.
CARSHENA, III, 555.
Carthage, Carthaginians, IV, 620; X, 1897; XII, 2203; XIII, 2314; XIV, 2516; XVI, 2933; XVIII, 3451; XIX, 3550; XX, 3759, 3825.
Carthage, Third Council of (A.D. 397), III, 540.
Casleu, VII, 1244.
CASIPHIA, II, 262; III, 555; V, 889; VI, 1032; XVIII, 3293, 3440; XXI, 4012.
CASLUHIM, III, 555.
CASPHOR, CASPIS, III, 555.
Caspian Sea, XX, 3794.
Cassander, XVII, 3112; XX, 3698.
CASSIA, III, 555-556.
Cassius, Gaius Longinus (Roman politician), VII, 1276-1277, 1344; XI, 2025; XVI, 2918; XIX, 3635.
Cassius Dio, XX, 3768.
CASTOR AND POLLUX, III, 556; XVIII, 3453.
Castra Praetoria, XVI, 2995.
Catechetical School, the, I, 132.
Cathedra Mosis, IV, 583.
Catholic Bible Association of America, XIV, 2510.
CATHOLIC EPISTLES, III, 433, 447, 459, 473, 540, 556; VIII, 1469; IX, 1664; X, 1804, XIV, 2516, 2522, 2524-2526, 2545-2547, 2549; XVI, 2891, 2901.
CATHUA, III, 556.
CATTLE, III, 556.
Caucasus Mountains, II, 304; XVIII, 3381.
CAUL, III, 556.
CAVE OF MACHPELAH, I, 40; III, 504, 556-558; V, 949; VI, 1139, 1141; VII, 1168, 1265; VIII, 1385; IX, 1722; XI, 1927, 2063; XIII, 2316; XVII, 3149, 3172; XVIII, 3350; XX, 3747; XXII, 4059.

Cayster River, V, 940.
CEDARS OF LEBANON, II, 257; III, 558; VI, 1118; VII, 1332; IX, 1705; XI, 1930; XVI, 2960; XVII, 3085; XVIII, 3451; XIX, 3514, 3641; XX, 3758.
CEDRON, III, 558-559; VI, 1150.
CEILAN, III, 559.
CELOSYRIA, II, 188; II, 217; III, 559; VII, 1276; XI, 1930, 2013, 2018; XV, 2700, 2715; XIX, 3496; XX, 3704.
Celts, XX, 3704.
CENCHREA, III, 559; IV, 647; XVI, 2912.
CENDEBEUS, III, 558, 560; VIII, 1444.
CENSUS, I, 23, 87, 116; II, 234, 260, 275, 277, 287, 295, 324; III, 399, 417, 560-562; IV, 699, 714, 729, 748; V, 873, 879, 887, 929, 945, 950-951; VI, 1005, 1015, 1110; VII, 1238, 1244, 1267, 1339; VIII, 1434, 1444, 1463-1464, 1472, 1475, 1479; IX, 1571, 1582, 1632, 1636; X, 1775, 1804, 1874; XI, 1937, 1942, 1993, 2060; XII, 2123, 2212; XIII, 2393, 2412; XIV, 2583, 2589, 2627, 2647; XV, 2746, 2818, 2829; XVI, 2906, 2911; XVII, 3209, 3264; XVIII, 3271, 3329, 3408, 3426, 3444, 3447-3448; XIX, 3463, 3465, 3479, 3619, 3621; XX, 3742, 3754, 3802; XXI, 4009-4010.
CENTURION, III, 562; IV, 655.
CEPHAS, III, 562; IV, 648; XVI, 2887.
CERAS, III, 562.
CEREAL-OFFERING, III, 499, 562-563; VIII, 1363; XI, 1952; XII, 2175-2176, 2187; XV, 2817; XVI, 2952; XVIII, 3288-3290.
Ceres (deity), II, 293.
Cermic Gulf, VII, 1230.
Cestius Gallus, XXI, 3865.
Cestrus River, XV, 2747.
CETAB, III, 563.
Ceylon, XVI, 2959-2960.
Chaeroneia, Battle of (338 B.C.), XI, 2041.
CHABRIS, III, 563; VII, 1200; X, 1824.
Chagall, Marc (artist), VIII, 1512; XIX, 3534; XX, 3817.
Chalcis, V, 926; XVII, 3235; XX, 3729.
CHALCOL, III, 518, 563.
CHADIAS, III, 563.
CHALDEA, CHALDEANS, II, 298, 303-306, 347; III, 563-564; IV, 718, 764; V, 792; VI, 993, 1016, 1021; VIII, 1483; IX, 1643; X, 1820; XII, 2217, 2223; XIII, 2462, 2493-2494; XIV, 2605; XV, 2820; XVIII, 3380, 3400, 3455; XIX, 3576, 3616, 3642.
CHAMOIS, III, 564.
CHANAAN, III, 564.
CHAPITER, III, 564.
CHAPMEN, III, 564.
CHARAATHALAR, III, 564-565, 569.
CHARACA, III, 565.

CHARASHIM, III, 565.
Charbar, XX, 3668.
CHARCUS, III, 565.
CHAREA, III, 565.
Charis, XIX, 3559.
Charlemagne, XVII, 3256.
Charles Martel, II, 231.
Charles V, Emperor, XX, 3823.
Charles XII's Bible, III, 468.
CHARMIS, III, 565; X, 1824; XII, 2201.
CHARRAN, III, 565; VII, 1246.
Chartres, Cathedral of, IX, 1646.
Charybdis, Whirlpool of, XVII, 3234.
CHASEBA, III, 565.
CHEBAR (River), III, 565; VI, 1015, 1021; XV, 2848; XIX, 3638.
CHEDORLAOMER, I, 37, 142, 161; II, 292; III, 402, 565-566; V, 891, 919; VII, 1232; XI, 1976; XII, 2201; XV, 2768; XVII, 3187; XVIII, 3297, 3439; XIX, 3499; XX, 3712; XXI, 3901; XXII, 4061.
CHELAL, III, 566.
CHELCIAS, VII, 1303.
CHELLUH, III, 566-567.
CHELLUS, III, 567.
CHELOD, III, 567.
CHELUB, III, 567; XIX, 3463.
CHELUBAI, III, 567.
CHEMARIMS, III, 567.
CHEMOSH (deity), II, 293; III, 567; VIII, 1356; X, 1848, 1867; XIII, 2311, 2460.
CHENAANAH, III, 567.
CHENANI, III, 567.
CHENANIAH, III, 567-568.
CHEPHAR-HAAMMONAI, III, 568.
CHEPHIRAH, II, 376; III, 552.
CHERAN, III, 568.
CHERETHITES AND PELETHITES, III, 568; IV, 670; XIII, 2475; XVI, 2929.
CHERITH, III, 569; V, 891-892.
CHERUB, III, 569; XV, 2848.
CHERUBIM, I, 170; II, 265; III, 571-572; V, 846; VI, 1021, 1049; VIII, 1425; XII, 2215; XV, 2695; XIX, 3642.
CHESALON, III, 572.
CHESED, III, 572.
CHESIL, III, 572; VII, 1317.
Chester Beatty Papyrus, V, 939; XIV, 2522, 2525.
CHESULLOTH, III, 572, 576.
CHETTIM, III, 572-573, 576; X, 1872.
Cheyne, IV, 713.
CHEZIB, I, 60; III, 573.
CHICKEN, III, 573.
CHIDON, III, 573; XIII, 2418.

CHILDREN, III, 573-575; V, 859; VI, 1052; X, 1873; XI, 2103.
CHILEAB, I, 24, 91; III, 575.
CHILION, III, 575; V, 879, 905, 949; XIII, 2436; XV, 2715; XVIII, 3274.
CHILMAD, III, 575-576.
CHIMHAM, II, 364; III, 576.
China, XVI, 2959.
Chinese Turkestan, II, 231.
CHINNERETH, III, 576; IX, 1708; XIII, 2440-2441; XVIII, 3385.
CHINNEROTH, III, 576; IV, 617; XVIII, 3385.
CHIOS, III, 576.
CHISLEU, III, 576.
CHITTIM, III, 572, 576; IV, 620, 697; XIX, 3632.
CHISLON, III, 576.
CHISLOTH-TABOR, III, 572, 576.
CHIUN, IV, 583.
CHLOE, IV, 583, 648.
Choaspes River, IV, 719; XIX, 3465.
CHOBA, CHOBAI, IV, 583.
Chochma, XIX, 3529.
CHORASHAN, I, 121; II, 285; IV, 583.
CHORAZAN, IV, 583.
Chosameus, XIX, 3483.
CHOZEBA, I, 60; III, 573; IV, 584.
Christian II (monarch), III, 468.
CHRISTIANITY, I, 64, 68, 71-76, 125, 132, 134, 136, 163, 167, 177, 181; II, 204, 208, 210-211, 214, 218-219, 228, 295, 298, 353-356, 358, 360; III, 427, 433, 436, 444, 459-460, 475-476, 482, 510, 535, 541, 550, 556, 562; IV, 584-586, 598, 600, 612-616, 637, 647, 655-656, 668-669, 676, 689, 696, 698, 707, 716, 723-724, 759, 766; V, 795, 803, 810-811, 821, 823, 847, 873, 908, 926, 928, 936, 941-942, 956; VI, 988, 990-991, 1005, 1015, 1036-1037, 1051, 1061, 1088, 1094, 1097, 1112-1113, 1116, 1119, 1127, 1136; VII, 1176-1178, 1182, 1215, 1246, 1261-1263, 1272, 1274, 1282, 1295, 1311, 1321, 1343; VIII, 1415, 1436, 1471, 1517; IX, 1543, 1560, 1661, 1664; X, 1791-1792, 1835, 1851, 1893, 1901, 1903-1904; XI, 1969, 1982, 1984, 1987, 1991, 2001, 2008, 2060, 2087, 2093-2094, 2111; XII, 2153, 2156, 2175, 2196, 2229-2230, 2270, 2301; XIII, 2326, 2453; XIV, 2511, 2513, 2518, 2521, 2525, 2533, 2536, 2538-2542, 2553, 2631, 2635; XV, 2746, 2748, 2764, 2770, 2773, 2786, 2793-2794, 2797-2798, 2800-2804, 2814, 2816, 2833, 2837, 2843; XVI, 2896, 2909, 2913-2914, 2916, 2929, 2934, 2937-2938, 2981, 2987, 3000, 3010, 3062, 3064-3065; XVII, 3102, 3105, 3181, 3250, 3253, 3259, 3263-3264; XVIII, 3278, 3283, 3297, 3312, 3374, 3389, 3404, 3408, 3410, 3413-3414, 3436, 3446; XIX, 3485, 3502, 3530, 3547, 3559, 3561, 3564, 3568, 3576, 3591, 3597, 3607-3608,

INDEX 4093

3622, 3626, 3635, 3645-3646; XX, 3678, 3681, 3683, 3691-3692, 3698, 3703, 3720, 3733, 3766-3768, 3784, 3788; XXI, 3872, 3890, 3928, 3945, 3951-3952, 3964, 3970.

Christian Millenarians, XX, 3668.

Christmas, VII, 1265.

CHRISTOLOGY, IV, 586; XII, 2229.

Christ's College, Liverpool, Eng., IX, 1567.

CHRONICLES, FIRST BOOK OF THE (Old Testament), I, 24, 58, 88-89, 112-113, 115-116, 133, 163; II, 233, 333, 336, 375-376; III, 396, 403, 412, 428, 436, 478, 497, 523, 546-547, 563, 565, 567, 592-598; IV, 584, 612, 661, 704, 711-713, 731; V, 804, 874-875, 884, 888-889, 906, 919, 921, 936, 945, 949, 959; VI, 967, 985, 1029, 1042, 1110, 1126, 1128, 1146, 1149; VII, 1159, 1227, 1238, 1244, 1246, 1251, 1253, 1256, 1266-1267, 1272, 1274, 1301, 1309, 1314, 1320, 1339; VIII, 1351, 1353, 1363, 1381, 1411, 1435-1437, 1439, 1464, 1475, 1481, 1498, 1504, 1506; IX, 1569, 1638, 1689; X, 1762, 1765, 1780, 1806, 1841, 1852, 1863; XI, 1939, 1946-1947, 2006, 2042, 2054, 2063, 2069, 2074, 2080; XII, 2175, 2189, 2201, 2216-2217, 2220, 2233, 2293, 2297; XIII, 2419, 2421, 2439, 2441, 2460, 2484, 2488; XIV, 2503, 2578-2579, 2599, 2604, 2607, 2629, 2635-2636, 2659, 2661; XV, 2705, 2768, 2774, 2783, 2820, 2839, 2851, 2860; XVI, 2943, 2972; XVII, 3123, 3152, 3155, 3163, 3168, 3186, 3197, 3210-3211, 3233, 3242; XVIII, 3297, 3299, 3419, 3422-3427, 3438-3440, 3446-3447; XIX, 3463-3464, 3466, 3469, 3495, 3520, 3570, 3608, 3619, 3639, 3642; XX, 3735, 3831; XXI, 3854-3855, 3859, 3992, 3997, 4001-4002, 4022, 4029; XXII, 4044, 4046, 4056, 4060.

CHRONICLES, SECOND BOOK OF THE (Old Testament), I, 102, 109, 111, 145, 149-150; II, 238, 279-280, 293, 310, 336; III, 401, 404, 428, 481, 546-547, 562, 592-598; IV, 640, 700, 711; V, 795, 889, 947, 952, 957; VI, 1029, 1037-1038, 1042, 1146; VII, 1227, 1232, 1234, 1272, 1292, 1298, 1338; VIII, 1353, 1390, 1481, 1483, 1485, 1490, 1492, 1495, 1536; IX, 1548, 1551-1552, 1634, 1639, 1641; X, 1757, 1763, 1765, 1806, 1852, 1858, 1863, 1889; XI, 1939, 1947, 2004, 2006, 2063-2064, 2069, 2239; XIII, 2376, 2388, 2462, 2472, 2478, 2488; XIV, 2605, 2627-2628, 2635-2636, 2659, 2661; XV, 2774, 2851, 2860; XVI, 2972, 3000; XVII, 3183, 3223, 3424; XVIII, 3438, 3453; XIX, 3476, 3481, 3520, 3572, 3586, 3632, 3639; XX, 3750; XXI, 3855, 4002, 4021-4023; XXII, 4039, 4055.

"Chronicles of the Kings of Israel," X, 1856; XIV, 2640.

"Chronicles of the Kings of Judah," X, 1856; XIV, 2640.

CHRONOLOGY OF THE NEW TESTAMENT, IV, 598-605.

CHRONOLOGY OF THE OLD TESTAMENT, IV, 605-611.

Chrysippus (Stoic philosopher), XIX, 3568.

CHRYSOLITES, CHRYSOPRASES, IV, 612; XII, 2266.

CHUB, IV, 612.

CHUN, III, 405, 497; IV, 612; XVII, 3186.

CHURCH AND CHURCH GOVERNMENT, IV, 612-616, 766; VII, 1177; *passim*.

CHURCHES, ROBBERS OF THE, IV, 616.

Church of England, III, 483; VII, 1208; XVII, 3232.

Church of St. Mary Magdalene, VI, 1151.

Church of Scotland, XVII, 3232.

Church of the Holy Sepulchre, III, 527; IX, 1560.

CHUSHAN-RISHATHAIM, IV, 616-617; X, 1811.

CHUSI, IV, 617.

CHUZA, IV, 617; IX, 1638.

Cicero, Marcus Tullius (Roman orator) (106-43 B.C.), IV, 620; XVI, 2980; XVII, 3238; XIX, 3604.

CILICIA, I, 66, 182-183, 186; II, 375; III, 404, 553; IV, 617, 625, 630, 698; V, 786; VI, 1062; VII, 1282; X, 1910; XI, 2000, 2018, 2061; XV, 2747, 2786, 2793, 2797-2799, 2802; XVI, 2923; XVIII, 3395, 3449; XIX, 3513, 3632; XX, 3729, 3768.

Cilician Gates, the, XIX, 3632, 3634, 3636.

Cimmerians, VII, 1184, 1195; XIII, 2190.

Cinna, L. Cornelius, X, 1830.

CINNEROTH, IV, 617-618.

CIRAMA, IV, 618.

CIRCUMCISION, I, 37, 67, 71, 186; II, 356; III, 575; IV, 618-619, 649, 658; V, 804; VI, 979, 1084, 1113, 1115, 1139, 1146; VII, 1272, 1282; VIII, 1406; IX, 1628; X, 1766, 1913; XI, 2010, 2101; XIII, 2337, 2361; XV, 2788, 2790, 2851, 2870; XVI, 2891; XVIII, 3384; XIX, 3468, 3470, 3499; XX, 3670, 3732-3733, 3758.

CIS, IV, 619.

CISAI, IV, 619.

Cisterna, XX, 3704.

Citadel, the (Jerusalem), XIX, 3483.

CITIES OF REFUGE, I, 121, 165; II, 285, 292, 326; III, 426, 508; IV, 583, 619-620, 624; VII, 1185, 1265; X, 1840; XI, 1948; XII, 2213; XIV, 2583, 2648; XVII, 3162, 3210; XVIII, 3431.

CITIES OF THE PLAIN, I, 37, 89; II, 379; III, 502; IV, 620, 759; V, 919; VI, 1138-1139; VII, 1195; XIX, 3505, 3507; XX, 3712; XXI, 3901, 4009; XXII, 4057-4058.

CITIMS, IV, 620.

CITY OF DAVID, IV, 620; XIII, 2451; XVIII, 3297 (*see also* "Jerusalem" in Index).

CLAUDA, IV, 620; XVI, 2936.
CLAUDIA, IV, 620.
Claudia Procula, XVI, 2984.
CLAUDIUS (Roman emperor), I, 95, 132; III, 526; IV, 620-622; V, 927; VI, 1054; VII, 1281-1282; VIII, 1436; IX, 1559-1560; X, 1742; XI, 2003, 2093; XIII, 2443; XIV, 2504, 2995; XV, 2790, 2804; XVII, 3263-3264; XX, 3696, 3698, 3704, 3864.
Claudius (Suetonius), XI, 2093.
CLEAN AND UNCLEAN, III, 481, 489, 495, 530, 564; IV, 622-625, 642, 694, 767; V, 798; VI, 969, 1049, 1063, 1068, 1078; VII, 1168, 1176, 1248, 1251, 1288; VIII, 1351; X, 1871, 1886; XI, 1933, 1953; XIII, 2312, 2331, 2392; XIV, 2554, 2646; XV, 2715, 2822; XVIII, 3432; XIX, 3488, 3570, 3584; XX, 3758, 3773; XXI, 3892, 3894, 3917, 3957.
Cleanthes (Stoic philosopher), II, 297; XIX, 3568.
Cleisthenes (Athenian statesman), II, 314.
CLEMENT, IV, 625.
Clement of Alexandria (c. A.D. 150-215), I, 132; III, 501; IV, 586; VI, 1096; VII, 1264; IX, 1667; XIV, 2522; XV, 2834; XVI, 2931; XVIII, 3404.
Clement I, Pope, IV, 602; VII, 1263-1264; XV, 2812; XIV, 2522.
Clement VII, Pope, XX, 3668.
Clement VIII, Pope, XXI, 3894.
Clement, First Epistle of, XVI, 2891; XIX, 3551.
Clement of Rome, III, 538.
Cleomenes, XVII, 3112.
CLEOPAS, IV, 625; V, 924.
CLEOPATRA I, I, 185; IV, 625-626; V, 785; XVII, 3119-3120; XVIII, 3396.
CLEOPATRA II, IV, 626-627; V, 787; XV, 2701; XVII, 3120-3121.
CLEOPATRA III, I, 125; IV, 627-628; XI, 2023; XVII, 3120-3121.
CLEOPATRA THEA, I, 124, 188-189; IV, 625-628; V, 786-787; XVII, 3120-3121; XVIII, 3397.
CLEOPATRA TRYPHAENIA I, I, 189; IV, 627-628; XVIII, 3397.
CLEOPATRA IV, IV, 625, 627-628; XVII, 3121.
CLEOPATRA V SELENE, I, 189, 191; IV, 627-629; XVII, 3121.
CLEOPATRA VI TRYPHAENIA II, IV, 629; XVII, 3122.
CLEOPATRA VII (Ptolemaic monarch), I, 132; II, 324; IV, 629-633; V, 873; VII, 1277; X, 1832; XI, 2027, 2075, 2078; XII, 2136; XIV, 2554; XV, 2790, 2844; XVI, 2918, 2981; XVII, 3109, 3121-3123; XVIII, 3451; XIX, 3635.
Cleopatra of Jerusalem (wife of Herod), XVI, 2917; XVIII, 3301.
CLEOPHAS, IV, 625, 634; XII, 2133.

CNIDUS, IV, 634; V, 786,
Cocceius, XIX, 3530.
Cochin, India, XX, 3668.
Cochlaeus, John, XX, 3822.
Code of Hammurabi, II, 342; V, 876; VII, 1235, 1237; XIX, 3497, 3499.
Code of Nehemiah, XIII, 2486.
Codex Alexandrinus, III, 447; V, 931; XVII, 3232.
Codex Argenteus, III, 459.
Codex Bezae, I, 74, 98; III, 461.
Codex Ephraemi Syri, III, 447.
Codex Sinaiticus, III, 445-447, 454; V, 931; XVII, 3232; XVIII, 3407.
Codex Vaticanus, III, 445-447, 454, 459; V, 931; VI, 1037; XVII, 3232; XVIII, 3406-3407.
Cogamus River, XVI, 2913.
Cohors Augusta I, XV, 2804.
Coins and Currency (*see* "Money" in Index).
COLA, IV, 634.
COL-HOZEH, IV, 634.
COLIUS, III, 526; IV, 634.
Collatinus, Lucius Tarquinius, XVII, 3263.
Cologne, Germany, III, 463.
Colonia, V, 924.
COLORS, SYMBOLISM, IV, 634-637.
COLOSSAE, II, 227, 254; IV, 637-638; V, 936, 940; VII, 1295; X, 1899; XIV, 2543, 2599; XV, 2699, 2815-2816; XVI, 2913-2914, 2919.
COLOSSIANS, EPISTLE OF PAUL TO THE (New Testament), II, 358; IV, 637-640; V, 936-937; VII, 1275; X, 1900; XI, 2083; XIV, 2515, 2543-2544; XV, 2699, 2810, 2813, 2816; XVI, 2913-2914; XVII, 3216.
Colossus of Rhodes, XVII, 3238.
Columbus, Christopher, XIX, 3551.
Communism, I, 179.
Complutesian Polyglot, XVIII, 3406.
CONANIAH, IV, 640.
CONCORDANCES, IV, 640.
Concordia Augusta, V, 927.
CONCUBINAGE, I, 31, 37, 92; II, 287; III, 478, 575; IV, 594, 640-642, 709, 740; VI, 1109, 1112; VII, 1223; VIII, 1406; IX, 1723; X, 1880; XII, 2246; XVII, 3146; XVIII, 3346; XIX, 3497; XX, 3813.
CONEY, II, 348; IV, 642; VII, 1248.
Confederation of the Rhine, XVII, 3256.
CONFESSION, IV, 642-644; XVI, 2999.
Congregational Church, XVII, 3232.
CONIAH, IV, 644; VIII, 1483.
"Conjectures on the Original Memoirs Used by Moses in Composing the Book of Genesis," III, 475.
CONONIAH, IV, 644.
CONSCIENCE, IV, 644-646.

Consolation, Book of, VIII, 1398.
Constantine (Roman emperor), I, 167; III, 417, 527; V, 928; XVI, 2891, 2995; XVII, 3253, 3263; XXI, 3872.
Constantinople, III, 445, 465; XVI, 2918; XX, 3704, 3821.
Contra Apionim (by Josephus), X, 1738.
Convocation of Canterbury (1870), V, 931; XVII, 3232.
COOS, IV, 646.
CORBAN, IV, 647.
CORBE, IV, 647; XXI, 3992.
Cordoba, Spain, III, 444.
CORE, IV, 647.
CORINTH, I, 57, 71-72, 97; II, 218, 228; IV, 583, 621, 647-655, 676; V, 784, 941, 950; VI, 1087, 1112, 1119, 1121; VII, 1211; VIII, 1477; X, 1836; XI, 1927; XIV, 2540-2541, 2617; XV, 2800, 2802, 2813-2814; XVI, 2932, 2987; XVII, 3131, 3201, 3260, 3263-3264; XVIII, 3383; XIX, 3468, 3476, 3545, 3547, 3563, 3590; XX, 3678, 3696, 3720, 3731-3732, 3749, 3792; XXI, 3970.
Corinth, Gulf of, XIX, 3468.
CORINTHIANS, FIRST EPISTLE OF PAUL TO THE (New Testament), I, 75; II, 358, 360; III, 429; IV, 583, 645, 648-652, 654-655, 676; V, 819, 938-939; VI, 1087, 1121; VII, 1274, 1314; XI, 2075; XIV, 2540-2541; XV, 2802, 2810-2811, 2813-2814; XVI, 2917, 2923; XVII, 3201, 3216; XIX, 3547, 3559, 3564; XX, 3721, 3732, 3749.
CORINTHIANS, SECOND EPISTLE OF PAUL TO THE (New Testament), III, 429; IV, 648, 651-655; VI, 999, 1121; VII, 1314; XIV, 2540-2541, 2631; XV, 2802, 2810-2811, 2813-2814; XVI, 2917, 2919, 2923, 2943; XVII, 3216; XX, 3732.
CORMORANT, III, 484; IV, 655.
Cornelia (wife of Julius Caesar), X, 1830.
CORNELIUS, I, 67; III, 510, 562; IV, 655-656; XIV, 2538; XVI, 2890, 3002.
Corner Gate, the, IX, 1564.
Corpus Christi College, Oxford, X, 1852.
Corpus Paulinium, III, 538.
Correggio, Antonio (artist) (1494-1534), XI, 1992.
Correspondence of Paul and Seneca, II, 216.
COS, IV, 634, 646.
COSAM, IV, 656.
Cotys, XX, 3704.
Council of Chalcedon (A.D. 451), IV, 586.
Council of Jamnia (A.D. 90), III, 431; XIII, 2144; XVI, 2973; XXI, 3947.
Council of Jerusalem, I, 71, 75-76; II, 360; III, 501; VI, 1113, 1116; X, 1916; XIV, 2536, 2538, 2541; XV, 2798, 2814; XIX, 3476.
Council of Nicaea (A.D. 325), IV, 586; XX, 3790.
Council of Toledo (A.D. 589), VII, 1314.

Council of Trent (1546), II, 210; III, 447, 541; VIII, 1471; XI, 2036; XIV, 2516.
Counter-Reformation, the, XII, 2232.
COURSE OF PRIESTS AND LEVITES, III, 502; IV, 656; VII, 1229, 1238, 1248, 1267, 1294, 1339; VIII, 1440, 1444, 1479-1480, 1526, 1534; IX, 1567-1568; X, 1744; XI, 2061; XII, 2249; XVI, 2901; XVIII, 3402, 3430, 3438, 3447; XIX, 3588.
Court of the Gentiles (in the Temple), IX, 1594; XIX, 3644; XX, 3793.
Court of Israel, the, XX, 3793.
Court of the Women (in the Temple), XIX, 3617, 3645.
COUTHA, IV, 656.
COVENANT, I, 34, 118, 156, 162; II, 330, 356, 376; III, 396, 427, 490, 493, 537; IV, 618, 642, 656-660; V, 795, 804, 876, 956; VI, 1000, 1016, 1033, 1036, 1050, 1117, 1133, 1138-1139; VII, 1179, 1181, 1206, 1226, 1309, 1322, 1327; VIII, 1365, 1382, 1385, 1400, 1406, 1411, 1416, 1423, 1430, 1456, 1458, 1479, 1495, 1519; IX, 1568; X, 1746-1747, 1757, 1791, 1817, 1837, 1863, 1911-1912; XI, 1967, 2007, 2054, 2059, 2061, 2100; XII, 2176, 2214-2216, 2220, 2249; XIII, 2326, 2477-2478, 2482; XIV, 2510, 2518, 2566, 2601, 2605, 2607, 2631, 2645, 2685, 2687; XV, 2721, 2731, 2775, 2779, 2823, 2826, 2833, 2853, 2870; XVI, 2997, 3005-3006, 3044, 3048-3049, 3051-3053, 3062; XVII, 3084, 3155, 3159, 3175, 3182, 3185, 3226; XVIII, 3283-3284, 3287, 3383, 3407, 3419, 3431-3432, 3437, 3439-3440; XIX, 3470, 3527, 3564, 3612; XX, 3753; XXI, 3928, 3951, 3955-3956, 3975, 3986-3987, 3993, 3998, 4002; XXII, 4047.
Coverdale, Miles (Bible translator; c. 1488-1569), III, 439-440, 449-451; IV, 660-661; VI, 1143; VII, 1207-1208.
COVERDALE BIBLE, II, 210; III, 440, 449, 452; IV, 660-661; VII, 1306; X, 1854; XII, 2173; XXI, 3893.
COZ, II, 200; IV, 661.
COZBI, IV, 661; XVI, 2931.
Cracow, Poland, III, 466, 469.
Cracow Bible, the, III, 469.
Cranach, Lucas (artist), (1472-1553), IV, 690.
CRANE, IV, 661-662; XIX, 3584.
Cranmer, Thomas (Archbishop of Canterbury) (1489-1556), III, 451; VII, 1207-1208; XII, 2173.
Cranmer's Bible, VII, 1207.
Crassus, Marcus Licinius (Roman politician) (c. 115-53 B.C.), X, 1830; XI, 2077; XV, 2772; XVI, 2979-2981; XX, 3704.
CRATES, IV, 662.
Crates of Mallas, XI, 2061.
CREATION, THE, I, 79, 170; II, 342; III, 429, 443, 524, 545; IV, 605, 662-666; V, 844, 955; VI, 1005, 1038, 1068, 1074, 1083, 1124, 1136, 1141, 1143; VII,

1182, 1237; VIII, 1353; X, 1742, 1747, 1851, 1913; XI, 1965; XII, 2250; XIII, 2428; XIV, 2632, 2635, 2642; XV, 2826, 2829; XVI, 2930, 2973, 3003, 3005, 3040, 3044, 3055; XVII, 3084, 3198; XVIII, 3281; XIX, 3470, 3576; XX, 3752; XXI, 3928, 3938.
Creation of the World (of Philo), XVI, 2930.
Cremona, Italy, XXI, 3866.
Crenides, XVI, 2917.
CRESCENS, IV, 668.
CRETE, II, 279; III, 553, 568; IV, 615, 620, 668-670, 697-698; V, 786; VI, 993, 1045; VII, 1199, 1210; X, 1829, 1901; XII, 2203; XIV, 2543-2544; XVI, 2912, 2923, 2935; XV, 2804, 2816; XVII, 3165, 3236; XVIII, 3299; XX, 3732-3734, 3821; XXI, 4029.
CRIMES AND PUNISHMENTS, IV, 670-675.
CRISPING PINS, IV, 676.
CRISPUS, IV, 676; XIX, 3547.
Crocodile River, XVIII, 3424, 3444.
Croesus (king of Lydia), XI, 2001; XIII, 2320; XVIII, 3352.
Cromwell, Oliver, VI, 1144; XX, 3670, 3672.
Cromwell, Thomas (English statesman) (c. 1485-1540), III, 450; IV, 661; VII, 1207-1208; XII, 2173.
Cromwell's Bible, VII, 1207.
CROSS, III, 527; IV, 676, 687, 689; XV, 2805; XIX, 3485.
CRUCIFIXION, I, 64, 76; II, 212, 283, 308, 317, 356; III, 488, 501, 505, 512, 526-527; IV, 589, 599, 601, 635, 638, 649, 659, 676-690; V, 831, 887, 938; VI, 1005, 1088, 1091; VII, 1190, 1298, 1313, 1344; VIII, 1367-1368, 1466, 1468, 1471; IX, 1543, 1559-1560, 1573, 1579, 1604, 1606-1607, 1609, 1638, 1667-1668, 1670, 1674, 1687; X, 1738, 1744, 1904, 1919, 1987, 1989, 1991, 1997; XI, 2087, 2092, 2100-2101, 2108; XII, 2123, 2130, 2133-2134, 2155; XIII, 2381; XIV, 2518, 2521, 2526, 2533, 2536, 2683; XV, 2774, 2779-2780, 2805; XVI, 2960, 2967, 2981, 2983, 2998; XVII, 3079, 3093, 3201, 3251; XVIII, 3272, 3300, 3344, 3375; XIX, 3472, 3558, 3597, 3614; XX, 3699, 3701, 3709, 3711, 3776, 3795, 3797; XXI, 3864, 3868, 3942.
Crusades, the, III, 527; IV, 698; IX, 1561; XII, 2232.
CUBIT, III, 571; IV, 694.
CUKOW, IV, 694.
Cumanus, Ventidius, IX, 1560, 1575.
CUPBEARER, III, 576; IV, 694-695; VI, 1032; IX, 1714; XIII, 2477, 2481; XVIII, 3434; XIX, 3465.
Curetonian Syriac Manuscript, III, 472.
CUSH, IV, 695; VI, 1132; VII, 1231-1232; XIV, 2559; XV, 2783; XVII, 3139; XVIII, 3286, 3387.
CUSH (place), IV, 695-696; V, 868; VI, 987; VII, 1232; XIII, 2343.
CUSHAN, IV, 696.

CUSHI, IV, 696.
CUTH, CUTHAH, IV, 696; XIV, 2503; XVIII, 3356.
Cuthaeans, IV, 696.
CYAMON, IV, 696-697.
Cyaxares (Median king), I, 108; II, 303; XII, 2191; XIII, 2462, 2494.
Cybele (deity), II, 292; XVI, 2937-2938.
Cyclades Islands, IV, 784.
Cydnus River, XI, 2077; XIX, 3632-3635.
Cynoscephalae, Battle of (197 B.C.), I, 185; IV, 626.
CYPRUS, I, 66-67, 70, 181; II, 238, 359-360; III, 572, 576; IV, 627-628, 697-698; V, 786, 844; VII, 1301, 1303; IX, 1627; X, 1872; XI, 2023, 2037, 2042; XV, 2747, 2786, 2796-2797; XVI, 2925; XVII, 3108, 3112, 3120-3121, 3165; XVIII, 3297, 3314, 3391, 3408; XIX, 3633; XX, 3768, 3828, 3830.
Cyrenaica, V, 802; XIX, 3608.
CYRENE, I, 181; II, 359; IV, 626, 669, 698; VIII, 1476; IX, 1627, 1980; XVII, 3108, 3112, 3115; XIX, 3485; XX, 3768.
CYRENIUS, IV, 601, 698-699; X, 1804.
Cyril of Jerusalem (A.D. 315-386), III, 433.
CYRUS (Persian monarch), I, 58; II, 308, 343, 379; III, 392; IV, 595-596, 609, 617, 699-700, 719, 722, 731; V, 791-793, 869, 876; VI, 1038, 1040; VII, 1226; VIII, 1377, 1399, 1420; IX, 1554; X, 1848; XI, 2001; XII, 2191, 2226, 2229; XIII, 2397, 2466, 2481, 2496; XIV, 2659, 2661; XV, 2845, 2852-2853; XVIII, 3352, 3441; XIX, 3587, 3606, 3634, 3643; XXII, 4041.

A shepherd watches his flock in the Judean hills (*Counsel Collection*).

D

Dabar, XI, 1965-1966; XVI, 3030-3041, 3043-3044, 3046.
DABAREH, IV, 701.
DABBASHETH, IV, 701.
DABERATH, IV, 701-702; V, 775.
DABRIA, IV, 702.
Daburiyeh, IV, 702.
Dacia, XX, 3765, 3768.
DACOBI, I, 123; IV, 702.
DADDEUS, IV, 702; XVIII, 3293.
DAGON (deity), II, 238, 267, 286-287; IV, 702-704; XII, 2274; XVI, 2925-2926; XVII, 3166; XVIII, 3319.
DAISAN, IV, 704.
Daiukki, XII, 2191.
DALAIAH, IV, 704.
DALETH, IV, 704.
DALMANUTHA, IV, 704-705; XI, 2043.
DALMATIA, IV, 705; XX, 3732.
DALPHON, IV, 705.
DAMARIS, IV, 705.
Damascus, Pope, III, 461.
DAMASCUS (city and kingdom of), I, 18, 25, 66, 72, 76, 104-105, 110-111, 140, 183; II, 220, 232, 261, 264, 302, 336, 359, 393-396; III, 405, 496, 566; IV, 583, 654, 705-707, 714; V, 782, 857, 859, 887, 891, 910-912; VI, 1115, 1118, 1126; VII, 1171, 1221-1222, 1234, 1254-1256, 1267, 1277, 1309; VIII, 1359, 1393, 1398, 1427-1428, 1430-1431, 1439, 1516, 1536; IX, 1551; X, 1783, 1867; XI, 2004, 2025, 2056; XII, 2287; XIII, 2411; XIV, 2538; XV, 2742, 2791, 2795-2796, 2819; XVI, 2910, 2979; XVII, 3110, 3139, 3233-3234, 3241; XVIII, 3356, 3374, 3389, 3402, 3420; XIX, 3515, 3517, 3590, 3606, 3609, 3618-3619; XX, 3712, 3735, 3758, 3764; XXI, 3932.
Damascus Fragment (*see* "Zadokite Fragment" in Index).
Damascus Gate, the, II, 529.
Dameh, IV, 731.
Dammesek Eliezer, V, 891.
DAMNATION, IV, 707-708.
DAN (fifth son of Jacob), III, 478; IV, 592, 709, 713-714; VII, 1340; VIII, 1446; XIII, 2439; XVII, 3146; XX, 3801.

DAN, TRIBE OF, I, 113, 116, 120, 146-147, 179; II, 287, 332; III, 393, 416, 420, 422, 502; IV, 709-714; V, 804, 874, 921; VI, 967, 1127; VII, 1159, 1274; VIII, 1382, 1498; IX, 1543, 1622, 1663, 1705; X, 1752, 1775, 1811; XI, 1934, 1943, 2055, 2073; XII, 2201, 2234-2235; XIII, 2372, 2439, 2441-2442; XV, 2701, 2729, 2731, 2733, 2857; XVI, 2926; XVII, 3155; XVIII, 3315, 3417, 3436, 3449; XIX, 3463, 3505, 3610; XX, 3667, 3672, 3676, 3678, 3717, 3804, 3813, 3815-3817; XXII, 4060.
DAN (place), II, 378; IV, 710, 712-714, 730; VII, 1186, 1322; VIII, 1356, 1425, 1535; X, 1809, 1862, 1885; XI, 1934, 1946; XII, 2235; XVII, 3183; XVIII, 3341; XIX, 3642; XX, 3808.
DANCING, IV, 714-716; VI, 1148; XIX, 3617.
Danel, XVII, 3166.
DANIEL (Prophet), I, 18, 34, 88; II, 263, 292, 379-381; III, 391, 546; IV, 700, 716-725, 731; V, 826; VI, 1015; VII, 1219, 1294, 1303-1304, 1306; VIII, 1357, 1478; IX, 1643; X, 1819, 1848; XI, 1963, 2051; XII, 2204-2205, 2207, 2218, 2279, 2295; XIV, 2676; XIX, 3465, 3581; XX, 3716, 3831.
DANIEL (son of King David), IV, 720.
DANIEL (Levite), IV, 720; VI, 1032, 1119.
DANIEL, THE BOOK OF (Old Testament), I, 34, 87, 108, 165, 170, 184, 186; II, 204, 207-208, 298, 363, 379; III, 391-392, 429, 460, 474, 545-547, 549-550; IV, 591, 625-626, 699-700, 716, 720-725, 731, 767; V, 814, 845-846, 883, 956; VI, 1037, 1109; VII, 1227, 1303; IX, 1588; X, 1819, 1848, 1873, 1897; XI, 2045, 2090; XII, 2207, 2209, 2226, 2241, 2250, 2279; XIII, 2462, 2465-2466, 2470; XIV, 2526, 2635-2636, 2676, 2678; XVI, 2972, 3072; XVII, 3101, 3105, 3116, 3125, 3198, 3241; XVIII, 3390, 3395-3396; XIX, 3541; XX, 3696, 3714; XXI, 3967.
DAN-JAAN, IV, 714, 729.
DANNAH, IV, 730.
Dante Alighieri (poet), II, 217; VII, 1270.
Danube River, XVII, 3246; XVIII, 3380; XX, 3709; XXI, 3867-3868.
Danzig Bible, the, II, 469.
Daphnai, XIX, 3619.
DAPHNE, IV, 730.
Daphne (deity), XV, 2701.

Ancient Assyrian and Babylonian household, farm and battle objects (*New York Public Library*).

DARA, IV, 730.
DARDA, IV, 730.
Dardanelles, X, 1747; *passim*.
DARIUS (three Persian monarchs), I, 58, 108, 125, 128; II, 200, 344, 361; III, 391, 576; IV, 700, 719, 722, 730-731; V, 883, 957; VI, 1038-1039, 1042; VII, 1211-1212, 1224, 1226; VIII, 1365, 1377; X, 1898; XI, 1963; XII, 2205, 2279; XIII, 2473; XV, 2877; XVI, 2933; XVII, 3152; XVIII, 3380, 3383, 3387; XIX, 3465, 3496, 3636, 3643; XXI, 3985, 4018; XXII, 4041.
Darius Hystapes (*see* "Darius" in Index).
Darius the Mede (*see* "Darius" in Index).
Darius the Persian (*see* "Darius" in Index).
Darius III Codomannus (*see* "Darius" in Index).
DARKON, IV, 731.
DATHAN, I, 29; IV, 731; X, 1877; XIII, 2344, 2493; XVII, 3209.
DATHEMA, IV, 731.
DAVID (king of Israel), I, 16, 21-25, 28-30, 32, 47, 88-92, 94, 96-97, 108, 113-118, 120-121, 125, 138, 142-143, 146-147, 149, 150, 163; II, 200, 202, 232-235, 249, 254, 256-257, 267-269, 275-278, 280-281, 285, 288, 290, 297, 309, 321, 326-328, 330-335, 349, 353, 358, 364, 366, 368-369, 372, 274-375; III, 392-393, 401, 403-405, 415-417, 419-420, 475, 477-478, 491-492, 497, 502, 504, 507, 519, 534, 546, 554, 558, 560, 562, 567-568, 575-576; IV, 583, 586, 592, 594-596, 608, 612-613, 620, 641-642, 645, 656-658, 670, 696, 704-705, 711, 714, 716, 729, 731-751, 768; V, 783, 795, 798, 814, 819-820, 825, 836, 841, 850, 852, 857, 863, 874-875, 879, 884, 887-889, 891, 905-907, 918-919, 921-922, 931, 936, 942, 946-947, 949, 955; VI, 967, 979, 986, 993, 1014-1015, 1027-1028, 1038, 1044, 1060, 1079, 1084, 1086, 1104, 1110-1111, 1119, 1121, 1124, 1126, 1128-1131, 1133-1135, 1144-1145, 1147-1148, 1151-1152; VII, 1160-1161, 1169, 1171-1172, 1174, 1190-1191, 1203, 1220-1222, 1227, 1229, 1232, 1234, 1238-1239, 1246, 1248-1251, 1257, 1262, 1265-1267, 1270, 1272-1273, 1292, 1294, 1298-1299, 1301, 1309, 1317-1318, 1322, 1329, 1335-1336, 1339-1340; VIII, 1351-1352, 1358-1359, 1363, 1370, 1381, 1390, 1404-1406, 1409, 1411, 1416-1417, 1423, 1430, 1434, 1436-1438, 1440-1445, 1462-1464, 1473, 1475-1480, 1482, 1485-1486, 1488, 1490, 1493-1494, 1496-1499, 1504, 1511-1512, 1526, 1530, 1534-1536; IX, 1543, 1546-1548, 1567-1569, 1571, 1582, 1622, 1632, 1634, 1636-1637, 1641, 1661-1663, 1699-1701, 1707, 1710, 1712; X, 1744, 1760-1761, 1771, 1773-1774, 1776-1778, 1786, 1806, 1809, 1812, 1837, 1841-1842, 1845, 1848, 1851-1852, 1856, 1858, 1863, 1865, 1869, 1885, 1891, 1912; XI, 1939, 1942, 1944, 1946, 1963-1964, 1968, 2004-2005, 2007, 2042, 2047, 2052, 2054-2055, 2061, 2069, 2071, 2074, 2098, 2103; XII, 2121, 2147, 2155, 2175, 2179, 2188-2189, 2201-2202, 2209-2214, 2218, 2220, 2222, 2226, 2228-2232, 2237, 2244, 2249, 2251, 2268, 2275, 2295, 2297, 2301, 2303; XIII, 2316, 2376, 2380, 2382, 2388-2389, 2391, 2393-2396, 2398-2399, 2402, 2407, 2413-2415, 2418-2421, 2423, 2427, 2439, 2442-2443, 2445-2446, 2449, 2460, 2474-2475, 2484; XIV, 2503, 2508-2509, 2577, 2579, 2597, 2599, 2601, 2604-2605, 2607, 2609, 2615, 2619, 2623-2625, 2636, 2640, 2653-2654, 2656-2658, 2661, 2665, 2685; XV, 2697, 2702, 2713, 2717, 2719-2720, 2735-2737, 2742, 2746-2747, 2758, 2760-2761, 2768, 2774, 2777, 2818, 2820, 2822, 2829, 2842, 2856, 2859-2860, 2862, 2864-2865; XVI, 2901, 2906, 2923, 2925-2929, 2932, 2972, 3005, 3029, 3040, 3042, 3063, 3070; XVII, 3080, 3082, 3092-3093, 3096, 3099, 3139-3140, 3145, 3151-3152, 3155, 3158-3159, 3174, 3182-3185, 3187, 3210, 3234, 3236, 3238, 3241, 3245-3246; XVIII, 3273-3274, 3276, 3278, 3286, 3297, 3299, 3325-3326, 3328-3329, 3334, 3341, 3344, 3364-3371, 3378, 3387, 3390, 3407, 3417-3419, 3422-3427, 3429-3430, 3432-3434, 3436, 3438-3442, 3446-3449, 3453-3456; XIX, 3463-3466, 3474, 3487, 3495, 3500, 3510, 3512-3514, 3518, 3529, 3532, 3557, 3586, 3609, 3612, 3614, 3616, 3619, 3621-3622, 3627-3628, 3637-3640, 3646; XX, 3672-3673, 3678, 3706, 3712, 3735, 3742, 3765, 3801, 3807, 3826, 3836-3837; XXI, 3847, 3853-3854, 3856, 3859, 3906-3907, 3923, 3947, 3967, 3975, 3991-3992, 3997-3999, 4007, 4011-4012, 4025, 4027; XXII, 4041-4042, 4044-4046, 4048, 4052-4053, 4056-4057, 4059.
David Reubeni, XX, 3668.
DAY OF THE LORD, IV, 758-759; V, 899, 954-957; VIII, 1375, 1494; IX, 1661; X, 1848, 1884; XI, 2108; XII, 2230, 2242; XIV, 2679, 2685; XV, 2750, 2753, 2768; XVI, 2994, 3057; XVIII, 3359; XIX, 3472; XX, 3696; XXI, 3859.
DAYSMAN, IV, 759.
DEACON, IV, 615, 759; X, 1904; XIX, 3559, 3564.
DEAD SEA, I, 22, 123; II, 210, 228, 240, 277, 334, 348; III, 408, 426, 485, 491, 496, 501-502, 532; IV, 620, 759-761; V, 855, 857, 929, 931; VI, 1071, 1083, 1128; VII, 1177, 1197, 1219, 1230, 1277; VIII, 1442, 1526; IX, 1543, 1568, 1708; X, 1751, 1775, 1845, 1867, 1906; XI, 1979, 2006, 2042; XII, 2136, 2189, 2246-2247, 2263, 2302; XIII, 2311, 2344, 2378, 2382, 2460, 2474; XIV, 2550, 2558; XV, 2722, 2738, 2840, 2866; XVI, 2959, 2969, 3010; XVII, 3136; XVIII, 3303, 3385, 3388-3389, 3426, 3454, XIX, 3507, 3510, 3532; XX, 3712, 3750; XXI, 3857-3858, 3938, 3998, 4003, 4032; XXII, 4039, 4051.
DEAD SEA SCROLLS, I, 170; II, 274; II, 392, 445, 524, 546; IV, 759, 761-767; V, 803, 854; VI, 970-971;

THE FAMILY BIBLE ENCYCLOPEDIA

VII, 1219, 1262; VIII, 1367, 1394, 1523; IX, 1585, 1653, 1673, 1680; X, 1792, 1873; XII, 2242; XIII, 2394, 2465; XIV, 2618, 2635, 2678; XVI, 2973; XVII, 3083, 3099, 3105, 3136, 3230; XVIII, 3297; XIX, 3494; XX, 3681, 3696, 3739; XXI, 3951, 3976, 3980.

DEBIR, IV, 767-768; V, 863.

DEBIR (place), IV, 768; V, 804; VII, 1199, 1331; X, 1775, 1869; XI, 1965; XIV, 2612; XV, 2846, 2857; XX, 3758; XXII, 4047.

DEBORA, IV, 768.

DEBORAH (Judge-Prophetess), I, 29; II, 288, 357-358; III, 400, 411, 429; IV, 617, 702, 711; V, 775-779, 862, 929, 947; VI, 1112; VII, 1260; VIII, 1416, 1434, 1458, 1475; IV, 1634; X, 1751, 1809, 1811-1812, 1819, 1840, 1900; XII, 2198, 2218; XIII, 2442; XIV, 2651; XV, 2732, 2858; XVII, 3158, 3210; XIX, 3496, 3527; XX, 3760, 3805; XXI, 3960, 4010. (see also "Song of Deborah" in Index).

DEBORAH (nurse of Rebekah), I, 133; III, 504; V, 779; XIV, 2622.

DEBTS, V, 782; XVI, 2970; XVIII, 3284; XXI, 3957.

DECALOGUE, IV, 671; V, 782; VI, 1006; VIII, 1355 (see also "Ten Commandments" in Index).

DECAPOLIS, III, 422; V, 782, 815; VI, 1146; XI, 2097-2098; XII, 2284-2285; XVII, 3141.

Decebalus, XX, 3768.

DEDAN, V, 782; VIII, 1440; IX, 1689; XI, 1934.

DEDANIM, V, 782.

Dedication, Festival of, V, 783; VI, 1065 (see also "Hannukah" in Index).

Deioces (Greek monarch), I, 59; XII, 2191.

Deiotarus (monarch), VI, 1113.

Deir el-Asal, III, 412.

Deissmann, Adolf, XVII, 3230.

DEKAR, V, 783.

DELAIAH, V, 783; XVIII, 3438.

Delian League (Delian Confederacy), VII, 1211; XII, 2298; XVII, 3236; XIX, 3553.

DELILAH, IV, 703, 712; V, 783-784; VI, 1127; VII, 1228; XVI, 2926; XVIII, 319; XIX, 3545, 3557-3558.

DELOS (DELUS), V, 784-785.

Delphi, XV, 2790.

DELUGE, V, 785 (see also "Flood" in Index).

Delus (see "Delos" in Index).

DEMAS, V, 785; XVI, 2913.

Demavend, XX, 3672.

Demeter (deity), II, 293; XXII, 4045.

DEMETRIUS (Ephesian silversmith), V, 785; XII, 2263.

DEMETRIUS I SOTER, I, 123-124, 144, 185-186, 188; II, 201; IV, 627, 723; V, 785-786; IX, 1704-1705; X, 1799, 1801, 1910; XI, 2002, 2014-2015, 2017-2018; XVII, 3120; XX, 3791.

DEMETRIUS II NICATOR, I, 124, 188-189; II, 278; IV, 627; V, 786-787; IX, 1688, 1705-1706; X, 1910; XI, 2018; XVII, 3111; XVIII, 3397; XIX, 3478, 3483; XX, 3794.

DEMETRIUS III EUCAERUS, I, 125, 189; V, 787-788; XI, 2023.

Demetrius I Poliorcetes, XVII, 3112; XVIII, 3314.

Demetrius (Egyptian librarian), XVIII, 3404.

DEMONOLOGY, III, 444; V, 788-789, 933; X, 1766; XI, 2047; XVI, 2910; XVIII, 3359, 3413; XIX, 3585.

DEMOPHON, V, 789.

Demosthenes (orator) (c. 385-322 B.C.), II, 314.

DENARIUS, V, 789-790.

Denizli, IV, 637.

Denmark, III, 468; XX, 3672.

De Profundis, XVI, 2666; XVII, 3090.

DERBE, I, 71; II, 359; V, 790; VI, 1112-1113; XI, 2001, 2003; XVI, 2937.

DESSAU, V, 790.

Determinism, V, 853.

DEUEL, V, 790; XVII, 3211.

DEUTERO-ISAIAH, II, 363; III, 442, 545; V, 790-794, 956; VII, 1224, 1311; VIII, 1398, 1515; IX, 1650, 1661, 1667; X, 1850, 1891; XII, 2229; XIII, 2495; XIV, 2671; XV, 2852-2853; XVI, 3028, 3046, 3051, 3054, 3057-3058; XVII, 3084; XIX, 3528; XX, 3757-2758.

DEUTERONOMIC CODE, I, 114; II, 281; III, 493, 543-545, 549; IV, 657, 671; V, 794-795, 798; VI, 1007, 1021, 1051, 1054; VII, 1176, 1260, 1269, 1298, 1329, 1338; VIII, 1365; X, 1759; XII, 2233, 2243; XIII, 2317, 2331; XIV, 2635, 2650; XV, 2823, 2826; XVI, 3070; XVIII, 3282, 3284, 3424, 3434; XIX, 3497, 3502, 3528, 3616; XX, 3662, 3728, 3756; XXI, 3957.

DEUTERONOMIC REFORM, III, 493, 543, 567; V, 794-795, 798; VII, 1298, 1338; VIII, 1420, 1479; X, 1747, 1757, 1759; XI, 1946; XIII, 2314, 2448; XIV, 2605; XVII, 3132; XVIII, 3290, 3311, 3423, 3438; XX, 3751, 3756; XXI, 4012, 4029.

DEUTERONOMY, THE BOOK OF (Old Testament), II, 379; III, 393, 426, 428, 431, 481, 493, 543-545, 564; IV, 618, 622, 624, 642, 655; V, 794-799, 811, 818-819, 827, 879, 924, 960; VI, 1005, 1034, 1049, 1054, 1057, 1100; VII, 1163, 1174, 1185, 1256, 1272, 1298, 1317-1318; X, 1759, 1806, 1913; XI, 1940, 1944, 1949, 1952, 1957, 1989, 2103; XII, 2293, 2302; XIII, 2330, 2332-2333, 2344, 2346, 2371-2372, 2383, 2423, 2460; XIV, 2583, 2611, 2635, 2648, 2650; XV, 2768, 2774, 2823-2835, 2872; XVI, 2901, 2972, 2995, 3005, 3070; XVII, 3166, 3175; XVIII, 3284, 3290, 3310, 3328, 3341, 3399; XIX, 3472, 3481,

3501, 3527-3528, 3556, 3588, 3616; XX, 3659, 3662, 3728, 3750-3751, 3754, 3771; XXI, 3852, 3873, 3897, 3934, 3954, 3975; XXII, 4039.
"Deutero-Zechariah," XXI, 4016.
Devarim, V, 796.
De Vaux, Pere Roland, IV, 762.
DEVIL, II, 208, 297-298; III, 502; V, 799-801, 826; X, 1794, 1804; XI, 1994; XIV, 2549, 2665; XVI, 2909; XVIII, 3359, 3413-3414; XIX, 3472; XX, 3736.

Dhiban, V, 803; XIII, 2311.
Diadochoi (Diadokoi), Wars of the, I, 126; IX, 1554; XVII, 3238; XVIII, 3392; XX, 3704.
Diana (deity), IV, 730; V, 941-942.
DIANA OF THE EPHESIANS, IV, 616; V, 801.
DIASPORA, I, 64, 66; II, 202, 219, 324; IV, 646-647, 669, 751; V, 802-803, 821, 843, 860, 873; VI, 1017; VII, 1214, 1271-1272, 1279, 1329; VIII, 1379, 1422, 1436; X, 1740, 1744, 1829; XI, 2037-2038; XIII, 2496; XVI, 2892, 2929; XVII, 3105, 3263; XVIII, 3283, 3287, 3293, 3342, 3402; XIX, 3466, 3587-3588, 3590, 3592, 3623, 3626; XX, 3758, 3764; XXI, 3852.
Diatessaron (of Tatian), III, 472, 538; VI, 1091; XIV, 2522; XIX, 3600.
Dibelius, Martin, III, 476.
DIBLAIM, V, 803.
DIBLATH, V, 803.
DIBON, V, 803-804; VI, 1111; XI, 2043; XIII, 2311.
DIBON-GAD, V, 804.
DIBRI, V, 804; XVIII, 3436.
Didache, I, 72; II, 211; III, 540.
Dido (deity), II, 292.
Di Donatello, Donato (artist) (1386-1466), IX, 1646.
DIDYMUS, V, 804.
Dijarbekir, XX, 3716.
DIKLAH, V, 804.
DILEAN, V, 804.
Dilmun (deity), IV, 666.
Dilmun, Land of, VI, 1124.
DIMNAH, V, 804; XVII, 3186, 3241.
DIMON, V, 804.
DIMONAH, V, 804.
DINAH (daughter of Jacob), V, 804-807, 825; VI, 1052, 1139; VII, 1220; VIII, 1446, 1448, 1452; IX, 1645; X, 1770-1771, 1880; XI, 1927, 1935, 1939; XIV, 2645; XV, 2870; XVII, 3148; XVIII, 3430; XIX, 3478.
DINAITES, V, 809.
DINHABAH, V, 809-810.
Diocletian (Roman emperor), XVI, 2934.
Dion, V, 782.
Dionysus (deity), XI, 2037; XVI, 2936.
DIONYSIUS THE AREOPAGITE, V, 810.

Dionysius Exiguus ("Dennis the Little"), IV, 599.
Dionysus I of Syracuse, XVII, 3235.
DIOTREPHES, V, 810-811; VI, 999; IX, 1666.
DISCIPLES, I, 63, 65, 67, 166, 182; II, 219, 356, 366; III, 408, 420, 490, 499-500, 512, 537, 559; IV, 586, 598, 601, 612-613, 625, 659, 668, 685, 704, 759; V, 785, 789, 811, 815, 826; VI, 1014, 1061, 1072, 1079, 1099, 1118, 1144, 1149-1150; VII, 1262, 1312-1313; IX, 1575, 1586, 1588-1589, 1591, 1597-1598, 1664, 1667, 1673; X, 1795, 1843, 1845, 1850, 1882, 1905, 1984; XI, 1989; XII, 2178, 2232, 2281, 2285-2287; XIII, 2379, 2381-2382; XIV, 2528, 2533, 2536, 2538; XV, 2768, 2840; XVI, 2887, 2909, 2993; XVII, 3142, 3144; XVIII, 3408, 3414, 3452; XIX, 3502, 3564, 3599, 3631; XXI, 3928, 3952, (*see also* "Apostles" and "Twelve Apostles" in Index).
DISEASES, V, 811-818; XVI, 2961.
DISHAN, II, 233; V, 818; XXI, 3852.
DISHON, V, 818; VII, 1272.
Disthenes, XVIII, 3318.
Dives, X, 1917.
Divination (*see* "Magic, Divination, and Sorcery" in Index).
Divine Comedy (Dante), II, 217; VII, 1270.
Divino Afflante Spiritu, XIV, 2510.
DIVORCE CUSTOMS, IV, 674; V, 798, 818-819; X, 1915; XI, 2098; XVI, 2909; XVIII, 3410; XIX, 3625.
DIZAHAB, V, 819.
Dizful, XIX, 3465.
Dnieper River, XVIII, 3381.
Docetae (Docetism), II, 213-214; XIV, 2547.
DOCUS, V, 819; XI, 2020; XVII, 3111.
DODAI, V, 819.
DODANIM, V, 819; VIII, 1478; XIX, 3633.
DODAVAH, V, 819.
Dodecanese Islands, IV, 646.
DODO, V, 820.
DOEG, I, 116; IV, 735; V, 820; XVI, 2926; XVIII, 3367.
DOG, V, 820-821; VII, 1215.
Dome of the Rock (in Jerusalem), II, 234; IX, 1561; XIX, 3518, 3646.
Domitia, V, 822.
DOMITIAN (Roman emperor), II, 199; III, 431, 511; IV, 601; V, 821-822, 928; VI, 1097; X, 1804, 1806; XIV, 2549; XV, 2783; XVI, 2896; XVII, 3216, 3253; XX, 3731, 3765.
Domitilla, V, 821, 928; XVII, 3253.
Domus Aurea, XIV, 2504.
Donatello (artist) (c. 1386-1466), VIII, 1511.
Donatists, XIV, 2516.
DOPHKAH, V, 823.
DOR, II, 287; V, 823; VII, 1172; VIII, 1432; X, 1792;

XVI, 2925; XVII, 3425; XIX, 3629; XX, 3714.
DORA, V, 823; XX, 3794.
DORCAS, V, 823; XII, 2287.
Dorian Greeks, IV, 646-647, 669, 698; V, 868; VII, 1210; XVI, 2925, 2932; XVII, 3160, 3236; XIX, 3633.
Doris (wife of Herod), VII, 1279.
DORYMENES, V, 823.
DOSITHEUS, V, 823.
Dositheus (Roman general), IV, 626; XV, 2701.
DOTHAIM, V, 823-824.
DOTHAN, V, 823-824, 910; IX, 1714.
Douay, France, XVII, 3235.
DOVE, V, 824-825; XV, 2695.
DOWRY, V, 825; XIII, 2400; XXI, 3957.
DRACHMA, V, 790, 825; XIX, 3563; XXI, 3930 (see also "Money" in Index).
DRAGON, V, 825-826; VIII, 1398.
DRAUGHT HOUSE, V, 826.
DRAW NET PARABLE, V, 826; XV, 2750; XIX, 3631 (see also "Parables of Jesus Christ" in Index).
DREAMS, V, 826-829; IX, 1714; XI, 2047; XV, 2805.

Dreyfus Affair, the, XVIII, 3398.
DRESS, V, 829-843.
DRINK-OFFERING, III, 507; V, 843-844.
Druses, XVIII, 3297.
DRUSILLA, III, 404; V, 844; VI, 1062-1063; VII, 1282.
Drusilla (sister of Caligula), III, 525-526.
Drusus, XX, 3709-3711.
"Dry Bones" (spiritual), VI, 1018.
DUALISM, II, 204, 207; V, 844-845, 933.
DUMAH, V, 845; VIII, 1398.
DUMAH (place), V, 845.
Dumuzi (deity), XIX, 3576.
Dung Gate, IX, 1564.
Dupont-Sommer, A., IV, 762, 764, 766.
Dura, I, 93.
DURA, PLAIN OF, V, 845; XIII, 2470.
Dura-Europas, VI, 1017; XIX, 3590.
Durazzo, Albania, XVI, 2981.
Durer, Albrecht (artist) (1471-1528), IV, 690; IX, 1646; XI, 1992; XII, 2126.
Dyrrachium, XI, 2041; XVI, 2981.

E

Ea (deity), VI, 1072, 1074; XIV, 2596; XIX, 3576.
EAGLE, V, 846; X, 1871.
Eagle Vision, the, II, 203; V, 959.
EANES, V, 846.
Earliest Christianity (book), IV, 648; V, 939; VI, 1116; XVII, 3258.
Early Bronze Age, I, 120; *passim*.
EARNEST, V, 846-847.
EASTER, II, 283; IV, 651; V, 847; IX, 1591; XV, 2839.
Eastern Orthodox (Byzantine) Church, I, 167; V, 908; VI, 989; VII, 1314; VIII, 1471; IX, 1609; X, 1901, 1904; XII, 2121, 2126; XIV, 2516; XV, 2812, 2815; XVI, 2984; XIX, 3636; XX, 3700.
EAST GATE, V, 847; IX, 1564.
EAST, CHILDREN OF THE, V, 847.
EBAL, V, 847; XIV, 2607.
Ebal, Mount (see "Mount Ebal" in Index).
EBED, V, 847; IX, 1701; XIV, 2609.
EBED-MELECH, II, 363; V, 847-848; VI, 987, 991; VIII, 1511; IX, 1563.

EBEN-EZER, II, 286; IV, 703; V, 848; VII, 1160; VIII, 1355; XII, 2275; XVI, 2926; XVIII, 3323, 3329, 3340.
Eben Sapphir, XX, 3668.
EBER, II, 287; V, 848; VI, 1132; VII, 1260-1261; IX, 1689; XV, 2820; XVI, 2902; XVIII, 3296, 3436-3437.
"Eber, Pleg, Reu," III, 436.
Ebhedh, XIX, 3497.
Ebionites, III, 460-461; XII, 2119; XVIII, 3405.
EBRONAH, V, 848; VI, 1027.
ECANUS, V, 848.
ECBATANA (ECBATANE), I, 59, 125; IV, 699; V, 848; XII, 2191; XVII, 3152.
ECCLESIASTES (Old Testament), III, 428, 447, 546; IV, 716; V, 848-855, 860; VI, 974; VII, 1227; VIII, 1370, 1380; X, 1852, 1874-1875; XII, 2196, 2200; XIV, 2635-2636, 2663, 2667, 2685; XV, 2755, 2757, 2764; XVI, 2972-2973, 3038, 3065; XVII, 3083, 3088; XIX, 3482, 3521, 3523, 3529, 3531, 3577, 3588; XXI, 3943, 3948-3950.
ECCLESIASTICUS (Apocrypha), II, 208, 210; III,

447, 546; IV, 635, 718, 720, 766; V, 852, 855-856, 948; IX, 1556, 1571; XII, 2196; XIII, 2428, 2453; XVI, 3065; XVII, 3083, 3105, 3198; XVIII, 3403; XIX, 3495, 3515, 3521; XXI, 3943; XXII, 4042.
Echoh, X, 1889.
Ecole Biblique, Jerusalem, III, 457, 464.
ED, V, 856; XVII, 3210.
EDAR, V, 856.
EDDIAS, V, 856.
EDEN, V, 856-857.
Eden, Garden of (*see* "Garden of Eden" in Index).
EDER, V, 857.
EDES, V, 857.
Edessa, II, 215; XIV, 2521; XV, 2800.
Edict of Milan (A.D. 313), XVII, 3253.
EDNA, V, 857.
EDOM (person), V, 857; VI, 1027.
EDOM, EDOMITES, I, 110, 123, 133, 140, 143, 156; II, 228-229, 238, 261, 326, 333, 375, 379; III, 402-403, 478, 496-497, 532, 568; IV, 607-608, 618, 732, 743, 758, 766; V, 809, 818, 820, 857-858, 876, 884, 910, 952, 959; VI, 1022, 1132, 1139, 1144; VII, 1220-1221, 1256, 1265, 1285, 1340; VIII, 1358, 1398, 1406, 1417, 1430, 1445, 1448, 1482, 1488, 1490, 1492; IX, 1551, 1582, 1636, 1646, 1650, 1659, 1661, 1690; X, 1777-1778, 1780-1781, 1783, 1837, 1841, 1847, 1865; XI, 1979, 2006, 2059, 2063; XII, 2142, 2200, 2232, 2248, 2276; XII, 2344, 2375, 2415, 2423; XIV, 2603, 2605-2607; XV, 2721, 2726-2728, 2737, 2739, 2742, 2745, 2761, 2768, 2786, 2864, 2864, 2872; XVI, 2901, 2904; XVII, 3168, 3171, 3180-3181, 3185, 3233-3234, 3241; XVIII, 3356, 3377, 3388-3389, 3426; XIX, 3499, 3505, 3517, 3556, 3613, 3639; XX, 3761, 3801, 3828; XXI, 3852, 3859, 3932, 3998-3999, 4023; XXII, 4039, 4050, 4055.
Edoni (Thracian tribe), I, 161.
Edrehi, Moses, XX, 3670.
EDREI, II, 292, 364; V, 858-859; XIV, 2629.
EDUCATION, V, 859-863.
Edward II (English king) (1284-1327), XX, 3670.
Edward VI (English king) (1537-1553), III, 451; IV, 661.
Egerton Papyrus 2, IX, 1666.
EGLAH, V, 863; VIII, 1437.
EGLAIM, V, 863.
EGLON (Moabite king), I, 147; III, 400; V, 803, 863, 873-874; VII, 1289; VIII, 1530; XII, 2303; XVIII, 3389.
EGLON (place), I, 92; IV, 767; V, 863; XV, 2857.
EGYPT, I, 13, 23, 37, 98, 119, 122, 129-130, 132-133, 162, 169, 178, 180, 182, 184, 186; II, 211, 228, 230, 239-246, 248-251, 253, 259, 274, 285, 287, 292, 294, 298, 303, 305, 324, 332, 334, 364; III, 396-397, 399, 448, 459, 472, 478, 484, 499, 502, 505, 530, 532, 560, 564-565, 575; IV, 594, 606-607, 612, 618, 622, 625-633, 646, 669, 695-697, 709, 716, 758; V, 786-787, 791, 796-797, 802, 815, 824, 826, 829, 835-836, 847, 855, 857, 859, 863-873, 883, 912, 922, 926, 943, 945, 951-952; VI, 987, 995, 999-1000, 1003, 1005, 1008-1009, 1022, 1038, 1054, 1071, 1086, 1100, 1104, 1110, 1121, 1127, 1132, 1136, 1138-1139, 1141, 1146; VII, 1168, 1177, 1179, 1181, 1199, 1201-1202, 1210, 1212, 1219-1220, 1223, 1231-1232, 1240, 1268, 1286, 1292-1293, 1306-1307, 1309, 1315-1318, 1327, 1330, 1340, 1342-1343; VIII, 1353, 1355, 1363, 1377, 1392-1393, 1398, 1413-1414, 1416-1417, 1420, 1423, 1432, 1434, 1439, 1449-1450, 1464, 1472, 1481, 1483, 1509, 1511-1512, 1516-1517; IX, 1546, 1553, 1561, 1571, 1573, 1627, 1634, 1645, 1652, 1661, 1663, 1711-1715, 1717-1718, 1720-1723; X, 1744, 1747, 1760, 1770-1771, 1782-1787, 1789, 1792, 1812, 1832, 1837, 1839, 1858, 1863, 1877, 1882, 1890, 1893, 1897, 1906, 1911; XI, 1927, 1935, 1939-1940, 1975, 2008-2009, 2051, 2065, 2075, 2077; XII, 2177, 2192, 2196-2197, 2204-2205, 2207, 2216, 2235, 2249, 2266, 2271, 2301-2302; XIII, 2333, 2335, 2338, 2340, 2343-2344, 2348, 2351, 2356-2357, 2361, 2382, 2399, 2439, 2441, 2443, 2462, 2465, 2472-2475, 2493, 2495; XIV, 2556, 2558, 2562, 2564, 2583, 2586, 2599, 2645, 2647-2648, 2670; XV, 2724-2725, 2727-2728, 2731, 2738, 2742, 2745, 2761, 2774, 2779-2780, 2782-2783, 2845, 2866-2867, 2869-2870, 2872; XVI, 2902, 2904, 2923, 2929, 2931-2932, 2939-2940, 2943, 2956-2958, 2961, 2981, 2990, 2992, 3013, 3015, 3020, 3036, 3044, 3049, 3053; XVII, 3102, 3105-3123, 3131, 3139, 3159-3161, 3178, 3183, 3208, 3239, 3242-3243, 3263; XVIII, 3282, 3346, 3356, 3383, 3387, 3390, 3392, 3395, 3397-3398, 3400, 3404, 3424, 3426, 3429, 3437, 3449, 3451, 3453-3454; XIX, 3465, 3469, 3474, 3478-3479, 3487, 3494, 3497, 3513, 3555-3557, 3563, 3570, 3576, 3579, 3586-3587, 3590, 3604, 3606, 3612, 3614, 3617, 3619, 3638-3639; XX, 3686-3689, 3706, 3712, 3724-3726, 3728, 3759, 3763-3764, 3768, 3773, 3813, 3815, 3823-3824, 3828-3829, 3836; XXI, 3850, 3852, 3867, 3874, 3901, 3911, 3936-3937, 3945, 3975, 3977, 3980, 3986, 4003, 4009, 4023; XXII, 4048, 4056-4057.
EGYPTIAN, THE, V, 873.
"Egyptian Sea," XVII, 3181.
EHI, III, 399; V, 873.
EHUD (Judge of Israel), III, 400; V, 803, 863, 873-874; VI, 1145; X, 1819; XII, 2303; XV, 2733, 2858; XVIII, 3389, 3423; XXI, 3923.
EKER, V, 874.
EKREBEL, V, 874.
EKRON, II, 332, 334; IV, 710; V, 874, 897, 921; VI, 1126; VII, 1292; X, 1776, 1784; XI, 1972; XVI, 2923;

XVIII, 3400, 3418.
EL, III, 532; V, 874; VII, 1181; VIII, 1354; XV, 2823; XVII, 3166.
ELA, V, 874.
El-Abeidiyeh, III, 423.
ELADAH, V, 874.
Ekagabalus, XIX, 3608.
ELAH (king of Israel), II, 279; III, 393; V, 874-875; VIII, 1427; XV, 2697; XX, 3727; XXII, 4048.
ELAH (place), V, 875, 936; VII, 1190; XVIII, 3364, 3454; XIX, 3574.
El Ah, V, 879.
El-Allan River, VII, 1185.
ELAM, ELAMITES, I, 37, 150, 185; II, 346; III, 566; IV, 699; V, 874-876, 921, 951; VI, 1132; VII, 1237; VIII, 1398, 1516; X, 1899; XI, 1976; XII, 2191, 2217, 2223-2224; XV, 2773; XVIII, 3297, 3400, 3402; XIX, 3465, 3579; XX, 3712, 3831; XXI, 3857.
ELASAH, V, 876; X, 1801; XVIII, 3424; XIX, 3627.
ELATH (ELOTH), I, 109; II, 228, 238; IV, 733; V, 857, 876-877, 905, 921; VI, 1027; VII, 1302; X, 1763; XVII, 3180; XIX, 3513, 3517; XX, 3712; XXI, 3856.
Elazar ben Sirach, IX, 1571.
El-Azariyeh, III, 408.
El-Baneh, III, 406.
EL-BETH-EL, V, 877.
El Bika Valley, XV, 2713.
ELCIA, V, 877.
ELDAAH, V, 877.
ELDAD, V, 877-878.
Eldad Ha-dani (Eldad the Danite), IV, 712; XX, 3667-3668.
El-Damiyah, X, 1748.
ELDERS, IV, 615; V, 877-879; IX, 1623; XII, 2189, 2209, 2296; XVIII, 3403; XIX, 3587; *passim.*
ELEAD, V, 879, 945.
ELEALEH, V, 879.
ELEASA, V, 879.
ELEAZAR (son of Aaron), I, 13, 24, 118; V, 879, 918; VI, 1028; VII, 1160, 1297; VIII, 1436; X, 1744-1745; XI, 1942, 1946, 1952-1953; XIV, 2590; XVI, 2931, 3013-3015; XVII, 3128, 3210; XIX, 3491; XXI, 3997.
ELEAZAR (various personages), V, 879-880; XVI, 2929.
Eleazar (Pharisee leader), XI, 2022.
Eleazar ben Yair (-ben Jair), XII, 2136; XIX, 3468.
ELEAZAR MACCABEUS, I, 187; II, 372; V, 880-882; VIII, 1365; XI, 2002, 2013-2014; XII, 2148; XVIII, 3374.
ELEAZARUS, V, 882.
ELECT LADY V, 882.
EL-ELOHE-ISRAEL, V, 804, 882; VIII, 1448; XVIII, 3339
El Elyon, V, 874; XII, 2201-2202; XIII, 2353.
ELEPH, V, 882.
ELEPHANT, V, 882-883; VIII, 1365, 1439.
Elephantine (Egyptian community), V, 802; XIX, 3587.
Elephantine Island, V, 869, 883.
ELEPHANTINE PAPYRI, II, 289; III, 524, 546; V, 783, 883; VI, 1030; VII, 1181; XIII, 2487; XIV, 2593; XVIII, 3338; XIX, 3587; XXI, 3988.
ELEUTHERUS, V, 883; XVI, 2932.
El-Haditheh, I, 88.
El Hamme, VI, 1112.
ELHANAN, III, 416; V, 883-884; VI, 1152; VIII, 1441; X, 1819, 1885.
El-Harbaj, V, 776.
ELI (High Priest), I, 22, 118; V, 813, 818, 884-887; VII, 1240-1242, 1314-1315; VIII, 1352, 1436; XI, 2101; XVI, 2926, 2931, 3006; XVIII, 3322-3323, 3329, 3445-3446; XIX, 3614.
ELI, ELI, LAMA SABACHTHANI, IV, 680; V, 887.
ELIAB, V, 887, 891; VII, 1272; XVIII, 3423; XXI, 4010.
ELIADA, II, 375; V, 887.
ELIADAH, V, 887-888; XVII, 3234.
ELIADAS, V, 888, 906.
ELIADUN, V, 888.
ELIAH, I, 95; V, 888.
ELIAHBA, V, 888; XVIII, 3417.
ELIAKIM (various personages), V, 888; VII, 1299; VIII, 1481, 1486; X, 1786; XVIII, 3429-3430.
ELIALI, V, 888.
ELIAM, I, 116, 146; II, 366; V, 888.
ELIAONIAS, V, 889.
ELIAS, V, 889, 899.
ELIASAPH, V, 790, 889; VI, 1110; X, 1884; XVII, 3211.
ELIASHIB (various personages), V, 882, 889, 919; VI, 1030, 1032; IX, 1565; XIII, 2484; XVIII, 3338, 3441.
ELIASIB, V, 889.
ELIASIS, V, 889.
ELIATHAH, V, 889.
ELIDAD, III, 399, 576; V, 889.
ELIEL, V, 889, 891.
ELIENAI, V, 889.
ELIEZER (various personages), V, 819, 889-891; VII, 1309; XI, 2080; XIII, 2335; XVII, 3182; XXII, 4056.
ELIEZER OF DAMASCUS (steward of Abraham), I, 40; III, 530, 575; IV, 705; V, 891; VII, 1246; VIII, 1384; X, 1880; XII, 2221; XIV, 2594; XV, 2869; XVII, 3168; XIX, 3499.
"Eliezer the Damascene," V, 891.
ELIHOENAI, V, 889, 891.
ELIHOREPH, V, 891; XVIII, 3378, 3426, 3453.

ELIHU (various personages), II, 357; V, 887, 891; IX, 1645, 1647, 1653; XVII, 3155.
ELIJAH (Prophet), I, 102, 112, 151, 170; II, 219, 283, 331, 334, 378, 546; III, 553-554, 569, 618, 680, 685; IV, 758; V, 815, 836, 874, 887, 889, 891-899, 908, 910, 912, 933-934; VI, 1110; VII, 1171-1172, 1204, 1254; VIII, 1428, 1471, 1530; IX, 1585, 1629, 1631, 1636, 1683, 1711; X, 1814, 1833, 1858, 1870; XI, 1993, 2060, 2098; XII, 2242, 2270, 2275-2276; XIII, 2326, 2376, 2383, 2416-2417, 2428; XIV, 2597, 2603-2604, 2631, 2658, 2687; XV, 2742; XVI, 3032, 3037-3038, 3040, 3043-3044, 3058; XVII, 3102, 3166, 3187; XVIII, 3308; XIX, 3497; XX, 3727, 3769-3771; XXI, 3925, 4001.
ELIJAH (returnee), V, 889.
Elijah (oratorio by Mendelssohn), V, 899.
"Elijah the Tishbite" (cognomen for Elijah the Prophet; see "Elijah" in Index).
ELIKA, V, 905.
ELIM, V, 905; VI, 1003; XXI, 3936.
ELIMELECH (husband of Naomi), III, 575; V, 879, 905-906, 949; XIII, 2436, 2439; XVII, 3175; XVIII, 3274.
ELIOENAI (various personages), I, 123, 163; V, 888, 906.
ELIONAS, V, 906.
ELIPHAL, V, 906; XX, 3837.
ELIPHALET, V, 906.
ELIPHAZ, I, 79; V, 906; IX, 1643-1645, 1647; X, 1841; XV, 2697; XIX, 3639; XX, 3716; XXII, 4039.
ELIPHELEH, V, 906-907.
ELIPHELET (various personages), I, 108; V, 906-907, 921; XI, 2004.
ELISABETH (mother of John the Baptist), V, 907-908; VI, 1108; IX, 1678; XII, 2123; XXI, 3890, 3993, 3995.
ELISEUS, V, 908.
ELISHA (Prophet), I, 22; II, 201, 219, 334; III, 395-396, 508, 535, 553; IV, 706; V, 818, 824, 897-898, 908-912; VI, 1106, 1131; VII, 1254-1255; VIII, 1428, 1481, 1488, 1492, 1496-1497, 1530; IX, 1693, 1711; X, 1858; XII, 2201, 2270, 2276; XIII, 2411; XIV, 2658; XVI, 2910, 3040, 3042-3044, 3058; XVII, 3102; XVIII, 3308, 3424; XIX, 3464-3465, 3497.
ELISHAH, V, 891, 897, 918; VIII, 1477.
ELISHAMA, V, 918-919, 945.
ELISHAPHAT, V, 918.
ELISHEBA (wife of Aaron), I, 13; V, 918; X, 1771; XIII, 2413.
ELISHUA, V, 918-919.
ELISIMUS, V, 919.
ELIU, V, 919.
ELIUD, V, 919.

Elizabeth I (English queen) (1533-1603), III, 440, 452, 483; IV, 661; VI, 1141; X, 1852.
Elizabeth (Russian empress) (1709-1762), III, 469.
ELIZAPHAN, V, 919, 922; XV, 2768; XXI, 4010.
ELIZUR, V, 919; XVII, 3209; XVIII, 3432.
El-Jeba, VII, 1160.
El-Jib, VII, 1160.
ELKANAH (father of Samuel), V, 919; VII, 1240; XII, 2183; XV, 2823; XVIII, 3322.
El-Kesaf, I, 60.
El-Kirmil, III, 553.
Elkosh, XIII, 2423.
ELKOSHITE, V, 919.
ELLASAR, III, 565; V, 919; XX, 3712.
El-Lèja, II, 261.
El Meshed, VI, 1127.
ELMODAM, V, 919.
ELNAAM, V, 919.
ELNATHAN (various personages), V, 919-920; VI, 991; VIII, 1486.
ELOHIM, III, 475; V, 920; IX, 1650; XVII, 3082-3083.
ELON (Judge of Israel), V, 920-921; VIII, 1352; X, 1811, 1819; XV, 2859; XXI, 4009.
ELON (various personages), II, 365; V, 921.
ELON (place), I, 121; V, 921.
ELON-BETH-HANAN, V, 921.
ELOTH, V, 921; XVIII, 3449.
ELPAAL, V, 921.
ELPALET, V, 921.
EL-PARAN, V, 921 (*see also* "Paran" in Index).
El-Qubeibah, V, 924.
El-Ram, IV, 618.
El-Rumeideh, VII, 1265.
El Shaddai (-*Shadday*), V, 874; VII, 1181; XIII, 2353.
ELTEKEH, V, 921; X, 1784; XVIII, 3400.
ELTEKON, V, 921.
ELTOLAD, V, 921; XX, 3742.
El-Tur, XIII, 2380.
ELUL, V, 921.
Elulaeus, XX, 3828.
ELUZAI, V, 921.
ELYMAIS, V, 921; XIII, 2436.
ELYMAS, V, 922; VII, 1343; XI, 2045; XII, 2288; XV, 2805; XVIII, 3408.
ELZABAD, V, 922.
ELZAPHAN, V, 919, 922.
Embassy to Gaius (Philo), XVI, 2929.
EMBROIDERY AND NEEDLEWORK, V, 922-923.
EMIMS, V, 923-924; VI, 1152; XII, 2302; XVII, 3187-3188; XVIII, 3426.
EMMANUEL, V, 924.
EMMAUS, IV, 625; V, 924-925; VII, 1234; X, 1798;

XI, 1989, 1997, 2013; XIV, 2550-2551.
EMMER, V, 926.
EMMOR, V, 926.
EMPEROR WORSHIP, I, 132; III, 550; V, 926-928; VIII, 1357; IX, 1626; XIV, 2549; XVI, 2984; XVII, 3219, 3250-3251.
ENAM, V, 928-929.
ENAN, V, 929.
ENASIBUS, V, 929.
ENDOR, V, 929 (see also "Witch of Endor" in Index).
Endor, Witch of (see "Witch of Endor" in Index).
EN-ENGLAIM, V, 929.
ENEMESSAR, V, 929.
ENENIUS, V, 930; XIII, 2419.
EN-GADDI, V, 930.
EN-GANNIM, I, 167; V, 930-931; VI, 1124.
EN-GEDI, II, 240-242; III, 403; IV, 736; V, 930-931; VII, 1178, 1256; IX, 1543; XVIII, 3368; XXI, 3874, 3932; XXII, 4057.
English Channel, XVII, 3246.
ENGLISH REVISED BIBLE, III, 440, 446, 454, 466; V, 931-932; XIV, 2512; XV, 2710, 2715, 2719; XVI, 2986-2987; XVII, 3128 (see also "Revised Version" in Index).
EN-HADDAH, V, 932.
EN-HAKKORE, V, 932.
EN-HAZOR, V, 932.
Enki (deity), IV, 666; VI, 1124; XIX, 3576.
Enkidu (deity), VI, 1074.
Enlil (deity), II, 331; XIX, 3576.
EN-MISHPAT, V, 933; X, 1837; XV, 2768.
ENOCH, II, 283; V, 897, 933; VII, 1263, 1273; VIII, 1381, 1474, 1504; XI, 2054; XII, 2232; XVI, 2930; XVII, 3101.
ENOCH, THE BOOK OF (Pseudepigrapha), I, 172; IV, 767; V, 933-934; X, 1765; XII, 2202, 2242; XVII, 3102, 3105, 3163, 3198; XVIII, 3359, 3375, 3414; XX, 3681; XXI, 3848.
ENOS (ENOSH), III, 516; V, 934; XVI, 2930.
EN-RIMMON, V, 936; XVII, 3241.
EN-ROGEL, I, 91; V, 936; X, 1775; XXII, 4059.
EN-SHEMESH, V, 936.
EN-TAPPUAH, V, 936; XIX, 3630.
Enuma elish, XVII, 3166.
EPAENETUS, V, 936; XVII, 3260.
EPAPHRAS, IV, 637-638; V, 936; X, 1899-1900; XIV, 2543; XV, 2815; XVI, 2913-2914.
EPAPHRODITUS, V, 822, 936; XVI, 2919.
EPHAH, V, 936.
EPHAI, V, 936; XIV, 2510.
EPHER, V, 936.
EPHES-DAMMIM, V, 936-937; VI, 1126; VII, 1191; XV, 2777.

EPHESUS, I, 71-72, 172; II, 214-215, 218; III, 460, 559, 576; IV, 583, 615-616, 638, 647, 650, 654-655; V, 801, 936-938, 940-942, 951; VI, 1087, 1091-1092, 1121; VII, 1240, 1275, 1343; IX, 1666, 1675; X, 1829; XI, 1991, 2001; XII, 2124; XIV, 2521, 2535, 2541, 2543-2544; XV, 2699-2700, 2800, 2802, 2813-2816; XVI, 2914, 2919-2920; XVII, 3227, 3260, 3264; XVIII, 3352, 3375; XIX, 3503, 3547, 3590; XX, 3722, 3791, 3793, 3821, 3823.
EPHESIANS, EPISTLE OF PAUL TO THE (New Testament), III, 500; IV, 637, 640; V, 937-940; VI, 1121; X, 1900; XII, 2196; XIV, 2542; XV, 2811-2813, 2816; XVI, 2892, 2914; XVII, 3216; XIX, 3559.
EPHLAL, V, 942.
EPHOD (person), V, 942.
EPHOD (vestment), I, 22; V, 830, 923, 942-943; XII, 2234; XV, 2702, 2704, 2713; XVIII, 3322; XIX, 3559; XX, 3678; XXI, 3971.
EPHPHATHA, V, 943.
Ephraem Syrus, III, 447.
Ephraem of Syria, III, 472.
EPHRAIM (second son of Joseph), II, 285, 375; III, 404; IV, 592; V, 805, 874, 879, 943-945, 950; VI, 1027, 1139; VII, 1239; VIII, 1450; IX, 1712, 1717, 1722; X, 1873; XI, 2065; XV, 2699; XVI, 2989; XVII, 3146, 3197, 3207; XVIII, 3440; XIX, 3465, 3619, 3638; XX, 3801; XXI, 3854.
EPHRAIM, TRIBE OF, I, 143, 147, II, 254, 326-327, 358, 376; III, 399, 403, 411, 414-415; IV, 710; V, 775, 779, 918-919, 936, 943-949; VI, 1127-1128; VII, 1160, 1163-1164, 1172, 1222, 1240, 1267, 1270, 1300, 1322, 1327; VIII, 1419, 1423, 1432, 1474, 1480, 1501-1502, 1529, 1534-1535; IX, 1564, 1567, 1634, 1663, 1689, 1712, 1722; X, 1744, 1751-1752, 1776, 1780, 1811, 1838, 1841, 1845; XI, 1939, 1943-1944, 1999, 2065, 2067, 2070-2071; XII, 2220, 2245; XIII, 2372, 2388, 2413; XIV, 2589-2590, 2599; XV, 2705, 2729, 2732, 2826, 2857-2858, XVI, 2906, 2941; XVII, 3155, 3158; XVIII, 3417, 3419-3420, 3430-3431, 3442, 3444, 3449; XIX, 3465, 3480-3481, 3555, 3609, 3613, 3619, 3630; XX, 3667, 3672, 3735, 3803-3804, 3808, 3813, 3815, 3817; XXI, 3991, 4027, 4029; XXII, 4046.
EPHRAIM (place), V, 949.
EPHRAIM, WOOD OF, V, 949.
EPHRAIM GATE, V, 949; IX, 1551, 1564.
EPHRAIM, MOUNT, V, 949 (see also "Mount Ephraim" in Index).
EPHRAIN, V, 949.
EPHRATH, III 396; V, 949; VIII, 1449; XVII, 3148.
EPHRATHITES, V, 949.
EPHRON THE HITTITE, I, 40; III, 556; V, 949; VII,

INDEX 4107

1168, 1265; XIII, 2317; XXII, 4059.
EPHRON (place), V, 949-950.
Epic of Gilgamesh, I, 82; II, 293; V, 951; VI, 1074-1075; VII, 1237; XIV, 2566, 2635; XVII, 3166; XIX, 3573.
EPICUREANS, I, 132; V, 853, 950; XIX, 3568.
Epicurus (philosopher) (c. 340-270 B.C.), V, 950.
Epicus, VIII, 1359.
Epimenedes (poet), IV, 669.
Epiphanus, Bishop of Cyprus (A.D. 315-403), II, 211-212; III, 460, 501; XII, 2106; XVIII, 3404.
Epirus, I, 57.
Episcopal Church of Ireland, XVII, 3232.
Episcopal Church of Scotland, XVII, 3232.
Episcopal Church in the United States, VII, 1208.
Epistle of Barnabas, III, 447, 540; VII, 1263; XIV, 2522.
Epistle of Clement, IV, 602.
Epistle of Jeremiah (*see* "Jeremiah, the Epistle of" in Index).
Epistle of the Twelve Apostles, II, 215.
Epistle to the Laodiceans, II, 216.
EPISTLES, V, 950; X, 1852. (For entries on all the canonical Epistles, see separate entries in Index, alphabetized according to nominal recipients.)
Equestrian Order, the, XVII, 3248.
ER, V, 950; X, 1770, 1774; XV, 2699; XVIII, 3436; XIX, 3627.
ERAN, V, 950.
Erasmus, Desiderius (scholar) (c. 1466-1536), III, 468, 471; XV, 2813; XX, 3822.
ERASTUS, V, 950-951.
Eratosthenes (Greek geographer), I, 131; II, 307-308; XXI, 3924.
Erdoranchos, V, 933.
ERECH, I, 54; V, 951; XIII, 2436; XIV, 2560; XVIII, 3448.
ERI, V, 951; VI, 1110.
Eridu (deity), XIX, 3576.
Erubin, XVIII, 3283.
Esagila, XIII, 2465.
ESAIAS, V, 951; VI, 988; XIX, 3588.
ESARHADDON (Assyrian monarch), I, 94; II, 303, 343; V, 951-952; XI, 2064; XII, 2224; XIII, 2472, 2495; XIV, 2561; XV, 2783; XVI, 3044; XVIII, 3352, 3380, 3402, 3424; XIX, 3470, 3638; XX, 3724-3725, 3828.
ESAU (firstborn son of Isaac), I, 79, 118, 120, 122, 133, 140, 161-162; II, 233, 333, 365, 375-376; III, 399, 478, 481, 568; V, 836, 847, 875, 877, 906, 921, 952-954, 959; VI, 1027, 1052, 1068, 1079, 1139; VII, 1168; VIII, 1385-1386, 1407, 1441, 1445, 1448, 1452, 1456; IX, 1623, 1645; X, 1774, 1814, 1841, 1877, 1880; XI, 1979, 2054, 2059; XII, 2185, 2187, 2232, 2301; XIII, 2421, 2428, 2460; XIV, 2595, 2605; XV, 2697, 2720, 2728, 2870; XVII, 3148, 3168-3169, 3171, 3211; XVIII, 3388-3389, 3423; XIX, 3639; XX, 3716, 3753, 3801; XXII, 4039, 4045.
ESCHATOLOGY, I, 47; IV, 707, 723; V, 850, 933, 954-957; X, 1915; XVI, 2910, 3057; XIX, 3577.
ESDRAELON, II, 357-358; III, 555; V, 824, 874, 946, 957; VIII, 1434; IX, 1634; XIII, 2427; XV, 2722, 2731-2732, 2736, 2857-2858, 2860; XVI, 2926; XXI, 3901.
ESDRAS, I, 143; II, 210, 277-278, 294, 296, 313, 327-328, 352-353; III, 492; IV, 702; V, 848, 888, 957-959; VII, 1267; VIII, 1458; IX, 1638, 1641, 1663; X, 1792; XI, 1979, 2057, 2083; XII, 2142, 2201, 2218; XIII, 2371, 2415; XVIII, 3281, 3284, 3293, 3296, 3314, 3352, 3354, 3374, 3387, 3390; XXI, 4001.
ESDRAS, THE FIRST BOOK OF (Apocrypha), II, 202-203, 208; IV, 656; V, 957-959; VI, 1029, 1034, 1037-1038, 1042; VII, 1252; XII, 2145, 2201; XIII, 2486; XVI, 2901; XVIII, 3314, 3344, 3387, 3403, 3414; XX, 3690; XXI, 3943, 3995; XXII, 4041.
ESDRAS, THE SECOND BOOK OF (Apocrypha), II, 204, 207-208; V, 957-959; VI, 1029, 1037; XI, 2083; XIV, 2526; XIX, 3510, 3534, 3545; XXI, 3848, 3997.
ESEBRIAS, V, 959.
ESEK, V, 959; XIX, 3496.
ESH-BAAL, II, 331; V, 959; VIII, 1404, 1411; XVI, 2928.
ESHBAN, V, 959.
ESHCOL, III, 566; V, 960; XXI, 3874.
ESHEK, VI, 967.
Eshem-Bethel (deity), V, 883.
ESHTAOL, IV, 710; VI, 967; XXII, 4060.
ESHTEMOA, VI, 967; XI, 2004.
ESHTEMOH, VI, 967.
ESHTON, III, 420; VI, 967; XIX, 3637.
ESLI, VI, 967.
ESORA, VI, 968.
Esquiline Hill, XVII, 3263.
ESRIL, VI, 968.
ESROM, VI, 968.
ESSENES (religious sect), II, 296; III, 504; IV, 761-762, 764-766; V, 854; VI, 968-972; VII, 1177, 1262; IX, 1585, 1680; X, 1738, 1792, 1804, 1906; XIV, 2544, 2635; XVI, 2908; XVII, 3136; XVIII, 3294, 3312; XIX, 3468; XX, 3683.
ESTHER, I, 24, 108; III, 399-400, 477, 575; VI, 974-983; VII, 1221-1222, 1232, 1253, 1266; XIII, 2327-2329; XIV, 2513, 2662; XVII, 3125, 3127, 3197-3198; XIX, 3465; XX, 3675; XXI, 3861, 3984-3985.
ESTHER, THE BOOK OF (Old Testament), I, 79, 88,

96, 108, 143; II, 261; III, 428-429, 435-436, 546-547, 549; IV, 619, 705, 720, 762; V, 823; VI, 974-983, 1065; VII, 1221, 1227, 1232, 1234; VIII, 1364, 1436; X, 1869; XI, 2037-2038, 2080; XII, 2190, 2200, 2205, 2209, 2216; XIII, 2326, 2329; XIV, 2635-2636, 2662-2663; XV, 2768, 2770; XVI, 2938, 2972, 2987, 3063; XVII, 3112, 3125-3127, 3197-3198; XVIII, 3447; XX, 3675; XXI, 3857, 3861, 3983; XXII, 4041.

Esther (Racine drama), V, 974.

Estienne, Robert, X, 1854 (*see also* "Stephanus" in Index).

ETAM, VI, 985.

Etana, XIX, 3573.

ETHAM, VI, 986.

ETHAN (various personages), I, 161; II, 326; VI, 986, 1044; XI, 2061.

ETHANIM, III, 524; VI, 986; XX, 3727.

ETHBAAL, VI, 986; VIII, 1427; IX, 1629; XIX, 3470.

ETHER, VI, 986.

Ethical Code, the, XX, 3662, 3664.

ETHIOPIA, III, 459; IV, 630, 695; V, 951; VI, 987-988, 1126, 1132; VII, 1232; VIII, 1393, 1398; XII, 2266; XIV, 2516; XV, 2713; XVII, 3107, 3133; XVIII, 3387; XIX, 3587; XX, 3724, 3726; XXI, 4032.

Ethiopia (modern), XIX, 3478; *passim*.

ETHIOPIAN EUNUCH, I, 67; II, 287; III, 459, 535; VI, 988, 991; XVI, 2916.

ETHIOPIAN WOMAN, VI, 988-989; XII, 2293; XIII, 2341.

ETHMA, VI, 989.

ETHNAN, VI, 989.

ETHNI, VI, 989.

Etruscans, IV, 620; XVII, 3261, 3263.

Et-Taiyibeh, IX, 1592.

Euboea, XVII, 3235.

EUBULUS, VI, 989.

EUCHARIST, I, 72, 96-97; III, 499; IV, 651, 659; VI, 989-991; X, 1901-1904, 1907; XI, 1989, 2060; XII, 2165; XIV, 2536; XV, 2780; XVI, 2981; XXI, 3970.

Euclid (Greek mathematician), I, 131.

Eumeduranki, V, 933.

EUMENES II, VI, 991; VIII, 1365; XI, 2001; XV, 2844.

EUNATHAN, VI, 991.

EUNICE, VI, 991; XX, 3718; XXI, 3964.

EUNUCH, VI, 991-992.

Euodia, VI, 993.

EUODIAS, VI, 992-993; XVI, 2922-2923; XIX, 3604.

EUPHRATES (River), I, 35, 101, 108; II, 228-229, 231, 342, 346; III, 444, 553, 563, 575; IV, 732; V, 848; VI, 993, 1017, 1029, 1074, 1126; VII, 1205, 1210, 1220, 1237, 1246, 1273, 1343; X, 1786, 1837, 1858; XI, 2080; XII, 2220; XIII, 2326, 2348, 2494; XV, 2771, 2848; XVI, 2901, 2964; XVII, 3185, 3233, 3246; XVIII, 3398, 3449, 3451; XIX, 3513, 3571-3572, 3606; XX, 3692, 3712, 3716, 3724, 3742, 3763, 3809, 3837; XXI, 3901, 3976.

EUPOLEMUS, I, 56; VI, 993.

Euripides (dramatist), V, 852; XVII, 3222.

EUROCLYDON, VI, 993.

EUSEBIUS (Church Father) (A.D. 260-340), I, 61; III, 460-461, 540; V, 810, 821; VI, 1091-1092, 1133; IX, 1652, 1665-1666, 1668, 1677; X, 1742, 1806; XI, 1962, 1984, 2085, 2087, 2089; XII, 2150, 2152, 2157; XIII, 2480; XIV, 2518, 2521, 2523; XVI, 2984; XVIII, 3272, 3404; XX, 3703, 3704.

Eusebius Philopator, II, 261; III, 431; IV, 598; VIII, 1471.

EUTYCHUS, VI, 993, 995; VII, 1335; XII, 2290.

Euxine Sea, XX, 3794.

EVANGELIST, IV, 615, 638; VI, 995, 1018, 1133; XI, 1990; XIV, 2521.

EVE (the first woman), I, 18, 20, 80; III, 440, 512, 515; IV, 645, 708; V, 788-789, 819, 829; VI, 995-997, 1048-1049, 1067, 1083-1084, 1124, 1136, 1144; VII, 1177; VIII, 1353, 1358; X, 1819; XI, 1957; XIV, 2607; XV, 2766; XVII, 3102; XVIII, 3359, 3377, 3413-3414, 3441; XIX, 3487; XX, 3691, 3721, 3753, 3771, 3773.

Every Good Man (by Philo), VI, 969, 971.

EVI, VI, 997.

EVIL, VI, 995, 997-998; VII, 1184; XI, 2101; XIV, 2607; XVI, 2998, 3005; XVII, 3099, 3187; XVIII, 3339, 3358.

EVIL-MERODACH, VI, 998; VIII, 1485; X, 1858; XII, 2226; XIII, 2466, 2494, 2496; XV, 2846.

EVIL SPIRITS, VI, 997-998, 1014; XI, 2052; XV, 2710, 2802; XIX, 3586.

EXCOMMUNICATION, I, 164; VI, 998-999; XI, 2075.

Execration Tablets (ancient Egyptian), II, 239; IX, 1546.

EXILE, VI, 999 (*see also* "Diaspora" and "Period of the Babylonian Captivity" in Index).

Existentialism, V, 853.

EXODUS, THE, I, 142, 146-147, 169-170; II, 228, 260, 287, 335, 349; III, 399, 484, 493, 499, 507, 560; IV, 606-608, 622, 709-710; V, 796, 812, 857, 867-868, 879, 887, 905, 923, 945, 951; VI, 986, 999-1005, 1066, 1068, 1146; VII, 1179, 1199, 1201, 1220, 1343; VIII, 1413, 1416, 1423; IX, 1623, 1645, 1653, 1711, 1722-1724; X, 1774-1775, 1806, 1812, 1837, 1845, 1877, 1882, 1911; XI, 1927, 1937, 1939, 1942, 1952, 2075; XII, 2142, 2216, 2247, 2249, 2259, 2291, 2297, 2299, 2302, 2331; XIII, 2348, 2351-2352, 2376, 2382,

2384, 2386, 2439, 2460; XIV, 2508, 2511, 2583-2585, 2593, 2627, 2629, 2645, 2647; XV, 2720, 2728, 2731, 2774, 2779-2780, 2818, 2823, 2835, 2853, 2870; XVI, 2904, 2906, 2911, 2940, 2943, 3036, 3054-3055; XVII, 2083, 3088, 3139, 3159-3160, 3165, 3178, 3182, 3209, 3211, 3241-3242; XVIII, 3271, 3281, 3287, 3324, 3342, 3354, 3362, 3423-3424, 3432, 3434, 3437; XIX, 3465, 3479, 3491, 3497, 3555, 3570, 3583, 3612, 3614, 3619, 3642; XX, 3802-3803, 3815, 3836; XXI, 3936-3937, 3986, 3992, 3999, 4009, 4027; XXII, 4049, 4056.
EXODUS, THE BOOK OF (Old Testament), I, 13; II, 265, 342; III, 405, 428, 435, 493, 500, 507, 556; V, 795-796, 815, 820, 844, 919, 923; VI, 999, 1005-1010; VII, 1185, 1220, 1297, 1308, 1339; VIII, 1366, 1436, 1472; IX, 1622, 1624; X, 1806, 1863, 1912-1913; XI, 1927, 1937, 1946, 1952, 1989, 2053, 2073, 2101; XII, 2216, 2247, 2297, 2299; XIII, 2331, 2333, 2336, 2338, 2348, 2351, 2413; XIV, 2583, 2590, 2636, 2645-2647; XV, 2713, 2774, 2823, 2832, 2870; XVI, 2905, 2940, 2943, 2972, 3011, 3014; XVII, 3223, 3131; XVIII, 3283-3284, 3340, 3449; XIX, 3479, 3501, 3612; XX, 3659, 3662, 3691, 3751; XXI, 3908, 3936.
Exodus Rabbah, XVII, 3179; XVIII, 3349.
EXORCISM, VI, 1014-1015; XI, 2052; XIX, 3585.
Exposition of the Law (by Philo), XVI, 2930.
Extreme Unction, VIII, 1471; XIV, 2545.
EZAR, VI, 1015.
EZBAI, VI, 1015.
EZBON, VI, 1015, 1110; XV, 2719.
EZECHIAS, VI, 1015.
EZECIAS, VI, 1015.
EZEKIEL (Prophet), I, 118, 140, 170; II, 219, 334, 352; III, 393, 405, 499, 507, 536, 545, 565, 571-572; IV, 612, 635, 712, 716, 761; V, 794, 803, 814, 845-846, 929, 931, 956; VI, 1015-1025, 1071-1072, 1124, 1129; VII, 1185, 1195, 1224, 1256, 1290, 1306, 1321; VIII, 1395, 1511, 1519-1520, 1523; IX, 1643; X, 1814, 1839, 1873-1874, 1891, 1915; XI, 1946, 1949, 2070; XII, 2178-2179, 2229; XIII, 2314, 2390-2391; XIV, 2515, 2597, 2631, 2638, 2675-2676, 2678; XV, 2762-2764, 2775, 2820, 2851; XVI, 3028, 3037, 3048-3049, 3054, 3058, 3062, 3065; XVII, 3140-3141, 3155, 3187, 3241; XVIII, 3402, 3454-3455; XIX, 3466, 3481, 3487, 3490, 3528, 3559, 3587, 3632, 3638, 3642, 3644; XX, 3666, 3692, 3765, 3817, 3828; XXI, 3930, 3945, 3977, 3997, 4022.
EZEKIEL, THE BOOK OF (Old Testament), I, 118; II, 228, 279; III, 545, 565, 575; IV, 656, 707, 718, 720; V, 918, 949; VI, 1018-1025, 1126; VII, 1184, 1238, 1240, 1246, 1253, 1312; VIII, 1356, 1367, 1512; IX, 1624; XI, 1954, 2101; XII, 2209, 2220; XIII, 2462, 2495; XIV, 2564, 2580, 2635-2636, 2675-2676; XV, 2706, 2763, 2783, 2820; XVI, 2938-2939, 2972, 3014, 3028, 3049; XVII, 3139; XIX, 3579, 3587; XX, 3687, 3741, 3765, 3823; XXI, 4021; XXII, 4057.
"Ezekiel Saw the Wheel" (spiritual), VI, 1018.
Ezekiel's Vision (art), VI, 1018.
EZEL, VI, 1027.
EZEM, VI, 1027.
EZER, VV, 945; VI, 1015, 1027.
EZERIAS, VI, 1027.
EZIAS, VI, 1027.
EZION-GEBER, II, 228; V, 848, 876; VI, 1027-1928; VII, 1302; X, 1865; XII, 2257; XIV, 2612; XV, 2702, 2866, 2872; XVII, 3180; XVIII, 3429, 3451; XIX, 3632; XX, 3763; XXII, 4051.
EZNITE, VI, 1028.
EZRA, I, 88-89, 108, 123, 161-162; II, 203, 207, 278, 311, 328, 352-353, 363; III, 402, 411, 426, 502, 526, 543, 547, 549, 553; IV, 592, 595-596, 702, 720, 819; V, 847, 860, 874, 876, 883, 888-889, 891, 899, 920, 948, 957, 959; VI, 991, 999, 1028-1042, 1052, 1119, 1147-1148; VII, 1170, 1204, 1216, 1224, 1226, 1229, 1238, 1252-1253, 1309; VIII, 1353, 1377, 1406, 1409, 1411, 1420, 1436, 1458, 1472, 1499, 1526; IX, 1554, 1556, 1564, 1566, 1568, 1573, 1638, 1641, 1661, 1663, 1688, 1701; X, 1776; XI, 1946, 2005, 2057, 2060-2061, 2083, 2101; XII, 2145, 2147, 2175, 2191, 2209, 2214, 2216, 2218, 2220, 2229, 2232, 2295; XIII, 2314, 2371, 2415, 2446, 2478-2482, 2485-2488; XIV, 2509, 2605, 2609, 2612, 2661-2662, 2680; XV, 2715, 2721, 2768, 2780, 2818, 2820, 2834-2835, 2838; XVI, 2909, 2931, 3062; XVII, 3162; XVIII, 3277, 3281, 3284, 3314, 3345, 3374, 3379, 3387, 3407, 3419-3420, 3424, 3426, 3430, 3437-3440; XIX, 3532, 3587, 3617, 3622-3624; XX, 3716, 3756-3758, 3774, 3840; XXI, 3848, 3850, 3852, 3859, 3991, 3998, 4001, 4007, 4012-4013; XXII, 4039, 4042.
EZRA, THE BOOK OF (Old Testament), I, 13, 87, 92, 95, 120, 146; II, 200, 210, 278, 328, 353, 373, 375; III, 417, 428-429, 445, 447, 546, 555-556, 560, 563, 565-566; IV, 596, 700, 719, 722, 731; V, 783, 791-792, 809, 883, 951, 957-958; VI, 1016, 1036-1042; VII, 1224, 1227, 1252; VIII, 1363, 1377, 1462, 1496, 1531; IX, 1554; X, 1863, 1897; XI, 1939, 2043; XII, 2244, 2297; XIII, 2419, 2461, 2478-2482, 2484, 2486, 2495; XIV, 2629, 2631-2632, 2635-2636, 2661-2662; XV, 2701, 2721, 2779; XVI, 2911, 2972; XVII, 3181; XVIII, 3342, 3426, 3442, 3447; XIX, 3579; XXI, 3985, 4013-4014, 4016.
"Ezra Apocalypse," the, V, 958.
EZRAHITE, VI, 986, 1044.
Ezra Synagogue (in Cairo), IV, 765.
EZRI, VI, 1044.
Ez-Zib, I, 60.

F

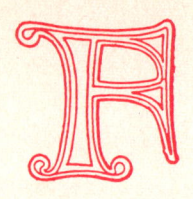

FAIR HAVENS, IV, 669; VI, 1045; X, 1829, 1901; XII, 2203; XVI, 2935-2936.
FAITHFUL AND UNFAITHFUL SERVANTS PARABLE, VI, 1045-1047; XV, 2750; XXI, 3908 ((see also "Parables of Jesus Christ" in Index).
Falashas (black Jews of Ethiopia), XIX, 3478; XX, 3668.
FALCON, VI, 1047; X, 1871.
FALL, THE, III, 571; V, 829, 955; VI, 997, 1047-1049, 1125; VIII, 1353; XV, 2756, 2766; XVI, 2953, 3005; XVIII, 3413; XIX, 3488; XX, 3753.
FALLOW DEER, VI, 1049; VII, 1251.
FALSE PROPHETS, VI, 1049-1050; VII, 1238; VIII, 1508-1509, 1517; X, 1875; XI, 2051, 2098; XII, 2237; XIII, 2476; XIV, 2510; XV, 2777; XVIII, 3434, 3438; XIX, 3559; XXI, 4025.
FAMILIAR SPIRITS, VI, 1050; XI, 2047.
FAMILY LIFE, IV, 640; VI, 1051-1054; X, 1867; XXI, 3957.
FAMINE, II, 268; III, 508, 569; IV, 747; V, 943; VI, 1000, 1054; VII, 1201; passim.
Farewell Discourses of Jesus, IX, 1576; XIV, 2536.
FARMING, VI, 1054-1060.
FASTING, VI, 1060-1062; XVI, 2997; XVII, 3181; XVIII, 3293; XIX, 3590; passim.
Feast of Esther, XVII, 3126.
Fauchet, Pierre (1732-1793), X, 1831; XIX, 3531.
FAUCHION, VI, 1062.
Fayum (Fayyum), VII, 1240; XVII, 3115-3116.
Feast of Rededication, XI, 1960.
FELIX, ANTONIUS (Procurator of Judaea), I, 163; III, 510-511; IV, 621, 644; V, 844, 873; VI, 1062-1063, 1066; VII, 1252, 1274, 1282; IX, 1560; X, 1822; XI, 2003; XV, 2790, 2804; XIX, 3466, 3468; XX, 3678.
Ferate, XVI, 2941.
Ferrara Bible, the, II, 471.
FERRET, VI, 1063-1064.
Festal Letters of Athanasius, III, 540.
Festival of Booths, XIX, 3614.
Festival of Dedication (see "Hannukah" in Index).
Festival of Ingathering, XIX, 3614.
FESTIVALS, II, 308; III, 524; IV, 598, 685; V, 798; VI, 1064-1066, 1100; VII, 1228; X, 1766, 1886, 1916; XI, 1950, 1955; XII, 2295; XIV, 2536, 2646; XV, 2779; XVI, 2982; XVII, 3084, 3125; XVIII, 3281, 3284, 3432, 3445; XIX, 3501, 3529, 3576, 3625; XX, 3775, 3793; XXI, 3917, 3964, 3988.
FESTUS, PORCIUS (Procurator of Judaea), III, 511; IV, 602; VI, 1062-1063, 1066; VIII, 1471; IX, 1560; X, 1822; XIV, 2506; XV, 2790, 2804; XIX, 3468.
FIERY SERPENTS, VI, 1066.
Fifth Council of Constantinople (A.D. 553), XXI, 2121.
FIG, FIG TREE, VI, 1066-1067; XIX, 3555.
FILLET, VI, 1067.
Firdusi, IX, 1724.
FIREPAN, VI, 1067-1068.
FIRKIN, VI, 1068.
FIRMAMENT, VI, 1068; XVIII, 3345; passim.
FIRSTBORN, III, 481, 495, 575; VI, 1052, 1068-1070; VII, 1224; VIII, 1365, 1445; XIX, 3471; passim.
First Apology (of Justin Martyr), X, 1904.
FIRSTFRUIT-OFFERING, III, 562; VI, 1070-1071; X, 1886; XI, 1952, 1955-1956.
First Isaiah, the (see "Deutero-Isaiah" in Index).
First Council of Ephesus (A.D. 431), XII, 2121.
First Missionary Journey (of Paul the Apostle), I, 70, 76, 182; II, 322, 359; IV, 669, 698; VI, 1113, 1116; VIII, 1352; IX, 1664; XI, 2001, 2003, 2041, 2083; XIV, 2541, 2554; XV, 2747, 2797-2798, 2814, 2843; XVI, 2937, 2942; XVIII, 3297, 3314, 3391, 3408; XX, 3718.
First Punic War, XIX, 3550.
First Rabbinic Bible, X, 1856,
First Syrian War, XVII, 3114.
First Triumvirate (of Rome), XVI, 2980.
Fiscus Judaicus, V, 821.
FISHES OF THE BIBLE, VI, 1071-1073; passim.
FISH GATE, VI, 1071-1073, 1083; VII, 1253; IX, 1564.
Flaccus (Roman governor), III, 525; XVI, 2929.
FLAGON, VI, 1073.
Flavia Domitilla, XVII, 3253.
Flavius Claudius Julianus (Roman emperor) (361-363), XVII, 3253.
Flavius Clemens, V, 821, 928.
Flavius Josephus (see "Josephus, Flavius" in Index).
Flavius Sabinus, XXI, 3864.

FLESHHOOK, VI, 1073-1074.
"Floating Oracle," the, XVI, 3057.
FLOOD, THE, I, 138; II, 278, 336, 342; III, 545; IV, 606; V, 848, 934; VI, 1074-1078, 1138; VII, 1231, 1237; VIII, 1472; X, 1814, 1913; XI, 1957; XII, 2232; XIV, 2565-2566, 2570-2571, 2599, 2635; XV, 2695, 2785, 2830; XVII, 3155, 3166; XVIII, 3288, 3437-3438; XIX, 3573; XXI, 3874, 3938.
Florence, Italy, IV, 751; VIII, 1394.
Florius, Gessius, IX, 1560, 1657; XIV, 2506, 2508; XVII, 3252.
Flute, XIII, 2405.
FLUX, VI, 1078.
FOOD, VI, 1078-1083; VII, 1314; XIX, 3555, 3584.
FOOTMAN, VI, 1083.
FORBIDDEN FRUIT, I, 81; VI, 1083-1084, 1136; VIII, 1353; XVI, 3953; XVIII, 3413; XX, 3771.
FOREHEAD, VI, 1084.
FORESKIN, VI, 1084.
Form Criticism (see "Biblical Criticism" in Index).
FORTIFICATIONS, VI, 1084-1087.
FORTUNATUS, VI, 1087.
"Forty-two-line Bible," the, VII, 1216.
Foss, Lukas (composer), XIX, 3534.
FOUNTAIN GATE, IV, 634; VI, 1087; IX, 1564; XVIII, 3420.
"Fountain of Wisdom," II, 363.
Fouquet, Jean (artist) (c. 1415-1480), IX, 1646.
"Four-Chapter Hypothesis," the, IV, 654.
FOUR GOSPELS, I, 76, 97, 132, 165, 177; II, 356, 376; III, 429, 431, 433, 444, 447, 449, 461, 463, 466, 469, 472, 476, 491, 526, 537-538, 540; IV, 598-599, 676-677, 680, 684-686, 688, 690; V, 792, 825, 934; VI, 1083, 1087-1098, 1150; VII, 1275, 1287, 1319; VIII, 1368, 1468; IX, 1573, 1575-1576, 1579, 1581, 1584-1585, 1588-1589, 1591, 1594, 1598, 1601, 1604, 1607, 1666-1667, 1670, 1688; X, 1737-1738, 1795, 1822, 1850, 1852, 1903; XI, 1967, 1982, 1991, 2085, 2087, 2108; XII, 2119, 2153, 2232; XIII, 2326, 2379, 2381, 2454; XIV, 2516, 2518, 2521-2522, 2524-2526, 2528, 2597, 2631, 2688; XV, 2768; XVI, 2892, 2909, 2913, 2981, 3060; XVII, 3250, 3260, 3264; XVIII, 3283, 3301, 3339, 3384, 3387, 3452; XIX, 3502, 3547, 3559, 3587, 3592, 3626; XX, 3747, 3780; XXI, 3852, 3878, 3893, 3895, 3951, 3963-3964 (see also entries in Index on each of the four canonical Gospel books: "John," "Luke," "Mark," "Matthew").
FOX, VI, 1098-1099; VIII, 1445.
"Fragment Hypothesis," the, XIX, 3601.
FRANKINCENSE, I, 136; VI, 1099; VII, 1256; VIII, 1363; XII, 2187; XIII, 2409; XVI, 2960; XVIII, 3427, 3456.
Freud, Sigmund (neurologist) (1856-1939), I, 16; IV, 645; VI, 1010; XIII, 2356, 2359-2361, 2363.
FRIEND AT MIDNIGHT PARABLE, VI, 1099-1100; XV, 2750; XX, 3834. (see also "Parables of Jesus Christ" in Index).
FRINGES, VI, 1100; X, 1916.
FRONTLET, VI, 1084, 1100.
Frost, Robert (poet) (1875-1963), IX, 1646.
Frumentius, Bishop of Aksum, III, 459.
FULLER'S FIELD, VI, 1100; XIV, 2612.
FULLER'S SOAP, VI, 1100.
FURNITURE, VI, 1100-1106; XVI, 2960; XX, 3707.

GAAL, I, 26; V, 847; VI, 1107; XXI, 4009.
GAASH, VI, 1107.
GABA, VI, 1107, 1128.
GABAEL, VI, 1107-1108; XX, 3736.
GABATHA, VI, 1107.
GABBAI, VI, 1107.
GABBATH, VI, 1107-1108.
GABDES, IV, 618; VI, 1108, 1128.
Gabes, Gulf of, XIX, 3608.
Gabinian Law, XVI, 2979.
Gabinius, Aulus (Roman statesman) (d. 48 B.C.), XI, 2025, 2077; XVII, 3121.
GABRIAS, VI, 1108.
GABRIEL (Archangel), I, 172, 175, 177; VI, 1108-1109; XI, 1993; XII, 2242-2243; XVII, 3165; XXI, 3848, 3890, 3993.
GAD (seventh son of Jacob), II, 277, 287-289; IV, 713; V, 951; VI, 1109-1110; VII, 1216; VIII, 1441, 1446; XV, 2719; XIX, 3465; XX, 3801; XXII, 4048, 4056.
GAD (Prophet), II, 234; IV, 748; VI, 1110; XIII, 2395; XVI, 3029.
GAD, TRIBE OF, I, 18, 24, 113, 136; II, 377-278, 289,

321; III, 408, 412, 419, 425, 484, 507; IV, 768; V, 790, 803, 856, 879, 887, 889, 922; VI, 1027, 1109-1112, 1151; VII, 1170, 1246, 1289, 1339; VIII, 1434, 1439, 1441, 1444, 1463, 1475; IX, 1568, 1662-1663, 1707; X, 1752, 1776; XI, 1944, 1963, 2004, 2042, 2054, 2067; XII, 2213, 2220, 2295, 2301-2302, 2304, 2372; XIII, 2439, 2460; XIV, 2558, 2578, 2586, 2593, 2605, 2629; XV, 2719, 2728; XVI, 2931; XVII, 3139, 3158, 3162, 3209-3211; XVIII, 3297, 3423-3425, 3427, 3456; XIX, 3465, 3474, 3570; XX, 3666-3667, 3673, 3804, 3813, 3815-3816; XXI, 3955, 4000; XXII, 4039, 4045, 4056.

GADARA, V, 782; VI, 1112; XII, 2281; XV, 2840; XVIII, 3297; XIX, 3586.
GADDI, VI, 1112; XI, 2067; XIX, 3583.
GADDIEL, VI, 1112; XXI, 4010.
GADI, VI, 1112.
Gaea (deity), II, 292.
GAHAM, VI, 1112.
GAHAR, VI, 1112.
GAIUS, V, 790, 811; VI, 1112.
Gaius Julius Caesar Octavianus (see "Augustus" in Index).
Gaius Plinius Secundus, IV, 602.
Gaius Silius, IV, 622.
Galaad, VII, 1170.
GALAL, VI, 1113.
GALATIA, I, 71, 182; III, 553; IV, 601, 668; V, 790; VI, 1113-1116; VIII, 1352; XI, 1999-2000, 2003; XIV, 2541; XV, 2797-2798, 2800, 2802, 2814, 2892; XVI, 2936-2937, 2942, 2986-2987; XIX, 3635; XX, 3718.
GALATIANS, EPISTLE OF PAUL TO THE (New Testament), I, 182; II, 356; III, 429; IV, 601, 637; VI, 1113-1116; VII, 1274, 1314; VIII, 1408; XIV, 2524, 2536, 2541; XV, 2755, 2789, 2798, 2802, 2810, 2812-2814; XVI, 2890, 2937; XVII, 3216; XIX, 3635; XX, 3732.
Galatinus, Petrus, VIII, 1495.
Galba, Servius Sulpicius (Roman emperor) (c. 6 B.C.-A.D. 69), X, 1740; XIV, 2508.
GALBANUM, VI, 1116; VIII, 1363.
GALEED, VI, 1116-1117; VIII, 1479; XII, 2299.
Galen (Greek physician), XI, 1934; XVII, 3116.
GALILEE, I, 22, 124, 179, 184; II, 235, 264, 287; III, 393, 408, 423, 501, 508, 530, 559; IV, 583, 600, 613; V, 787, 795, 860, 919, 932; VI, 1059, 1092, 1096, 1117-1118; VII, 1257, 1276-1277, 1279, 1282-1283, 1303; VIII, 1382, 1422, 1434, 1438-1439; IX, 1576, 1585, 1591, 1627, 1634, 1638, 1667; X, 1735, 1738-1740, 1742, 1744, 1751, 1766, 1799, 1809, 1839, 1842, 1868; XI, 1933, 1984, 1989, 2014, 2018, 2022-2023, 2025, 2087, 2095, 2100; XII, 2123, 2134, 2155, 2167, 2218, 2279, 2287; XIII, 2316, 2371, 2388, 2423, 2425, 2440, 2448-2449, 2456; XIV, 2508, 2531, 2536; XV, 2722, 2724, 2729, 2733, 2819, 2839-2840; XVI, 2887, 2982; XVII, 3110, 3234, 3241; XVIII, 3272, 3301, 3384, 3452; XIX, 3518, 3622; XX, 3685, 3699, 3707, 3728, 3758, 3780; XXI, 3865.
Gallican Psalter, the, III, 463.
GALLIM, VI, 1119; XVI, 2902.
GALLIO (proconsul), I, 57, 76; IV, 601-602, 647; VI, 1119; X, 1822; XV, 2790, 2802; XIX, 3547.
Gallus, Cestius, IX, 1560; XIV, 2508.
GAMAEL, VI, 1119.
Gamala, X, 1739, 1804; XX, 3728.
GAMALIEL (Pharisee leader), I, 64, 72; V, 862; VI, 1119; X, 1804; XI, 2067; XIV, 2538; XV, 2786, 2790, 2818; XVI, 2909; XVIII, 3380; XX, 3698-3699.
Gamaliel I, V, 862.
Gamaliel II, V, 821; XIX, 3588.
GAMES, VI, 1120-1124.
GAMMADIMS, VI, 1124.
GAMUL, VI, 1124.
Ganges River, II, 278; XX, 3668.
GAR, VI, 1124.
GARDEN HOUSE, VI, 1124.
GARDEN OF EDEN, I, 80, 154, 170; III, 571; IV, 645, 708; V, 788, 956; VI, 995, 1078, 1083-1084, 1124-1126, 1136; X, 1851; XI, 1957; XII, 2228; XIV, 2578; XV, 2756, 2764, 2826, 2830; XVI, 2943, 2953; XVIII, 3359, 3413; XX, 3753, 3771, 3773; XXI, 3908.
GAREB, VI, 1126.
Garis, X, 1739.
GARIZIM, VI, 1126.
Garment of Mixed Cloth, XVII, 3177.
GARMITE, VI, 1126.
GASHMU, VI, 1126, 1148; X, 1839; XIII, 2481.
GATAM, VI, 1126.
Gate Between the Two Walls, IX, 1563.
Gate of Nicanor, XX, 3645.
Gate of the Foundation, IX, 1564.
Gates of Jerusalem (see "Jerusalem, Gates of" in Index).
GATH, III, 404; IV, 592, 736; V, 945; VI, 1027, 1126; VII, 1174, 1178, 1190-1191, 1221, 1256; XI, 1972, 2005, 2074; XII, 2232, 2235; XIV, 2577; XV, 2860; XVI, 2923, 2927; XVIII, 3369, 3418; XXI, 3991; XXII, 4048.
GATH-HEPHER, VI, 1126-1127; IX, 1691.
GATH-RIMMON, I, 146; VI, 1127; XVI, 2955.
Gaugamela, Battle of, I, 125.
Gaul, Gauls, VII, 1282-1283; X, 1830; XI, 2077, 2111; XVI, 2937, 2980-2981; *passim*.
Gaulonites, X, 1804.

GAZA, I, 125, 184; II, 261, 285, 290, 326; III, 459; IV, 703; V, 857; VI, 988, 1127, 1146; VII, 1343; VIII, 1377; X, 1884; XI, 1972, 2042; XII, 2248; XIII, 2474; XVI, 2916, 2923, 2926; XVII, 3112, 3243; XVIII, 3318-3319, 3356, 3426; XX, 3712.
GAZARA, I, 189; II, 218; VI, 1127-1128; XI, 2018; XVII, 3111-3112.
GAZATHITES, VI, 1128.
GAZELLE, VI, 1128; VII, 1215.
GAZER, VI, 1128, 1151.
GAZERA, VI, 1128.
GAZEZ, VI, 1128.
GAZITES, VI, 1128.
GAZZAM, VI, 1128.
Geb (deity), VII, 1268.
Geddes, Alexander, III, 454; XV, 2835.
GEBA, VI, 1107-1108, 1128; IX, 1699; X, 1780; XV, 2860; XVII, 3158.
GEBAL, VI, 1128-1129, 1162; XI, 1930; XX, 3758.
GEBER, VI, 1129; XX, 3840.
GEBIM, VI, 1129.
GEDALIAH (governor of Judah), I, 114; II, 333-334, 363; III, 417; V, 791, 802, 918, 936; VI, 1038, 1129-1130; VIII, 1409, 1441, 1511; IX, 1629, 1663, 1701; X, 1788-1789, 1838, 1863; XI, 2004; XII, 2301; XIII, 2465, 2470, 2472; XIV, 2503, 2510; XV, 2778, 2846; XVII, 3144; XVIII, 3407, 3424; XIX, 3619, 3629.
GEDDUR, VI, 1112, 1130.
GEDEON, VI, 1130.
GEDER, III, 333; VI, 1130.
GEDERAH, VI, 1130.
GEDERITE, VI, 1130.
GEDEROTH, VI, 1130.
GEDEROTHAIM, VI, 1130.
GEDHOR, VI, 1130-1131.
GEDOR, II, 281; VI, 1130, 1146; XII, 2220; XXII, 4057.
GEHAZI, V, 910; VI, 1131; XII, 2276; XIX, 3497.
GEHENNA, I, 109; II, 283, 298, 347; III, 549; IV, 708; VI, 1131; VII, 1270; X, 1759.
GELILOTH, VI, 1131.
GEMALLI, VI, 1131.
Gemara, XII, 2295; XVIII, 3379; XIX, 3623, 3625 (see also "Talmud" in Index).
GEMARIAH, VI, 1131; VII, 1299; XVIII, 3424.
Gematria, XIV, 2593-2595.
GENEALOGY, VI, 933; VI, 1132-1133, 1135; X, 1747; XVIII, 3286; *passim.*
GENEALOGY OF JESUS CHRIST, I, 82; IV, 656, 732; V, 880, 891; VI, 1133-1135; VII, 1184, 1260; IX, 1712; X, 1735, 1766, 1889; XI, 2006, 2054, 2061, 2071; XII, 2145, 2147-2148, 2202, 2205; XIII, 2413, 2419, 2453; XIV, 2578; XVI, 2906; XVII, 3144, 3151-3152, 3155, 3245; XVIII, 3276, 3296-3297, 3299, 3357, 3397, 3414; XIX, 3478, 3628; XX, 3686; XXI, 4000.
GENERATION, VI, 1135-1136.
GENESIS, THE BOOK OF (Old Testament), I, 18, 26, 34, 54, 79, 81-82, 87, 95, 98, 108, 118-119, 133, 142, 150, 170; II, 230, 233, 260, 279, 288, 294, 336, 339, 342, 373, 375, 378; III, 397, 400, 402, 416, 428-429, 443, 459, 463, 475, 481, 514, 526, 531, 565, 571, 573; IV, 592, 605, 607-608, 618, 620, 662, 666, 695, 705, 732, 767; V, 782, 788, 796, 798, 804-807, 819, 829, 844-845, 852, 873, 884, 906, 918-919, 929, 933, 943, 949, 952; VI, 993, 995, 1005, 1048-1049, 1054, 1068, 1074-1075, 1078, 1083-1084, 1112, 1124-1125, 1132, 1136-1145, 1149; VII, 1171, 1181, 1195, 1199, 1220, 1222, 1231-1232, 1235, 1256, 1262, 1268, 1298, 1301, 1312; VIII, 1366, 1382, 1386, 1406, 1411, 1413, 1433, 1436, 1445, 1452, 1456; IX, 1689, 1712-1713; X, 1765, 1769-1770, 1773-1774, 1776, 1819, 1836, 1889, 1891, 1901; XI, 1927, 1935, 1939, 1952, 1965, 1974, 1989, 2053-2054, 2063, 2081; XII, 2201, 2218, 2220, 2230, 2232, 2248, 2299, 2301-2302; XIII, 2326, 2351, 2377, 2393, 2409, 2439, 2443, 2486; XIV, 2513, 2559, 2561, 2565, 2578, 2583, 2594, 2618, 2642, 2645, 2662; XV, 2699, 2702, 2726, 2728, 2766, 2783, 2785, 2820, 2823, 2830, 2837, 2867; XVI, 2904, 2925, 2929, 2938, 2972, 2989, 3011, 3040, 3055; XVII, 3123, 3139, 3145, 3147, 3168, 3185, 3197; XVIII, 3271, 3288, 3297-3298, 3345, 3397, 3402, 3413-3414, 3426-3427, 3429, 3437, 3446, 3449; XIX, 3465, 3469-3470, 3478-3479, 3488, 3496, 3507, 3572, 3576, 3588, 3627, 3632-3633, 3639, XX, 3712, 3714, 3751, 3753, 3771, 3773, 3794, 3807-3809, 3813, 3815, 3817, 3837, 3840; XXI, 3857, 3901, 3938, 3999-4000, 4009; XXII, 4039, 4056, 4061.
Genesis Apocryphon, XVIII, 3297.
Genesis Rabbah, XVIII, 3345, 3347, 3349-3350.
Geneva, Switzerland, II, 451; VI, 1143.
GENEVA BIBLE, III, 440, 449; 451-452; 483; IV, 661; VI, 1050, 1143-1144; X, 1852, 1854; XVII, 3235.
GENNESARET, GENNESAR, III, 576; VI, 1144; XII, 2169, 2279; XVI, 2887; XVIII, 3387; XXI, 3940.
GENNEUS, VI, 1144.
GENTILES, I, 64, 67, 69, 73, 76, 123, 181; II, 202, 212, 277, 298, 359-360, 460; III, 488, 501, 510, 562; IV, 586, 591, 614-615, 644, 646, 651, 655, 698; V, 847, 934, 938-939, 958-959; VI, 968-969, 1091, 1094, 1114-1115, 1117, 1119, 1144; VII, 1209, 1261; VIII, 1471; IX, 1575, 1581, 1585-1586, 1602, 1645-1646, 1670; X, 1766, 1792, 1850, 1916, 1980, 1987; XI, 2085, 2090; XII, 2229; XIII, 2485; XIV, 2521, 2533, 2538, 2543, 2545, 2553; XV, 2695, 2786, 2790, 2796,

2798, 2802, 2804, 2814-2815; XVI, 2890-2891, 2896, 2910, 2929, 3003, 3015; XVII, 3099, 3102, 3125, 3258-3260; XVIII, 3283, 3437; XIX, 3476, 3564, 3617, 3644-3645; XX, 3681, 3694.
GENUBATH, VI, 1144; XIX, 3620.
Georgia (U.S.S.R.), XX, 3675.
GERA, III, 399; VI, 1145; XIV, 2579.
GERAR, I, 26-27, 39, 118; V, 959; VI, 1054, 1131, 1139, 1145-1146; VIII, 1385; X, 1780; XV, 2870; XVI, 2912, 2925, 3062; XVII, 3185; XVIII, 3347.
GERASA, V, 782; VI, 1146; XV, 2840.
GERIZIM, I, 167; VI, 1126; VII, 1172 (see also "Mount Gerizim" in Index).
Germanicus, XX, 3710.
Germany, II, 291; XVII, 3246.
GERRHENIANS, VI, 1146.
GERSHOM (various personages), VI, 986; VI, 1032, 1146-1147; VII, 1309; IX, 1701; XIII, 2335; XVIII, 3430; XXII, 4056.
GERSHON (Levite), I, 79; II, 364, 378, III, 404; V, 889; VI, 1146-1148; VII, 1185, 1268; VIII, 1436, 1462, 1475, 1478, 1480; X, 1840, 1868, 1880, 1884; XI, 1935, 1937, 1942-1943, 1947, 1959; XII, 2142, 2212; XIV, 2589; XVI, 3013; XVII, 3183; XVIII, 3436, 3446-3447; XXII, 4039, 4044, 4048, 4051.
GERSON, VI, 1148.
GESHAN, VI, 1148.
GESHEM, VI, 1148; XIII, 2481; XVIII, 3337.
GESHUR, I, 47-48, 147; II, 232-233; IV, 744; VI, 1148; X, 1841; XI, 2004; XV, 2758; XIX, 3622.
Geshurites, II, 294.
Gessius Floris, III, 511.
GESTURES, VI, 1148-1149; VII, 1239; X, 1873; XIX, 3561.
GETHER, VI, 1132, 1149.
GETHSEMANE, VI, 1149-1151; IX, 1559, 1598, 1670, 1674; XI, 1997, 2100; XII, 2287; XIII, 2381; XV, 2764, 2779; XVI, 2888, 2998; XIX, 3599; XX, 3776; XXI, 3872.
GEUEL, VI, 1151; XI, 2042.
GEZER, II, 242-243; III, 426, 531; VI, 1128, 1151; VII, 1317, 1331; X, 1895; XV, 2725, 2857; XVI, 2904, 2929, 2990; XIX, 3514, 3517, 3586; XXI, 3973.
GEZRITES, VI, 1151.
GIAH, VI, 1151.
GIANTS, VI, 1151-1152.
GIBBAR, VII, 1159.
GIBBETHON, II, 336; V, 875; VII, 1159; VIII, 1425, 1427; XIII, 2419; XV, 2697; XXII, 4048.
Gibbon, Edward, XX, 3765.
Gibbons, Orlando, XI, 1992.
GIBEA, VII, 1159.
GIBEAH, I, 116; II, 256, 269, 332; III, 399, 401; VI, 1060, 1128; VII, 1159-1160; X, 1776, 1811; XI, 2005, 2047; XII, 2249; XIII, 2420; XV, 2842; XVI, 2926; XVII, 3245; XVIII, 3329, 3359.
GIBEATH, VII, 1160.
GIBEON, I, 121, 143; II, 328, 332, 376; IV, 768; VI, 986; VII, 1160-1162, 1172, 1265, 1269, 1297, 1310, 1320; VIII, 1382, 1405-1406, 1409, 1475, 1498; IX, 1636; X, 1751, 1868-1869; XI, 2005; XII, 2274; XV, 2729; XVI, 2941; XVIII, 3340-3341, 3446; XIX, 3499, 3520-3521, 3614; XX, 3689; XXI, 3932; XXII, 4061.
GIBEONITES, I, 18, 92; II, 269; IV, 747; V, 863; XI, 1944; XII, 2210, 22½, 2244; XIV, 2509; XV, 2857; XVI, 3062; XVII, 3245; XVIII, 3341; XIX, 3499.
GIBLITES, VI, 1129; VII, 1162.
Gibraltar, XIX, 3551.
GIDDALTI, VII, 1162.
GIDDEL, III, 556; VII, 1162; VIII, 1404.
GIDEON (Judge of Israel), I, 22-23, 25, 138; II, 279, 288, 331-332; III, 409, 423, 436, 499; IV, 617, 642; V, 826, 942, 947; VI, 1079, 1107, 1130; VII, 1162-1164, 1181, 1249; VIII, 1416, 1479, 1496, 1502; IX, 1543, 1622, 1634, 1641, 1662, 1710; X, 1763, 1809, 1811-1812, 1819, 1838; XI, 2067, 2069, 2104; XII, 2248; XIII, 2329, 2373, 2386, 2394; XIV, 2578; XV, 2704-2705, 2732, 2823, 2858; XVI, 2938; XVIII, 3272, 3329, 3341, 3420; XIX, 3559, 3570, 3609, 3618; XX, 3747; XXI, 3906, 3998, 4007-4009, 4027; XXII, 4041.
GIDEONI, VII, 1168.
GIDOM, VII, 1168.
GIER EAGLE, VII, 1168.
GIFT, GIVING, VII, 1168-1169.
Gift of Tongues, I, 64, 67; XIX, 3559.
GIHON, IV, 749; VI, 1073; VII, 1169-1170; IX, 1543, 1545-1546, 1552; X, 1783, 1845; XIX, 3476-3477, 3510.
GILALAI, VII, 1170.
GILBOA, VII, 1170; VIII, 1434 (see also "Mount Gilboa" in Index).
GILEAD, VII, 1170, 1235; XI, 2042.
GILEAD (place), I, 23, 123, 147; II, 235, 261, 292-293, 309, 321, 364; III, 393, 496, 576; V, 779, 824, 891; 947; VI, 1129; VII, 1170-1171, 1254, 1310, 1322; VIII, 1432, 1442, 1448, 1463-1464, 1478, 1499-1500, 1502, 1512; IX, 1623, 1662; X, 1811, 1838; XI, 1960, 2056-2057, 2067, 2075; XII, 2209, 2249, 2301; XIV, 2558; XV, 2722; XVI, 2958-2959; XVII, 3110, 3162, 3209-3211, 3246; XVIII, 3360, 3425, 3439, 3442; XX, 3714, 3727, 3804; XXI, 4012.
GILGAL, II, 334; III, 411, 493; V, 897, 910; VI, 1131; VII, 1160, 1171-1172; IX, 1708; X, 1751; XV, 2856-2857; XVI, 3040; XVIII, 3323-3324, 3340, 3360,

3362, 3364, 3454; XIX, 3613-3614; XXI, 3901.
GILGAL, HOUSE OF, VII, 1172.
Gilgamesh, I, 82; VI, 1074, 1143; XIV, 2572; XIX, 3573 (see also "Epic of Gilgamesh" in Index).
GILOH, VII, 1172; XIV, 2619.
GIMEL, VII, 1172.
Gimmerai, VII, 1195.
GIMZO, VII, 1172.
GINATH, VII, 1172.
GINNETHO, GINNETHON, VII, 1172-1174.
Giotto di Bondone (artist) (c. 1276-1337), IV, 690; IX, 1609.
Giraudoux, Jean (dramatist) (1882-1944), X, 1822.
GIRGASITE, GIRGASHITES, VII, 1174.
Gischala, XV, 2790.
GISPA, VII, 1174.
GITTAIM, VII, 1174.
GITTITES, VII, 1174; XVI, 2929.
GITTITH, VII, 1174.
GIZONITE, VII, 1174.
GLEANING, VII, 1175-1776; XI, 1951.
GLEDE, VII, 1176.
Gnaeus Pompeius (see "Pompey" in Index).
GNOSTICS, GNOSTICISM, I, 72, 98; II, 215-218, 283; III, 433, 474, 538, 550; IV, 637-638, 640; VI, 1091; VII, 1176-1177, 1274-1275, 1343; IX, 1664-1665, 1673; XI, 2052; XV, 2788; XVI, 2915; XVIII, 3312; XIX, 3485; XX, 3721; XXI, 3945.
Gnostic papyri, II, 211.
GOAT, III, 556; VII, 1177-1178.
GOATH, VII, 1178.
GOB, VII, 1178; XII, 2188.
Gobryas (Persian governor), IV, 699, 731; XIII, 2496.
GOD, I, 61, 72, 80-82, 95, 151, 154, 156, 164, 168, 170, 170, 172, 179; II, 202, 204, 207-208, 212, 219, 233, 262, 267-269, 285, 298, 308, 317, 319-320, 349, 356, 368, 380; III, 399, 404, 410, 425, 429, 435, 443-444, 464, 475, 484-485, 487-488, 490, 493, 499-500, 543, 545, 548-549, 554, 571; IV, 585, 589-592, 618, 625, 638, 642, 644, 647, 649, 652-654, 656, 658, 662, 664, 670-671, 674, 688, 703, 707-708, 718-719, 722, 725, 745, 749, 758-759, 766-767; V, 775-777, 782-783, 788-789, 791-792, 794, 796-797, 799, 811, 819, 828, 830, 841, 844-845, 852-854, 856, 863, 874, 877-879, 884, 889, 897, 908, 912, 927, 933, 938, 952, 954-958; VI, 971-972, 981, 995, 997, 1006, 1014-1016, 1018, 1021-1022, 1024, 1033, 1036, 1038, 1047-1048, 1050, 1057, 1060, 1066-1067, 1070, 1072, 1075, 1083-1084, 1092, 1097, 1099, 1114-1115, 1124, 1133, 1138-1139; VII, 1163, 1169, 1177-1184, 1197, 1205-1207, 1215, 1218-1219, 1226, 1232, 1259, 1261-1263, 1270, 1295, 1297, 1311-1314, 1320-1321; VIII, 1353, 1355, 1358, 1360-1363, 1382, 1385, 1390, 1392, 1394-1395, 1397-1400, 1406, 1411, 1415-1416, 1445, 1448-1449, 1452, 1469, 1495, 1506, 1508, 1511, 1515, 1517, 1519-1520; IX, 1543, 1563, 1567, 1571, 1573, 1579, 1581-1582, 1586, 1609, 1626, 1643-1647, 1649-1650, 1652-1653, 1661, 1665, 1668, 1678, 1693, 1695, 1711-1712, 1721; X, 1765-1766, 1773, 1776, 1791-1792, 1817, 1820, 1822, 1834-1836, 1842, 1847-1851, 1858, 1884, 1906, 1911-1913, 1915-1917; XI, 1937, 1949, 1952, 1955-1957, 1963, 1965-1968, 1972, 1980, 1989, 2031, 2037, 2049, 2052, 2054, 2059, 2088, 2090, 2098, 2100, 2108; XII, 2119, 2123, 2175-2176, 2215, 2226, 2228-2231, 2237, 2239, 2268, 2291, 2296; XIII, 2326, 2331, 2337, 2341, 2344, 2351, 2353, 2363, 2374, 2383, 2411, 2417-2418, 2427-2428, 2435-2436, 2477-2478, 2481-2482, 2486, 2488; XIV, 2510-2511, 2518, 2521, 2536, 2538-2540, 2547, 2558, 2566, 2570, 2579, 2595, 2601, 2607, 2628, 2631, 2635-2636, 2645, 2650-2651, 2662, 2665, 2667, 2669, 2674, 2680-2681, 2685, 2687; XV, 2753, 2755, 2764, 2775, 2788, 2795-2796, 2814, 2816, 2822-2823, 2828, 2851, 2870; XVI, 2904, 2906, 2920, 2929-2931, 2994-2995, 2997-2998, 3003-3007, 3009-3010, 3013, 3015, 3020, 3022, 3027, 3029, 3032-3033, 3038, 3040, 3042-3044, 3046, 3048-3050, 3053, 3056-3061, 3064-3065, 3072; XVII, 3082-3085, 3088, 3090, 3093-3096, 3098-3099, 3101-3102, 3149, 3151, 3155, 3165, 3175, 3180, 3186-3187, 3197, 3216, 3218, 3222, 3225-3228, 3230, 3241, 3257-3261; XVIII, 3281, 3283, 3285, 3287-3294, 3312, 3319, 3323-3324, 3338, 3345, 3352, 3357, 3359, 3383-3384, 3403, 3410-3411, 3413, 3419, 3430, 3434-3437; XIX, 3467, 3470-3472, 3474, 3478, 3487-3488, 3490, 3501, 3505, 3518, 3521, 3527-3530, 3534, 3541, 3549, 3559, 3561, 3564, 3568, 3576, 3579, 3610, 3612, 3616, 3618, 3622, 3624, 3639, 3645-3646; XX, 3657, 3659, 3681, 3694, 3696, 3699, 3722, 3728, 3749, 3753, 3757, 3764, 3771-3773, 3784, 3790, 3803, 3815, 3833, 3836-3837; XXI, 3848, 3862, 3890, 3892, 3928, 3938, 3942-3943, 3945, 3951-3953, 3955, 3959, 3968-3969, 3975-3976, 3986-3989, 4021, 4031 (see also "Lord" in Index).
Goel, XVII, 3175; XVIII, 3276.
Goethe, Wolfgang von (1749-1832), IX, 1646; XVIII, 3277.
GOG, VII, 1184.
GOG AND MAGOG, I, 179; III, 502; IV, 766; VII, 1184-1185, 1195; IX, 1662.
GOLAN, II, 364; IV, 619; VI, 1147; VII, 1185.
GOLDEN CALF, I, 14; III, 486; IV, 714; VI, 1004; VII, 1185-1186; VIII, 1355, 1535; XI, 1937, 1957; XIII, 2341, 2393; XV, 2872; XX, 3678.
Golden Rule, the, XVIII, 3410.
Golden Sequence, The (hymn), I, 77.
GOLGOTHA, IV, 678, 690; VII, 1190; IX, 1559.
GOLIATH, I, 31, 94; II, 269, 274, 328; III, 497; IV,

733, 735-736, 751; V, 820, 874-875, 884, 936, 942; VI, 1121, 1126, 1152; VII, 1174, 1190-1191; VIII, 1441; IX, 1699; X, 1885; XI, 1698; XII, 2211; XV, 2777, 2860; XVI, 2926; XVIII, 3328, 3364-3365, 3367; XIX, 3558; XXI, 3906.
GOMER, II, 291; VI, 1132; VII, 1184, 1195, 1320, 1322; XIV, 2679; XVIII, 3272; XX, 3741.
GOMORRAH, I, 161; III, 402, 481, 502, 565-566; IV, 640, 759; VI, 1139; VII, 1195, 1197; X, 1804, 1901; XII, 2263; XV, 2870; XIX, 3505, 3507; XX, 3712; XXI, 3857, 4009.
Good Friday, V, 887.
GOOD SAMARITAN PARABLE, I, 95; VII, 1197, 1329; XI, 1989, 1995; XV, 2750, 2756; XVI, 3010; XVIII, 3311-3312 (see also "Parables of Jesus Christ" in Index).
Goodspeed, Edgar, J., III, 454-455; V, 939.
GOPHER WOOD, VII, 1199; XIV, 2570.
Gordis, Robert, XIX, 3533.
Gordon, CHARLES G., III, 529.
GORGIAS (Syrian general), II, 348; III, 526; V, 823, 924; VII, 1199; VIII, 1444; X, 1798; XI, 2002; XIV, 2550-2551; XX, 3704.
GORTYNA, VII, 1199.
GOSHEN, I, 13; VI, 1141; VII, 1199; VIII, 1450; IX, 1722; X, 1751; XVII, 3139; XX, 3673.
Gospel According to St. John (see "John, the Gpsoel According to St." in Index).
Gospel According to St. Luke (see "Luke, the Gospel According to St." in Index).
Gospel According to St. Mark (see "Mark, the Gospel According to St." in Index).
Gospel According to St. Matthew (see "Matthew, the Gospel According to St." in Index).
Gospel According to the Egyptians, I, 98; II, 212; VII, 1177.
Gospel According to Peter, II, 213.
Gospel According to the Hebrews, I, 98; II, 212; VIII, 1468.
Gospel of Nicodemus, II, 213.
Gospel of Peter, VI, 1088; IX, 1607.
Gospel of Pseudo-Matthew, II, 212.
Gospel of the Ebionites, II, 212.
Gospel of the Nazarenes, II, 212.
"Gospel of Thaddeus," XX, 3686.
Gospel of Thomas, II, 212; VII, 1177.
GOTHOLIAS, VII, 1200.
GOTHONIEL, VII, 1200.
Gottskalksson, Odur, II, 468.
Gounod, CHARLES (composer) (1818-1893), XI, 1992.
GOVERNMENT, VII, 1200-1205; passim.
GOZAN, VII, 1205, 1229; XX, 3667.

Gozan River, XVIII, 3356.
GRACE, GIFT OF, V, 938; VII, 1169, 1205-1207; X, 1834; XI, 2108.
Gracchus, Caius Sempronius (d. 121 B.C.), XVII, 3248.
Gracchus, Tiberius Sempronius (d. 133 B.C.), XVII, 3248.
Graf, K.H., XV, 2835.
Graf-Wellhausen Theory, the, XV, 2836.
Granada, Spain, XIX, 3551.
Granicus River, I, 125.
Gratian (Roman emperor) (A.D. 367-383), XVII, 3253.
GRAVEN IMAGE, VII, 1207; XVI, 2963.
GREAT BIBLE, III, 440, 449-452, 483; IV, 661; VI, 1143; VII, 1207-1208; X, 1852, 1854; XII, 2173; XIX, 3636; XXI, 3893.
Great Britain, XVII, 3246; passim.
Great Ennead, VII, 1268.
"Great Hee Bible," the, X, 1855.
Great Letters, the, XV, 2813.
Great Library at Alexandria, I, 131.
Great Moravia, III, 468.
Great Pyramid of Cheops (or Khufu), II, 306; V, 864.
"Great She Bible," the, X, 1855.
GREAT SUPPER PARABLE, II, 360; VII, 1208-1209; XI, 1980, 1995, 2108; XII, 2750.
Great Synagogue (see "Men of the Great Synagogue" in Index).
GREECE (ancient), I, 71, 95, 125, 185; II, 292, 313-314; III, 532, 576; IV, 615, 646-647, 650, 669, 723, 731; V, 782, 825; VI, 976, 1092, 1121; VII, 1202, 1209-1215, 1230, 1270; IX, 1556; X, 1747, 1832, 1884; XI, 1930, 1982, 2001; XIII, 2320; XIV, 2540; XV, 2745, 2800, 2814; XVI, 2925, 2932; XVII, 3108, 3112, 3236, 3263; XVIII, 3380, 3451-3452; XIX, 3468, 3501, 3552-3553, 3563-3564, 3576, 3621, 3634; XX, 3684, 3698, 3704, 3792, 3829-3830; XXI, 3954, 3974, 3977.
Greece (modern), III, 466; IV, 698.
"Greek Ezra," the, V, 957.
Greek Orthodox Church, II, 210, 379; III, 471; IV, 613; VII, 1306; XII, 2243.
Gregory IX, Pope, I, 179.
Gregory III, Pope, II, 306.
GREYHOUND, VII, 1215.
Grunewald, Matthias, IV, 690.
Gudea, XIX, 3573.
Gunites, VII, 1216.
GUDGODAH, VII, 1215, 1317.
GUILT-OFFERING, VI, 1040; VII, 1215-1216; XI, 1951-1952; XVIII, 3290, 3292; XIX, 3490; XX, 3773; XXI, 3915.
Gulf of Aqaba (see "Aqaba, Gulf of" in Index).
Gulf of Gabes, XIX, 3608.

INDEX 4117

The Agony in the Garden of Gethsemane from a 19th-century color engraving (*Counsel Collection*).

GUNI, VII, 1174, 1216; XIII, 2439.
GUR, VII, 1216.
GUR-BAAL, VII, 1216.
Gush Caleb, I, 118.

Gustavus Adolphus Bible, the, III, 468.
Gutenberg, Johann, VII, 1216.
GUTENBERG BIBLE, VII, 1216; XXI, 3894.
Gutians, XIX, 3573.

H

HAAHASHTARI, VII, 1217; XIII, 2412.
Haarlem, Holland, VII, 1216.
HABAIAH, VII, 1217; XIV, 2607.
HABAKKUK (Prophet), II, 380; III, 545; IV, 696; VII, 1217-1219; XII, 2177, 2229; XIV. 2684-2685.
HABAKKUK, THE BOOK OF (Old Testament), I, 128; III, 428, 435; IV, 696, 762, 764; VII, 1217-1219; XIV, 2635-2636, 2684-2685; XV, 2763; XVI, 2972; XVII, 3230; XVIII, 3389, 3442; XX, 3696.
Habakkuk Commentary, IV, 762, 764-766.
HABAZINIAH, VII, 1219.
HABBACUC, II, 380; VII, 1219.
HABERGEON, VII, 1219.
HABIRU, II, 250; V, 848; VII, 1219-1220, 1261; XVII, 3160; XIX, 3639.
HABOR, VII, 1220.
Habor, XVIII, 3356.
Habor River, VII, 1205.
HACHALIAH, VII, 1220.
HACHILAH, VII, 1220.
HACHMONI, HACHMONITE, VII, 1220.
HADAD (Edomite king), II, 326, 375; III, 575; V, 857; VI, 1144; VII, 1220-1221; XV, 2786; XVI, 2904; XVII, 3234; XIX, 3517, 3579, 3620.
Hadad (deity), VII, 1221; XVII, 3166.
HADADEZER, HADAREZER (king of Zoba), III, 393, 405; IV, 596, 612, 705-706; VII, 1221-1222, 1234, 1266, 1318; IX, 1708; XVII, 3182, 3234; XVIII, 3420, 3455; XX, 3711, 3742.
HADAD-RIMMON, VII, 1221; XIII, 2392.
HADAR, VII, 1220-1221; XII, 2232; XV, 2721.
HADASHAH, VII, 1221.
HADASSAH (Queen Esther), VI, 974, 976; VII, 1221-1222.
HADATTAH, VII, 1222.
HADID, I, 88; III, 518; VII, 1222.
HADLAI, VII, 1222.
HADORAM, VII, 1222.
HADRACH, VII, 1222.

Hadramut, VII, 1256.
Hadrian, Publius Aelius (Roman emperor) (A.D. 76-138), III, 460; IV, 767; IX, 1560, 1628; XVII, 3253; XVIII, 3405; XIX, 3624; XXI, 3872.
Hadurah, II, 287.
Haemus Mountains, XVI, 2917.
HAGAB, HAGABA, HAGABAH, I, 95; VII, 1222.
HAGAR (mother of Ishmael), I, 37, 97, 167; II, 230, 376; III, 575; IV, 641; V, 818; VI, 1052, 1115, 1138-1139; VII, 1181, 1222-1224, 1237; VIII, 1382, 1406-1407; XII, 2246; XIII, 2475; XV, 2869-2870; XVI, 3062; XVIII, 3346, 3350; XIX, 3465; XX, 3691.
HAGARENES, HAGARITES, IV, 592; VII, 1224; XVII, 3210.
Haggadah, X, 1907; XI, 1990.
HAGGAI (Prophet), I, 97; V, 791, 956; VI, 1039; VII, 1224-1227, 1312; XI, 1965; XIV, 2685; XIX, 3643; XXI, 4013-4015, 4017-4018; XXII, 4041.
HAGGAI, BOOK OF (Old Testament), III, 428, 545; V, 792; VII, 1224-1227; VIII, 1496; XIV, 2632, 2635-2636, 2685, 2687; XVI, 2972; XVIII, 3426.
HAGGERI, VII, 1227.
HAGGI, VII, 1227.
HAGGIAH, VII, 1227.
HAGGITH, I, 90; VII, 1227.
HAGIA, VII, 1227.
HAGIOGRAPHA, III, 444; IV, 596, 720; V, 848; VII, 1227-1228; IX, 1647; X, 1791; XII, 2199; XIII, 2480; XV, 2823; XVI, 3065.
Hagmatana, XII, 2191.
HAI, VII, 1228, 1296.
Haifa, Israel, X, 1870; XII, 2196; XX, 3823.
HAIR, VII, 1228-1229.
HAKKATAN, VII, 1229.
HAKKOZ, VII, 1229.
HAKUPHA, I, 60; VII, 1229.
HALAH, VII, 1229-1230; XVIII, 3356.
HALAK, VII, 1230.
HALAKAH (HALAKHAH), II, 296; VII, 1230; X,

1791; XII, 2248; XVI, 2909; XIX, 3624.
Halal, XVII, 3079.
HALHUL, VII, 1230.
HALI, VII, 1230.
HALICARNASSUS, VII, 1230.
Halil, XIII, 2405.
Hallel, the, X, 1907; XVII, 3086, 3088.
HALLELUJAH, VII, 1230; XVII, 3088, 3093.
HALLOHESH, HALOHESH, VII, 1230-1231.
Halys River, II, 303; VII, 1306; XVI, 2986.
HAM (third son of Noah), I, 150; III, 555; IV, 695; VII, 1174, 1231-1232; VIII, 1472; XI, 1980; XIV, 2559, 2566, 2568, 2570; XVI, 2938; XVII, 3139; XVIII, 3427, 3437; XIX, 3481, 3494; XXII, 4061.
HAM, LAND OF, V, 873; VII, 1231-1232.
Hamadan, Iran, I, 59; VI, 1040; XII, 2191.
HAMAN (villain of Book of Esther), I, 79, 96, 108, 140, 143; II, 261-263, 294; IV, 705; VI, 974-976, 978-979, 1065; VII, 1232, 1234, 1247; XIII, 2327-2329; XIV, 2513, 2662; XV, 2768, 2770; XVI, 2987, 3063; XVII, 3125-3127; XXI, 3857; XXII, 4041.
Haman and Mordecai (Handel oratorio), VI, 974.
HAMATH, II, 289; III, 395, 405; V, 803; VII, 1222, 1232, 1234; VIII, 1430, 1432; IX, 1691, 1707; XVII, 3238; XVIII, 3311, 3356; XIX, 3474, 3606, 3621; XX, 3742.
HAMATH-ZOBAH, VII, 1234.
Hamazi, XIX, 3573.
Hamilcar Barca, XIX, 3550.
Hamman Tabariyeh, VII, 1234.
HAMMATH, VII, 1234-1235; XVIII, 3446.
Hammmath-Geder, VI, 1112.
HAMMEDATHA, I, 140; VII, 1234-1235.
HAMMELECH, VII, 1235.
HAMMOLEKETH, VII, 1235.
HAMMON, VII, 1234-1235.
HAMMOTH-DOR, VII, 1234-1235.
HAMMURABI (Babylonian monarch), I, 150, 161; II, 306, 342, 346; III, 495, 566; IV, 606; VI, 1007; VII, 1235-1238; X, 1895, 1911; XI, 2080; XII, 2223; XVIII, 3398, XIX, 3497, 3574, 3606; XX, 3761; XXI, 3917, 3975.
HAMONAH, VII, 1238.
HAMON-GOG, VII, 1238.
HAMOR, V, 804-805, 926; VI, 1051; VII, 1238; VIII, 1448; IX, 1722; XVIII, 3430.
Hampton Court Conference (1604), X, 1852.
HAMUEL, VII, 1238; XXI, 3992.
HAMUL, VII, 1238; XVI, 2906.
Hamulites, VII, 1238.
HAMUTAL, VII, 1238; XI, 1959.
HANAMEEL, VII, 1238.
HANAN, I, 162; VII, 1238; XI, 2005; XXI, 3993.

HANANEEL, VII, 1238; IX, 1563; XII, 2176.
Hananeel, Rabbi, IX, 1646.
HANAI, II, 280; IV, 595; VII, 1238-1239; XIII, 2477, 2481.
HANANIAH (False Prophet), II, 330; VII, 1162, 1238-1239; VIII, 1485, 1508; XVIII, 3436; XXI, 4025.
HANANIAH (various personages), I, 18; IV, 718; VII, 1239.
Ha-Nase, Rabbi Yehuda, X, 1791.
HANDBREADTH, VII, 1239.
Handel, George Frederick (composer) (1685-1759), IV, 651; VI, 974; VIII, 1502; IX, 1655; X, 1801; XVIII, 3319, 3371.
HANDS, LAYING ON OF, VII, 1239-1240; XVIII, 3374; *passim.*
HANDSTAVES, VII, 1240.
Han Dynasty (China), XV, 2771.
HANES, VII, 1240.
Hanging Gardens of Babylon, II, 344; XIII, 2465, 2495.
HANIEL, VII, 1240; XX, 3831.
HANNAH (mother of Samuel, V, 884, 919; VI, 1071; VII, 1240-1242; XI, 2053, 2101; XII, 2183; XIII, 2457; XIV, 2622; XV, 2823; XVIII, 3290, 3322; XXI, 3890.
HANNATHON, VII, 1244.
Hannibal, XIX, 3550.
HANNIEL, V, 942; VII, 1244.
HANNUKAH, VI, 1065; VII, 1214, 1230, 1244; IX, 1592; X, 1798; XI, 1960, 2013, 2033; XIII, 2453; XIX, 3624.
HANOCH, VII, 1244, 1273; XVII, 3208.
Hanochites, VII, 1244.
HANUN, I, 147; II, 374; VII, 1229, 1244-1246; VIII, 1530; IX, 1566; XX, 3712; XXI, 3998.
HAPHARAIM, VII, 1246.
Hapi (deity), XIV, 2556.
Hapsburgs, XVII, 3256.
Haqq ed-Damm, I, 57.
HARA, VII, 1246.
HARADAH, VII, 1246; XVIII, 3424.
HARAN (brother of Abraham), I, 34; VII, 1246; VIII, 1404; XI, 1974; XIII, 2423.
HARAN (place), I, 35; II, 232; III, 392; V, 891; VII, 1246; VIII, 1413, 1445, 1447, 1456; IX, 1713; X, 1882, 1975; XI, 2081; XII, 2299; XIII, 2423; XV, 2720, 2726, 2867; XVII, 3145, 3171; XVIII, 3339.
Harar, VII, 1246.
HARARITE, VII, 1246.
HARBONA, HARBONAH, VII, 1247.
HARE, VII, 1248.
Hare Madai, VII, 1246.

HAREPH, III, 412; VII, 1248.
HARHAIAH, VII, 1248.
HARHAS, V, 842; VII, 1248, 1253.
HARHUR, II, 298; VII, 1248.
HARIM, VII, 1248; XVII, 3185.
HARIPH, VII, 1248-1249; IX, 1707.
Haris, III, 423.
Harkel of Mesopotamia, III, 473.
Harmony of the Gospels, III, 472.
Harnack, Adolf (1851-1930), IX, 1575.
HARNEPHER, VII, 1249.
HAROD, VII, 1249.
HARODITE, VII, 1249.
HAROEH, VII, 1249.
HAROSHETH, V, 776-777; VII, 1249.
Haroun al-Rashid, XIX, 3636.
HARP, VII, 1249-1251, 1295; XII, 2232; XIII, 2404-2405; *passim.*
Harran, VII, 1246.
HARSHA, III, 565; VII, 1251.
HART, VI, 1128; VII, 1251, 1300.
HARUM, I, 108; VII, 1251.
HARUMAPH, VII, 1251.
HARUPHITE, VII, 1251.
HARUZ VII, 1251; X, 1762.
HARVEST FESTIVAL, VII, 1251; XIII, 2395; XIX, 3616.
HASADIAH, VII, 1251.
Hasamilis (deity), I, 170.
Hasbani, IX, 1708.
HASENUAH, VII, 1251.
HASHABIAH, VII, 1251.
HASHABNAH, VII, 1251.
HASHABNIAH, VII, 1251.
HASHBADANA, VII, 1251; XIII, 2415.
HASHEM, VII, 1174, 1251.
HASHMONAH, VII, 1251.
HASHUB, VII, 1251-1252.
HASHUBAH, VII, 1252.
HASHUM, VII, 1252; XI, 1979.
HASHUPHA, VII, 1252-1253.
Hasidaeans (see "Assideans" in Index).
Hasidim, the (religious sect), XVI, 2909; XIX, 3629.
HASMONAEAN DYNASTY (regnal name of the Maccabees), I, 54, 124-125, 128-129, 170. 189, 191; II, 199, 243, 261, 263, 277, 364; V, 819, 858; VI, 968, 979; VII, 1205, 1252-1253, 1272, 1275, 1281, 1284, 1343; VIII, 1358, 1380-1381, 1421-1422, 1531; IX, 1556, 1559, 1582, 1663, 1704; X, 1764, 1766, 1786, 1798; XI, 2008, 2018, 2020-2021, 2023, 2025-2027, 2030, 2042, 2077, 2081, 2083; XII, 2190; XIV, 2607; XVI, 2909; XVII, 3171, 3250, 3263; XVIII, 3295, 3301, 3312, 3342; XIX, 3483, 3485, 3644; XXI, 4021.

"Hasmonaean Psalms," the, XVI, 2977.
Hasoserah, XIII, 2406; XVII, 3163.
HASRAH, VII, 1248, 1253.
HASSENAAH, VII, 1253; IX, 1564.
HASSHUB, VII, 1253.
Hassidism, II, 297 (see also "Hasidim, the" in Index).
HASUPHA, VII, 1253.
HATACH, VII, 1253.
Hatarikka, VII, 1222.
HATHATH, VII, 1253.
HATIPHA, VII, 1253.
HATITA, VII, 1253; XX, 3684.
Hattath, XVIII, 3288.
HATTIL, VII, 1227, 1253.
Hattusas, VII, 1306-1307; X, 1892, 1898.
HATTUSH, VI, 1032; VII, 1253; XI, 1934.
Hattusilis (monarch), VII, 1306-1307.
HAURAN, VII, 1253-1254; XV, 2722; XVII, 3110; XX, 3735.
Hauron (deity), III, 413.
HAVILAH, II, 373; VI, 1126; VII, 1254; XII, 2259; XV, 2702.
HAVOTH-JAIR, II, 365; VII, 1254.
HAWK, IV, 655; VII, 1254; X, 1871.
Haydn, Franz Joseph (composer) (1732-1809), IV, 666, 690.
HAZAEL (Syrian monarch), II, 278, 364; III, 396; IV, 706; V, 897, 912; VI, 1118, 1126; VII, 1254-1256; VIII, 1430, 1480-1482, 1497; IX, 1641; X, 1780-1781; XI, 2070; XVII, 3210; XVIII, 3420; XIX, 3642.
HAZAIAH, VII, 1256.
HAZAR-ADDAR, VII, 1256, 1294.
HAZAR-ENAN, VII, 1256.
HAZAR-GADDAH, VII, 1256.
HAZAR-HATTICON, VII, 1256.
HAZARMAVETH, VII, 1256.
HAZAR-SHUAL, VII, 1256.
HAZAR-SUSAH, HAZAR-SUSIM, VII, 1256; XVIII, 3344.
HAZELELPONI, VII, 1256.
HAZERIM, VII, 1256.
HAZEROTH, I, 14; VI, 989; VII, 1256; XIV, 2647.
HAZEZON-TAMAR (HAZAZON-TAMAR), V, 931; VII, 1256-1257; XVI, 2955.
HAZIEL, VII, 1257.
HAZO, VII, 1257.
HAZOR, II, 243-245, 357; III, 406, 526; V, 775; VII, 1222, 1257-1258; VIII, 1443, 1516; X, 1751, 1842; XII, 2218, 2301; XV, 2729, 2819, 2857; XVIII, 3448; XIX, 3496, 3517, 3641.
HE, VII, 1258.
HEAVEN, II, 234, 298; V, 898, 954; VII, 1258-1259,

1262; X, 1917; XI, 1940; XII, 2241, 2250; XV, 2766; XVI, 2994, 3064; XX, 3773; XXI, 3897.
HEAVE-OFFERING, III, 563; VII, 1260; XX, 3728; XXI, 3930.
HEBER, VII, 1260; VIII, 1458; X, 1842; XXI, 3991; XXII, 4059.
HEBREWS, IV, 618; V, 867; VII, 1261; XVIII, 3437.
HEBREWS, EPISTLE OF PAUL TO THE (New Testament), II, 218, 220, 317, 320, 360; III, 433, 440, 483, 538, 540; IV, 601-602; V, 933; VII, 1261-1265; VIII, 1392, 1436, 1450; IX, 1722; X, 1916; XI, 1957, 1965-1966, 1987, 2040; XII, 2201-2202, 2215; XIV, 2516, 2521-2522, 2524-2526, 2528, 2544; XV, 2789, 2811-2812; XVI, 2931, 3011; XVII, 3177; XVIII, 3298, 3339; XIX, 3614.
Hebrew Univversity at Jerusalem, III, 442; IV, 762; V, 794.
HEBRON (Levite), VII, 1265; X, 1874; XI, 2080; XIX, 3631.
HEBRON (place), I, 23, 31, 37, 48, 91-93, 162; II, 201, 228, 231, 234, 238; III, 406, 412, 415, 424, 519, 553, 557, 575; IV, 584, 619-620, 730, 738, 740, 745, 767-768; V, 858, 949, 960; VI, 967, 1079, 1130; VII, 1199, 1220, 1230, 1248, 1265-1266, 1310, 1339; VIII, 1386, 1405-1406, 1437, 1449, 1504, 1526; IX, 1568, 1636, 1688, 1713; X, 1751, 1763, 1773, 1775, 1777, 1836, 1841-1842, 1868; XI, 2004, 2006, 2062, 2069, 2074; XIII, 2378, 2442, 2474-2475; XIV, 2550; XV, 2722, 2857, 2864, 2869, 2872; XVI, 2928; XVII, 3174, 3185, 3210; XVIII, 3319, 3344, 3350, 3423, 3441; XIX, 3495, 3555, 3622, 3631, 3637; XX, 3681, 3747, 3769; XXI, 3937, 3940, 3998, 4000, 4011; XXII, 4047, 4055-4056.
Hecaetus, XVII, 3114.
Hechal, XIX, 3642.
HEGAI, VI, 976.
Hegesippus, VIII, 1471; X, 1806.
Heilsgesetz, XI, 1955.
HELAB, II, 335; VII, 1266.
HELAH, VII, 1266; XXII, 4041.
HELAM, VII, 1266; XVIII, 3455.
HELBAH, VII, 1266.
HELBON, VII, 1267; XXI, 3875.
HELCHIAH, VII, 1267.
HELDAI, VII, 1267.
HELEB, VII, 1267.
HELEK, VII, 1267.
Helekites, VII, 1267.
HELEM, VII, 1267.
HELEPH, VII, 1267.
HELEZ, III, 419; VII, 1267; XV, 2747, 2822.
HELI, VII, 1267.
HELIODORUS, IV, 723; VII, 1267; XI, 2036; XV, 2700; XVIII, 3396.
Helios (deity), XVII, 3238.
HELIOPOLIS, II, 285; III, 423; VII, 1268; IX, 1715; XI, 1930; XIII, 2357; XV, 2699; XV, 2713; XIX, 3579.
HELKAI, VII, 1268; XII, 2212.
HELKATH, VII, 1268.
HELKATH-HAZZURM, VII, 1161, 1268-1269.
HELKIAS, VII, 1269.
HELL, I, 217; II, 285; III, 502; IV, 707-708; VI, 1131; VII, 1259, 1269-1270; X, 1917; XX, 3834.
HELLENISM, I, 88, 123, 125-126, 130, 183, 186; II, 210, 260-261, 296; III, 429, 550; IV, 614, 637, 698; V, 782, 852, 860; VII, 1176, 1212, 1244, 1252, 1270-1273, 1277, 1306; VIII, 1379-1380, 1420-1421, 1476; IX, 1556, 1571, 1575, 1582; X, 1765-1766, 1798; XI, 1963, 1965, 2001, 2008, 2010, 2012, 2021, 2037; XII, 2148; XV, 2786, 2794; XVI, 2909, 3062; XVII, 3109, 3115; XVIII, 3283; XIX, 3483, 3564, 3634.
Hellespont, I, 125.
HELON, VII, 1272.
HELVE, VII, 1272.
HEMAM, VII, 1272, 1314.
HEMAN, VI, 1044; VII, 1162, 1272; XIII, 2394; XVII, 3246; XVIII, 3430.
HEMATH, VII, 1234, 1272.
HEMDAN, VII, 1272-1273.
HEN, VII, 1273.
HENA, VII, 1273.
HENADAD, VII, 1273.
HENOCH, V, 933; VII, 1273; VIII, 1504.
Henry VIII (English monarch) (1491-1547), III, 440, 450-451; IV, 661; VI, 1143-1144; VII, 1208; XII, 2173.
HEPHER, VII, 1273; XII, 2188; XIII, 2412.
Hepherites, VII, 1273.
HEPHZIBAH, VII, 1273.
Hera (deity), II, 292; XXII, 4045.
Heracles, XVI, 2986; XIX, 3552-3553.
Heraclitus (philosopher), V, 850.
Heraclius, IX, 1561.
HERCULES (deity), VII, 1240, 1273-1274; VIII, 1476; XVIII, 3319.
HERES, VII, 1274.
HERESH, VII, 1274.
HERESY, IV, 644; VII, 1176, 1274-1275; XIX, 3531.
Herishef (deity), VII, 1240.
HERMAS, VII, 1275.
HERMES, V, 836; VII, 1275.
Hermes (deity), XV, 2797; XXII, 4045.
HERMOGENES, VII, 1275; XVI, 2939.
Hermon, Mount (*see* "Mount Hermon" in Index).
Hermus River, XVI, 2913.

Hermus Valley, XVIII, 3352; XIX, 3503.
Hermetic School, the, VII, 1177.
Hernandez, Julian, III, 471.
HEROD (THE GREAT), I, 124, 128, 140, 180; II, 199, 253, 260, 264-265, 277, 287, 324; III, 508, 512, 536, 557; IV, 599, 601, 609, 630; V, 818, 858, 927; VI, 968, 1108, 1121; VII, 1205, 1214, 1229, 1252, 1275-1279, 1281-1284, 1286-1287, 1344; VIII, 1381, 1422, 1439, 1531; IX, 1557, 1559, 1582, 1626; X, 1766, 1822, 1832; XI, 2024-2027, 2042, 2075, 2078, 2081, 2083; XII, 2123, 2136, 2167; XIII, 2451; XIV, 2554; XV, 2746, 2772, 2840; XVI, 2911, 2917, 2982; XVII, 3155, 3171, 3250; XVIII, 3301, 3310, 3342; XIX, 3496-3497, 3588, 3644-3646; XX, 3685, 3729, 3758; XXI, 3864, 4002.
HEROD AGRIPPA I, I, 68, 76; III, 404, 487, 525-526; IV, 620-621; VII, 1281-1284, 1287-1288; VIII, 1422, 1466; IX, 1559-1560, 1626-1627, 1664; X, 1769; XIII, 2459; XV, 2796, 2804; XVI, 2890; XX, 3698-3699; XXI, 4002.
HEROD AGRIPPA II, III, 404, 510-512; IV, 601; VI, 1066; VII, 1282-1283, 1288; XIV, 2619; XV, 2795, 2804; XX, 3729.
HEROD ANTIPAS, I, 68; II, 199, 261, 324; IV, 617, 716; VI, 1063; VII, 1279, 1281-1283, 1286-1287; IX, 1582, 1585, 1590, 1603, 1678, 1682-1683; XI, 1989, 1994-1995, 1997, 2045, 2095, 2097; XII, 2169; XV, 2840; XVI, 2917, 2982; XVIII, 3301, 3387, 3389; XIX, 3561; XX, 3685, 3707, 3780.
HERODIANS, VII, 1283-1284; XI, 2098.
HERODIAS, IV, 716; V, 818; VII, 1281-1284, 1286; IX, 1585, 1680, 2097; XVI, 2917; XVIII, 3301; XXI, 3957.
HERODIONS, VII, 1284; IX, 1590.
Herodium, XVII, 3253.
Herodotus (historian) (c. 484-425 B.C.), I, 57, 59; II, 339; IV, 618, 695, 731; VI, 976; VII, 1230; IX, 1553; X, 1742, 1785; XII, 2191; XVIII, 3381, 3402; XIX, 3620; XX, 3724-3725.
Herod of Chalcis, VII, 1282.
Herod Philip, XVIII, 3301.
HERODS, I, 129; II, 199, 261, 264, 323; III, 404, 559; V, 858; VII, 1252, 1254, 1275, 1281-1288, 1297, 1343-1344; VIII, 1357-1358, 1422; IX, 1582, 1625, 1688; XI, 2021, 2081; XIII, 2415; XIV, 2607; XVI, 2917; XVIII, 3312, 3389; XIX, 3644.
HERON, III, 485; VII, 1288-1289; XIX, 3570.
HESED, VII, 1289.
Hesedh, XVI, 3050-3053, 3058.
HESHBON, I, 120; II, 366; V, 879; VI, 1111; VII, 1289; X, 1839; XII, 2268, 2302; XIII, 2461; XV, 2840; XIX, 3474; XXI, 3897.
HESHMON, VII, 1289.

Hesiod, XXI, 3976.
Hesta (deity), XXII, 4045.
Hesychius, XVIII, 3406.
HETH, VII, 1289-1290.
HETH (place), V, 949; VII, 1306.
HETHLON, VII, 1290.
HEXAPLA, III, 445, 460-461, 463, 473-474; VII, 1290-1291; XVIII, 3405-3406; XXI, 3893.
HEXATEUCH, VII, 1291; XVI, 3040.
HEZEKI, VII, 1291.
HEZEKIAH (king of Judah), I, 25, 111, 140, 142-143; II, 278, 280-281, 283, 288, 308, 326-327, 343; III, 498, 549; IV, 595, 609, 644, 696; V, 794-795, 798, 815, 857, 868, 888-889, 919, 921, 947; VI, 1015, 1067, 1100, 1110, 1148; VII, 1169, 1273, 1291-1294, 1297, 1299; VIII, 1356, 1361-1363, 1390, 1392, 1394, 1397-1398, 1406, 1411, 1479-1480; IX, 1551-1553, 1568, 1638; X, 1757, 1763, 1783-1785, 1845, 1858, 1863, 1867, 1869, 1874, 1879, 1884; XI, 2055, 2063, 2069; XII, 2214, 2217, 2220, 2235, 2251-2252, 2268, 2279, 2304; XIII, 2316, 2395-2396, 2402, 2421, 2493; XIV, 2623, 2625, 2658, 2670; XV, 2820; XVI, 2904, 3069; XVII, 3143-3144, 3233; XVIII, 3356, 3378, 3399-3400, 3402, 3429-3430, 3438, 3447-3449; XIX, 3477, 3481, 3555, 3621, 3636; XXI, 3856, 3949, 3993, 4011-4012, 4029; XXII, 4057.
HEZION, VII, 1294.
HEZIR, VII, 1294.
HEZRAI, III, 554; VII, 1294.
HEZRO, VII, 1294.
HEZRON, I, 22; III, 523; V, 949; VI, 968; VII, 1294; VIII, 1504; IX, 1632; XVI, 2906; XVII, 3208; XVIII, 3388, 3390; XIX, 3638.
Hibat Alla ibn al-Assal, III, 444.
HIDDAI, VII, 1294, 1339.
HIDDEKEL, VI, 1126; VII, 1294; XX, 3714.
HIDDEN TREASURE PARABLE, VII, 1294-1295; XII, 2165; XV, 2750, 2818 (see also "Parables of Jesus Christ" in Index).
HIEL, I, 29; VII, 1295, 1333; VIII, 1529; XVIII, 3388.
HIERAPOLIS, II, 309; IV, 637; VII, 1295; X, 1899; XI, 2083, 2085; XIV, 2518; XVI, 2915.
HIEREEL, VII, 1295.
HIEREMOTH, VII, 1295.
HIERIELUS, VII, 1295.
HIERMAS, VII, 1295; XVII, 3162.
HIERONYMUS, VII, 1295.
HIGGAION, VII, 1295.
High Aswan Dam, XIX, 3587.
Higher Criticism (see "Biblical Criticism" in Index).
HIGH PLACES, II, 251; VII, 1292, 1295-1297; IX, 1551; XIII, 2314, 2406; XVIII, 3340, 3359; XIX, 3590, 3616; *passim*.

HIGH PRIEST, I, 66, 115, 124-125, 129, 139, 163, 174, 179, 188; II, 263-265, 296, 319-320, 348; III, 405, 491, 500, 502, 512; IV, 586, 621, 624-625, 630; V, 785-786, 836, 879, 884, 889, 918, 942; VI, 1028, 1038, 1040, 1121; VII, 1205, 1213, 1226, 1239-1240, 1252, 1262, 1269, 1273-1274, 1277, 1282, 1297-1298, 1314, 1343-1344; VIII, 1352, 1377, 1379, 1421, 1434, 1436, 1458, 1476, 1485, 1492, 1494, 1496, 1506; IX, 1554, 1560, 1568, 1580, 1597-1598, 1601, 1638-1639, 1655, 1663, 1688, 1704-1705; X, 1745, 1766, 1771, 1838, 1874; XI, 1937, 1941, 1949, 1953, 2006, 2008, 2083; XII, 2201, 2207, 2215, 2297; XIII, 2478, 2484; XIV, 2509, 2568, 2618; XV, 2700, 2791; XVI, 2888, 2909, 2931, 2955, 2979, 3010; VIII, 3322, 3342, 3374; XIX, 3483, 3487, 3490-3491, 3559, 3561, 3612, 3614; XXI, 3850, 3930, 3997-3998 *passim* (see also "Priesthood" in Index).

High Renaissance Art, I, 177; *passim*.

Hilarion, III, 466.

HILEN, VII, 1298, 1311.

HILKIAH (High Priest), V, 794-795, 798; VI, 1015, 1021, 1027, 1131; VII, 1269, 1298-1299, 1338; XII, 2212, 2233; XX, 3756.

HILKIAH (various personages), VIII, 1506.

HILLEL (father of Abdon), VI, 1119; VII, 1300.

Hillel, Rabbi (50 B.C.-A.D. 10), V, 819, 850, 862; IX, 1591; XIV, 2625; XVI, 3142; XVIII, 3286, 3380; XIX, 3529, 3624.

Himalayan Mountains, XVI, 2960.

HIND, VII, 1300.

Hindemith, Paul (composer), XII, 2126.

Hindus, XX, 3672.

HINNOM, VALLEY OF, I, 109; V, 936; VI, 1131, 1290, 1297; VII, 1300-1301; VIII, 1478, 1493, 1508; IX, 1543, 1548-1549; X, 1775, 1865, 1907; XIII, 2312, 2314; XVIII, 3426; XX, 3750-3751.

Hippicus Tower, the, IX, 1559.

Hippo, XIV, 2516.

Hippocrates (physician) (c. 460-c. 377 B.C.), IV, 646.

Hippodamus of Miletus (architect), XVII, 3234.

Hippolytus (Church Father) (d. c. A.D. 235), III, 540; IV, 712-713; VI, 968; XIX, 3485, 3530, 3581.

Hippolytus (drama by Euripides), XVII, 3222.

Hippos, V, 782.

HIRAH, VII, 1301.

HIRAM (king of Tyre), III, 508; VI, 1118; VII, 1301-1303, 1332, 1339; VIII, 1439; IX, 1548; XI, 1930; XII, 2252; XIII, 2315-2316, 2441; XIV, 2615, 2617; XVI, 2932; XVII, 3180; XX, 3712, 3758, 3826; XXI, 4002.

HIRAM OF TYRE (artisan), VII, 1301-1302; VIII, 1444; XVIII, 3449; XIX, 3514, 3518, 3521.

Hirbeth Gudur, VI, 1130.

Hirbith Tibneh, XIX, 3495.

HIRCANUS, VII, 1303.

Hispania, XIX, 3549; *passim*.

Hispania Citerior, XIX, 3550.

Hispania Ulterior, XIX, 3550.

Histoire Critique de Vieux Testament, III, 475.

Histories (of Polybius), XI, 2037.

History of Joseph the Carpenter, II, 212.

History of the Church (Eusebius), IV, 598; VI, 1091-1092; VII, 1264; VIII, 1471; IX, 1665-1666, 1668, 1677; X, 1806; XI, 1984, 2085, 2087, 2089; XII, 2150, 2152, 2157; XIV, 2518, 2521.

HISTORY OF SUSANNA (Apocrypha), I, 87-88; II, 208, 210; III, 474; IV, 719; VII, 1303-1306; XII, 2145; XIX, 3541, 3581.

Hitler, Adolf, I, 179; VII, 1232; XIV, 2595.

Hittim, VII, 1306.

HITTITES, I, 116, 150, 170; II, 274, 342, 346; III, 553, 566, 571; IV, 616, 656; V, 841, 912, 921, 1133; VII, 1265, 1290, 1306-1308; VIII, 1385, 1445; X, 1747, 1892, 1898; XI, 1930, 1941, 1999; XII, 2223; XV, 2727-2728; XVI, 2925, 2986; XVII, 3159, 3187; XIX, 3513, 3606; XX, 3712, 3741, 3760, 3823.

HIVITES, II, 376; IV, 616; V, 806-807; VI, 1051; VII, 1238, 1308; VIII, 1441; XI, 1944; XIII, 2420; XVIII, 3430.

HIZKIAH, VII, 1308; XXI, 4029.

HIZKIJAH, VII, 1308.

HOBAB, VII, 1308-1309; X, 1841.

HOBAH, III, 566; VII, 1309.

Hobbes, Thomas (philosopher) (1588-1679), XV, 2834.

HOD, VII, 1309.

HODAIAH, VII, 1309.

HODAVIAH, VII, 1309.

Hodayoth, XVI, 2973.

HODESH, VII, 1309.

HODEVAH, VII, 1309.

HODIAH, VII, 1309.

HODIJAH, VII, 1309.

HOGLAH, VII, 1309-1310.

HOHAM, VII, 1265, 1310-1311.

Holiness (Epicurus), V, 950.

HOLINESS CODE, III, 545; IV, 671; VI, 1007, 1024, 1033; VII, 1311; X, 1913; XI, 1949, 1952, 1954-1955; XIII, 2331; XV, 2829; XVI, 3015; XIX, 3616.

HOLOFERNES (villain of Book of Judith), II, 235, 348, 375; III, 563; IV, 696; V, 823; VI, 1062, 1103, 1128; VII, 1311; IX, 1634; X, 1822-1824; XII, 2182; XIV, 2627; XVII, 3166.

HOLON, VII, 1298, 1311.

Holy Ghost, XIX, 3561; *passim*.

Holy of Holies, XIX, 3610, 3612, 3614, 3641, 3646; *passim*.

Holy Roman Empire, XVII, 3256.
HOLY SPIRIT, I, 63-64, 66-68, 95; II, 283, 356; III, 486, 510, 550; IV, 615, 649, 655; V, 825, 956; VI, 1089, 1094, 1099; VII, 1240, 1311-1314; IX, 1584, 1665, 1670; XI, 1972, 1984, 1994, 2094, 2097; XII, 2119, 2123; XIV, 2518, 2536, 2538, 2554; XV, 2764, 2770, 2839; XVI, 2916, 2918, 3003; XVIII, 3338, 3387, 3435; XIX, 3485, 3559, 3561; XX, 3678, 3749, 3790; XXI, 3878, 3888, 3940, 3971.
Holy Week, IX, 1598.
HOMAM, VII, 1272, 1314.
Homer (poet), III, 576; VII, 1210; XIV, 2636; XV, 2731; XVI, 2936; XVIII, 3404; XIX, 3503; XXI, 3977; XXII, 4445.
HONEY, VII, 1314; XII, 2187; XVI, 2953.
HOPHNI AND PHINEHAS (sons of Eli), V, 884-885; VII, 1314-1315; XVI, 2926, 2931; XVIII, 3323, 3445; XIX, 3613-3614.
HOPHRA (Egyptian monarch), VII, 1315-1317; XIII, 2474; XV, 2845-2846; XVI, 2902; XXI, 4024.
Hor, Mount (*see* "Mount Hor" in Index).
Horace (poet) (65-8 B.C.), XV, 2789.
HORAM, VI, 1151; VII, 1317.
Horeb, Mount (*see* "Mount Horeb" in Index).
HOREM, VII, 1317.
HOR-HAGIDGAD, VII, 1215, 1317.
HORI, VII, 1317.
HORITES, I, 122; II, 262, 342; III, 532; V, 806, 857; VI, 891, 1015; VII, 1237, 1272, 1308, 1317; VIII, 1437, 1441, 1447; IX, 1546; X, 1880, 1899; XII, 2223; XV, 2699, 2726; XVIII, 3389, 3440, 3455; XX, 3716.
HORMAH, II, 231, 262; VII, 1317; XXI, 4032.
HORONAIM, VII, 1318.
HORONITE, VII, 1318.
HORSE, III, 530; VII, 1318; XIX, 3579; XX, 3761.
HORSE GATE, VII, 1318; IX, 1564.
HORSE LEECH, VII, 1318.
Horus (deity), V, 864, 866; XIV, 2596.
HOSAH (Levite), VII, 1316; XIX, 3489.
HOSAH (place), VII, 1318.
HOSANNA, VII, 1318-1320.
HOSEA (Prophet), I, 89, 95, 146, 150, 154; II, 317, 325, 376; III, 408, 411; IV, 762; V, 792, 803, 825, 947, 955; VII, 1186, 1320-1324; VIII, 1390, 1430-1431, 1497; IX, 1567, 1634, 1661; X, 1763; XI, 1963, 1965; XIV, 2679; XV, 2715, 2828; XVI, 3028, 3043, 3048; XVII, 3158; XVIII, 3272; XIX, 3528; XX, 3764, 3808; XXI, 3855, 3697, 4009.
HOSEA, THE BOOK OF (Old Testament), II, 334; III, 409, 428, 435, 545, 556, 567; IV, 723; VII, 1160, 1170, 1320-1324; VIII, 1474; IX, 1634; XI, 2049; XII, 2205; XIII, 2387; XIV, 2635-2636, 2678-2679; XVI, 2972, 3028, 3046, 3049, 3051; XVIII, 3272, 3420.
HOSHAIAH, VII, 1324.
HOSHAMA, VII, 1324.
HOSHEA (king of Israel), II, 302; V, 875; VII, 1205, 1322, 1324-1327; VIII, 1432; XV, 2715, 2819-2820; XVII, 3234; XVIII, 3309, 3421; XIX, 3504-3505; XX, 3667, 3712.
HOSHEA (various personages), II, 327; VII, 1327; X, 1747.
HOSPITALITY, VII, 1327-1329; VIII, 1458; XVIII, 3433; *passim*.
HOST OF HEAVEN, VII, 1329; XVII, 3132.
HOTHAM, VII, 1329.
HOTHAN, VII, 1329.
HOTHIR, VII, 1329.
HOUSES, VII, 1329-1336.
HUKKOK, VII, 1338.
HUKOK, VII, 1268, 1338.
HUL, VI, 1132; VII, 1338.
HULDAH (Prophetess), I, 18, 114; II, 281; III, 549; V, 775; VII, 1248, 1253, 1299, 1338; VIII, 1506; XII, 2233, 2243; XVIII, 3420, 3424; XX, 3716.
HUMTAH, VII, 1338.
Hungary, III, 466; XX, 3765.
HUPHAM, VII, 1330.
HUPPAH, VII, 1339.
HUPPIM, III, 399; VII, 1339; XIX, 3465.
HUR, I, 13; III, 519; V, 949; VI, 1004; VII, 1339; XIII, 2341.
HURAI, VII, 1294, 1339.
HURAM, VII, 1339.
Huram-abi, III, 497.
HURI, VII, 1339.
Hurrians, II, 342; III, 532; V, 806-807; VII, 1317; IX, 1546; XV, 2726-2727.
Hus, Jan (religious reformer) (1369-1415); III, 469.
HUSHAH, VII, 1339.
HUSHAI, I, 49-50; II, 254; IV, 746; VII, 1339-1340; XXI, 3998.
HUSHAM, VII, 1340; XIX, 3639.
HUSHATHITE, VII, 1340.
HUSHIM, IV, 709; VII, 1340; XIX, 3463.
Huyuk, VII, 1308.
HUZ, VII, 1340; XXI, 3852.
HUZZAB, VII, 1340.
HYDASPES, VII, 1340.
HYENA, VII, 1340; XIX, 3553.
HYKSOS, II, 244, 249, 251, 274; III, 532; V, 867; VI, 1000, 1009; VII, 1308, 1340-1343; VIII, 1414; IX, 1546, 1723; X, 1747, 1751; XIII, 2333, 2335; XIV, 2564; XV, 2726-2727; XVI, 2904, 2932, 2989, 2992; XVIII, 3109, 3139, 3159; XVIII, 3426; XX, 3687;

XXI, 3901; XXII, 4057.
HYMENAEUS, VII, 1343; XVI, 2915; XX, 3721.
Hymn of the Soul, II, 215.
Hymn to Zeus (Cleanthes), XIX, 3568.
Hypothetica (of Philo), VI, 969-970.
HYRCANUS II (High Priest of Judaea), I, 125, 128-129; II, 199, 261, 264; IV, 764; VII, 1277, 1343-1344; VIII, 1380-1381, 1422; IX, 1556-1557, 1701; XI, 2023-2027, 2081, 2083; XV, 2772; XVI, 2979; XVII, 3263.
HYSSOP, IV, 636, 688; VII, 1344; XVI, 2961-2962; XVII, 3177; XXI, 3914.

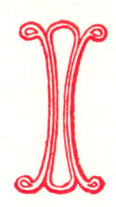

I

Ialdaboath, VII, 1177.
Iberian Peninsula, XVIII, 3402; *passim.*
IBHAR, VIII, 1352.
IBIS, VIII, 1351.
IBLEAM, III, 477; VIII, 1358.
IBNEIAH, VIII, 1351.
Ibn Ibraq, III, 393.
IBNIJAH, VIII, 1351.
IBRI, VIII, 1352.
IBZAN (Judge of Israel), III, 419; V, 921; VIII, 1352; X, 1811, 1819; XV, 2859.
Iceland, III, 468.
ICHABOD, V, 885; VII, 1315; VIII, 1352.
ICONIUM, I, 70; II, 359; VI, 1113; VIII, 1352; XI, 2000, 2003; XII, 2288; XV, 2797; XVI, 2937; XIX, 3590; XXII, 4445.
IDALAH, VIII, 1353.
IDBASH, VIII, 1353.
IDDO (Prophet), III, 404; VI, 1032; VIII, 1353, 1458; XXI, 4012-4013.
IDDO (various personages), IV, 702; VIII, 1353, 1458; XI, 2069; XVIII, 3293.
IDOLATRY, I, 24, 102, 123, 138, 145; II, 311; IV, 616, 624, 635, 712, 716; V, 795, 803, 891, 947; VI, 999, 1006, 1040, 1121, 1144; VII, 1182, 1207, 1298, 1315, 1322, 1329; VIII, 1353-1358, 1392, 1441, 1485, 1506, 1523, 1536; IX, 1626, 1639; X, 1780, 1817, 1858, 1913; XI, 1976, 2005, 2060; XII, 2247; XIII, 2387, 2448; XIV, 2553, 2651; XVII, 3258; XVIII, 3323, 3341, 3413, 3456; XIX, 3479, 3527, 3570, 3579, 3613; XXI, 3967.
"Idris, the Instructor," V, 933.
IDUEL, VIII, 1358.
IDUMAEA, IDUMAEANS, II, 199, 253; III, 484; V, 787, 858; VII, 1252, 1276-1277, 1281, 1284-1285, 1344; VIII, 1358, 1380; IX, 1582, 1688; X, 1766; XI, 2014, 2021, 2023, 2081; XIV, 2508, 2607; XV, 2745; XVI, 2982; XVII, 3171; XVIII, 3388-3389; XX, 3685, (*see also* "Edom, Edomites" in Index).
IGAL, VIII, 1358; IX, 1712; XIII, 2446.
IGDALIAH, VIII, 1358.
IGEAL, VIII, 1359.
Ignatius of Antioch, III, 538; IV, 586; XII, 2159; XV, 2700.
IIM, VIII, 1359.
IJE-ABARIM, VIII, 1359.
IJON, VIII, 1359; XV, 2819.
Ikhnaton (*see* "Akhenaton" in Index).
IKKESH, VIII, 1359.
Iksal, III, 572, 576.
ILAI, VIII, 1359.
Iliad (Homer), VII, 1210; XIV, 2636; XVI, 2936.
Illyria, I, 125.
ILLYRICUM, IV, 705; VIII, 1359.
IMLA, VIII, 1359.
IMLAH, VIII, 1359.
IMMANUEL, V, 924; VIII, 1360-1363; XIV, 2671; XX, 3790.
Immanuel, Book of, VIII, 1397.
IMMER, III, 569; VIII, 1363; XV, 2848; XXI, 3998.
IMNA, VIII, 1363.
IMNAH, VIII, 1363.
IMRAH, VIII, 1363.
IMRI, VIII, 1363.
Incarnation, the, VIII, 1361; X, 1791; XVII, 3228; XIX, 3614.
INCENSE, I, 136; II, 317; III, 563; VI, 1067, 1116; VIII, 1363-1364; XIV, 2614; XIX, 3555; XXI, 3856.
INDIA, I, 125; VII, 1210; VIII, 1364-1366; XV, 2817; XVI, 2959-2960; XVIII, 3429, 3452; *passim.*
Indra (deity), XII, 2190.
Indus River, I, 125; VII, 1210; VIII, 1364.
INK, INKHORN, VIII, 1366-1367.
Innana (deity), XIX, 3576.

Innocent I, Pope, XIV, 2516.
Innocent III, Pope (1160-1216), VI, 990.
I.N.R.I., IV, 678; VIII, 1367-1368.
INSECTS OF THE BIBLE, VIII, 1368-1377; *passim.*
International Council of Religious Education, III, 457.
INTERTESTAMENTAL PERIOD, I, 34, 128-129; II, 219, 260, 275, 286, 306, 344; III, 429, 444, 486, 505, 524, 550, 559; IV, 609, 617-618, 625, 627-629, 637, 646, 669, 698, 705, 707, 720, 764; V, 782, 785-788, 790, 802, 812, 825, 835, 850, 858, 883, 926; VI, 1051, 1083, 1121; VII, 1252, 1254, 1261, 1271, 1275, 1281, 1314, 1329; VIII, 1358, 1369, 1377-1381; IX, 1687; X, 1798, 1915; XI, 2080; XII, 2178; XIII, 2372, 2387, 2398, 2415; XIV, 2599, 2605, 2611, 2662; XV, 2700, 2771; XVI, 2909, 2915, 2973, 2983; XVII, 3101, 3105, 3115, 3117, 3120, 3126, 3198, 3261; XVIII, 3283-3284, 3293, 3310, 3314-3315, 3377, 3383, 3388-3389, 3413, 3435, 3451; XIX, 3463, 3499, 3559, 3584, 3587, 3607, 3617, 3621, 3623; XXI, 3864, 3930, 3963.
Ionian Greeks, VII, 1210-1211; XIII, 3314; XIX, 3503, 3633.
IPHEDEIAH, VIII, 1381.
Ipsus, Battle of (301 B.C.), VIII, 1377; XVII, 3113-3114; XVIII, 3392, 3395.
IR, VIII, 1381.
IRA, VIII, 1359, 1381; XIX, 3637.
IRAD, VIII, 1381; XII, 2201.
IRAM, VIII, 1381.
Iran, I, 125, 185; II, 298; VI, 1132; XII, 2221, 2254; XV, 2877; XIX, 3465.
Iraq, I, 98; II, 346; III, 478; VI, 1074; XII, 2220.
Irenaeus (Church Father) (c. A.D. 125-200), III, 431, 460, 538; IX, 1665, 1667; XI, 1962, 1980, 1982; XII, 2159; XIV, 2522; XV, 2834; XIX, 3551.
IRI, VIII, 1381.
IRIJAH, VII, 1239; VIII, 1381; XVIII, 3436.
IR-NAHASH, VIII, 1381-1382; XIX, 3637.
IRON, VIII, 1382.
IRPEEL, VIII, 1382.
IR-SHEMESH, III, 422; VIII, 1382.
ISAAC (Patriarch), I, 26-27, 34, 39-40, 118-119, 169; II, 378; III, 481, 488, 504, 530, 556-557; IV, 606; V, 818, 857, 891, 952, 959; VI, 1000, 1052, 1054, 1068, 1071, 1115, 1138-1139; VII, 1224, 1246, 1261; VIII, 1360, 1382-1386, 1406-1408, 1413, 1445, 1449, 1469, 1496; IX, 1636, 1713; X, 1766, 1814, 1843, 1880; XI, 1927, 1937, 2063, 2103, 2107; XII, 2146, 2178, 2185, 2222, 2246; XIII, 2312, 2346, 2373, 2376-2377, 2423, 2475; XIV, 2595, 2645; XV, 2785, 2867, 2870; XVI, 2925, 2930, 3062; XVII, 3165, 3168-3169, 3171, 3185; XVIII, 3292, 3350, 3429, 3433; XIX, 3496, 3646; XXI, 3657, 3753, 3811; XXI, 3878.

ISAIAH (Prophet), I, 109-110, 134, 140, 154, 161, 170; II, 207, 262, 278, 283, 285, 308, 317; III, 425, 436, 442, 500; IV, 655, 662, 706, 708, 716, 719, 758, 762; V, 790, 791-794, 815, 876, 879, 888, 936, 951, 955-956; VI, 988, 991, 1015, 1024, 1060, 1100, 1124, 1128; VII, 1160, 1183, 1229, 1273, 1292, 1294, 1312-1313; VIII, 1356, 1358, 1360-1363, 1390-1401, 1441, 1462, 1478; IX, 1569; X, 1763, 1783-1784, 1839, 1848, 1858, 1886; XI, 1965, 1980, 2043, 2056; XII, 2228, 2232, 2235, 2244, 2249, 2279; XIII, 2453; XIV, 2618, 2623, 2631, 2670-2671, 2678; XV, 2761, 2763, 2777, 2828; XVI, 3000, 3004, 3015, 3028, 3033, 3035, 3037, 3048-3050, 3060; XVII, 3101-3102, 3158, 3234; XVIII, 3286, 3288, 3310, 3356, 3375, 3400, 3407, 3427, 3430; XIX, 3472, 3488, 3528, 3566, 3588; XX, 3666, 3712, 3724, 3790; XXI, 3855, 3930, 3954, 3960, 3967, 3975, 3988, 4012.
Isaiah, Ascension of (*see* "Ascension of Isaiah" in Index).
ISAIAH, THE BOOK OF (Old Testament), I, 60, 109; II, 204, 207-208, 228; III, 435, 442, 459, 545, 549, 553, 556; IV, 590, 657, 700, 708, 762; V, 782, 788, 790-794, 798, 804, 852, 955; VI, 1117, 1119, 1126, 1129; VII, 1270, 1292, 1313, 1320; VIII, 1360-1363, 1390, 1394-1401, 1512; IX, 1594, 1646, 1649, 1661; X, 1872, 1889; XI, 1940, 2038; XII, 2163, 2190, 2217, 2229, 2232, 2239, 2248; XIII, 2382, 2460, 2462; XIV, 2558, 2561, 2580, 2615, 2635-2636. 2669-2671; XV, 2783, 2852; XVI, 2972, 2976, 2997, 3006, 3028, 3046, 3049, 3057; XVII, 3175, 3181, 3198, 3230, 3233, 3375, 3377; XVIII, 3399-3400, 3407, 3425, 3429, 3442; XIX, 3471, 3476-3477, 3494, 3632, 3638; XX, 3735; XXI, 3877-3878, 3880, 3928, 3938, 4014; XXII, 4057-4058.
ISCAH, VIII, 1404.
ISDAEL, VIII, 1404.
ISHBAH, VIII, 1404.
ISHBAK, VIII, 1404.
ISHBI-BENOB, I, 30; VIII, 1404.
ISHBOSHETH (son of King Saul), I, 31; II, 293; III, 401; IV, 738; V, 947, 959; VI, 1103, 1111; VII, 1171; VIII, 1404-1406, 1411, 1475; IX, 1634; XI, 2054; XII, 2209; XV, 2736, 2860, 2862; XVII, 3174, 3210, 3241, 3243; XXI, 3907.
ISHI, II, 402; VIII, 1406; XXI, 4059.
ISHIAH, VIII, 1406.
ISHIJAH, VIII, 1406.
ISHMA, VIII, 1406.
ISHMAEL (firstborn son of Abraham), I, 34, 37, 40, 87, 97, 169; II, 230, 287, 333, 376, 378; III, 481; IV, 618; V, 845; VI, 1068, 1115, 1124; VII, 1181, 1221-1224; VIII, 1382, 1386, 1406-1409, 1437, 1439; IX, 1623, 1714; X, 1838-1839; XI, 2054; XII, 2142, 2232,

INDEX 4127

2246, 2295; XIII, 2415, 2423, 2439, 2460; XIV, 2595, 2645; XV, 2767, 2869; XVIII, 3350; XIX, 3465; XX, 3753; XXI, 3878.
ISHMAEL (murderer of Gedaliah, and others), V, 918; VI, 1129-1130, 1138-1139; VIII, 1409, 1482, 1511; IX, 1663; X, 1789, 1863; XIV, 2508; XVIII, 3424.
ISHMAIAH, VIII, 1411; XIV, 2605.
ISHMERAI, VIII, 1411.
ISHOD, VIII, 1411.
ISHPAN, VIII, 1411.
Ishtar (deity), II, 292-293; XIII, 2327; XIX, 3530.
ISH-TOB, VIII, 1411; XX, 3735.
ISHUAH, II, 287; VIII, 1411, 1436.
ISHUAI, VIII, 1411.
ISHUI, VIII, 1411.
"Ishumbethel," II, 289.
Isin (monarch), XIX, 3574.
Isis (deity), II, 292; V, 864; VII, 1268 XIV, 2596.
Iskanderon, Gulf of, XI, 2061.
Islam, II, 230-231; III, 436; IX, 1543, 1561; XIX, 3608, 3646; *passim*.
ISMACHIAH, VIII, 1411.
ISMAEL, VIII, 1411.
ISMAIAH, VIII, 1411.
ISRAEL (ancient), I, 13, 23, 89, 142, 146-147, 154, 169, 178-179; II, 208, 228, 367-268, 288, 298, 305, 342, 368, 375, 377; III, 399, 404, 421, 425, 427, 479, 493, 534, 554, 568; IV, 612-613, 618-620, 642, 658-659, 670, 700, 703, 705, 713, 719, 722-723, 758; V, 775, 782, 795-797, 835, 847, 855, 857, 862, 887-888, 921, 929, 931, 934, 942, 946, 952, 955-956, 958; VI, 968, 991, 1005, 1018, 1028, 1049, 1068, 1084, 1110, 1148; VII, 1160, 1163-1164, 1183, 1200-1201, 1203, 1218, 1226, 1232, 1238-1240, 1256, 1261-1262, 1290, 1296, 1301, 1306, 1312, 1320; VIII, 1366, 1369, 1373, 1377, 1390, 1392, 1394-1395, 1399-1400, 1404, 1406, 1411-1423, 1436, 1443, 1448-1449, 1475, 1499, 1504, 1506, 1512, 1519-1520, 1530; IX, 1548, 1569, 1646, 1678, 1695, 1712; X, 1746-1747, 1766, 1776, 1791, 1806, 1809, 1817, 1834, 1837, 1841-1842, 1848, 1851, 1856, 1867, 1886, 1895, 1912-1913, 1915; XI, 1928, 1937, 1941, 1953, 1955, 1957-1958, 1963, 1969, 1986, 2004, 2047, 2059, 2081; XII, 2192, 2202, 2215, 2229, 2239, 2241, 2247, 2295, 2298, 2302; XIII, 2312, 2315, 2326, 2363, 2365, 2383, 2393, 2420, 2423, 2446, 2457, 2481; XIV, 2509-2510, 2518, 2558, 2570, 2581, 2590, 2601, 2605, 2607, 2631, 2633, 2651, 2656, 2669, 2671, 2675, 2683, 2685, 2687; XV, 2695, 2705, 2721, 2731, 2734, 2738, 2761, 2785, 2823, 2830, 2838, 2862, 2870; XVI, 2928, 2931, 2943, 2970, 2976, 3000, 3006-3007, 3013, 3029, 3040, 3046, 3048-3049, 3051, 3053, 3055-3056, 3058, 3071-3072; XVII, 3094, 3099, 3101, 3131, 3165, 3168, 3174, 3187, 3210, 3226, 3234, 3243; XVIII, 3272, 3283-3284, 3287, 3317, 3319, 3322-3323, 3326, 3329, 3345, 3356, 3359, 3370, 3374, 3378, 3403, 3413, 3422, 3426, 3429, 3431-3432, 3434, 3555, 3577, 3587, 3590, 3604, 3610, 3616, 3621, 3628, 3639, 3641; XX, 3659, 3666-3667, 3681, 3712, 3728, 3750, 3752-3753, 3757-3758, 3771, 3784, 3801; XXI, 3847, 3850, 3862, 3874, 3908, 3923, 3936-3937, 3944, 3975, 3986, 4009, 4018; XXII, 4051.
ISRAEL, NORTHERN KINGDOM OF, I, 22, 25, 102-105, 109, 111-113, 118, 143, 145, 150-154, 156-158, 162; II, 200-201, 228, 253, 260-262, 277-280, 288, 293, 300, 302-303, 310-311, 325, 329, 331, 334, 336, 363-364, 376; III, 391, 393-396,, 401-402, 404, 411, 415, 516, 518, 567, 569; IV, 592, 595, 608-609, 618, 696, 705-706, 712, 714; V, 783, 790, 795, 802, 809, 819, 825, 857, 874-875, 883, 889, 891, 893, 897, 908, 910-912, 919, 945-947, 951, 956; VI, 986, 1022, 1111-1112, 1118, 1124; VII, 1159, 1171-1172, 1182, 1185-1186, 1204, 1216, 1220-1222, 1229, 1246, 1250, 1254-1256, 1292-1293, 1303, 1320-1324, 1327, 1331; VIII, 1356, 1359-1360, 1362, 1390, 1392-1393, 1397, 1419, 1423-1433, 1435, 1439, 1443, 1458, 1462, 1480-1482, 1488, 1490, 1492, 1496-1497, 1534-1536; IX, 1551, 1554, 1564, 1629, 1631, 1636, 1641, 1661, 1663, 1690-1691, 1693, 1707; X, 1747, 1759, 1763, 1777-1778, 1780-1783, 1785-1786, 1824, 1840, 1852, 1856, 1858, 1861-1863; XI, 1927, 1946, 1963, 2064, 2070; XII, 2198, 2205, 2218, 2224, 2235-2236, 2276, 2301, 2303-2304; XIII, 2311, 2315, 2388, 2411, 2416-2417, 2419, 2442, 2460, 2486, 2493; XIV, 2503, 2550, 2560, 2603, 2606, 2619, 2627, 2641, 2650, 2656, 2658, 2661, 2670, 2679-2680, 2683; XV, 2697-2699, 2715, 2722, 2739, 2742, 2744-2745, 2760, 2818-2820, 2823, 2826, 2845, 2849, 2851; XVI, 2932-2933, 2993, 3044, 3049-3050, 3057; XVII, 3083, 3090, 3125, 3157-3158, 3162, 3174, 3183, 3185, 3210, 3233-3234; XVIII, 3293, 3299, 3306, 3308, 3310-3311, 3334, 3341, 3356, 3399, 3402, 3419-3422, 3427, 3432, 3434, 3440, 3451, 3453; XIX, 3481, 3499, 3504, 3517-3518, 3532, 3571, 3579, 3609, 3636, 3642; XX, 3666, 3711-3712, 3714, 3727, 3738, 3808, 3826, 3828; XXI, 3855, 3940, 3975, 3991, 3993, 4011-4012, 4029; XXII, 4039, 4041, 4046-4048, 4056.
Israel, Republic of, II, 291, 298; IV, 762, 767; V, 802; VIII, 1398, 1423; IX, 1561, 1582; XIII, 2436, 2457; XVII, 3179; XVIII, 3286; XIX, 3491, 3638; XX, 3817.
Israel Museum, XVIII, 3399-3400.
ISSACHAR (fifth son of Jacob), VIII, 1433-1434, 1446, 1464, 1475; X, 1769; XI, 1927; XVI, 2938; XVII, 3123, 3125, 3207; XVIII, 3448; XX, 3801; XXI, 3854.
ISSACHAR (Levite), VIII, 1434.

THE FAMILY BIBLE ENCYCLOPEDIA

ISSACHAR, TRIBE OF, I, 22, 54, 162, 167; II, 287, 330, 358; III, 419, 421, 423, 572, 576; IV, 701; V, 775, 779, 931-932; VI, 1118, 1124, 1147; VII, 1246, 1320; VIII, 1351, 1358, 1406, 1433-1436, 1440, 1475, 1534; IX, 1634, 1636, 1661, 1712; X, 1751, 1775; XI, 1944; XIII, 2386; XIV, 2508, 2604; XV, 2729, 2732, 2747, 2774, 2857-2858; XVI, 2939; XVII, 3123, 3125, 3142, 3185, 3187; XVIII, 3419, 3439, 3448-3449; XIX, 3464-3465; XX, 3742, 3804, 3815, 3817; XXI, 4010-4011.
ISSHIAH, VIII, 1436.
Issus, Battle of (333 B.C.), I, 125: VII, 1212; XIX, 3634.
ISTALCURUS, VIII, 1436.
Istanbul, Turkey, IX, 1609; XX, 3704.
ISUAH, VIII, 1436.
ISUI, II, 287; VIII, 1411, 1436.
Italica, XIX, 3551; XX, 3765.
ITALY, I, 72; III, 466; V, 802; VI, 1113; VII, 1272; VIII, 1436, 1476; IX, 1581; X, 1832; XI, 2077-2078; XV, 2804; XVI, 2995; XVII, 3234-3235, 3246, 3261, 3263; XVIII, 3453.
ITHAI, VIII, 1436, 1438.
ITHAMAR (son of Aaron), I, 13, 24, 118; V, 879, 884; VII, 1298; VIII, 1436; XI, 1952-1953; XII, 303; XVI, 3013-3014; XIX, 3491.
ITHIEL, VIII, 1436; XX, 3831.
ITHMAH, VIII, 1436-1437.
ITHNAN, VIII, 1437.
ITHRA, VIII, 1437.
ITHRAN, VIII, 1437.
ITHREAM, V, 863; VIII, 1437.
ITHRITE, VIII, 1437-1438.
ITTAH-KAZIN, VIII, 1438.
ITTAI, VII, 1160; VIII, 1436, 1438; XVII, 3238.
ITURAEA, VIII, 1438-1439; IX, 1582; XVI, 2917; XX, 3685.
Itzhak ben Zvi, XX, 3674-3675.
Iuput (monarch), XVIII, 3453.
IVAH, VIII, 1439.
IVORY, VIII, 1439-1440.
Iyon, II, 287.
IZEHAR, VIII, 1440.
Izeharites, VIII, 1440.
IZHAR, VIII, 1440; X, 1874.
Izmir, Turkey, V, 940.
IZRAHIAH, VIII, 1440.
IZRI, VIII, 1440.

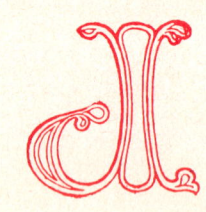

J

JAAKAN, III, 393; VIII, 1441.
JAAKOBEH, VIII, 1441.
JAALA, VIII, 1441.
JAALAH, VIII, 1441.
JAALAM, I, 118; VIII, 1441.
JAANAI, VIII, 1441.
JAARE-OREGIM, V, 884; VIII, 1441.
JAASAU, VIII, 1441.
JAASIEL, VIII, 1441.
JAAZANIAH (False Prophet and others), II, 330; VII, 1219; VIII, 1441, 1512; IX, 1629; XI, 2004; XVIII, 3424.
JAAZER, VI, 1111; VIII, 1441, 1478.
JAAZIAH, VIII, 1441-1442.
JAAZIEL (JEIEL), II, 328; VIII, 1442.
JABAL, I, 18, 79; VIII, 1442; X, 1889; XIV, 2580.
JABBOK River, I, 147; VI, 1121, 1146; VII, 1170; VIII, 1442-1443, 1448; IX, 1708; XI, 2054; XIV, 2629; XV, 2822, 2870; XVII, 3139; XIX, 3474.
JABESH, V, 879; VIII, 1443; XIII, 2457.
JABESH-GILEAD, III, 426; VI, 1060; VII, 1170; VIII, 1443; IX, 1701; XIII, 2420; XVIII, 3324, 3360, 3369; XIX, 3609.
JABEZ, VI, 997; VIII, 1443; XVIII, 3446; XIX, 3570; XX, 3724.
JABIN (two kings of Hazor), II, 357; V, 775, 777, 929; VII, 1257; VIII, 1443; IX, 1634; X, 1751; XII, 2218, 2301; XV, 2729, 2857; XVIII, 3448; XIX, 3496.
JABNEEL, II, 332; VIII, 1443-1444, 1472, 1499; X, 1776.
JABNEH, VIII, 1444.
JACHAN, VIII, 1444.
JACHIN (various personages), VIII, 1444; XIX, 3478, 3641.
JACHIN AND BOAZ, VIII, 1444; XIX, 3641.
JACINTH, VIII, 1444; XI, 1960; XII, 2266.
JACKAL, VI, 1098; VIII, 1444-1445.
JACOB (Patriarch), I, 22, 88, 118, 133, 147, 167; II,

An interior view of The Dome of the Rock on Mount Moriah, the spot from which Mohammed is said to have ascended to Heaven. Also the site of the Jewish Temples of Solomon and Herod (*Counsel Collection*).

287, 289, 308; III, 396-399, 402, 410, 478, 481, 488, 504-505, 532, 556, 558, 575; IV, 592, 606, 634, 641, 709-710, 713; V, 796, 804-806, 813, 818, 829, 843-844, 857, 867, 943-945, 951-952, 954-955; VI, 1000, 1005, 1009, 1051-1052, 1068, 1079, 1104, 1109-1110, 1116, 1121, 1139, 1141; VII, 1168, 1171, 1199, 1201, 1239, 1246, 1260-1261, 1331; VIII, 1355, 1385-1386, 1411, 1413-1414, 1433-1434, 1442, 1445-1452, 1456, 1458, 1479, 1520; IX, 1645, 1710, 1712-1714, 1717-1724; X, 1751, 1769-1771, 1773, 1873, 1880, 1882; XI, 1927, 1935, 1937, 1999, 2055, 2059, 2065-2067, 2103, 2107; XII, 2146, 2185, 2187, 2222, 2299, 2301; XIII, 2346, 2390, 2423, 2428, 2439, 2475; XIV, 2503, 2554, 2595, 2599, 2605, 2622-2623, 2645; XV, 2720, 2727, 2785, 2822-2823, 2867, 2870; XVI, 2904, 2930, 2995, 3006; XVII, 3101, 3139, 3145-3149, 3152, 3155, 3159, 3165, 3168-3169, 3171, 3207-3209; XVIII, 3276, 3288, 3290, 3298, 3339, 3419, 3430, 3433, 3446, 3456; XIX. 3478-3479, 3497, 3563, 3570, 3627; XX, 3681, 3691, 3747, 3753, 3801, 3811, 3813; XXI, 3890, 3895, 3954-3955, 3957, 4009-4010; XXII, 4048.

Jacobites (Syrian Church), III, 473.
JACOB'S LADDER, VIII, 1445, 1456.
JACOB'S WELL, VIII, 1456, 1458; XVIII, 3430.
JACUBUS, VIII, 1458.
JADA, VIII, 1458.
JADAU, V, 857; VIII, 1458.
JADDUA, VIII, 1458; XIII, 2484.
Jaddus (High Priest), XV, 2700.
JADON, VIII, 1458.
JAEL (Kenite heroine), II, 357; V, 777; VII, 1260; VIII, 1458-1459; X, 1826, 1842; XXI, 3991.
Jaffa, I, 88; III, 393; V, 946; IX, 1706.
Jaginat ad Arab, II, 229.
JAGUR, VIII, 1462.
JAH, VIII, 1462.
JAHATH, VIII, 1462.
JAHAZ, I, 147, 150; VIII, 1462, 1464; XIX, 3474.
JAHAZA, VIII, 1462.
JAHAZAH, VIII, 1462.
JAHAZIAH, VI, 1015; VIII, 1462; XX, 3716.
JAHAZIEL (various personages), VIII, 1462-1463; IX, 1543, 1632; XII, 2147.
JAHDAI, VIII, 1463; XVIII, 3418.
JAHDIEL, VIII, 1463.
JAHDO, VIII, 1463.
JAHLEEL, VIII, 1463-1464.
Jahleelites, VIII, 1463.
JAHMAI, VIII, 1464.
JAHZAH, VIII, 1464.
JAHZEEL, VIII, 1464.
JAHZERAH, VIII, 1464.

JAHZIEL, VIII, 1464.
JAIR (Judge of Israel), III, 530; VII, 1254; VIII, 1464; X, 1819; XV, 2859.
JAIR (of Manasseh), II, 261; VI, 1148; VII, 1254; VIII, 1464; XI, 2069-2070.
JAIR (of Bethlehem Judah), V, 884; VII, 1254; VIII, 1464.
JAIRITE, VIII, 1464.
JAIRUS (Synagogue leader), VIII, 1464; IX, 1674; XI, 1994, 2097; XVIII, 3272; XIX, 3622.
JAKEH, VIII, 1464.
JALON, VIII, 1464.
JAMBRES, VIII, 1464.
JAMBRI (Arab tribe), VIII, 1464; IX, 1688; XII, 2189-2190; XIII, 2419.
JAMES THE APOSTLE (son of Zebedee), I, 68, 165; III, 491; IV, 766; VI, 1088, 1115; VII, 1287; VIII, 1466, 1468, 1471; IX, 1663, 1674, 1685; XI, 1989, 1994, 2094, 2098; XII, 2279-2280, 2288; XV, 2795, 2798, 2803; XVIII, 3300, 3452.
JAMES (brother of Jesus), I, 71; II, 220; III, 501; IV, 614; VI, 1091; VII, 1282; VIII, 1466, 1468-1471; IX, 1576, 1585, 1602; X, 1738, 1742; XI, 2093; XII, 2119, 2159; XIII, 2459; XIV, 2506, 2531, 2533, 2545; XV, 2796; XVIII, 3344.
JAMES THE GREATER, VIII, 1375, 1466, 1468; XVI, 2545; XVI, 2887-2888, 2890; XX, 3769, 3795; XXI, 4009.
JAMES THE LESS, I, 136; IV, 634; VIII, 1466, 1468, 1471; X, 1744, 1804; XII, 2133, 2150-2151; XX, 3795.
James I (king of England) (1566-1625), III, 440, 452; VI, 1144; X, 1852.
James the Just, III, 501.
JAMES, THE GENERAL EPISTLE OF (New Testament), I, 71; III, 433, 538, 540; V, 801; VIII, 1466, 1469-1472; X, 1804, 1836; XIV, 2522, 2524, 2526, 2545-2546; XVI, 2999; XVII, 3152, 3216; XX, 3681; XXI, 3930.
JAMIN, VIII, 1472; XIX, 3478.
Jaminites, VIII, 1472.
JAMLECH, VIII, 1472.
JAMNIA, II, 327; III, 431, 526, 547, 550; VIII, 1444, 1472.
JANNA, VIII, 1472.
JANNES AND JAMBRES, VIII, 1472; XI, 2053; XII, 2270; XX, 3722.
JANOAH, VIII, 1472; XV, 2819.
JANOHAH, VIII, 1472.
Jansen, Cornelius (theologian) (1585-1638), III, 464; VII, 1207.
JANUM, VIII, 1472.
Japan, XX, 3672-3674.

JAPHETH (youngest son of Noah), VI, 1132; VII, 1184, 1195, 1231-1232; VIII, 1472-1473, 1477; XI, 2042; XII, 2220; XIV, 2566, 2570; XVIII, 3437; XX, 3724, 3741.
JAPHETH (Asherite), II, 294; V, 819; VIII, 1473; XIX, 3633.
JAPHIA, VIII, 1473-1474.
JAPHLET, VIII, 1474.
JAPHLETI, VIII, 1474.
JAPHO, VIII, 1474; IX, 1705.
JARAH, VIII, 1474, 1480.
JARER, VIII, 1474.
JARED, V, 933; VIII, 1474, 1504.
JARESIAH, VIII, 1474.
JARHA, I, 118; II, 321; VIII, 1474-1475; XIX, 3501.
JARIB, VIII, 1475; IX, 1638.
JARIMOTH, VIII, 1475.
JARMUTH, I, 92; IV, 768; VIII, 1475; XVI, 2941; XVII, 3185.
JAROAH, VIII, 1475.
JASAEL, VIII, 1475.
JASHEN, VIII, 1475.
JASHER, THE BOOK OF, VIII, 1475; XIV, 2638, 2640-2641.
JASHOBEAM, I, 88; VII, 1220; VIII, 1475; XIX, 3619.
JASHUB, VIII, 1434, 1475.
JASHUBI-LEHEM, VIII, 1476.
JASON (High Priest), I, 186; II, 261; VI, 1121; VII, 1274; VIII, 1476; X, 1884; XI, 2008-2009; XII, 2207; XV, 2701; XVIII, 3380; XIX, 3553.
JASON (various personages), V, 880; VIII, 1476-1477; XI, 2033.
JASIEL, VIII, 1441; XII, 2220.
JASPER, VIII, 1477; XII, 2266.
JASUBUS, VIII, 1477.
Jasuf, XIX, 3631.
JATAL, VIII, 1477.
JATHNIEL, VIII, 1477.
Jattah, X, 1763.
JATTIR, VIII, 1477.
JAVAN, V, 819, 918; VI, 1132; VII, 1184; VIII, 1472, 1477-1478; X, 1872; XIX, 3632-3633.
JAZAR, VIII, 1478.
JAZER, VIII, 1441.
JAZIZ, VIII, 1478.
J.B. (MacLeish drama), IX, 1646.
JEARIM, VIII, 1478.
JEATERAI, VI, 989; VIII, 1478.
Jebel Dohi, XIX, 3464.
Jebel Druz, X, 1842; XI, 1928.
Jebel el-Asur, II, 333.
Jebel el-Tor, XIII, 2386.
Jebel en-Naba (Neba), XIII, 2460; XVI, 2942.
Jebel es-Sheik, XIII, 2375.
Jebel Eslamiyeh, XIII, 2371.
Jebel et-Tor, XIII, 2372.
Jebel Fuquah, XIII, 2375.
Jebel Judi, II, 233.
Jebel Musa, XIII, 2384.
Jebel Neba, XIII, 2378.
Jebel Osha, XIII, 2378.
Jebel Serbal, XIII, 2384.
JEBERECHIAH, VIII, 1478; XXI, 4013-4014.
JEBUS, JEBUSITES, II, 233-234; IV, 616, 740; VI, 1086, 1133; VII, 1265, 1335; VIII, 1478; IX, 1546-1548, 1560; X, 1809; XII, 2201-2202; XIX, 3639; XXII, 4052.
JECAMIAH, VIII, 1478.
JECHOLIAH, VIII, 1478.
JECHONIAS, VIII, 1478-1479.
JECOLIAH, VIII, 1478.
JECONIAH (various personages), II, 297; VII, 1324; VIII, 1478-1479, 1483; XV, 2818; XVIII, 3440, 3447.
JECONIAS, VIII, 1479; XVIII, 3297.
JEDAIAH, VII, 1251; VIII, 1479.
JEDEUS, VIII, 1479.
JEDIAEL, VIII, 1479; XVIII, 3448.
JEDIDAH, III, 495; VIII, 1479.
JEDIDIAH, VIII, 1479; XIII, 2446; XIX, 3510.
JEDUTHUN, VI, 986; VIII, 1479; XIII, 2394.
JEELI, VIII, 1479.
JEELUS, VIII, 1479.
JEEZER, VIII, 1479.
JEGAR-SAHADUTHA, VIII, 1479.
JEHALELEEL, VIII, 1479.
JEHALELEL, VIII, 1479; XXII, 4056.
JEHDEIAH, VIII, 1479.
JEHEZEKEL, VIII, 1479-1480.
JEHIAH, VIII, 1480.
JEHIEL, VII, 1220; VIII, 1480; XI, 2005; XVIII, 3446; XIX, 3586.
JEHIELI, VIII, 1480.
JEHIZKIAH, VIII, 1480.
JEHOADAH, I, 123; VIII, 1480.
JEHOADDAN, VIII, 1480.
JEHOAHAZ (king of Israel), III, 393; VII, 1238, 1254-1255; VIII, 1430, 1480-1481, 1497, 1506, 1517; XI, 1959; XVI, 2904; XVIII, 3308; XXI, 4021.
JEHOAHAZ (king of Judah), VIII, 1481; IX, 1638; X, 1761, 1786, 1863; XIII, 2462, 2472, 2494; XIV, 2510; XVIII, 3420 (see also "Shallum" in Index).
JEHOASH (king of Israel), I, 145; II, 378; III, 393, 396, 423; IV, 608-609; V, 908; VI, 1126; VIII, 1430, 1481-1482, 1536; IX, 1551, 1564, 1641; X, 1781, XIV, 2631; XV, 2761; XVIII, 3308.

JEHOHANAN, VIII, 1482; IX, 1663.
JEHOIACHIN (king of Judah), IV, 644; V, 876, 919; VI, 998, 1015, 1018, 1038; VII, 1226, 1238, 1324; VIII, 1478-1480, 1482-1486, 1508, 1517; IX, 1638; X, 1786, 1858, 1863, 1891; XIII, 2464, 2492, 2494, 2496; XIV, 2510; XV, 2818, 2845-2846, 2848; XVII, 3239; XVIII, 3297, 3427, 3440; XXI, 4021-4022; XXII, 4041.
JEHOIADA (High Priest and others), I, 79; II, 311; V, 918; VII, 1318; VIII, 1409, 1482, 1485-1486, 1494; IX, 1543, 1564, 1639; X, 1780-1781, XIII, 2320; XIV, 2631; XVI, 3035; XIX, 3570; XXI, 4012; XXII, 4046.
JEHOIAKIM (king of Judah), I, 18, 103-104; II, 330, 362; IV, 635, 717, 720; V, 888, 918-919, 956; VI, 993, 1131; VII, 1217-1218, 1239; VIII, 1481-1482, 1486, 1498, 1504, 1506, 1508, 1512, 1517; IX, 1638; X, 1786, 1863; XII, 2243; XIII, 2462, 2464, 2472-2473, 2494; XIV, 2509-2510; XV, 2818, 2845; XVI, 2904; XVII, 3239; XVIII, 3272, 3407, 3424, 3436, 3438; XXI, 3849, 4000, 4021-4022, 4025.
JEHOIARIB, VIII, 1486.
JEHONADAB, VIII, 1486, 1488, 1496; X, 1842; XVII, 3174-3175.
JEHONATHAN, VIII, 1488.
JEHORAM (king of Israel), I, 105, 111, 113; III, 393, 395-396, 477; V, 910; VI, 1131, 1254; VIII, 1428, 1481, 1488, 1492, 1496; IX, 1631, 1707; XII, 2304; XIII, 2311, 2315; XV, 2742; XXII, 4048.
JEHORAM (king of Judah), I, 104, 111; II, 310; IV, 608; V, 812, 857; VIII, 1419, 1428, 1490, 1492-1494; IX, 1551, 1707; X, 1780, 1867; XII, 2218, 2239; XIV, 2605; XVI, 2929, 3042.
JEHOSHAPHAT (king of Judah), I, 89, 92, 103, 114, 143, 147; II, 280, 326, 330; III, 395-396, 403, 562; IV, 595; V, 819, 857, 887, 889, 918, 931; VI, 1027; VIII, 1428, 1480, 1482, 1488, 1490, 1492-1493, 1496, 1499; IX, 1543, 1712; X, 1780, 1862; XI, 2080; XII, 2147, 2190, 2239-2240, 2243; XIV, 2508, 2605; XV, 2702, 2774; XVI, 2929, 3043; XVIII, 3438-3440, 3444, 3451; XIX, 3632, 3638; XX, 3735; XXI, 4007, 4012, 4025; XXII, 4046, 4057.
JEHOSHAPHAT, VALLEY OF, VIII, 1493-1494; IX, 1646, 1661; X, 1847; XXI, 3858-3859.
JEHOSHEBA (daughter of Athaliah), I, 111; II, 311; VIII, 1485, 1494-1495; IX, 1639; X, 1780.
JEHOSHUA, VIII, 1495.
JEHOVAH, III, 474; VII, 1181; VIII, 1495-1496; XV, 2826; XVII, 3230; passim.
JEHOVAH-JIREH, VIII, 1496.
JEHOVAH-NISSI, VIII, 1496; XVII, 3189.
JEHOVAH-SHALOM, VIII, 1496.
Jehovah's Witnesses (sect), XV, 2770.

JEHOZABAD, VIII, 1496; XVIII, 3448, 3455.
JEHOZADAK, VI, 1038; VIII, 1496; IX, 1712; X, 1763.
JEHU (king of Israel), I, 105, 111; II, 326, 336; III, 477, 518; V, 826, 897, 912; VI, 1124; VII, 1216, 1254-1255; VIII, 1351, 1428, 1430, 1480-1481, 1488, 1492, 1496-1497; IX, 1631, 1693; X, 1780, 1863; XII, 2198; XIII, 2417; XIV, 2560, 2631; XV, 2742; XVII, 3174; XVIII, 3308, 3420, 3427; XXII, 4048.
JEHUBBAH, VIII, 1497.
JEHUCAL, VIII, 1498; XVIII, 3436.
JEHUD, VIII, 1498.
JEHUDI, IV, 696; VIII, 1498; XIV, 2508; XVIII, 3436.
JEHUDIJAH, VII, 1309; VIII, 1498.
JEHUSH, VIII, 1498.
JEIEL (various personages), II, 328; VIII, 1498-1499; XIV, 2627.
JERABZEEL, VIII, 1499; X, 1837.
JEKAMEAM, VIII, 1499.
JEKAMIAH, VIII, 1499; XVIII, 3420.
JEKUTHIEL, VIII, 1499.
Jemdet-Nasr Period, XIX, 3573.
JEMIMA, VIII, 1499.
JEMNAAN, VIII, 1444, 1499.
JEMUEL, VIII, 1499; XIII, 2493; XIX, 3478.
Jenin, V, 931; VI, 1124.
Jepheth ben Ali, IX, 1662.
JEPHTHAE, VIII, 1499.
JEPHTHAH (Judge of Israel), I, 22, 147; II, 276, 278, 352; IV, 617; V, 947; VI, 1052, 1110-1111; VII, 1170, 1220; VIII, 1352, 1464, 1499-1502; IX, 1710; X, 1811, 1819; XI, 2067, 2069; XII, 2268, 2301; XIII, 2400; XIV, 2636; XV, 2733, 2858; XVIII, 3290, 3292, 3442; XIX, 3474; XX, 3735; XXI, 3890.
JEPHUNNEH, VIII, 1504.
Jerablus, III, 553.
JERAH, VIII, 1504.
JERAHMEEL (various personages:n II, 227, 308; VII, 1235; VIII, 1504; IX, 1701; XI, 2006; XV, 2719.
JERAHMEELITES, I, 31; VIII, 1504; X, 1777; XIII, 2475; XXI, 4002.
Jerash, VI, 1146.
JERECHUS, VIII, 1504.
JERED, VIII, 1474, 1504.
JEREMAI, VIII, 1504-1505.
JEREMIAH (Prophet), I, 18, 23, 57, 94, 114, 133-134, 154, 164; II, 202, 250, 267, 278, 291, 293, 305, 330, 334, 362-364; III, 399, 402, 410, 423, 443, 496, 545-546, 576; IV, 635, 659, 662, 696, 716, 724; V, 783, 791-792, 794-795, 827, 830, 847-848, 876, 879, 919-920; VI, 991, 1015, 1017, 1021, 1024, 1029, 1060, 1109, 1129-1131; VII, 1162, 1219, 1238-1239, 1268,

1297, 1299-1300, 1315-1316, 1320-1321, 1324, 1338; VIII, 1358, 1363, 1381, 1390, 1395, 1420, 1441, 1462, 1485-1486, 1498, 1504-1523, 1526; IX, 1563-1564, 1653, 1663, 1701; X, 1761, 1785, 1789, 1791, 1794, 1839, 1850, 1875, 1889-1891, 1913, 1915; XI, 1965, 1980, 2006, 2043, 2054, 2060; XII, 2146, 2209, 2214, 2229, 2235, 2243, 2295; XIII, 2314, 2402, 2464, 2470, 2472, 2475-2476, 2495; XIV, 2503, 2508-2511, 2631, 2638, 2658, 2670-2672, 2674, 2676, 2678, 2685; XV, 2777-2779, 2845-2846; XVI, 2997, 3010, 3016-3017, 3019, 3028, 3036-3037, 3048-3050, 3060, 3069; XVII, 3102, 3132, 3140, 3144, 3149, 3158, 3175, 3241; XVIII, 3378, 3383, 3388, 3407, 3420, 3424, 3436, 3438, 3440-3441, 3446, 3456; XIX, 3513, 3528, 3587, 3619, 3632, 3638; XX, 3662, 3666, 3750; XXI, 3849, 3915, 3928, 3930, 3945, 3980, 4023-4024, 4029; XXII, 4049.

JEREMIAH, THE BOOK OF (Old Testament), I, 120, 133; II, 362-364; III, 412, 423, 427, 443, 475, 545; IV, 644, 657, 707, 716; V, 847, 874, 956; VI, 998, 1067, 1130; VII, 1162, 1178, 1235, 1238, 1340; VIII, 1409, 1481, 1483, 1486, 1496, 1505, 1512-1523; IX, 1564, 1695, 1708; X, 1786, 1842, 1845, 1847, 1889, 1897; XII, 2268; XIII, 2460, 2462; XIV, 2558, 2564, 2580-2581, 2605, 2635-2636, 2658, 2671-2672, 2674; XV, 2783; XVI, 2938, 2972, 3005, 3028, 3035, 3046, 3049, 3051-3053; XVII, 3096, 3152, 3155, 3175; XVIII, 3310, 3314, 3380, 3429, 3432, 3442; XIX, 3502, 3579; XX, 3686; XXI, 3852, 3934, 4021-4022, 4024; XXII, 4058.

JEREMIAH, THE EPISTLE OF (Apocrypha), II, 208, 363; VIII, 1523; XV, 2812; XVIII, 3404.

JEREMY, EPISTLE OF, VIII, 1523 (*see also* preceding entry in Index).

"Jeremy Epistle," the, II, 364.

JEREMIAS, VIII, 1526.

JEREMOTH, VII, 1295; VIII, 1526, 1534.

JEREMY, VIII, 1526.

JERIAH, VIII, 1526.

JERIBAI, V, 919; VIII, 1526.

JERICHO, I, 29, 57, 59-60, 82, 86, 95, 120, 142, 170; II, 228, 242, 245-248, 255-256, 265, 362; III, 399, 406, 410, 413, 461, 502, 531, 555; IV, 768; V, 819, 842, 874, 910, 936, 946; VI, 1106, 1131; VII, 1160, 1171-1172, 1197, 1229, 1295, 1331, 1333-1334; VIII, 1416, 1469, 1504, 1526-1531; IX, 1708; X, 1746, 1748, 1751; XI, 2020, 2078; XII, 2244, 2260, 2273, 2287; XIII, 2320, 2344-2346, 2356, 2378, 2382, 2388, 2398, 2419, 2460; XIV, 2558, 2593, 2650; XV, 2724-2725, 2728-2729, 2756, 2840, 2856-2857; XVI, 2942; XVII, 3111, 3152, 3163; XVIII, 3276, 3340, 3388, 3454; XIX, 3470, 3570, 3613; XXI, 3934, 3973, 3992, 4001, 4028.

JERIEL, VIII, 1534.

JERIJAH, VIII, 1526.

JERIMOTH, II, 330; VIII, 1526, 1534; XI, 2054.

"Jericho rose," IX, 1643.

JERIOTH, VIII, 1534.

JEROBOAM I (king of Israel), I, 25, 113; II, 329, 336; III, 401, 411; IV, 608, 714; V, 795, 813, 820, 945, 947, 949; VI, 1111; VII, 1185-1186, 1203; VIII, 1417, 1419, 1423, 1425, 1427, 1458, 1480-1481, 1488, 1497, 1534-1536; X, 1759, 1778, 1852, 1861-1862; XI, 1946; XII, 2205, 2275; XIII, 2388, 2419, 2460; XIV, 2623, 2641, 2656, 2658; XV, 2697-2698, 2739, 2742, 2818, 2820, 2823, 2866; XVI, 3942, XVII, 3183; XVIII, 3339, 3453; XIX, 3517, 3642; XX, 3808; XXI, 4012, 4029; XXII, 4039, 4041, 4056.

JEROBOAM II (king of Israel), I, 150, 157; II, 228, 292, 364; III, 402, 411; IV, 706, 712; VI, 1118; VII, 1232, 1250, 1320, 1322; VIII, 1419, 1430-1431, 1482, 1536; IX, 1691, 1693; X, 1782; XII, 2190, 2220, 2304; XIV, 2680; XVIII, 3308; XXI, 4012.

JEROHAM, IX, 1543.

Jerome Bible Commentary, IV, 600, 655; XI, 1987; XII, 2162.

JERUBBAAL (son of Gideon), II, 331; XII, 1163; IX, 1543.

JERUBBESHETH, VII, 1163; IX, 1543.

JERUEL, IX, 1543.

JERUSALEM, I, 22-23, 29, 47-49, 61, 63-64, 66-69, 71-79, 87, 90-92, 95, 108-111, 115-118, 120, 122-123, 126, 128, 130, 134, 136, 140, 143, 145, 147, 149, 150, 154, 161-165, 170, 173-174, 180, 182, 185-186, 189; II, 199-200, 202, 215, 217, 219, 222, 231, 234-235, 248-249, 254, 257, 262, 264, 267, 277-278, 280-281, 283, 288, 292-293, 295, 302-303, 322, 324-330, 332, 334-336, 343, 349, 352-353, 356-357, 359-360, 362-364, 372, 375-376; III, 391, 393, 396, 399, 402, 404-406, 408, 410-411, 413, 415, 420, 425-426, 457, 460, 477-478, 493, 497, 501-502, 507-512, 518, 526-527, 543, 551-553, 556, 558-560, 562-565, 568, 571-573, 576; IV, 583-584, 586, 592, 599, 601, 609, 612-614, 618-620, 624, 640, 646-647, 650-651, 653, 656, 658, 662, 669, 672, 674, 677-678, 680, 695, 698-700, 702, 704, 708, 719-720, 731, 740, 749, 751, 758, 762, 764-768; V, 775, 783, 785-786, 790-791, 793-795, 798, 803-804, 812, 819, 821, 836, 845, 847-848, 850, 858-860, 873-876, 879-880, 882-883, 887-889, 906-908, 918-919, 921, 923-927, 931, 936-937, 947, 949, 956-957, 959; VI, 968, 971, 985, 988-989, 991, 999, 1015-1018, 1021-1022, 1024, 1027, 1029-1030, 1032-1034, 1038-1042, 1050, 1054, 1062, 1064, 1066, 1071, 1073, 1083, 1086-1087, 1092, 1095, 1097, 1100, 1107-1110, 1112-1116, 1119, 1124, 1126, 1128-1129, 1131, 1133, 1147-1149, 1151; VII, 1159-1160, 1162, 1170, 1172, 1178,

1185-1186, 1190, 1197, 1213-1214, 1216-1217, 1221, 1224, 1229, 1231, 1234, 1238, 1246, 1251-1252, 1256, 1262, 1264-1265, 1267-1268, 1270-1273, 1277, 1282, 1287, 1289, 1292-1295, 1297, 1299-1301, 1303, 1309, 1315-1316, 1319, 1322, 1324, 1329, 1332, 1335, 1339; VIII, 1351-1352, 1356-1360, 1363, 1377, 1380-1381, 1390, 1392-1394, 1398, 1400, 1404, 1406, 1409, 1417, 1420-1423, 1425, 1430, 1436, 1441, 1444, 1458, 1462-1463; 1472-1473, 1475-1480, 1482-1486, 1492-1493, 1499, 1504, 1506, 1509, 1511-1512, 1517, 1520, 1523, 1531, 1534-1535; IX, 1543-1568, 1571, 1575, 1579-1580, 1582, 1584, 1589, 1591-1592, 1594, 1598, 1601, 1606, 1626-1629, 1632, 1634, 1636, 1638, 1641, 1646, 1653, 1659-1661, 1663-1664, 1667, 1670, 1674-1675, 1678, 1685, 1687-1688, 1701, 1705, 1707, 1711-1712; X, 1735, 1738, 1740, 1742, 1747, 1751-1752, 1762-1763, 1769, 1773, 1775-1778, 1780-1783, 1785-1788, 1791-1792, 1798-1799, 1806, 1822, 1826, 1832-1834, 1837-1838, 1845, 1847, 1858, 1862-1863, 1865, 1867-1868, 1874-1875, 1882, 1884-1885, 1889, 1904-1907, 1912-1913, 1916-1917, 1919; XI, 1928, 1930, 1934, 1946, 1948, 1952, 1979-1980, 1982, 1984, 1986-1987, 1989, 1994-1995, 1997, 2001-2003, 2005-2006, 2008-2010, 2012-2017, 2021, 2023-2024, 2026, 2032-2033, 2035-2037, 2043, 2049, 2054, 2057-2058, 2060-2061, 2064-2065, 2069, 2071, 2074, 2078, 2080, 2083, 2087, 2092-2093, 2095, 2098, 2101, 2108, 2111; XII, 2130, 2133-2134, 2136, 2142, 2146-2148, 2153, 2161, 2176, 2187, 2196, 2200-2202, 2007, 2209-2210, 2213-2214, 2216, 2218, 2220, 2229, 2232, 2235, 2237, 2239-2240, 2243-2244, 2246, 2249, 2251-2252, 2270, 2279, 2283, 2287, 2295, 2297, 2301, 2304; XIII, 2312, 2314, 2330, 2373, 2376, 2379-2382, 2388, 2393, 2397, 2413, 2415, 2418-2419, 2439, 2441-2443, 2448, 2459, 2462, 2464-2465, 2470, 2472, 2474, 2477-2478, 2481-2482, 2484, 2486-2487, 2492-2493, 2495; XIV, 2503, 2508-2511, 2521, 2528, 2531, 2533, 2535-2536, 2538, 2540-2541, 2545, 2550-2551, 2553, 2563, 2565, 2577, 2579, 2597, 2605, 2607, 2609, 2612, 2617-2618, 2629, 2640, 2650, 2657, 2662-2663, 2672, 2674, 2683, 2685, 2687; XV, 2700-2702, 2704, 2715, 2719-2721, 2729, 2737, 2745-2746, 2756, 2763, 2767-2768, 2770, 2775, 2777-2779, 2782, 2786, 2789-2791, 2793, 2795-2798, 2800, 2802, 2804, 2814-2815, 2834, 2837-2840, 2842, 2845, 2853, 2864; XVI, 2901-2902, 2904, 2911-2912, 2916-2917, 2919, 2926, 2929, 2931-2932, 2936, 2940, 2955, 2972-2973, 2979, 2982, 2984, 2987, 2993, 3000, 3002, 3006, 3014-3015, 3019-3020, 3033, 3035, 3058, 3064; XVII, 3083-3084, 3099, 3101, 3112, 3120, 3131, 3133, 3139, 3143-3144, 3149, 3155, 3157, 3166, 3174-3175, 3181, 3183-3185, 3187-3188, 3234, 3236, 3239, 3242, 3246, 3250, 3252, 3260, 3264; XVIII, 3281, 3283, 3289, 3293, 3297-3298, 3306, 3310, 3312, 3314, 3326, 3337-3338, 3341-3342, 3344, 3352, 3356-3357, 3383, 3387, 3396, 3398, 3400, 3402, 3407, 3414, 3418, 3420, 3423, 3426, 3429-3430, 3434-3436, 3438-3442, 3444, 3446-3448, 3453-3455; XIX, 3463, 3465-3466, 3468, 3470, 3476, 3483, 3487, 3495-3497, 3515, 3517-3518, 3523, 3533, 3545, 3547, 3555, 3564, 3567, 3570-3572, 3579, 3587-3588, 3609-3610, 3614, 3616-3617, 3622-3623, 3627, 3631, 3636-3637, 3639, 3642, 3644-3646; XX, 3662, 3680, 3684, 3690, 3704, 3708, 3710, 3712, 3718, 3720, 3724-3725, 3728-3729, 3731-3732, 3734-3735, 3738, 3748-3749, 3754, 3758, 3761, 3771, 3774, 3776, 3780, 3793, 3797, 3800, 3807-3808, 3817, 3821, 3828, 3826, 3840; XXI, 3848, 3850-3854, 3856, 3859, 3864, 3868, 3872, 3908, 3924, 3928, 3949, 3991-3993, 3995, 3997-3998, 4000-4003, 4009, 4011-4013, 4017-4018, 4021, 4024-4025, 4027, 4029, 4031-4032; XXII, 4041-4042, 4044, 4046-4047, 4052-4053, 4057, 4059-4061.

JERUSALEM, GATES OF, III, 402, 558; V, 949; VI, 1073, 1087; VII, 1318; IX, 1561-1567; XII, 2268; XIV, 2597; XVIII, 3419, 3434; XIX, 3579.

JERUSALEM BIBLE, III, 457, 464; IX, 1567; XIV, 2510; XVII, 3232.

Jerusalem Apostolic Council (A.D. 49-52), VIII, 1471.

Jerusalem Isaiah, the (see "Deutero-Isaiah" in Index).

Jerusalem Talmud, XIX, 3623; XX, 3675 (see also "Talmud" in Index).

JERUSHA, IX, 1567.

JERUSHAH, IX, 1567.

JESAIAH, IX, 1567.

JESHAIAH, IX, 1567; XV, 2715.

JESHANAH, IX, 1567.

JESHARELAH, IX, 1567.

JESHEBEAB, IX, 1567.

JESHER, II, 330; IX, 1567.

JESHIMON, II, 350; IX, 1568.

JESHISHAI, IX, 1568.

JESHOHAIAH, IX, 1568.

JESHUA (various personages), VI, 1038; VIII, 1496; IX, 1568; XVIII, 3407.

JESHURUN, IX, 1568-1569.

JESIAH, IX, 1569.

JESIMIEL, IX, 1569.

JESSE (father of King David), I, 29, 96; III, 492; IV, 732-733; V, 949; IX, 1569, 1571; XII, 2228; XIII, 2421, 2439, 2453; XIV, 2607; XV, 2719; XVII, 3151; XVIII, 3325, 3364, 3366, 3423, 3447; XXII, 4044.

JESSUE, IX, 1571.

JESU, IX, 1571.

JESUI, VIII, 1411, 1436; IX, 1571.

Jesuites, VIII, 1411.

JESURUN, IX, 1568-1569.

JESUS BEN SIRACH (compiler of Ecclesiasticus), II,

210; III, 543, 550; IV, 718, 720; V, 852, 855, 860; IX, 1571-1573; XIII, 2480; XV, 2834; XXI, 3947, 3949, 3951.

JESUS CHRIST, I, 18, 31, 57, 61-64, 66-67, 71-72, 74, 87, 94-95, 97-98, 101, 132, 134, 140, 145, 165-166, 172, 174-175, 177, 179-180; II, 207, 212-229, 227, 231, 233, 281-283, 295, 298, 305, 317, 319-320, 323-324, 328, 335, 354-362, 379; III, 391, 406, 408-409, 412, 415-417, 420, 427, 429, 431, 433, 443, 454, 459-460, 469, 473-475, 478, 485-486, 488-491, 499-501, 505, 512, 526-527, 530, 537-538, 546, 549-551, 559-560, 562, 573; IV, 583, 585-586, 589-592, 598-602, 606, 608, 612-614, 617, 619, 625, 634-636, 638, 642, 644-646, 648-650, 652, 656, 659, 668, 674, 676-690, 698-699, 704, 708, 723, 731, 759, 766; V, 782, 788-790, 792, 798-799, 801, 811, 813, 815, 818-819, 825-827, 831, 836, 843, 847, 887-889, 892, 898-899, 908, 910, 919, 924, 938, 942-943, 949-950, 956-958; VI, 967-968, 972, 988-991, 997, 999, 1005, 1014-1015, 1045, 1047, 1054, 1061-1063, 1066, 1070, 1072-1073, 1079, 1087-1097, 1099-1100, 1108, 1112, 1114, 1117-1119, 1133-1135, 1141, 1144, 1149-1150; VII, 1169, 1177, 1179, 1183-1184, 1190, 1197, 1205-1209, 1240, 1261-1263, 1267, 1270, 1274-1275, 1279, 1282-1283, 1286-1287, 1294, 1298, 1312-1314, 1319, 1321, 1329, 1343-1344; VIII, 1358, 1360-1363, 1366-1367, 1377, 1381, 1386, 1397, 1436, 1456, 1464, 1466, 1468-1469, 1471-1472, 1474, 1531; IX, 1543, 1559, 1571, 1573-1614, 1641, 1664-1665, 1667-1668, 1670, 1673-1674, 1678, 1680, 1683, 1685, 1687, 1693, 1695, 1699, 1708, 1711-1712; X, 1735, 1737-1738, 1742, 1744, 1761-1762, 1769, 1771, 1774, 1791, 1794-1795, 1804, 1814, 1819, 1822, 1835-1836, 1842-1843, 1845, 1847, 1850-1851, 1882, 1884, 1889, 1893, 1901-1907, 1915-1917, 1919; XI, 1928, 1931-1932, 1937, 1940, 1957, 1960, 1963, 1065-1969, 1972, 1974, 1979-1980, 1982, 1984, 1986-1987, 1989, 1991, 1993, 1995, 1997, 2038, 2045, 2051, 2053-2054, 2061, 2071-2072, 2075, 2083, 2085, 2087, 2089-2095, 2097-2098, 2100-2101, 2103, 2108, 2110-2111; XII, 2119, 2121, 2123-2124, 2126, 2130, 2133-2135, 2147, 2149, 2153, 2156, 2162-2163, 2165, 2167-2171, 2174, 2178, 2182, 2185, 2192, 2201-2202, 2205, 2215, 2226, 2230-2232, 2250-2251, 2279-2281, 2283-2287; XIII, 2326, 2373, 2375, 2378-2379, 2381-2382, 2387, 2402, 2409, 2419, 2423, 2425, 2427-2428, 2435-2436, 2439, 2448-2451, 2453-2457; XIV, 2503, 2506, 2510, 2512-2513, 2518, 2521-2524, 2526, 2528, 2531, 2533, 2536, 2538-2540, 2542-2544, 2552-2553, 2562, 2568, 2578, 2597, 2599, 2601, 2607, 2609, 2611, 2615, 2618-2619, 2621, 2625, 2631, 2671, 2683, 2688; XV, 2748, 2750, 2752-2755, 2762, 2764, 2767-2768, 2770, 2774-2775, 2777, 2779-2780, 2785-2786, 2789, 2794-2796, 2805-2806, 2813-2816, 2840; XVI, 2887-2888, 2891-2892, 2897, 2906, 2908-2910, 2914-2915, 2918-2919, 2922, 2929, 2931, 2940, 2955, 2960, 2972-2973, 2975, 2981, 2983, 2990, 2993-2995, 2997-2998, 3000, 3002-3006, 3010-3011, 3015, 3020, 3022, 3027, 3029, 3044, 3057-3058, 3060, 3065; XVII, 3079, 3093, 3101-3102, 3125, 3131, 3136, 3142-3144, 3152, 3155, 3175-3177, 3181, 3187, 3198, 3201, 3207, 3216, 3218, 3222, 3228, 3236, 3239, 3250-3251, 3256-3257, 3260-3261, 3264; XVIII, 3272, 3274, 3276, 3278, 3283, 3293, 3296, 3298, 3300, 3312-3313, 3339, 3341-3344, 3357, 3359, 3375, 3378-3380, 3384, 3387, 3405, 3408, 3410-3411, 3414-3416, 3434-3436, 3446, 3452; XIX, 3470, 3472, 3474, 3476, 3478, 3482, 3485, 3487-3488, 3490, 3502, 3504, 3530, 3547, 3549, 3555, 3558-3559, 3561, 3564, 3566, 3570, 3577, 3581, 3585-3588, 3592-3593, 3596-3597, 3599, 3603-3604, 3608, 3614, 3621-3622, 3624, 3626, 3628, 3631, 3635, 3644-3645; XX, 3659, 3676, 3678, 3684, 3686, 3691-3692, 3694, 3696, 3700, 3703, 3707, 3709-3711, 3716, 3733, 3747, 3768-3771, 3776, 3778, 3780-3781, 3784, 3790, 3795, 3797, 3799-3801, 3819, 3821, 3831-3834, 3836-3837; XXI, 3852, 3864, 3868, 3877-3878, 3880, 3888, 3890, 3892, 3895, 3908, 3911, 3927-3928, 3930, 3942, 3051-3052, 3063, 3970-3971, 3992, 3995, 3998, 4001-4002, 4020; XXII, 4041.

"Jesus Church Bible," the, VI, 1144.

JETHER, VII, 1163; VIII, 1437; IX, 1622.

JETHETH, IX, 1622.

JETHLAH, IX, 1622.

JETHRO (father-in-law of Moses), III, 507; V, 878; VI, 1146; VII, 1308; IX, 1622-1623, 1645; X, 1841-1842; XI, 2107; XII, 2189, 2247; XIII, 2335, 2341, 2355; XV, 2872; XVII, 3152, 3212; XVIII, 3288; XXII, 4056.

JETUR, VIII, 1439; IX, 1623.

JEUEL, IX, 1623.

JEUSH, I, 118; IX, 1623.

JEUZ, IX, 1623.

JEWELS AND PRECIOUS STONES, VIII, 1444, 1477; IX, 1623-1625; XI, 1960; XVIII, 3353, 3427; XX, 3749; *passim*.

Jewish Publication Society, III, 454.

JEWISH REVOLT, I, 163; III, 404, 411, 511-512; IV, 599, 602, 614, 763; V, 860; VI, 968, 1146; VII, 1277, 1282; VIII, 1468; IX, 1560, 1625-1629; X, 1738, 1742, 1804; XI, 1984, 2094; XII, 2136; XIII, 2387; XIV, 2506; XVI, 2983; XVII, 3136, 3264; XVIII, 3435; XIX, 3466, 3468, 3590; XX, 3728; XXI, 3865, 3872, 4002.

JEZANIAH, VII, 1324; IX, 1629.

JEZEBEL (consort of King Ahab), I, 102, 111-112; II, 310, 331, 334, 378; V, 879, 891, 893-894, 897, 912; VI, 986; VII, 1335; VIII, 1356, 1419, 1427, 1488,

1490, 1497; IX, 1629-1631; X, 1780, 1863; XI, 2053; XIII, 2416-2417; XIV, 2603, 2619, 2657; XV, 2697, 2742; XVI, 2932, 3043; XVII, 3083; XVIII, 3308, 3383; XX, 3827; XXI, 3957; XXII, 4047-4048.
JEZELUS, IX, 1632.
JEZER, IX, 1632; XIII, 2439.
JEZIAH, IX, 1632.
JEZIEL, IX, 1632.
JEZLIAH, IX, 1632.
JEZOAR, IX, 1632.
JEZRAHIAH, IX, 1632, 1634.
JEZREEL (various personages), IX, 1634; XVIII, 3272.
JEZREEL (place), I, 102, 111, 162; II, 201; III, 421, 554; V, 776, 779, 897, 912, 931, 957; VII, 1163, 1249, 1320; VIII, 1428, 1488, 1497; IX, 1631, 1634-1636, 1689; X, 1751, 1811, 1869; XII, 2196, 2218; XIII, 2329, 2374, 2386, 2416; XVI, 2926; XVIII, 3306, 3453; XIX, 3464, 3609; XXI, 4007; XXII, 4041.
JIBSAM, IX, 1636.
JIDLAPH, IX, 1636.
Jifneh, XV, 2704.
Jiljulieh, VII, 1172.
JIMNA, IX, 1636.
JIMNAH, II, 287; IX, 1636.
Jimnites, IX, 1636.
Jimzu, VII, 1172.
JIPHTAH, IX, 1636.
JIPHTAH-EL, IX, 1636.
JOAB (King David's military commander), I, 21, 29-30, 47, 50, 91, 143, 146-147; II, 277, 280, 335, 368, 377; III, 505; IV, 696, 714, 729, 738, 743-744, 746-747, 749; V, 835, 949; VI, 1052, 1060, 1151; VII, 1161, 1220, 1246, 1269; VIII, 1405-1406; IX, 1546, 1548, 1636-1638; X, 1865; XII, 2189; XIII, 2419; XV, 2864; XVIII, 3286, 3427, 3455; XIX, 3495, 3510, 3512-3513, 3517, 3557, 3621, 3637; XX, 3735; XXI, 3847; XXII, 4044, 4059.
JOACHAZ, IX, 1638.
JOACHIM, IX, 1638.
Joachim (father of Mary), XII, 2119.
JOACIM, VII, 1303; IX, 1638; XIX, 3581.
JOADANUS, IX, 1638.
JOAH, II, 281; IX, 1638; XIV, 2625.
JOAHAZ, IX, 1638.
JOANAN, IX, 1638.
JOANNA (various personages), IV, 617; IX, 1638; XII, 2134; XIX, 3581.
Joan of Arc, XII, 2243.
JOARIB, VIII, 1475; IX, 1638.
JOASH (king of Israel), II, 201; V, 918; VIII, 1481-1482; XIV, 2599 (see also "Jehoash" in Index).
JOASH (king of Judah), I, 111, 144; VII, 1254; VIII, 1409, 1480, 1485, 1494-1496; IX, 1543, 1564, 1639, 1641, 1661; X, 1763, 1780-1781, 1863; XII, 2146; XIV, 2658, 2679; XVII, 3163; XVIII, 3446, 3448, 3455; XIX, 3476, 3642; XXI, 3991, 4012; XXII, 4045-4046.
JOASH (various minor personages), VII, 1160, 1162; IX, 1641; XVIII, 3438.
JOATHAM, IX, 1641.
JOAZABDUS, IX, 1641.
JOB, I, 94; II, 357, 363; III, 477, 497; IV, 759; V, 788, 815, 891, 906; VII, 1306; VIII, 1375, 1499; IX, 1641-1657; X, 1842, 1845; XI, 2100; XIII, 2315, 2389-2390, 2412; XIV, 2597, 2665; XVI, 2995; XIX, 3639; XX, 3659, 3736; XXI, 3852, 3976; XXII, 4059.
JOB, THE BOOK OF (Old Testament), I, 97; III, 428, 435-436, 447, 474, 477, 502, 546-547; IV, 716, 720, 759; V, 788, 845, 855, 857; VI, 1124; VII, 1181, 1227; VIII, 1445, 1475; IX, 1641-1657; X, 1835; XI, 1940; XII, 2145, 2175, 2196, 2259; XIV, 2635-2636, 2638, 2663, 2665, 2685; XV, 2712; XVI, 2972-2973, 3065; XVII, 3079, 3088, 3102, 3155, 3175; XVIII, 3358, 3375, 3413; XIX, 3502, 3529, 3531, 3579; XXI, 3943, 3949-3950.
JOBAB (king of Edom), III, 496; VIII, 1434; IX, 1645, 1659; XI, 2043; XIX, 3639; XXII, 4039.
Job and his Wife (by Durer), IX, 1646.
Job Conversing with His Friends (by Rembrandt), IX, 1647.
JOCHEBED (mother of Moses), I, 13; IX, 1659; XI, 1935; XII, 2291; XIII, 2335; XIV, 2622.
JOD, IX, 1659.
JODA, IX, 1659.
JOED, IX, 1659; XVII, 3102.
JOEL (Prophet), II, 319; IX, 1660-1662; X, 1848; XI, 1965; XIV, 2679; XVI, 2901; XXI, 3988.
JOEL (son of Samuel), I, 22; II, 378; VII, 1272; IX, 1661-1662; XXI, 3859, 3861.
JOEL (various minor personages), IX, 1661-1662; X, 1829; XI, 2069; XV, 2818.
JOEL, THE BOOK OF (Old Testament), II, 204, 208; III, 428, 435; IV, 759; VI, 1126; VII, 1312; VIII, 1361, 1374, 1493; IX, 1660; XIV, 2635-2636, 2679-2680; XVI, 2972; XVIII, 3454; XXI, 3858.
JOELAH, VI, 1130; IX, 1662.
JOEZER, IX, 1662.
JOGBEAH, VI, 1111; IX, 1662; XIV, 2578.
JOGLI, IX, 1663.
JOHA, IX, 1663; XVIII, 3448; XX, 3735.
JOHANAN (High Priest and others), V, 883; VI, 1030, 1032; VII, 1229; VIII, 1377; IX, 1663; X, 1838.
JOHANNES, IX, 1663.
JOHANNINE EPISTLES, IX, 1664, 1666; XIV, 2547; XV, 2764; *passim*.

INDEX 4137

JOHN (various personages), IX, 1663-1664.
JOHN, THE GOSPEL ACCORDING TO ST. (New Testament), I, 61, 98, 165, 174; II, 212, 283, 356; III, 405, 412, 417, 443, 448, 463, 501, 530, 559; IV, 589, 592, 598, 601, 634-635, 685, 688; V, 801, 811, 957; VI, 1068, 1087-1098, 1119, 1150; VII, 1183, 1199, 1311, 1313, 1344; VIII, 1450; IX, 1576, 1584, 1589-1592, 1594, 1598, 1602-1603, 1607, 1664, 1666-1675, 1677, 1679, 1685, 1687; X, 1737, 1794-1795, 1822, 1842, 1845, 1904, 1916-1917, 1919; XI, 1965, 1987, 2061, 2110; XII, 2124, 2130, 2285-2286; XIII, 2448; XIV, 2518, 2521-2523, 2526, 2531, 2535-2536, 2547, 2549, 2552, 2624; XV, 2753, 2764, 2768, 2770, 2775, 2777, 2840; XVI, 2887, 2915, 3010, 3029; XVII, 3143, 3181, 3264; XVIII, 3313, 3387; XIX, 3472, 3474, 3476, 3482, 3487, 3547, 3549, 3586, 3592, 3597; XX, 3686, 3700, 3707, 3778, 3780, 3795; XXI, 3928.
JOHN, THE FIRST EPISTLE OF (New Testament), I, 18, 179; VII, 1275, 1313; VIII, 1358; IX, 1664-1666, 1677; XIV, 2524, 2547, 2597; XV, 2764.
JOHN, THE SECOND EPISTLE OF (New Testament), III, 447, 540; V, 882; IX, 1664-1666, 1677; XIV, 2522, 2547.
JOHN, THE THIRD EPISTLE OF (New Testament), III, 433, 436, 447, 538; V, 785, 811; VI, 1112; IX, 1664-1666, 1677; XIV, 2522, 2547; XX, 3722.
JOHN THE BAPTIST, I, 71, 95, 121, 165; II, 353, 355-356; III, 409, 412; IV, 619, 656, 766; V, 811, 815, 818, 897, 899, 907-908; VI, 972, 1062-1063, 1108; VII, 1177, 1283-1284, 1286-1287, 1312-1313; VIII, 1375; IX, 1576, 1579, 1584-1585, 1590, 1592; IX, 1664, 1667-1668, 1673, 1677-1683, 1711; X, 1738, 1850, 1886, 1889; XI, 1989, 1993-1995, 2001, 2042, 2054, 2060, 2083, 2090-2091, 2094-2095, 2097-2098; XII, 2123, 2162, 2165, 2167, 2231; XIII, 2454, 2456, 2459; XIV, 2531, 2533, 2687; XV, 2753, 2840; XVI, 2887, 2917, 3010, 3019, 3027, 3058; XVII, 3142, 3187; XVIII, 3298, 3300-3301; XXI, 3890, 3928, 3955, 3993, 3995.
JOHN THE BELOVED DISCIPLE, IX, 1664, 1670, 1685, 1687.
JOHN THE DIVINE, IX, 1664, 1687.
JOHN THE APOSTLE (son of Zebedee), I, 73, 165, 172, 175; II, 208, 213-214, 217; III, 491; IV, 598, 680, 766; V, 942; VI, 1091; VII, 1240; VIII, 1367, 1466, 1471; IX, 1663-1667, 1674-1678, 1685, 1687; X, 1904, 1906-1907; XI, 1989, 1991, 1994-1995, 2094, 2098; XII, 2182, 2279-2280; XIV, 2524, 2531, 2535-2536, 2538, 2547, 2553; XV, 2764, 2785, 2789; XVI, 2887-2888, 2890; XVIII, 3300, 3312, 3452; XIX, 3485; XX, 3769, 3795, 3799; XXI, 4009.
JOHN HYRCANUS (Hasmonaean monarch), I, 124-125, 179, 189; II, 199, 240, 248, 263-264, 287; V, 787, 858; VI, 979, 1118, 1151; VII, 1214, 1252, 1276, 1344; VIII, 1358, 1380, 1421; IX, 1663, 1687-1688; X, 1766, 1832; XI, 1937, 2020-2022, 2033, 2080-2081, 2083; XII, 2190; XIII, 2373; XVI, 2909; XVII, 3112, 3136; XVIII, 3295, 3310, 3312, 3342, 3380, 3432; XIX, 3483, 3485.
JOHN MACCABEUS, II, 227; III, 508; VIII, 1464; IX, 1663, 1688, 1704, 1712; XI, 2013, 2015; XII, 2148, 2188-2190; XIII, 2415, 2419.
JOHN MARK (Evangelist), VI, 1091, 1097; IX, 1688; XIV, 2531; XV, 2797-2798, 2800; *passim* (*see also* "Mark" in Index).
John I (king of Aragon); III, 471.
John XXIII, Pope, IX, 1724; XXI, 3981.
John of Damascus (c. 675-749), XV, 2834.
John of Gischala, X, 1739.
John of Lemberg, III, 469.
JOIADA, IX, 1688, 1701.
JOIAKIM (High Priest), VII, 1239; IX, 1688, 1701; XII, 2212; XVIII, 3429; XXI, 3854.
JOIARIB, IX, 1688.
JOKDEAM, IX, 1688.
JOKIM, IX, 1688.
JOKMEAM, IX, 1688-1689.
JOKNEAM, III, 554; IV, 696; IX, 1689.
JOKSHAN, V, 782; IX, 1689.
JOKTAN (son of Eber), I, 25, 133; V, 804, 847; VII, 1222; VIII, 1434, 1504; IX, 1689; XII, 2218; XIV, 2607; XV, 2820; XVIII, 3402, 3436; XXI, 3852.
JOKTHEEL, IX, 1690; XVIII, 3389.
JONA, IX, 1690.
JONADAB, I, 149; VIII, 1486, 1488; XIX, 3628.
JONAH (Prophet), I, 146; VI, 1072, 1126; VIII, 1536; IX, 1690-1693, 1695, 1699, 1705; XI, 1965; XII, 2279; XIV, 2561, 2681, 2683; XIX, 3472, 3632; XX, 3808.
JONAH, THE BOOK OF (Old Testament), III, 428, 435, 449; IV, 660, 768; IX, 1567, 1690, 1693, 1695; XIII, 2425; XIV, 2561, 2635-2636, 2681, 2683; XVI, 2972, 3000, 3063; XX, 3821, 3823.
JONAS, IX, 1699; XVI, 2887.
JONATHAN (son of King Saul), I, 111; II, 290, 330; III, 478, 493, 495; IV, 733-734, 743, 748, 751, 768; V, 836; VI, 967, 1027, 1060, 1128; VII, 1238; VIII, 1409, 1474-1475, 1480; IX, 1634, 1699-1701; XI, 1964, 2042, 2047; XII, 2179, 2201-2202, 2209, 2211, 2233, 2241, 2244; XIII, 2375, 2389, 2391, 2393, 2402; XIV, 2622, 2636; XV, 2860; XVI, 2926, 2943; XVII, 3158, 3163, 3187, 3245; XVIII, 3324, 3360-3361, 3365-3366, 3369, 3399, 3427; XIX, 3621; XXI, 3750, 4027; XXII, 4045.
JONATHAN (spy of King David), II, 349; IX, 1701.
JONATHAN (grandson of Moses), IV, 714; IX, 1701.

JONATHAN (various minor personages), I, 115; V, 936; IX, 1701; XVI, 3017; XVIII, 3419, 3423, 3446.
Jonathan, RABBI, XIX, 3531.
JONATHAN MACCABEUS, I, 124, 144, 188; II, 199, 201, 217, 227, 261, 287, 291, 294, 348, 364; III, 409, 414, 508, 526, 552; IV, 704; V, 786-787, 883; VI, 1127-1128; VII, 1205, 1214, 1234, 1252; VIII, 1380, 1421, 1464, 1476; IX, 1556, 1663, 1688, 1704-1706; X, 1766, 1792, 1801, 1841, 1910; XI, 2013, 2015-2018, 2020-2021, 2032-2033; XII, 2136, 2148, 2189, 2245; XIII, 2311, 2419; XIV, 2593, 2628; XV, 2700; XVI, 2912; XVII, 3111, 3158; XVIII, 3294; XIX, 3483, 3638; XX, 3686, 3690, 3718, 3794; XXI, 3991.
JONATHAS, IX, 1705.
JONATH-ELEM-RECHOKIM, IX, 1705.
Jonson, Ben (poet) (c. 1573-1637), III, 440; XIV, 2669.
JOPPA, JOPPE, I, 189; II, 199, 217, 285; V, 786, 823, 946; VI, 1067, 1151; VIII, 1474, 1498; IX, 1701, 1705-1706; X, 1832; XI, 1964, 2013, 2018, 2021; XII, 2201, 2287; XIV, 2538, 2617; XV, 2701; XVI, 2890; XVII, 3155; XVIII, 3424, 3451; XIX, 3514.
JORAH, IX, 1707.
JORAI, IX, 1707.
JORAM, VII, 1222; VIII, 1488, 1490; IX, 1708; XII, 2190 (*see also* "Jehoram" in Index).
JORDAN RIVER, I, 18, 22, 37, 86, 95, 113, 120, 123, 136, 152, 186; II, 228, 244-245, 256, 265, 287, 308, 330, 352, 356, 364, 376, 378; III, 394, 399, 402, 408-409, 412, 419, 421, 423, 425-426, 477, 484, 493, 495, 511, 530, 555, 559, 565-567, 569; IV, 619-620, 655, 714, 731, 746, 759, 768; V, 777, 782, 796, 803, 811, 819, 856, 859, 879, 889, 891, 908, 910, 924, 936, 946, 949; VI, 1005, 1027, 1059, 1071, 1084, 1110-1112, 1127, 1129; VII, 1163, 1170-1172, 1174, 1185, 1224, 1232, 1246, 1253, 1266, 1273, 1277, 1295; VIII, 1356, 1413, 1416, 1427, 1430, 1434, 1441-1443, 1462, 1464, 1478-1481, 1497, 1502, 1526, 1531, 1536; IX, 1585, 1662, 1678, 1688, 1708-1711; X, 1744, 1746-1748, 1751-1752, 1775-1776, 1799, 1839, 1841, 1845, 1865; XI, 1944, 1947-1948, 1962, 1964, 2042, 2054, 2071, 2075; XII, 2189, 2201, 2247, 2249, 2273, 2276, 2299, 2301-2302, 2343, 2375, 2378; XIII, 2411, 2415, 2419, 2439-2440, 2460; XIV, 2558, 2578, 2583, 2593, 2606, 2629, 2647-2648; XV, 2705, 2722, 2724, 2726, 2728-2729, 2818, 2822-2823, 2832, 2840, 2856, 2858; XVI, 2910, 2926, 2931, 2969, 3009; XVII, 3139, 3144, 3152, 3158, 3182, 3209, 3234, 3246, 3297; XVIII, 3340, 3360, 3384, 3419, 3425-3426, 3439, 3441-3442, 3444, 3454, 3456; XIX, 3474, 3527, 3570, 3609, 3613; XX, 3699, 3804, 3816-3817, 3840, 3934; XXI, 4000, 4002, 4007, 4010; XXII, 4039, 4049, 4061.
Jordan (modern), II, 298; XIII, 2415; XV, 2746, 2796; *passim*.

JORIBUS, IX, 1711.
JORIM, IX, 1711.
JORKOAM, IX, 1711-1712.
JOSABAD, IX, 1712.
JOSAPHAT, IX, 1712.
JOSAPHIAS, IX, 1712.
JOSE, IX, 1712.
JOSEDECH, IX, 1712.
JOSEPH (twelfth son of Jacob), I, 133; II, 230, 285, 308, 366; III, 396-397, 399, 402, 488, 505; IV, 634, 695; V, 805, 813, 823, 826, 835, 843, 867, 943, 945-946; VI, 1000, 1005, 1009, 1054, 1110, 1136, 1139, 1141; VII, 1168-1169, 1181, 1239, 1263, 1268, 1343; VIII, 1408, 1414, 1434, 1446, 1449-1450, 1452, 1456; IX, 1645, 1712-1724; X, 1770-1771, 1773; XI, 1939, 1999, 2065-2067, 2070; XII, 2177; XIII, 2333, 2390, 2439, 2458; XIV, 2558, 2589, 2619, 2623, 2626, 2645; XV, 2699, 2826, 2830, 2867, 2870; XVI, 2904, 2989, 3016; XVII, 3145-3146, 3148, 3152, 3207-3210; XVIII, 3383, 3430-3431, 3433; XIX, 3478, 3499, 3564, 3579; XX, 3753, 3759, 3801, 3813, 3815; XXI, 4000.
JOSEPH (father of Jesus), I, 87, 177; II, 211-212; III, 417, 501; V, 828-829, 919; VI, 967, 1133; VII, 1267, 1286; VIII, 1468; IX, 1576, 1584-1585; X, 1735, 1737; XI, 1993; XII, 2119, 2121, 2123, 2133, 2148, 2167; XIII, 2449, 2451, 2455; XIV, 2615; XXI, 3888, 3998.
Joseph and His Brethren (Thomas Mann), II, 285; IX, 1724.
JOSEPH BARSABAS, X, 1737-1738, 1794, 1836; XII, 2174.
Joseph ben Matathias, IX, 1627.
JOSEPH OF ARIMATHAEA, II, 262; IV, 682, 684; IX, 1670; X, 1738; XI, 1997, 2100; XII, 2171; XIV, 2552.
Joseph of Cyprus, II, 358.
"Joseph's Canal," IX, 1722.
"Joseph tribes," the, XVII, 3146, 3155; *passim*.
JOSEPHUS, FLAVIUS (historian), I, 18, 61, 72, 96, 124, 128-130, 140, 180, 185; II, 199, 235, 261, 354; III, 409, 411, 519, 546; IV, 598-599, 717, 764-765; V, 777, 792, 802, 805, 860, 873, 924, 949; VI, 968-970, 1014-1015, 1029, 1034, 1040, 1042, 1083, 1149; VII, 1229-1230, 1234, 1244, 1250, 1252, 1283, 1286, 1301, 1343; VIII, 1377, 1441, 1458, 1468, 1471; IX, 1554, 1560, 1573, 1575, 1590, 1597, 1627, 1682, 1687; X, 1738-1744, 1804, 1890; XI, 1941, 1960, 2001, 2038, 2042, 2080; XII, 2136, 2147, 2207, 2209; XIII, 2388, 2411, 2455, 2459, 2482, 2484, 2487-2488; XIV, 2554, 2614; XV, 2701-2702, 2834, 2840; XVI, 2917, 2931, 2973, 2982-2984, 3065; XVII, 3112, 3127, 3185; XVIII, 3272, 3297, 3301, 3310, 3338, 3344, 3387,

3395, 3453; XIX, 3463, 3466-3468, 3483, 3521, 3587, 3590; XX, 3667, 3670, 3675, 3698, 3708, 3710, 3724, 3728, 3825; XXI, 3865, 3874, 3924, 4010.

JOSES (brother of Jesus), III, 501; VIII, 1466; IX, 1576, 1585; X, 1744; XII, 2133.

JOSHAH, X, 1744.

JOSHAPHAT, X, 1744; XII, 2297.

JOSHAVIAH, V, 919; X, 1744.

JOSHBEKASHAH, X, 1744.

JOSHUA (successor to Moses), I, 14, 57, 59-60, 86, 89, 92-94, 120-121, 142, 146, 162, 170; II, 242, 248, 256, 285, 298, 308, 326, 328, 332-333, 376; III, 409, 413, 502, 518-519, 554; IV, 608, 618, 696; V, 796, 823, 842, 856, 863, 874, 877, 898, 918, 929, 944-945; VI, 1003-1004, 1009, 1036, 1039, 1084, 1107, 1126, 1130; VII, 1160, 1172, 1174, 1181, 1191, 1199, 1228, 1230, 1240, 1265, 1273-1274, 1295, 1297, 1310, 1317, 1327, 1331; VIII, 1355, 1416, 1469, 1473, 1475, 1495-1496, 1528-1529; IX, 1546, 1568, 1722; X, 1744-1752, 1775, 1806, 1812, 1817, 1837, 1839, 1884, 1901; XI, 1959, 2043, 2056-2057, 2067; XII, 2189, 2202, 2218, 2249, 2259, 2270, 2273-2274, 2296-2297, 2301; XIII, 2340, 2343-2344, 2352, 2372, 2393, 2453; XIV, 2509, 2580, 2583-2584, 2590-2591, 2599, 2636, 2647-2648, 2650; XV, 2715, 2729, 2856, 2872; XVI, 2926, 2931, 2941, 3040; XVII, 3102, 3144, 3152; XVIII, 3276, 3283, 3334, 3340, 3388, 3398, 3430, 3432, 3444-3445, 3448-3449, 3454; XIX, 3470, 3474, 3497, 3527, 3555, 3570, 3577, 3612-3613, 3617, 3630, 3638; XX, 3717, 3727; XXI, 3851, 3898-3899, 3975.

JOSHUA (High Priest), VII, 1226, 1267; IX, 1568; X, 1747, 1785-1786; XXI, 4017-4018.

JOSHUA, THE BOOK OF (Old Testament), I, 35, 57, 60, 92, 120; II, 265, 290, 294, 376; III, 410, 428, 435, 519, 545; IV, 701, 703, 730; V, 775-776, 796, 798, 803, 848, 859, 921, 936, 945; VI, 1085, 1112, 1118, 1132, 1147-1148; VII, 1160, 1162, 1172, 1199, 1220, 1232, 1257-1258, 1265, 1268, 1291, 1298, 1317; VIII, 1416, 1443, 1474-1475; IX, 1546, 1709; X, 1745, 1747-1752, 1775, 1806, 1817, 1863, 1868; XI, 1946-1947, 1949, 1965, 1989; XII, 2197, 2301; XIII, 2386; XIV, 2583, 2593, 2635, 2650-2651; XV, 2823, 2829, 2837, 2856; XVI, 2972, 3028, 3040; XVII, 3152, 3158, 3163; XVIII, 3326, 3340, 3417-3418, 3425, 3429, 3432, 3440, 3442; XIX, 3480, 3609-3610, 3638; XX, 3681, 3752, 3804; XXI, 3898, 4000, 4002; XXII, 4055.

JOSIAH (king of Judah), I, 18, 58, 79, 114, 138, 149; II, 240, 281, 296; III, 411, 423, 493, 495, 543, 545, 567; IV, 595, 619, 640, 657-658; V, 794-795, 842, 868, 947, 957; VI, 993, 1148; VII, 1238, 1292, 1297-1299, 1301, 1329, 1338; VIII, 1356, 1420, 1462, 1479-1481, 1483, 1486, 1499, 1506, 1508, 1512, 1517; IX, 1634, 1638, 1661, 1663; X, 1747, 1757-1761, 1847, 1858, 1863, 1890, 1913; XI, 1946, 2051, 2053, 2069; XII, 2199, 2214, 2220, 2233, 2243; XIII, 2314, 2331, 2396, 2402, 2423, 2448, 2462, 2472, 2494; XIV, 2508, 2510, 2615, 2650, 2658, 2679, 2685; XV, 2745, 2818, 2829; XVI, 2904; XVII, 3132, 3239; XVIII, 3272, 3282, 3289-3290, 3311, 3341, 3378, 3388, 3423-3424, 3438; XIX, 3481, 3579, 3586, 3616; XX, 3678, 3751, 3756; XXI, 4009, 4012, 4021, 4029.

JOSIAS, X, 1761-1762.

JOSIBIAH, X, 1762.

JOSIPHIAH, X, 1762.

JOT AND TITTLE, X, 1762; XVIII, 3379.

Jotapata, X, 1739; XXI, 3865.

JOTBAH, X, 1762-1763, 1836.

JOTBATH, X, 1763.

JOTBATHAH, X, 1763.

JOTHAM (king of Judah, I, 109, 148; VI, 1112;.VIII, 1390; IX, 1567, 1641; X, 1763, 1782-1783; XIV, 2670; XV, 2702; XVIII, 3451; XXI, 3856, 3898.

JOTHAM (son of Gideon), I, 26; II, 376; X, 1763; XIII, 2373; XV, 2704, 2757-2758; XVIII, 3432.

"Jotham's Pulpit," XIII, 2373.

JOZABAD, IX, 1641; X, 1763; XIV, 2627.

JOZACHAR, X, 1763; XVIII, 3446; XXI, 3991.

JOZADAK, X, 1763.

JUBAL (son of Lamech), I, 79; VII, 1250; VIII, 1442; X, 1764, 1889; XII, 2232; XIII, 2405.

JUBILEES, THE BOOK OF, II, 287; III, 524; IV, 767; X, 1764-1766; XI, 1935, 1937; XV, 2841; XVII, 3102, 3105; XX, 3681.

JUBILEE YEAR, FESTIVAL OF THE, VI, 1064; XVII, 3163; XVIII, 3284; XIX, 3502 (*see also* "Sabbatical Year, Festival of the" in Index).

Jucal (*see* "Jehucal" in Index).

JUDA (brother of Jesus), III, 501; X, 1766.

Juda, Leo, VI, 1143.

JUDAEA (the postexilic Jewish nation), I, 60, 63, 65, 68, 88, 95, 122-126, 128, 143, 179-180, 182-185, 189, 191; II, 201, 216-217, 235, 253, 261, 264, 278, 281, 296, 323-324, 348, 356-357, 359; III, 391, 403, 493, 505, 509, 512, 524-525, 560; IV, 586, 596, 601-602, 620-621, 627, 676, 688, 699; V, 785-788, 790-791, 836, 844, 858, 860, 873, 883, 924, 926, 948; VI, 968-969, 1028, 1030, 1032, 1034, 1037, 1062, 1066, 1079, 1097, 1115, 1119; VII, 1204-1205, 1213, 1220, 1224, 1226, 1239, 1252, 1273, 1275-1279, 1281-1284, 1288, 1295, 1343-1344; VIII, 1356, 1377, 1379-1381, 1420-1422, 1471, 1476; IX, 1557, 1559-1560, 1573, 1575, 1584, 1592, 1625, 1663, 1667, 1678, 1687-1688, 1705; X, 1738, 1740, 1744, 1766-1769, 1771, 1798-1799, 1829, 1832; XI, 1963, 2001, 2008, 2013-2018, 2020-2021, 2023, 2025-2026, 2030-2031, 2033, 2075, 2078,

Michaelangelo's rendering of the Prophet Joel on the Sistine Chapel ceiling (*Mella, Milan*).

INDEX 4141

2080, 2083, 2098; XII, 2136, 2155, 2175, 2209; XIII, 2311, 2451, 2461, 2476-2478; XIV, 2504, 2506, 2508; XV, 2745-2746, 2771-2772, 2786, 2788, 2790, 2804, 2823, 2840, 2853; XVI, 2906, 2908, 2916, 2919, 2929, 2978-2979, 2981-2982, 2993, 2995, 3010, 3020, 3022; XVII, 3099, 3105, 3112-3114, 3117-3120, 3125, 3136, 3158, 3238, 3250, 3252; XVIII, 3292, 3294, 3310, 3342, 3379, 3392, 3394-3397, 3429, 3434-3435, 3453; XIX, 3466, 3482-3483, 3587, 3590, 3597, 3621, 3623, 3643-3645; XX, 3678, 3685-3686, 3694, 3699, 3709, 3727-3730, 3734, 3756, 3776, 3830; XXI, 3852, 3864-3867, 3895, 3930, 4002-4003, 4017; XXII, 4042.

JUDAH (fourth son of Jacob), I, 79, 89, 108, 113, 118; III, 397, 481, 573; IV, 584, 592; V, 843, 950; VI, 985-986, 1027, 1028, 1132, 1139; VII, 1238, 1254, 1261, 1272, 1294, 1301; VIII, 1433, 1446, 1462, 1504; IX, 1622, 1634, 1701, 1714, 1719-1720, 1722; X, 1769-1771, 1841; XI, 1927, 1940, 2042, 2080; XII, 2215, 2218; XIV, 2607, 2619; XV, 2699, 2705, 2719, 2777, 2841; XVI, 2906, 2970; XVII, 3155, 3168, 3207; XVIII, 3276, 3352, 3436, 3438, 3441, 3446-3447, 3455; XIX, 3478, 3627-3628, 3638; XX, 3686, 3716-3717, 3801, 3811; XXI, 4000, 4002; XXII, 4041, 4059.

JUDAH, THE SOUTHERN KINGDOM OF, I, 22, 24-25, 30, 58, 79, 92-93, 103, 109-111, 114, 118, 128, 139, 142-145, 147-151, 154, 157, 164; II, 238, 277-280, 288, 293, 302-303, 309-311, 322, 328, 333-334, 336, 343, 347, 362-363, 366; III, 391, 393, 396, 401-404, 411-412, 416-417, 424, 443, 477, 495, 498, 504, 524, 536, 543, 546, 564-565; IV, 592, 595, 608-609, 618, 640, 644, 656, 696, 699, 705, 714, 716-717, 720, 722, 762, 766; V, 790-792, 794-795, 798, 802, 812, 819, 836, 857-858, 868-869, 874, 876, 883, 887-889, 894, 910, 912, 918-919, 936, 947, 951, 956; VI, 975, 986, 991, 998-999, 1015-1016, 1018, 1021-1022, 1038, 1067, 1071, 1086, 1112, 1124, 1126, 1128-1129, 1131, 1148; VII, 1160, 1172, 1182, 1185-1186, 1204-1205, 1216-1218, 1221, 1226, 1238, 1251, 1254, 1256, 1273, 1291-1293, 1297-1298, 1303, 1316, 1320, 1322, 1324, 1331, 1338; VIII, 1356, 1360-1363, 1381, 1390, 1392-1393, 1395, 1397-1398, 1406, 1409, 1419-1420, 1423, 1425, 1427, 1430-1431, 1433, 1462, 1478-1480, 1496-1497, 1506, 1508-1509, 1511-1512, 1516-1517, 1519-1520, 1535-1536; IX, 1543, 1551, 1563-1565, 1567, 1623, 1629, 1631, 1636, 1638-1639, 1641, 1653, 1660-1663, 1690, 1707, 1712; X, 1757, 1760-1763, 1766, 1769, 1773, 1776-1791, 1822-1824, 1826, 1845, 1852, 1849, 1856, 1858, 1861-1863, 1867, 1884, 1889-1890; XI, 1946, 1949, 1958-1959, 1963, 2004, 2053-2054, 2060, 2063-2065, 2069, 2075; XII, 2146, 2198, 2217-2218, 2220, 2235, 2237, 2239, 2243, 2249, 2252, 2301, 2304; XIII, 2314, 2316, 2328, 2388, 2402, 2413, 2417, 2419, 2423-2424, 2439, 2442, 2448, 2462, 2464-2465, 2470, 2472, 2476, 2478, 2481, 2486, 2492-2495; XIV, 2508, 2511, 2605-2607, 2628, 2641, 2656-2658, 2661, 2670-2672, 2676, 2678-2680, 2683-2684; XV, 2702, 2722, 2739, 2742, 2744-2745, 2761, 2768, 2775, 2777, 2780, 2818-2820, 2823, 2826, 2845-2846, 2848, 2851; XVI, 2904, 2929, 2931, 3000, 3016, 3044, 3049-3050, 3057, 3069; XVII, 3083, 3131, 3144, 3152, 3155, 3157-3158, 3174-3175, 3183-3184, 3233-3234, 3239, 3245; XVIII, 3289-3290, 3297, 3308, 3310-3311, 3334, 3337, 3341, 3356-3357, 3388-3389, 3399-3400, 3402, 3407, 3420, 3423-3424, 3427, 3436, 3438-3439, 3441, 3444, 3446, 3448-3449, 3451, 3453-3455; XIX, 3463, 3470, 3476-3477, 3481, 3517-3518, 3532-3533, 3572, 3579, 3587, 3610, 3616, 3619, 3621, 3629, 3636, 3638, 3642; XX, 3666, 3678, 3686, 3688, 3712, 3724, 3735, 3738, 3747, 3750, 3756-3757, 3808, 3828, 3840; XXI, 3850, 3853-3856, 3859, 3993, 3998-4000, 4007, 4009, 4011-4012, 4017, 4021-4024, 4029, 4031-4032; XXII, 4039, 4041, 4045-4047, 4057, 4060.

JUDAH, TRIBE OF, I, 24, 60, 79, 87, 89-90, 94, 121, 123, 142-143, 147, 162, 173; II, 200-201, 227-228, 278-279, 281, 283, 285, 290-291, 321, 326, 328, 332, 358, 373, 377; III, 396, 399, 401-403, 406, 408-410, 413, 415, 419-420, 422-424, 426, 484-485, 493, 495, 502, 508, 518-519, 553-555, 562, 565, 567-568, 572-573; IV, 583, 634, 661, 704, 710, 716, 730, 733, 736, 768; V, 779, 804, 823, 857, 863, 874, 876, 879, 889, 918, 921, 928, 930-931, 936, 942, 945, 947, 949-950, 960; VI, 967, 985-986, 989, 1038, 1126-1127, 1130-1132, 1148; VII, 1160, 1172, 1199, 1203, 1217, 1230, 1248, 1251, 1256, 1267, 1272, 1289, 1294, 1298, 1300, 1309, 1311, 1317, 1338-1339; VIII, 1353, 1359, 1363, 1382, 1390, 1404, 1406, 1416, 1419, 1423, 1434, 1437, 1443, 1458, 1462-1464, 1472, 1475-1479, 1481-1483, 1485-1486, 1488, 1490, 1492-1493, 1497-1499, 1504, 1534-1535; IX, 1546-1547, 1567, 1569, 1623, 1632, 1634, 1636, 1638, 1688, 1690, 1711-1712; X, 1744, 1752, 1763, 1766, 1769-1778, 1836-1838, 1841-1842, 1847, 1868, 1872, 1880, 1884-1885; XI, 1930-1932, 1935, 1939, 1943-1944, 1963, 2006, 2042, 2055, 2057, 2063, 2074, 2080; XII, 2121, 2201, 2209, 2220, 2246, 2249, 2254, 2274, 2293, 2301; XIII, 2312, 2314, 2382, 2393, 2410-2411, 2413, 2419, 2423, 2446, 2474-2475, 2486; XIV, 2503, 2550, 2590; XV, 2717, 2719-2720, 2729, 2736, 2777, 2820-2821, 2839, 2860, 2862; XVI, 2901, 2904, 2906, 2911, 2927-2928; XVII, 3125, 3141, 3145, 3152, 3158-3159, 3168, 3175, 3181, 3183, 3185-3186, 3210, 3241-3242; XVIII, 3274, 3299, 3303, 3318, 3344, 3387-3388, 3390, 3407, 3418, 3420, 3423-3424, 3426-3427, 3438, 3441-3442, 3444, 3446-3447, 3455; XIX, 3480-3481, 3495-3496, 3505, 3517, 3555, 3622, 3627, 3631, 3637-3639; XX, 3666,

3699, 3716-3717, 3726, 3742, 3802-3805, 3808, 3813, 3815, 3817; XXI, 3938, 4001-4002, 4007, 4010, 4012, 4032; XXII, 4041, 4048, 4055-4056, 4059-4060.

Judah ha-Kadosh, XII, 2295.

Judah ha-Nasi, Rabbi, XII, 2295; XIX, 3624, 3626.

JUDAISM, I, 64, 75, 88, 95, 125, 128, 130, 134, 179-180; II, 199, 204, 210, 219, 263, 296, 298, 317, 354; III, 392, 427, 431, 435-436, 460, 475, 481, 484-485, 488, 541, 543-546, 550; IV, 585-586, 609, 618, 642, 655-656, 659, 720, 722, 724; V, 785, 795, 799, 802-803, 821, 850, 926, 934, 955; VI, 979, 990, 997, 999, 1005, 1015, 1017, 1024, 1029-1030, 1036, 1060, 1064, 1097, 1114, 1116, 1119, 1136; VII, 1178, 1182, 1197, 1207, 1212, 1227, 1244, 1252, 1261, 1271-1272, 1274, 1276, 1288, 1321, 1344; VIII, 1353, 1355, 1358, 1377, 1379-1380, 1390, 1413, 1420, 1422, 1431, 1517; IX, 1543, 1556, 1573, 1575, 1578, 1581, 1585, 1625, 1629, 1661, 1667, 1679, 1688; X, 1765-1766, 1769, 1791-1792, 1798, 1819, 1835, 1849, 1863, 1915-1916; XI, 1957, 1963, 1965, 1984, 1991, 2008, 2012, 2021-2022, 2038, 2060, 2083; XII, 2148, 2153, 2159, 2196, 2207, 2209, 2216, 2226, 2295, 2301; XIII, 2326, 2373, 2478; XIV, 2511, 2521, 2541, 2544, 2550, 2553, 2607, 2631, 2635, 2661, 2674, 2676, 2678; XV, 2756, 2766, 2786, 2788, 2794, 2795, 2800, 2802, 2814, 2816, 2823, 2828, 2833, 2837, 2849, 2853; XVI, 2896, 2909, 2913, 2916, 2929, 3000, 3062-3065, 3071; XVII, 3102, 3105, 3120, 3133, 3142, 3175; XVIII, 3278, 3281, 3283-3284, 3293, 3298, 3311-3312, 3337, 3378-3379, 3392, 3398, 3404, 3436; XIX, 3529-3530, 3564, 3568, 3576, 3584, 3587, 3617, 3622, 3646; XX, 3670, 3678, 3680, 3692, 3734, 3757, 3794 XXI, 3851, 3951, 3970, 4017.

JUDAS (brother of Jesus), III, 501; VIII, 1466; X, 1792; XX, 3795.

JUDAS (father of Maccabee captain), III, 526; X, 1792.

JUDAS BARSABAS, X, 1792, 1794; XI, 2100, 2174; XIX, 3476.

Judas ben Hezekiah, IX, 1582.

JUDAS ISCARIOT, I, 57, 63, 166; II, 220; IV, 615; VI, 1150; VII, 1301; VIII, 1466; IX, 1598, 1670; X, 1737, 1792, 1794-1795, 1804, 1901; XI, 1995, 2100; XII, 2130, 2165, 2287; XIII, 2381; XV, 2840; XVI, 2888, 2990, 3006; XVIII, 3343, 3359; XIX, 3482; XX, 3685, 3795, 3799.

JUDAS MACCABEUS, I, 56, 87, 123, 140, 144; II, 217, 277-278, 286, 296, 325, 327, 347, 372-373; III, 414, 425, 495-496, 549, 551; IV, 635, 724, 731; V, 785-786, 823, 879, 924, 934, 949; VI, 1151; VII, 1171, 1204-1205, 1214, 1244, 1252, 1266; VIII, 1421, 1476, 1478; IX, 1556, 1663, 1688, 1704-1706, 1712; X, 1766, 1792, 1798-1801; XI, 1963, 2002, 2013-2015, 2017, 2021, 2030-2033, 2035, 2037, 2057; XII, 2136, 2142, 2148, 2204; XIII, 2311; XIV, 2550-2551, 2593; XV, 2710, 2786, 2840; XVI, 2989; XVII, 3111, 3165, 3238; XVIII, 3294, 3413; XIX, 3546, 3617; XX, 3690, 3718, 3734-3735; XXI, 3976, 3991.

JUDAS OF GALILEE, I, 72; IV, 600; IX, 1582, 1585-1586; X, 1792, 1804; XIX, 3467-3468; XXI, 4002.

JUDE, V, 821; VIII, 1471; IX, 1576, 1585; X, 1792, 1804, 1806; XI, 1931; XX, 3686, 3699.

JUDE, GENERAL EPISTLE OF (New Testament), II, 297; III, 501, 540; V, 933-934; VIII, 1471; X, 1804, 1806; XIV, 2522, 2524, 2526, 2549; XVI, 2891.

JUDGES, THE BOOK OF (Old Testament), I, 18, 26, 89-90; II, 288, 290, 294, 357, 375; III, 401, 428-429, 435, 519, 545; IV, 608, 616, 703, 711, 714; V, 775, 777, 783, 798, 823, 847, 873, 920, 947; VI, 967, 1098, 1107, 1128; VII, 1159, 1163, 1171, 1181, 1222, 1249, 1265; VIII, 1352, 1416, 1443, 1458, 1464, 1499; IX, 1546, 1662, 1710; X, 1747, 1751, 1776, 1806-1817, 1840, 1900; XI, 1931-1932, 1939, 1949, 2055, 2073; XII, 2209, 2234, 2251, 2268; XIII, 2419, 2457; XIV, 2578, 2635-2636, 2651-2653; XV, 2823, 2856; XVI, 2926, 2972; XVII, 3110, 3158, 3183; XVIII, 3272, 3315, 3326, 3417, 3422, 3432, 3442, 3445; XIX, 3481, 3527; XX, 3717-3718, 3805, 3808, 3815; XXI, 3899, 3908, 3954, 3991, 4007, 4010.

JUDGES OF ISRAEL, I, 18, 60, 121; II, 255, 275, 332, 357, 375; III, 400, 402, 419, 519, 530; IV, 607, 616-617, 709; V, 775, 783, 803, 806, 820, 847, 863, 873, 906, 920-921, 947; VI, 967, 1110, 1130, 1145; VII, 1162, 1170, 1202, 1220, 1253-1254, 1289, 1300; VIII, 1352, 1416, 1434, 1441, 1458, 1464, 1499; IX, 1543, 1547; X, 1771, 1775, 1806, 1817-1819, 1841; XI, 2067, 2069, 2075; XII, 2234, 2248, 2301, 2303; XIII, 2372-2373, 2386; XIV, 2599, 2620, 2636, 2651-2653; XV, 2717, 2733, 2857-2860; XVI, 2926, 2931, 2941, 3006, 3040; XVII, 3123, 3179; XVIII, 3315, 3318, 3322, 3326, 3360, 3370, 3389, 3422-3423, 3442, 3445; XIX, 3546, 3613; XX, 3662, 3678, 3742, 3804, 3813; XXI, 3960, 4009; XXII, 4060.

JUDGMENT, I, 47, 156, 165, 169, 179; II, 202, 217, 283, 308; III, 410, 443, 484, 500; IV, 616, 650, 700, 708, 723, 758-759, 766; V, 803, 887, 910, 933, 954-955; VI, 1018; VIII, 1390, 1398, 1493; IX, 1661, 1678; X, 1819-1822, 1834, 1848, 1913; XI, 1989, 2059, 2101; XII, 2161, 2226, 2237, 2250; XIV, 2533, 2558, 2562, 2605, 2675, 2681, 2687; XV, 2750, 2768; XVI, 2921, 3033; XVII, 3096, 3099, 3101, 3219, 3258; XVIII, 3387; XIX, 3487; XXI, 3858, 3951, 4017, 4031.

JUDGMENT HALL, X, 1822; XIX, 3518, 3641.

JUDGMENT SEAT, V, 827; X, 1822; XXI, 3868.

JUDITH (heroine), I, 60; II, 348, 352; III, 565; V, 815,

840, 842-843, 877, 887, 919; VI, 1062, 1103; VII, 1200, 1311; IX, 1712; X, 1822-1826; XV, 2719; XVII, 3165.
JUDITH (wife of Esau), II, 376; V, 952; X, 1822.
JUDITH, THE BOOK OF (Apocrypha), II, 208, 348, 375; III, 391, 406, 424, 567; IV, 583, 617, 634, 696; V, 805, 823, 874, 957; VI, 968; VII, 1311, 1340; IX, 1638; X, 1822-1826; XII, 2201; XIII, 2311; XIV, 2562; XV, 2719; XVII, 3105, 3152, 3166; XVIII, 3297, 3306, 3404, 3432.
Judith (Giraudoux drama), X, 1822.
JUEL, X, 1829; XX, 3831.
Juleijil, VII, 1172.
JULIA, X, 1829.
Julia (wife of Pompey), X, 1831; XVI, 2981.
Julia (wife of Tiberius), XX, 3709.
Julian the Apostate, IX, 1560; XVII, 3253.
JULIUS (Centurion), II, 324; X, 1829; XV, 2804; XVIII, 3452.
Julius Africanus, VI, 1133, 1135.
JULIUS CAESAR, I, 131-132, 180; II, 199, 264, 306, 323-324; III, 403; IV, 621, 625, 629-630, 647; V, 926-927; VII, 1252, 1276, 1344; VIII, 1380; X, 1829-1833; XI, 2025, 2075, 2077; XII, 2299; XVI, 2918, 2978-2981, 2986; XVII, 3109, 3121-3123, 3238, 3248, 3250, 3264; XVIII, 3451; XIX, 3550, 3635; XX, 3698.
Julius Caesar (Shakespeare drama), X, 1829; XI, 2077.
Jung, Carl (psychiatrist) (1875-1961), IX, 1646.
JUNIA, II, 220; X, 1833.
JUNIPER, X, 1833.
Juno (deity), XVII, 3263.
JUPITER, X, 1833-1834.
Jupiter (deity), V, 927; VII, 1214; XVII, 3263.
Jupiter (planet), XIX, 3563.
Jus Gladii, XVI, 3020.
JUSHAB-HESED, X, 1834.
JUSTIFICATION, X, 1834-1836; XVI, 2908; *passim*.
Justin Martyr (c. 100-165), I, 97; III, 538; IV, 626; XVI, 2931; XIX, 3485.
Justinian (Roman emperor), III, 417, 474; XIII, 2373.
JUSTUS, X, 1836; XV, 2802.
Justus of Tiberias, X, 1742.
JUTTAH, IX, 1634; X, 1763, 1836.

K

Kaballah, XVIII, 3379.
KABZEEL, VIII, 1499; X, 1837.
KADESH, II, 376; V, 857, 933; VI, 1027; VII, 1307; X, 1837; XI, 2075; XII, 2217, 2293; XIII, 2375, 2383; XIV, 2583, 2590-2591; XV, 2872; XVII, 3159; XIX, 3527, 3613; XXI, 3937-3938, 4032; XXII, 4050-4051.
KADESH-BARNEA, II, 228; VII, 1215, 1256; X, 1775; XIII, 2376, 2383, 2386; XIV, 2586; XV, 2768; XIX, 3555, 3612; XXII, 4050.
KADMIEL, III, 508; X, 1837.
KADMONITES, X, 1837-1939.
Kafr' Ana, XV, 2701.
Kai-feng-fu, China, XX, 3672.
Kais, XX, 3670, 3672.
Kaiwanu, IV, 583.
KALLAI, X, 1838.
Kaloi Limenes, IV, 669; VI, 1045.
Kammusunadbi, XII, 2304.
Kamose (monarch), 867; VII, 1343.
KANAH, X, 1838.
Kanatha, V, 782.
Kanish, VII, 1306.
Karaites, IX, 1662; XX, 3668.
Kara Su, VI, 993.
Karatepe, VII, 1308.
Karban, XII, 2188.
KAREAH, III, 553; X, 1838.
KARKAA, X, 1838.
Karkar, II, 277.
Karkar (Qarqar), Battle of (853 B.C.), I, 104-105; VIII, 1480.
Karkheh River, IV, 719.
KARKOR, X, 1838.
Karnak, Temple of, II, 251; XVIII, 3453.
Karn Hattin, XIII, 2379.
Karoli, Gaspar, III, 466.
KARTAH, X, 1838.
KARTAN, X, 1838-1839, 1868.
Kashta (monarch), IV, 696.
Kassites, II, 342-343, 346; XI, 2080; XII, 2224.
Katalithazo, XIX, 3568.

KATTATH, X, 1839.
Kawwana, X, 1792.
Kavala, XVI, 2919.
Kavalla, Greece, XIII, 2460.
KEDAR, VIII, 1406, 1516; X, 1839.
KEDEMAH, X, 1838-1839.
KEDEMOTH, X, 1839.
KEDESH, III, 508; IV, 619; VI, 1118; X, 1839-1842; XV, 2819; XX, 3699.
KEDESH-NAPHTALI, II, 357; V, 776-777; X, 1837, 1839-1841.
KEHELETHAH, X, 1841; XVIII, 3424.
KEILAH, I, 22; VI, 1126; X, 1841; XVIII, 3367.
KELAIAH, III, 526; IV, 634; X, 1841.
KEMUEL, V, 945; X, 1841.
KENAN, III, 516; X, 1841.
KENATH, X, 1841; XIV, 2578.
KENAZ, VI, 1132; X, 1841; XVIII, 3407.
KENEZITE, X, 1841.
KENITES, II, 231, 357; VIII, 1458, 1504; X, 1776-1777, 1841-1842; XI, 2100; XII, 2247, 2254; XIII, 2355-2356, 2385, 2475; XVII, 3174; XVIII, 3362, 3446; XIX, 3570; XX, 3662, 3724, 3794; XXI, 3991.
KENIZITES, X, 1776, 1841.
KENOSIS, X, 1842.
Kepler, Johannes (1571-1630), XIX, 3563.
Keren, XVII, 3163.
KEREN-HAPPUCH, X, 1842.
Keret, IX, 1646; XVII, 3166.
KERIOTH, X, 1842.
KERIOTH HEZRON, X, 1794, 1842.
Kerma, IV, 695.
KEROS, III, 562; X, 1842.
Kesla, III, 572.
Ketubim (Sacred Writings), V, 848, 850; VI, 1037; X, 1889; XII, 2199; XVI, 3028; XVII, 3079; XVIII, 3273; XIX, 3529; *passim*.
KETURAH (second wife of Abraham), I, 23, 40; II, 294, 296; III, 477; V, 877, 936; VI, 1139; VII, 1244; VIII, 1384, 1404; IX, 1689; X, 1842-1843; XI, 1934; XII, 2189, 2246-2247; XVIII, 3427; XIX, 3463; XXII, 4048.
KEYS, POWER OF THE, X, 1843-1845.
KEZIA, X, 1845.
KEZIZ, X, 1845.
Khabur (Khabour) River, VII, 1220.
Khal el-Farah, XV, 2767.
Khan et-Tujjar (Tuggar), XXI, 3991.
Khapiru, VII, 1219; XV, 2726.
Khartoum, XIV, 2556.
Khazars, XX, 3667.
Khemet, VII, 1231.
Khirbet 'Asan, II, 285; IV, 583.

Khirbet Batnej, III, 425.
Khirbet Beit Nasib, XIV, 2550.
Khirbet el-Adar, V, 857.
Khirbet ed-Damiyeh, I, 87.
Khirbet ed-Dibb, IV, 584.
Khirbet el-Hoh, VI, 985.
Khirbet el-Mekhayyet, XIII, 2461.
Khirbet el-Milh, XIII, 2312.
Khirbet el-Muqanna, V, 921.
Khirbet el-Oreimeh, III, 576.
Khirbet en-Nitteh, VII, 1172.
Khirbet es-Samrah, XVIII, 3387.
Khirbet Irbid, II, 235.
Khirbet Ma'in, XI, 2074.
Khirbet Mefjir, VII, 1172.
Khirbet Shemsin, III, 423.
Khirbet Shuweikeh, XVIII, 3387.
Khirbet Suriq, XIX, 3545.
Khirbet Taqua, XIX, 3638.
Khirbet Tarrama, IX, 1636.
Khirbet Tibneh, XX, 3718.
Khirbet Zanu, XXI, 3991.
Khnum (deity), I, 82; V, 883.
Khusur River, XIV, 2561.
KIBROTH-HATTAAVAH, X, 1845; XIV, 2590.
KIBZAIM, IX, 1689; X, 1845.
KIDRON, 558; V, 936; VII, 1169, 1300; VIII, 1356, 1494; IX, 1543, 1545-1546; X, 1845, 1847; XIII, 2399; XV, 2702; XVIII, 3454; XIX, 3476; XXI, 3859.
Kimchi, IX, 1662.
KINAH, X, 1847.
KINGDOM OF GOD (KINGDOM OF HEAVEN), II, 207-208, 374-375; III, 485, 500, 537, 549; IV, 612, 615, 650, 708, 723; V, 819, 899, 938, 955-956; VI, 1045; VII, 1208-1209, 1294; VIII, 1366, 1394-1395; IX, 1578, 1585-1586, 1589, 1591, 1598, 1680; X, 1738, 1845, 1847-1851, 1882, 1884, 1907, 1916; XI, 1928, 1980, 1984, 1987, 1989, 1994, 1997, 2090, 2097-2098, 2108; XII, 2159, 2161, 2165, 2229, 2250; XIII, 2407-2408; XIV, 2505, 2513, 2552; XV, 2750, 2752-2753, 2767, 2818, 2830; XVI, 2993-2994, 3000, 3002; XVII, 3201; XVIII, 3359, 3410; XIX, 3472, 3549, 3599, 3621; XX, 3678, 3767, 3771, 3821, 3833-3834; XXI, 3897, 3927-3928.
Kingdom of Jerusalem, IX, 1561.
KING JAMES VERSION, I, 87, 94, 98, 118, 122, 133, 145, 154, 164; II, 202, 208, 210, 296, 313, 317, 321, 332, 349, 363, 372-373; III, 392-393, 402, 412, 415, 427, 436, 439-441, 447, 449, 452, 454, 457, 463, 483-484, 497, 516, 523, 535-536, 553, 556, 564-565, 567, 576; IV, 592, 596, 616, 635, 637-638, 647-648, 651, 655, 657, 662, 670, 676, 695, 697-698, 716, 720,

759; V, 775, 783-784, 796, 799, 825-826, 839, 846-848, 855, 863, 873-874, 882, 889, 931-932, 937, 957; VI, 987, 998, 1005, 1018, 1029, 1036, 1047, 1050, 1057, 1063, 1066-1068, 1072-1073, 1078, 1083, 1099, 1107, 1109, 1115, 1124, 1127-1128, 1136, 1143-1144, 1152; VII, 1160, 1168, 1176, 1181-1182, 1206, 1209, 1218-1220, 1222, 1224, 1227-1228, 1230, 1235, 1239, 1249-1251, 1256, 1269-1270, 1272-1274, 1290, 1296, 1303, 1306, 1309, 1311, 1318, 1320-1321, 1340; VIII, 1351, 1360, 1368-1369, 1372, 1376, 1394, 1397, 1399, 1466, 1469, 1478, 1496, 1506, 1512, 1523; IX, 1563-1564, 1571, 1638, 1641, 1647, 1661-1662, 1664, 1687, 1689-1690, 1693, 1699, 1712; X, 1747, 1760, 1762, 1806, 1817, 1822, 1834, 1841-1842, 1852-1856, 1867-1868, 1871-1872, 1874, 1877, 1880, 1889, 1900, 1911; XI, 1959, 1963, 1969, 1971, 1980, 1999, 2001, 2030, 2033, 2043, 2045, 2051, 2054, 2057-2058, 2062, 2071, 2074-2075, 2078, 2080, 2083, 2092; XII, 2144-2145, 2175-2176, 2187, 2192, 2202, 2204-2205, 2220, 2223, 2232, 2235-2236, 2244, 2254, 2263, 2274, 2299, 2301; XIII, 2312, 2316, 2320, 2330, 2372, 2376, 2382, 2391, 2405-2406, 2413, 2415, 2417-2418, 2423, 2436, 2442-2443, 2448, 2453-2454, 2470, 2474-2478; XIV, 2503, 2509-2510, 2512-2513, 2518, 2526, 2528, 2541, 2549, 2554, 2564-2565, 2580-2581, 2583, 2599, 2605, 2631, 2636, 2641, 2653, 2669, 2678; XV, 2699, 2704, 2706, 2710, 2715, 2719, 2753, 2757, 2768, 2795, 2813, 2817, 2822, 2830, 2841-2842; XVI, 2892, 2906, 2912-2913, 2915, 2922-2923, 2929, 2931, 2935, 2938-2939, 2952, 2954, 2957, 2959, 2963-2964, 2966, 2969-2970, 2974, 2976, 2987, 3000, 3019, 3044, 3069-3070; XVII, 3079-3089, 3092-3093, 3096, 3123, 3125, 3128, 3139, 3142-3144, 3152, 3158, 3162-3163, 3166, 3185, 3197, 3230, 3232-3233, 3236, 3238, 3241-3242, 3245; XVIII, 3271-3273, 3281, 3299, 3306, 3314, 3326, 3338, 3345, 3352, 3359, 3375, 3377, 3383, 3387-3388, 3390, 3397, 3399, 3402, 3407-3408, 3418-3420, 3426, 3434, 3440-3442, 3444, 3446-3447, 3454, 3456; XIX, 3463, 3468, 3478, 3485, 3494-3495, 3497, 3510, 3529, 3534, 3541, 3546-3547, 3552-3553, 3557, 3564, 3570, 3572, 3581, 3584, 3586, 3608, 3618, 3632, 3636-3637; XX, 3657, 3678, 3685-3686, 3690, 3707, 3712, 3718, 3722, 3739, 3794, 3801, 3823, 3830-3831, 3833-3834, 3837; XXI, 3847, 3850-3852, 3858, 3862, 3877-3878, 3895, 3914, 3930-3931, 3934, 3938, 3942, 3955-3956, 3971, 3986-3987, 3992-3993, 3997-4000, 4002, 4012, 4020-4021, 4030; XXII, 4041, 4044, 4047, 4055-4056.

KINGS, THE FIRST BOOK OF THE (Old Testament), I, 24, 90, 102, 112, 115; II, 240, 279-280, 336, 369; III, 394, 428, 435, 463, 545, 563, 573; IV, 592, 594-595, 618, 706, 731; V, 798, 820, 847, 850, 868, 875, 891, 908; VI, 986, 1008; VII, 1186, 1254, 1272, 1301, 1344; VIII, 1423, 1428, 1437, 1444, 1458, 1490, 1498, 1529, 1534; IX, 1689; X, 1747, 1765, 1778, 1806, 1812, 1856-1865; XI, 1949, 2004, 2057; XII, 2239, 2267; XIII, 2383, 2416, 2419, 2446; XIV, 2503, 2603, 2631, 2635-2636, 2640, 2656-2659; XV, 2697, 2768, 2823, 2860; XVI, 2923, 2972; XVII, 3166, 3183, 3185, 3234; XVIII, 3326, 3340, 3406, 3420, 3432, 3438, 3447, 3453; XIX, 3512, 3518, 3529, 3533, 3570, 3632, 3639, 3642; XX, 3681, 3724, 3727, 3823; XXI, 3947, 4002; XXII, 4047-4048, 4059.

KINGS, THE SECOND BOOK OF THE (Old Testament), I, 109, 111, 145, 149; II, 240, 281, 283, 293, 310, 343; III, 428, 435, 443, 463, 545; IV, 592, 595, 640, 656, 696, 706; V, 794-795, 798, 876, 891, 908, 951, 998; VI, 1130-1131; VII, 1172, 1205, 1246, 1254, 1292, 1298, 1324, 1338; VIII, 1390, 1394, 1398, 1409, 1480-1483, 1485-1486, 1488, 1490, 1492, 1494, 1496, 1530, 1534, 1536; IX, 1552, 1636, 1639, 1641, 1691, 1693, 1695; X, 1747, 1757, 1760, 1763, 1765, 1783, 1806, 1845, 1856-1865; XI, 1949, 2063-2065; XII, 2205, 2218, 2304; XIII, 2380, 2411, 2462, 2464, 2472; XIV, 2561, 2563, 2631, 2635-2636, 2640, 2656-2659, 2672; XV, 2818, 2820, 2823, 2837, 2860; XVI, 2910, 2923, 2972; XVII, 3143-3144, 3233-3234, 3239; XVIII, 3310, 3326, 3399-3400, 3406, 3419-3420, 3423-3424; XIX, 3464, 3476, 3571; XX, 3724; XXI, 3853, 3855, 4012, 4021.

KING'S DALE, X, 1865; XVIII, 3426.
KING'S GARDEN, X, 1865.
KING'S HIGHWAY, X, 1865.
King Solomon's Mines, XV, 2738.
KING'S POOL, X, 1867.
Kinnor, VII, 1250; XIII, 2405.
KINSMAN, CONCEPT OF, X, 1867; *passim*.
KIR, X, 1867.
KIR-HARASETH, II, 228; X, 1867.
KIRHERES, X, 1867; XIII, 2406.
KIRIATHAIM, X, 1868.
KIRIATHIARUS, X, 1868.
KIRJATH, X, 1868.
KIRJATHAIM, X, 1839, 1868; XVIII, 3426.
KIRJATH-ARBA, I, 40; II, 234; VII, 1265; X, 1868; XVIII, 3350.
KIRJATH-ARIM, X, 1868-1869.
KIRJATH-BAAL, X, 1868-1869.
KIRJATH-HUZOTH, X, 1868.
KIRJATH-JEARIM, I, 28; II, 267, 332, 376; III, 399; V, 879; VII, 1160; VIII, 1438; X, 1775, 1868-1869; XI, 2055; XII, 2297; XIII, 2418; XV, 2842; XVI, 2926; XVII, 3125, 3141; XIII, 3455; XIX, 3463, 3614; XXI, 3849, 3853.
KIRJATH-SANNAH, IV, 768; X, 1869.
KIRJATH-SEPHER, II, 255; IV, 768; X, 1869; XV, 2719.

Kirkegaard, Soren (1813-1855), VIII, 1472.
KISH (father of King Saul), I, 23, 31; IV, 619, 748; VI, 976; IX, 1701; X, 1869; XIV, 2503; XVI, 3031; XVII, 3245; XVIII, 3324, 3359; XXI, 4027.
Kish (place), XVIII, 3356; XIX, 3573.
KISHI, X, 1869.
KISHON, V, 776-777, 893; IX, 1634; X, 1869-1871; XIX, 3496.
KISLEV, VII, 1244; X, 1871; XI, 1960.
KISON, X, 1870-1871.
KISS, X, 1871.
KITE, VI, 1047; VII, 1176; X, 1871-1872.
Kition, IV, 697; VII, 1301; XX, 3828.
KITRON, X, 1839, 1872; XXI, 4010.
KITTIM, III, 572, 576; VIII, 1478; X, 1872-1873; XVII, 3099; XIX, 3633.
Kizil Irmak, VII, 1306.
KNEE, KNEELING, X, 1873; *passim.*
Knesseth Haggedolah (the Great Assembly), VI, 1034.
KNOP, X, 1873-1874.
Knossos, IV, 668.
KOA, X, 1874.
Kodashim, XII, 2295; XIX, 3625.
Kodrantes, XIII, 2326.
KOHATH (second son of Levi), I, 116; III, 477; V, 848, 919, 921-922; VI, 1127, 1151; VII, 1159, 1265, 1297; VIII, 1434, 1440; IX, 1689; X, 1845, 1874, 1877; XI, 1935, 1937, 1942-1944, 1947, 2055, 2060; XII, 2212, 2220, 2233, 2295; XIII, 2421; XIV, 2589; XVI, 3013-3014; XVIII, 3436; XIX, 3609, 3619; XXI, 3856, 4007; XXII, 4046, 4056, 4061.
KOHELETH (author of Ecclesiastes), V, 848, 850, 852-855; X, 1874-1875; XXI, 3943, 3949, 3951; *passim.*

Koine, XVII, 3233.
KOLAIAH, X, 1875.
Konigsberg, Poland, III, 469.
Konstantin of Ostrog, III, 469.
Konya, Turkey, I, 70; VIII, 1352; XV, 2797.
KOPH, X, 1875.
KORAH (conspirator), I, 22, 29; IV, 647; V, 812; X, 1837, 1875, 1877; XI, 1942; XIII, 2344; XIV, 2503, 2590; XVII, 3209.
KORAH (Levite), V, 876, 906; VII, 1272; X, 1877; XVII, 3080; XVIII, 3397; XIX, 3470.
KORAH (son of Esau), I, 118; X, 1877.
KORAH, DATHAN, ABIRAM, CONSPIRACY OF, IV, 731; X, 1877; XIII, 2343-2344.
Koran, the, I, 98; III, 399, 444; IV, 719; V, 891, 933; IX, 1724; XVII, 3133.
Korban, XVIII, 3288.
KORE, X, 1879; XVIII, 3420.
Kos, IV, 646.
KOZ, X, 1870.
Kralitz Bible, the, III, 469.
Kronos (deity), XXII, 4044.
Kuban Basin, XVIII, 3381.
Kue, XX, 3763.
Kuenin, IV, 713.
Kullania, III, 526.
Kulltepe, VII, 1306.
Kurdistan, XIX, 3629; XX, 3675.
Kusi, XV, 2783.
Kussara (monarch), VII, 1306.
Kutu, X, 1874.
Kuyunjik, XIV, 2561.
Kuzah, IV, 671.
Kypros (wife of Herod Agrippa I), VII, 1282.

LAADAH, X, 1880.
LAADAN, X, 1880; XI, 1959.
LABAN (father-in-law of Jacob), I, 169; III, 424, 478, 488; V, 818, 829; VI, 1117, 1139; VII, 1171, 1246, 1257; VIII, 1355, 1384, 1386, 1445-1448, 1479; X, 1880, 1882; XI, 1927, 1958, 2107; XII, 2183, 2222, 2299, 2301; XIII, 2423; XV, 2720, 2870; XVII, 3145, 3147, 3159, 3168, 3171; XVIII, 3290; XX, 3678; XXI, 3895, 3955; XXII, 4048.

LABANA, X, 1882.
Labarnas (monarch), VII, 1306.
Labashi-Marduk (monarch), XII, 2226; XIII, 2496.
LABORERS IN THE VINEYARD PARABLE, I, 101; X, 1882, 1884; XII, 2165, 2170; XIV, 2611; XV, 2750, 2762; XXI, 3895 (*see also* "Parables of Jesus Christ" in Index).
Lacedaemonia, II, 261.
LACEDAEMONIANS, II, 199; X, 1884; XIX, 3552-

INDEX

3553.
LACHISH, I, 92, 145; II, 249-251, 303; III, 422, 495, 504, 531; V, 831, 836, 863; VI, 1086; VII, 1317; VIII, 1367, 1473; X, 1782, 1884; XI, 1959; XV, 2725, 2729, 2857; XVI, 2990; XVII, 3144; XVIII, 3400, 3402; XXI, 3980, 3988.
Lachish Letters, II, 250.
LACUNUS, X, 1884.
LADAN, X, 1884.
Ladhigiyeh, II, 279.
LAEL, X, 1884.
Laenas, Popillius, XI, 2009.
Lagarde, Paul de, XVIII, 3406.
Lagash, XIX, 3573.
La Grand Bible, III, 464.
Lagus, XVII, 3112.
LAHAD, X, 1884.
LAHAI-ROI, VIII, 1445; X, 1884.
LAHMAM, X, 1884-1885.
LAHMI, V, 884; X, 1885.
LAISH, X, 1885; XI, 1934, 2055.
LAISH (place), III, 420; IV, 710, 714; V, 967; IX, 1701; X, 1885; XII, 2234-2235.
Lake Galilee, X, 1804; XV, 2722.
Lake Goljik, XX, 3716.
Lake Huleh, I, 22; III, 485; IV, 711; VII, 1257; VIII, 1382; IX, 1708; X, 1841; XII, 2218; XIII, 2440; XV, 2722.
Lake Lucerne, XVI, 2984.
Lake Menzaleh, V, 867; XVII, 3139; XIX, 3619.
Lake Timsah, XVI, 2943.
LAKUM, X, 1885.
LAMB, X, 1885-1886; XVIII, 3432.
LAMB OF GOD, X, 1886, 1889; *passim*.
LAMECH (grandfather of Noah), I, 79; VII, 1250; VIII, 1442; X, 1889; XII, 2232; XIII, 2410; XIV, 2565; XVI, 2978; XX, 3794.
Lamech, Book of, IV, 762, 767.
LAMENTATIONS OF JEREMIAH, THE (Old Testament), III, 428, 435, 546; IV, 716; VI, 974; VII, 1227; VIII, 1516-1517, 1523; X, 1791, 1858, 1889-1891; XII, 2200; XIV, 2635-2636, 2663, 2674-2675; XVI, 2972, 2976; XXI, 3852.
Langton, Stephen, I, 77; X, 1854.
LANGUAGES OF THE BIBLE, IV, 722; V, 874; X, 1891-1899; *passim*.
Laodice (wife of Antiochus II), I, 183; XVII, 3116.
LAODICEA, I, 172; II, 254; IV, 637-638; VII, 1295; X, 1899-1900; XIV, 2542, 2599; XV, 2816; XVI, 2913; XVII, 3227; XX, 3706.
LAODICEANS, EPISTLE TO THE, V, 939; X, 1900; XIV, 2542; XVI, 2913.
LAPIDOTH, V, 775, 862; X, 1900.

LAPWING, X, 1900-1901.
Larnaka, IV, 697.
Larsa (monarch), V, 919; XIX, 3574.
LASEA, X, 1901.
LASHA (place), I, 150; X, 1901.
LASHARON, X, 1901; XVIII, 3425.
LASTHENES, X, 1910.
Last Judgment, I, 171, 179; *passim* (*see also* "Judgment" in Index).
LAST SUPPER, I, 63, 95; III, 490, 499; IV, 659; VI, 989, 1150; VII, 1335; IX, 1598, 1664, 1670, 1674, 1685, 1687; X, 1794, 1847, 1901-1907; XI, 2100; XII, 2165, 2182, 2185; XIV, 2536; XV, 2764, 2775, 2779-2780; XVI, 2888; XIX, 3502; XX, 3700-3701; XXI, 3872, 3970.
Last Supper (da Vinci painting), X, 1907.
Latakea, XI, 1928.
Lateran Council of 1215, VI, 990.
Latin League, XVII, 3246.
Laver, XIX, 3610.
LAW, I, 123, 162; II, 200, 280, 313; III, 426, 490, 526, 549; V, 796, 860, 956; VI, 1006-1007, 1094; VII, 1215; VIII, 1379-1380; IX, 1566, 1584, 1591, 1712; X, 1836, 1910-1916; XI, 1937, 1942, 1952, 1965-1966; XII, 2175, 2209, 2214, 2220, 2229-2230, 2242, 2248; XIII, 2330-2331, 2372, 2382, 2459, 2478, 2485-2486; XIV, 2508, 2539, 2583, 2605, 2625, 2646; XV, 2790, 2793, 2796, 2818, 2820, 2832, 2838; XVI, 2901, 2909-2910, 2922, 2930-2931, 3015, 3044, 3062, 3065; XVII, 3094-3095, 3102, 3141, 3258; XVIII, 3281, 3283, 3294, 3378-3379, 3404, 3408, 3410-3411, 3418, 3432, 3438, 3440; XIX, 3485, 3488, 3490, 3497, 3584, 3587, 3590, 3616, 3622; XX, 3662, 3706, 3728, 3735, 3757, 3776; XXI, 3850, 3928, 3944, 3951, 3970, 4007 (*see also* "Mosaic Law" in Index).
Laying on of Hands (*see* "Hands, Laying on of" in Index).
LAZARUS (brother of Mary and Martha of Bethany), II, 378; III, 408; IV, 644; V, 949; IX, 1592, 1666, 1668, 1670, 1687; X, 1917, 1919; XI, 2110-2111; XII, 2130, 2287; XIV, 2536; XVII, 3198; XIX, 3487.
LEAH (first wife of Jacob), I, 88; II, 287, 289; III, 396, 478, 504, 556, 558, 575; V, 804, 806, 818; VI, 1109-1110, 1139; VII, 1246; VIII, 1433, 1446, 1452; IX, 1713, 1723; X, 1769-1771, 1775, 1880, 1890; XI, 1927; 1935, 1937, 2063; XII, 2146, 2249; XIII, 2423, 2439; XIV, 2645; XV, 2720, 2870; XVIII, 3145-3148, 3155, 3168, 3171, 3207; XIX, 3478; XX, 3747, 3801, 3804, 3813, 3815-3817; XXI, 4009; XXII, 4048.
LEAVEN, XI, 1927-1928; XII, 2187.
LEAVEN PARABLE, III, 485; XI, 1928; XIII, 2407; XV, 2750 (*see also* "Parables of Jesus Christ" in Index).

Leb, XIX, 3547.
Lebah, XIX, 3547.
LEBANA, X, 1882; XI, 1928.
LEBANON (ancient), III, 558; VI, 1119; VII, 1210; VIII, 1427; XI, 1928, 1930, 1933, 1958, 1999; XIII, 2440; XV, 2713, 2725; XVIII, 3451; XIX, 3500, 3517-3518, 3532, 3641; XX, 3758; XXI, 3875.
Lebanon (modern), I, 25, 143; II, 258, 298, 373; V, 883; VII, 1222; XV, 2746; XVI, 2961; XIX, 3494.
LEBAOTH, III, 409, 415; XI, 1930.
LEBBAEUS, X, 1804; XI, 1931; XX, 3685.
LEBONAH, XI, 1931.
LECAH, XI, 1931.
Lechaeum, IV, 647.
Le Clerec, Jean, XV, 2834.
L'Ecole Biblique de Jerusalem, IX, 1567.
Leda, Queen of Sparta, III, 483, 556.
"Leda Bible," the, III, 483.
Leddan, IX, 1708.
Leeser, Isaac, III, 452.
LEGION, XI, 1931-1932.
LEHABIM, XI, 1932.
LEHI, XI, 1932; XVII, 3158; XVIII, 3318.
LEMUEL, XI, 1932-1933; XXI, 3949.
Leo XIII, Pope, IV, 600.
Leonardo da Vinci, VI, 1108; X, 1907; XI, 1992.
Leontes River, XV, 2715, 2721.
LEOPARD, XI, 1933.
Lepidus, Marcus Aemilius (Roman politician), III, 526; IV, 630; XVI, 2978.
LEPROSY, V, 910; VI, 1131; XI, 1933-1934, 1953; XII, 2293; XIII, 2341; XX, 3773; *passim*.
Lepton, XIII, 2326.
Lesbos, I, 94; XII, 2298.
LESHEM, X, 1885; XI, 1934.
Lesser Kingdom of Armenia, XIX, 3636.
Letter of Lentulus, II, 216.
Letters of Aristeas, I, 130.
Letters of Christ and Abgarus, II, 215.
Letters to Young Churches, III, 457.
Letter to the Church of Corinth (A.D. 96), IV, 625.
Letter to the Ephesians, XVI, 2914.
LETTUS, XI, 1934; XVIII, 3387.
LETUSHIM, XI, 1934.
Leuctra, Battle of (371 B.C.), XIX, 3553.
Leuitike Biblos, XI, 1952.
LEUMMIM, XI, 1934.
LEVI (third son of Jacob), I, 118, 147; III, 481; IV, 592; X, 804-807, 848; VI, 1147; VII, 1220, 1263, 1272; VIII, 1433, 1436, 1446, 1448, 1462; IX, 1659; X, 1751, 1771, 1874; XI, 1927, 1934-1937, 1941, 2054, 2056, 2083; XII, 2212-2313, 2273, 2295; XIII, 2421; XIV, 2627, 2645; XVI, 3010-3011, 3013; XVIII, 3422, 3430, 3455; XIX, 3478; XX, 3801; XXII, 4044, 4048.
LEVI (New Testament personages), VIII, 1468; XI, 1937, 1994; XII, 2149-2151.
LEVI, TRIBE OF, I, 13, 17-18, 143, 161, 179; II, 349; III, 392, 402, 404, 567; IV, 806; V, 908, 919, 922; VI, 1038; VII, 1246, 1262, 1272, 1309; VIII, 1440, 1463; IX, 1659; X, 1877; XI, 1935, 1937-1940, 1947; XII, 2201; XIV, 2586, 2589; XIX, 3479, 3487, 3555; XX, 3667, 3801, 3803-3804, 3808, 3815-3817; XXI, 3851, 3856.
LEVIATHAN, VI, 1124; VIII, 1398; X, 1769; XI, 1940.
Leviathan (Hobbes), XV, 2834.
LEVIRATE MARRIAGE, III, 491; VI, 1134; VII, 1308; VIII, 1365; X, 1770, 1774, 1867; XI, 1940-1941, 1949, 2103; XIII, 2437; XV, 2699; XVII, 3177; XVIII, 3274, 3276, 3278; XIX, 3625, 3627-3628.
LEVITES, I, 16, 79, 92, 109, 114-116, 123, 136, 143, 145, 147; II, 200, 262, 265, 280-281, 296, 308, 317, 325, 336, 353, 358, 378; III, 402-404, 416, 426, 477-478, 502, 508, 526, 555, 560, 567; IV, 594-595, 634, 640, 644, 656, 658, 702, 766; V, 794, 798, 804, 806, 848, 856-857, 876, 879, 882, 887-889, 891, 906-907, 918-919, 921; VI, 967, 986, 989, 991, 1004, 1027, 1030, 1032, 1034, 1036, 1040, 1068, 1071, 1110, 1113, 1127-1128, 1130, 1147-1148, 1151; VII, 1159, 1162, 1169, 1185-1186, 1197, 1217, 1227, 1229, 1238-1239, 1248, 1251-1253, 1257, 1260, 1265, 1268, 1272-1274, 1294-1295, 1297, 1299, 1308, 1318, 1324, 1327, 1332; VIII, 1352-1353, 1363, 1381, 1409, 1411, 1434, 1436, 1440-1442, 1444, 1458, 1462, 1464, 1475, 1477-1480, 1482, 1485-1486, 1488, 1492, 1499, 1504-1505, 1512, 1520, 1526, 1534, 1536; IX, 1543, 1564, 1567-1569, 1623, 1632, 1638, 1641, 1659, 1661, 1689, 1701, 1707, 1711-1712; X, 1744, 1751, 1763-1764, 1778, 1829, 1837, 1840-1841, 1845, 1868-1869, 1874, 1877, 1879-1880, 1884, 1907, 1913; XI, 1935, 1937-1939, 1941-1947, 1952, 1959, 2005-2007, 2054-2056, 2060-2063, 2071, 2083, 2101; XII, 2142, 2145-2148, 2175, 2201-2202, 2209, 2212-2214, 2216, 2220, 2232-2233, 2240, 2243, 2249, 2268, 2295; XIII, 2311-2312, 2314, 2326, 2344, 2371, 2393, 2395-2397, 2413, 2415, 2419, 2421, 2425, 2448, 2482; XIV, 2508-2509, 2584, 2589-2590, 2605, 2624, 2627, 2631, 2648, 2650; XV, 2715, 2717, 2719, 2721, 2818, 2820; XVI, 2901, 2988, 3010, 3013-3014, 3062; XVII, 3162, 3168, 3182-3183, 3185-3187, 3210, 3241; XVIII, 3281, 3284, 3293, 3298-3299, 3306, 3312-3313, 3344-3345, 3352, 3397, 3402, 3418, 3420, 3422-3423, 3429-3430, 3436, 3438-3440, 3446-3448, 3455; XIX, 3463, 3465, 3490, 3571, 3588, 3609-3610, 3618-3619, 3622, 3637; XX, 3728, 3735, 3836; XXI, 3852, 3854, 3856, 3991-3993, 3995, 4007,

4012; XXII, 4039, 4044, 4046-4048, 4051, 4056-4057, 4061.
LEVITICAL CITIES, I, 123, 167; II, 364, 378; III, 413; IV, 619, 696, 701, 768; V, 804, 921, 931; VI, 969, 1078, 1108, 1124, 1127-1128; VII, 1268, 1298, 1311, 1338; VIII, 1351, 1382, 1441, 1462, 1475, 1477; IX, 1688-1689; X, 1763, 1836, 1838-1840, 1845, 1868, 1874; XI, 1935, 1938-1939, 1943, 1947-1948, 1959, 2054; XII, 2142, 2209, 2213; XIII, 2419; XIV, 2593, 2648; XVII, 3183, 3186, 3241; XIX, 3609, 3618.
LEVITICAL CODE, I, 20, 97, 101; II, 360, 366; V, 816, 818; VI, 1057; VII, 1260, 1297; VIII, 1425, 1520; IX, 1687; X, 1822; XI, 1933, 1940, 1942, 1949-1952; XII, 2263; XIII, 2332, 2393; XIV, 2620, 2623, 2630; XV, 2851,; XVI, 2939; XVII, 3252; XVIII, 3292; XIX, 3497; XX, 3670.
LEVITICUS, THE BOOK OF (Old Testament), II, 319; III, 428, 473, 556; IV, 622, 655, 671; V, 796, 804, 824, 860; VI, 1006, 1024, 1034, 1057, 1063; VII, 1262, 1297, 1311; X, 1806, 1867, 1913; XI, 1927, 1933, 1946-1949, 1952-1957, 1989; XII, 2187; XIII, 2312, 2331; XIV, 2590, 2636, 2646-2647; XV, 2823, 2832, 2851, 2870; XVI, 2972, 3015; XVIII, 3274, 3283-3284, 3288, 3375; XIX, 3501, 3616-3617; XX, 3751, 3773, 3793; XXI, 3852, 3988.
Lex Gabinia, XVI, 2979.
Lex Manilia, XVI, 2979.
Leyden, Holland, III, 463.
LIBANUS, XI, 1958.
Liber Leviticus, XI, 1952.
Liber Psalmorum, XVII, 3079.
LIBNAH, VIII, 1490; IX, 1551; X, 1882; XI, 1958-1959; XV, 2729, 2857; XVIII, 3402.
LIBNI, VI, 1147; XI, 1959.
Library of Congress (Wash., D.C.), VII, 1216.
LIBYA, IV, 612, 698; VI, 1132; VII, 1212, 1232; XI, 1932, 1959, 1980; XVI, 2938; XVII, 3125; XX, 3824.
"Life of Adam," the, X, 1764; XVII, 3102.
Life of Moses (by Philo), XVI, 2834, 2930, 2973.
Lightfoot, Bishop J.G., XIX, 3568.
Lighthouse at Alexandria, I, 130-131.
LIGHTS, FESTIVAL OF, XI, 1960.
LIGURE, XI, 1960.
Ligurian Sea, XVII, 3246.
LIKHI, XI, 1960.
Lilith, XVIII, 3377.
LINEN, XI, 1960, 1962; XX, 3759.
LINUS, XI, 1962.
LION, XI, 1962-1963.
Lipit-Ishtar of Isin, VII, 1237.
Lisma, X, 1792.
"Little Genesis,'" the, X, 1764; XVII, 3102.

Little Hermon, XIII, 2329.
LITTLE HORN, XI, 1963.
Livia, XX, 3709.
Livowczyk, Jan, III, 469.
Lixus, XX, 3825.
Lizard, VI, 1064 (*see also* "Reptiles of the Bible" in Index).
LO-AMMI, VII, 1320; XI, 1963; XVIII, 3272.
LOCUSTS, VI, 1057; VIII, 1372; XI, 1963.
LOD, LYDDA, III, 518; VII, 1172; XI, 1963-1964.
LO-DEBAR, II, 292; IV, 768; XI, 1964-1965, 2042; XII, 2209.
Logia, XII, 2152-2153.
LOGOS, VII, 1215; XI, 1965-1966; XII, 2230; XVI, 2930-2931; XX, 3790; *passim*.
LOIS, XI, 1966; XXI, 3964.
Lollards, III, 449; XXI, 3981-3982.
London, England, IV, 661; VII, 1208.
London Polyglot, XVIII, 3406.
Long Parliament, the (1653), X, 1855.
LORD, I, 34-35, 37-40, 47, 57, 59, 92, 96, 105, 118-120, 133-134, 146, 162, 167; II, 217, 228, 234, 253, 319-320, 334, 336, 349, 352, 362-363, 375-376; III, 394, 403, 419, 423, 425, 481, 488, 491, 497, 499, 506-507, 514, 518-519, 535, 555, 560, 563, 565, 567, 571; IV, 594-595, 617-618, 620, 622, 635, 662, 700, 733, 738, 748, 759; V, 777, 796-797, 804, 828-829, 835, 842, 844, 848, 878-879, 884, 891, 893-894, 897-898, 908, 910, 912, 918, 936, 942, 950-951, 955; VI, 970, 995, 997, 1000-1001, 1003-1006, 1015-1017, 1052, 1066, 1071, 1079, 1110, 1116, 1136, 1139, 1146, 1148; VII, 1161, 1163, 1174, 1191, 1195, 1200, 1218-1219, 1224, 1230, 1239-1240, 1242, 1260, 1273, 1297-1299, 1303, 1310, 1314-1315, 1322, 1327, 1338; VIII, 1357, 1363, 1366, 1382, 1384-1385, 1390, 1393-1394, 1398, 1413, 1415-1416, 1425, 1436, 1443, 1445, 1456, 1458, 1462, 1485, 1493, 1497, 1500, 1506; IX, 1543, 1564, 1622, 1629, 1634, 1705; X, 1735, 1744, 1746-1748, 1757, 1824, 1837, 1839, 1841, 1845, 1863, 1877, 1891; XI, 1927, 1937, 1941, 1949, 1966-1969, 2053-2054, 2056; XII, 2178, 2216, 2247-2249, 2259, 2273, 2295; XIII, 2337, 2341, 2345-2346, 2378, 2382, 2443, 2457, 2460, 2475; XIV, 2515, 2562, 2578, 2589-2591, 2593, 2601, 2607, 2618, 2622, 2647, 2651; XVI, 2888, 2904, 2943, 2948, 3000, 3041; XVII, 3083, 3140, 3163, 3175, 3178-3179, 3185, 3264; XVIII, 3286-3287, 3289, 3292-3293, 3322-3326, 3329, 3347, 3358, 3360, 3362, 3407, 3430, 3436, 3438, 3445-3446; XIX, 3463, 3527-3528, 3541, 3555; XX, 3691, 3735; XXI, 3848, 3851, 3853-3854, 3858, 3915, 3977, 4002, 4032; XXII, 4057.
LORD OF HOSTS, XI, 1968-1969.
Lord of the Flies (Golding), II, 335.

LORDS OF THE PHILISTINES, XI, 1971-1972, 2053.
LORD'S PRAYER, V, 782; VI, 1099; IX, 1586; X, 1850; XI, 1969-1971, 1995; XII, 2168; XVI, 2998; XVIII, 3408; XIX, 3599.
LO-RUHAMAH, VII, 1320; XI, 1972; XVIII, 3272.
LOST COIN PARABLE, X, 1884; XI, 1972, 1995; XV, 2750; XVI, 3020 (*see also* "Parables of Jesus Christ" in Index).
LOST SHEEP PARABLE, IX, 1586; X, 1884; XI, 1972, 1974, 1995; XII, 2170; XV, 2750; XVI, 3020; XVIII, 3434 (*see also* "Parables of Jesus Christ" in Index).
LOT (nephew of Abraham), I, 34-35, 37-38, 147, 161, 167; II, 228, 262; III, 393, 410, 566; IV, 620, 708; V, 891, 960; VI, 1138; VII, 1201, 1246, 1262, 1309, 1329; VIII, 1413; IX, 1710; XI, 1927, 1974-1977, 1979; XII, 2249, 2302; XIII, 2326, 2423; XV, 2728, 2869-2970; XVI, 2940; XVIII, 3277, 3426; XIX, 3507; XX, 3712; XXI, 3957; XXII, 4058.
LOTAN, XI, 1979; XX, 3716.
LOTHASUBUS, XI, 1979.
LOT'S WIFE, XI, 1977, 1979-1980.
Louis XIV (French monarch) (1638-1715), II, 257; VII, 1216.
Louis XV (French monarch) (1710-1774), III, 475.
Loutro, XVI, 2935-2936.
Louvain, Belgium, I, 41.
Louvain, France, III, 463.
Louvre (Paris), XIII, 2311 XVIII, 3314.
Lower Criticism (*see* "Biblical Criticism" in Index).
LOWEST SEAT AT THE FEAST PARABLE, XI, 1980; XV, 2750; XVI, 2906 (*see also* "Parables of Jesus Christ" in Index).
LOZON, IV, 731; XI, 1980.
Lubban, XI, 1931.
LUBIM, XI, 1932, 1959, 1980.
Lucan (Marcus Annaeus Lucanus, Roman poet) (A.D. 39-65), VI, 1119; XIV, 2506.
LUCAS, XI, 1980; XVI, 2913.
Lucian, III, 461.
LUCIFER,, V, 788; XI, 1980.
Lucina, XVII, 3253.
Lucian of Samosata, XVIII, 3406.
LUCIUS (New Testament personages), II, 322; V, 784; XI, 1980; XIII, 2408; XIX, 3468.
Lucius Domitius Ahenobarbus (*see* "Nero" in Index).
Lucius Quietus, XX, 3768.
Lucius Vitelius, XX, 3710.
Lucretius (Titus Lucretius Carus, Roman poet) (c. 99-55 B.C.), V, 950.
LUD, XI, 1980, 2001.
LUDIM, XI, 1980.

Lugdunum, IV, 620.
LUHITH, XI, 1980.
LUKE (Evangelist), I, 61, 74; II, 356; IV, 585, 598, 600, 638, 648, 698; V, 924; VI, 1089, 1091, 1114; VII, 1264, 1287; XI, 1980, 1982-1997, 2039, 2110; XII, 2279; XIII, 2449; XIV, 2521, 2533, 2536, 2538, 2579, 2623; XV, 2789, 2800, 2802, 2805, 2812; XVI, 2918-2919; XVII, 3151; XVIII, 3452; XIX, 3485, 3592-3594, 3597; XX, 3692, 3699, 3718; XXI, 4001, 4028.
LUKE, THE GOSPEL ACCORDING TO ST. (New Testament), I, 61-62, 72, 74, 82, 87, 174-175, 177; II, 212, 323-324, 356, 360, 375, 408; III, 417, 420, 429, 431, 433, 436, 486, 501, 538; IV, 589, 599, 601, 620, 656, 685; V, 819, 907-908, 950; VI, 989, 998, 1045, 1047, 1087-1099, 1108, 1133-1135, 1150; VII, 1197, 1200, 1206, 1208, 1286, 1312-1313; VIII, 1438, 1531; IX, 1576, 1582, 1584, 1590, 1603, 1678, 1682, 1712; X, 1792, 1844, 1855, 1904; XI, 1928, 1937, 1967, 1969, 1972, 1980, 1982-1997, 2039, 2053, 2087, 2110; XII, 2123, 2130, 2133, 2136, 2159-2160, 2285; XIII, 2381, 2407, 2449; XIV, 2503, 2521-2522, 2524-2526, 2531, 2533, 2535, 2538; XV, 2770, 2789; XVI, 2887, 2902, 2906, 2972, 2983-2984, 2990, 2993, 3020; XVII, 3216, 3239; XVIII, 3272, 3311-3313, 3354, 3357, 3387, 3408; XIX, 3476, 3487, 3586, 3588, 3592-3594, 3597, 3599-3603, 3642; XX, 3685, 3692, 3770, 3795, 3819, 3834, 3836; XXI, 3888, 3890, 3908, 3992-3993.
Lusitania, XIX, 3551.
Luther, Martin (1483-1546), II, 210, 218; III, 439, 463-464, 468-469, 541; IV, 660; V, 957; VI, 974, 990, 1116; VII, 1264; VIII, 1472; IX, 1646; X, 1826; XI, 1999; XIV, 2518, 2544, 2595; XVI, 3011; XVII, 3263; XIX, 3530.
LUTHER BIBLE, III, 464-466, 468, 471; IV, 660; VII, 1306; XI, 1999.
Luwians, XII, 2223.
LUZ, III, 410; V, 877; VIII, 1445; XI, 1999.
LYCAONIA, I, 70; V, 790; XI, 1999-2000, 2003; XVI, 2942.
LYCIA, IV, 625; XI, 2000-2001; XV, 2747, 2782; XVI, 2911, 2943; XVIII, 3453.
Lycian League, XVI, 2911.
Lycus River, IV, 637.
Lycus Valley, IV, 638.
LYDDA, I, 95; III, 565; XII, 2287; XIII, 2311, 2460; XVI, 2890; XVIII, 3425.
LYDIA (Christian convert), XI, 1982, 2001; XIII, 2320; XIV, 2617; XV, 2800; XVI, 2918.
LYDIA (place), I, 94, 185; II, 292; IV, 699; VII, 1185; XI, 2001; XV, 2843; XVI, 2913, 2937; XVIII, 3352; XIX, 3503; XX, 3706.

Lyons, France, IV, 620.
Lysander the Spartan, XII, 2298.
LYSANIAS, I, 25; XI, 2001; XX, 3685.
LYSIAS (Syrian commander), I, 123, 187-188; II, 372; III, 425; V, 785, 880; VI, 1063; VII, 1199; X, 1798, 1834; XI, 1966, 2001, 2003; XII, 2215, 2288; XV, 2797, 2800; XVI, 2937; XIX, 3570; XX, 3718; XXII, 4044.

1800; XI, 2001-2002, 2013-2014, 2035; XV, 2786.
LYSIAS, CLAUDIUS, XI, 2002-2003; XV, 2804; XX, 3734.
Lysimachia, IV, 626.
LYSIMACHUS (translator of Esther; brother of Menelaus), I, 186; II, 325; IV, 616; XI, 2003; XVII, 3112, 3114, 3197, 3395; XX, 3706.
LYSTRA, I, 60-70; II, 279, 359; VI, 991, 1113; X,

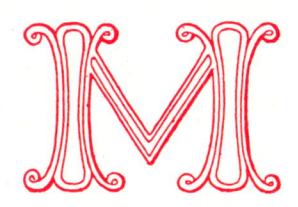

M

MAACAH (various personages), I, 47; II, 233; VI, 1148; VIII, 1356; X, 1780; XI, 2004; XII, 2188; XIX, 3622, 3628; XX, 3727; XXII, 4057.
MAACAH (kingdom), II, 232; XI, 2004-2005.
MAACHAH (wife of King Rehoboam), I, 24, 30; II, 279-280; XI, 2004; XII, 2243; XVII, 3184.
MAACHAH (various personages), XI, 2005; XV, 2841; XVIII, 3418, 3429; XIX: 3608.
MAACHATHITES, XI, 2005.
MAADAI, XI, 2005; XIII, 2314.
MAADIAH, XI, 2005; XIII, 2311.
MAAI, XI, 2005.
MAALEH-ACRABBIM, XI, 2006.
MAANI, III, 553; XI, 2006.
MAARATH, XI, 2006.
MAASEIAH (various personages), I, 79; II, 336, 352; VII, 1256; XI, 2006; XIII, 2326; XVIII, 3446.
MAASIAI, XI, 2006.
MAASIAS, XI, 2006.
MAATH, XI, 2006.
MAAZ, XI, 2006.
MAAZIAH, XI, 2007.
MABDAI, XI, 2008.
MACALON, XI, 2008; XII, 2244.
"Maccabean Psalms," XVI, 2977.
MACCABEES, I, 34, 50, 123-124, 128, 140, 144, 167, 181, 185-189; II, 199, 201, 210, 217, 238, 249, 261, 263, 277, 296, 313, 322, 348, 364, 372; III, 393, 408-409, 411, 414, 425-426, 495, 508, 526, 546, 555, 559-560; IV, 627, 646, 720, 722, 725; V, 785-787, 790, 802, 823, 836, 860, 924, 934; VI, 979, 991, 1065-1066, 1118, 1128, 1151; VII, 1199, 1204-1205, 1214, 1230, 1234, 1244, 1252, 1254, 1272-1273, 1276, 1284, 1303, 1311, 1343; VIII, 1380, 1421, 1444, 1475-1476, 1523, 1531; IX, 1556, 1573, 1582, 1638, 1663, 1687-1688, 1701, 1704-1705; X, 1738, 1766, 1798-1801, 1824, 1841, 1884; XI, 1937, 1960, 1963, 2002, 2008-2038, 2042, 2057, 2080-2081; XII, 2147-2148, 2190; XIII, 2311, 2415, 2419; XIV, 2550-2551, 2628, 2662, 2681; XV, 2715, 2745, 2771; XVI, 2906, 2909, 2912-2913, 2979, 2989, 3063; XVII, 3111, 3120, 3158, 3165; XVIII, 3283, 3294-3295, 3312, 3314-3315, 3379-3380, 3389, 3392, 3413, 3451; XIX, 3463, 3468, 3483, 3587, 3623, 3629, 3644-3645; XX, 3681, 3683, 3704, 3734-3735, 3794; XXI, 3930, 3991, 4019; XXII, 4045.
MACCABEES, FIRST BOOK OF THE (Apocrypha), I, 125-126, 187; II, 208, 210, 227, 235; III, 429, 445; IV, 627, 704; V, 785-786, 879, 921; VI, 968, 991, 1112; VIII, 1444; IX, 1663, 1687-1688, 1704; X, 1798, 1910; XI, 2002, 2008, 2012, 2030-2033; XII, 2147; XIII, 2311, 2436; XIV, 2550; XV, 2700, 2880; XVI, 2913, 2917, 2941; XVII, 3110-3111, 3238; XVIII, 3294, 3352, 3387, 3391, 3404; XIX, 3483, 3549, 3552-3553; XX, 3718.
MACCABEES, SECOND BOOK OF THE (Apocrypha), I, 126, 167, 187; II, 208, 210; III, 429, 445; IV, 616, 634; V, 789, 848; VI, 1146; VII, 1273; VIII, 1444, 1476; IX, 1663; XI, 2033-2037, 2061; XII, 2207; XIII, 2436, 2442, 2478, 2480; XIV, 2550; XV, 2700, 2880; XVII, 3166, 3198; XVIII, 3294, 3395-3396, 3404; XIX, 3487, 3552-3553; XX, 3734-3735, 3791, 3794.
MACCABEES, THIRD BOOK OF THE, XI, 2937-2938; XVII, 3105; XVIII, 3404.
MACCABEES, FOURTH BOOK OF THE, XI, 2037-2040; XVII, 3105; XVIII, 3404.
MACEDONIA, I, 57, 71, 125, 130, 161; II, 217, 314; III, 403; IV, 615; V, 951; VI, 1112; VII, 1212; VIII, 1377; XI, 2041-2042, 2077; XIII, 2459; XV, 2800,

MAHALALEEL, XI, 2054, 2061.
MAHALATH, II, 365; V, 952; VIII, 1386, 1407; XI, 2054.
MAHALATH LEANNOTH, XI, 2054.
MAHALI, XI, 2054; XII, 2212.
MAHANAIM, I, 50; III, 484; VII, 1170; VIII, 1405, 1448; XI, 2054-2055; XVII, 3246.
MAHANEH-DAN, XI, 2055.
MAHARAI, XI, 2055; XIV, 2510.
MAHATH, XI, 2055.
MAHAZIOTH, XI, 2055.
2802, 2880; XVI, 2917, 2938; XVII, 3263; XIX, 3476, 3563, 3590; XX, 3684, 3692, 3698, 3704, 3706, 3717-3718, 3732, 3791-3792, 3830.
MACHAERUS, II, 264; XI, 2042; XV, 2840; XVII, 3252.
MACHBANAI, XI, 2042.
MACHBENAH, XI; 2042.
MACHI, XI, 2042.
MACHIR (various personages), I, 147; II, 292, V, 779, 859; VII, 1235; XI, 2005, 2042, 2066, 2069, 2071; XII, 2209; XV, 2841.
MACHNADEBAI, XI, 2042.
Machpelah (see "Cave of Machpelah" in Index).
MacLeish, Archibald (poet), IX, 1646.
MACRON, XI, 2042.
MADAI, (son of Japheth), VI, 1132; VII, 1184; XI, 2042; XII, 2190.
Madeba, XII, 21889.
MADIAN, XI, 2042.
MADMANNAH, III, 419; XI, 2042; XVIII, 3418.
MADMEN, XI, 2043.
MADMENAH, XI, 2043.
MADON, IX, 1659; XI, 2043.
MAELUS, XI, 2043.
MAGBISH, XI, 2043.
MAGDALA, IV, 704-705; XI, 2043; XII, 2134, 2170.
MAGED, XI, 2057.
MAGI, XI, 2043, 2045; XII, 2165; XIII, 2409, 2450; XVI, 2960.
MAGIC, DIVINATION, AND SORCERY, IV, 672; XI, 2047-2053; XII, 2191; XIV, 2621; XIX, 3579; passim.
MAGIEL, XI, 2043.
Magnesia, Battle of (190 B.C.), I, 181; XI, 2001, 2008; XVII, 3119, 3263; XVIII, 3394, 3396; XIX, 3634.
MAGNIFICAT, V, 908; VII, 1241; XI, 1992-1993, 2053-2054; XII, 2123, 2126; XVII, 3084; XVIII, 3322.
Magog (see "Gog and Magog" in Index).
MAGOG-MISSARIB, XI, 2054.
MAGPIASH, XI, 2054.
MAHALAH, XI, 2054.

MAHER-SHALAL-HASH-BAZ, III, 436; VIII, 1390, 1393; XI, 2056; XXI, 3878.
MAHLAH, XI, 2056.
MAHLI, XI, 2054, 2056.
MAHLON (husband of Ruth), III, 575; V, 879, 905, 949; XI, 2056-2057; XIII, 2436; XVIII, 3273-3274.
MAHOL, III, 563; VI, 986; XI, 2057.
Maia (deity), II, 293.
MAIANEAS, XI, 2057.
Maimonides, XX, 3708.
Ma'in, XII, 2252-2253.
Mainz, Germany, IV, 668; VII, 1216.
MAKAZ, XI, 2057.
MAKED, XI, 2057.
MAKHELOTH, XI, 2057.
MAKKEDAH, I, 92-93; IV, 768; VII, 1265, 1310; XI, 1959, 2057; XV, 2729, 2857.
MAKTESH, XI, 2057.
MALACHI (Prophet), III, 546; V, 791, 819; VI, 1029; IX, 1661-1662; XI, 2057-2058; XIV, 2687-2688; XVI, 3038, 3058; XXI, 3930.
MALACHI, THE BOOK OF (Old Testament), III, 428, 545-546; IV, 758; V, 792; VI, 1100; VII, 1226; XI, 2058-2060; XIV, 2606, 2632, 2635-2636, 2687-2688; XVI, 2972, 3028; XXI, 4019-4020.
MALACHY, XI, 2060.
Malatya, VII, 1308.
Malaya, XVI, 2959.
MALCHAM, XI, 2060.
MALCHIAH (various personages), VII, 1235; IX, 1564-1565; XI, 2060; XV, 2778; XVII, 3174.
MALCHIEL, XI, 2060.
MALCHIJAH, XI, 2060-2061; XV, 2721.
MALCHIRAM, XI, 2061.
MALCHUS, XI, 2061.
MALELEEL, XI, 2061.
Malherbi, Nicolo di, III, 466.
Malichus, XI, 2025.
Malkiel, XX, 3668.
Mallia, IV, 668.
MALLOS, I, 182; XI, 2061.
MALLOTHI, XI, 2061.
MALLUCH, XI, 2061, 2063.
MALTA, II, 358; III, 556; X, 1829; XII, 2202; XV, 2804; XVI, 2936; XVIII, 3453; XIX, 3604.
Malthace (wife of Herod), II, 253; VII, 1279, 1283.
MAMAIAS, XI, 2061.
Mamelukes, IX, 1561; XV, 2746.
Mamertines, XVII, 3235.
MAMMON, XI, 2061.
MAMNITHANAIMUS, XI, 2062.
MAMRE, I, 37; III, 557, 566; VII, 1329; XI, 2062-2063.

INDEX 4153

MAMUCHUS, XI, 2063.
MANAEN, XI, 2063.
MANAHATH, XI, 2063.
MANAHETHITES; XI, 2063.
MANASSEH (king of Jufah), I, 149; II, 283, 293; III, 504; IV, 596; V, 794-795, 798, 951-952; VII, 1170, 1251, 1273, 1297, 1301, 1329; VIII, 1392, 1506, 1511; IX, 1553, 1559, 1564; X, 1759, 1785, 1863, 1884; XI, 2053, 2063-2065, 2071; XII, 2220; XIII, 2314; XV, 2697, 2702; XVI, 3000; XVII, 3132; XVIII, 3402; XIX, 3579; XX, 3686, 3750; XXI, 3853, 4029.
MANASSEH (firstborn son of Joseph), II, 285, 295, 375; V, 805, 943; VI, 1139; VII, 1170, 1239, 1254, 1267; VIII, 1445, 1450; IX, 1712, 1717, 1722; X, 1873; XI, 2042, 2051, 2065-2067, 2071; XV, 2699; XVI, 2989; XVII, 3146, 3155, 3207; XVIII, 3441; XX, 3801, 3831.
MANASSEH, TRIBE OF, I, 89, 113, 136, 173; II, 261, 287, 329-330, 333, 364, 378; III, 399, 421, 477, 555; V, 779, 823, 856, 879, 889, 891, 929, 936, 942, 945-946; VI, 1111-1112, 1127, 1147; VII, 1162-1163, 1170, 1185, 1244, 1246, 1267, 1309; VIII, 1351, 1353, 1406, 1411, 1432, 1434, 1439, 1463-1464, 1479, 1512, 1534; IX, 1634, 1712, 1722; X, 1751-1752, 1763, 1776, 1838; XI, 1939, 1944, 1960, 1999, 2004-2005, 2042, 2054, 2067-2071; XII, 2197, 2245; XIII, 2439-2440; XIV, 2577-2578, 2589, 2629; XV, 2704, 2728, 2818, 2857-2858; XVI, 2931; XVII, 3155, 3209-3210; XVIII, 3297, 3417, 3430, 3439, 3441-3442; XIX, 3480-3481, 3583, 3609, 3630; XX, 3666-3667, 3673, 3803-3804, 3813, 3815, 3817; XXI, 4012, 4027; XXII, 4048.
Manasseh ben Israel (scholar), VI, 1018; VIII, 1452; XX, 3670.
MANASSES, II, 352; V, 843; X, 1822; XI, 2071; XVI, 3000.
Manbij, Syria, XI, 2085; XII, 2152; XIV, 2518.
Mandaean school, the, VII, 1177; IX, 1668, 1683.
Mandane, XII, 2191.
Manetho, XVI, 2902; XVII, 3114.
MANI, XI, 2071.
MANI (Manichaean), II, 213.
Manichaeans (sect), II, 213.
Manichaean Papyri, II, 211.
Manilian, X, 1830; XVI, 2979.
Mann, Thomas (novelist), II, 285; IX, 1724; XVI, 2989.
MANNA, I, 170; III, 500; VI, 1003; VII, 1314; VIII, 1376; XI, 2071-2073; XII, 2179, 2273; XIII, 2340-2341; XIV, 2590; XV, 2872; XVI, 2957, 2959; XVIII, 3282; XXI, 3936.
MANOAH (father of Samson), I, 170; VI, 967; XI, 2073; XVIII, 3315, 3319.

Manor, XIX, 3558.
"Manual of Discipline" (Dead Sea Scrolls), IV, 762, 765-766; XXI, 3951.
MAOCH, XI, 2074.
MAON, III, 553; XI, 2074; XIII, 2413; XVIII, 3390; XXI, 3934.
MAONITES, XI, 2075.
MARA, XI, 2075; XIII, 2437.
Marad (deity), XIII, 2465.
MARAH, V, 905; VI, 1002; XI, 2075; XII, 2273; XIII, 2338; XXI, 3911.
MARALAH, XI, 2075.
MARAN-ATHA, XI, 2075.
Marathon, Battle of (490 B.C.), IV, 731; VII, 1211.
Marburg, Germany, IV, 660.
Marcan Apocalypse, XI, 2092, 2098; XII, 2160; XIV, 2526, 2531.
MARC ANTONY (Roman statesman), I, 132, 180; II, 199, 323-324; IV, 625, 629-630, 632-633; VII, 1276-1277, 1344; XI, 2001, 2025, 2075-2078; XIV, 2554; XV, 2772, 2790, 2844; XVI, 2917-2918; XVII, 3109, 3123, 3248, 3263; XVIII, 3451; XIX, 3635; XX, 3830.
Marcellus, XV, 2793; XIX, 3604.
Marcii Reges, X, 1829.
Marcion (Church Father), III, 433, 538, 541, 550; V, 939; VI, 1089; VII, 1177; XI, 1984; XIV, 2518, 2526; XV, 2812, 2816; XX, 3722-3723.
MARCUS, XI, 2078, 2080; XVI, 2913.
Marcus Aemilius Lepidus, II, 323.
Marcus Aurelius (Roman emperor) (A.D. 121-180), XIX, 3568.
MARDOCHEUS, IV, 619; VI, 1107; VIII, 1464; XI, 2080; XIII, 2327; XVII, 3198 (*see also* "Mordecai" in Index).
"Mardocheus' Day," XIII, 2327.
Marduk (deity), II, 331, 339; III, 392; IV, 666; V, 951; VI, 981; XII, 2217; XIII, 2326-2327, 2465, 2470; XIX, 3576, 3638.
Marduk-apla-iddina (deity), XII, 2217; XVIII, 3356.
Marduk-zahir-shumi II (monarch), XVIII, 3400.
Mare Idumea, XVII, 3180.
MARESHAH, XI, 2080, 2083; XXI, 4032.
MARI, I, 150; VII, 1219, 1237; XI, 2080-2081; XIX, 3573-3574.
MARIAMME (Hasmonaean princess), I, 124, 128-129; II, 264, 324; VII, 1252, 1277, 1279, 1281, 1284; VIII, 1381, 1422; XI, 2025-2027, 2081, 2083; XVIII, 3301.
Mariamme II (wife of Herod), VII, 1279; XVIII, 3301.
Mariamme Tower, the, IX, 1559.
Mari Documents (Mari Texts), II, 244; XI, 2081; *passim*.

MARIMOTH, XI, 2083.
MARISA, XI, 2083.
MARK, JOHN (evangelist), I, 61, 63-64; II, 359-360; III, 431; IV, 598, 638, 698; VI, 1089, 1091-1092; VIII, 1357; IX, 1664, 1666, 1687-1688; XI, 2083, 2085; XII, 2133; XIV, 2523, 2531; XVI, 2892, 3000; XVII, 3236; XVIII, 3391; XIX, 3593 (see also "John Mark" in Index).
MARK, GOSPEL ACCORDING TO ST. (New Testament), I, 61, 166, 174, 179; II, 212, 319; III, 408, 417, 420, 429, 433, 485, 526; IV, 589, 591, 599, 601, 685, 704; V, 819, 887; VI, 1087-1098, 1150; VII, 1200, 1286-1287, 1312; VIII, 1468; IX, 1576, 1584-1585, 1589, 1591, 1594, 1602-1603, 1664, 1682, 1688; X, 1737, 1744, 1844, 1904; XI, 1984, 1987, 1990, 2083, 2085-2100, 2111; XII, 2133, 2150, 2153, 2156, 2159-2162, 2165, 2285; XIII, 2375; XIV, 2521-2523, 2526, 2528, 2531, 2533, 2536, 2609; XV, 2770, 2840; XVI, 2887, 2983, 2990; XVII, 3264; XVIII, 3272, 3300-3301, 3344, 3408; XIX, 3472, 3592-3593, 3597, 3599, 3601-3603, 3608, 3622; XX, 3685, 3729, 3749, 3769-3770, 3795; XXI, 3864, 3867, 3893, 3908, 3927.
MARKS, XI, 2100-2101.
Marlowe, Christopher (poet) (1564-1593), III, 440; XIV, 2669.
MARMOTH, XI, 2101.
Maronites, XI, 1930.
MAROTH, XI, 2006, 2101.
MARRIAGE CUSTOMS, IV, 640; V, 825; X, 1867, 1911; XI, 2101, 2103-2104, 2107-2108; XVIII, 3434; XIX, 3625.
MARRIAGE FEAST OF THE KING'S SON PARABLE, II, 360; XI, 2108; XV, 2750 (see also "Parables of Jesus Christ" in Index).
Mars, II, 261; XIV, 2503.
MARSENA, XI, 2109.
MARS HILL, XI, 2109.
MARTHA (of Bethany), III, 408; IV, 644; IX, 1670; X, 1904, 1917, 1919; XI, 1995, 2109-2111; XII, 2130, 2133, 2178; XIX, 3487.
Martyrdom of Isaiah, XVII, 3102.
Martyrdom of Paul, II, 214.
Martyrology Romanum, IV, 719.
MARY (mother of Jesus), I, 175, 177; II, 211-212, 217; III, 417, 501; IV, 634, 680, 690; V, 828, 908; VI, 1070, 1091, 1108, 1133; VII, 1206, 1241, 1267, 1286, 1312; VIII, 1397, 1466, 1468, 1471; IX, 1576, 1584, 1678; X, 1735, 1737; XI, 1982, 1989, 1991-1993, 2039, 2045; 2053-3054, 2097; XII, 2119-2126, 2133, 2205; XIII, 2449-2451, 2455; XIV, 2522, 2533, 2536, 2615; XVI, 2939-2940; XVIII, 3322; XXI, 3888, 3890, 3957.
MARY (of Bethany), III, 408; IX, 1670; X, 1795, 1904, 1917, 1995; XI, 2110-2111; XII, 2130-2133; XIX, 3487.
MARY (mother of James), XII, 2133.
MARY (mother of John Mark), I, 63; IX, 1664; XI, 2083; XII, 2133.
Mary, Queen of Scots, X, 1852.
MARY MAGDALENE, IV, 634; IX, 1670, 1685; XI, 2043, 2100; XII, 2133-2136; XVII, 3143; XIX, 3581; XXI, 3963.
Mary Tudor (English monarch) (1516-1558), III, 440, 451; IV, 661; VI, 1143-1144; XII, 2173.
MASADA, V, 855; VII, 1277; IX, 1627; XII, 2136-2138; XVII, 3252; XIX, 3468; XXI, 4003.
Masai, XX, 3668.
MASCHIL, XII, 2142.
MASH, VI, 1132; XII, 2142, 2220.
MASHAL, XII, 2142.
Mashrokitha, XIII, 2405.
MASIAS, XII, 2142.
MASMAN, XII, 2142.
MASPHA, XII, 2142, 2301.
MASREKAH, XII, 2142.
MASSA, XII, 2142.
Massacre of the Innocents, XIX, 3496 (see "Slaughter of the Innocents" in Index).
Massagetae, IV, 699.
MASSAH, XII, 2142.
MASSIAS, XII, 2142.
Massorah Magna, XII, 2145.
Massorah Parva, XII, 2145.
Massoretes, the, V, 790; XII, 2142, 2144-2145; XVII, 3131, 3230.
MASSORETIC TEXT (Hebrew Bible), I, 133; III, 473; IV, 640, 762, 767; V, 806, 891; VII, 1290; VIII, 1394, 1495, 1512; IX, 1567, 1650; XI, 2058; XII, 2142-2145; XIII, 2479, 2486; XIV, 2581; XV, 2836; XVI, 2930; XVII, 3079, 3166; XVIII, 3310-3311, 3404, 3406, 3427; XIX, 3621; XX, 3662, 3708.
MASTICK, XII, 2145.
Matariyah, Egypt, VII, 1268.
MATHANIAS, XII, 2145.
Mather, Cotton, X, 1855.
MATHUSALA, XII, 2145.
MATRED, XII, 2145.
MATRI, XII, 2146.
MATRIARCHS, I, 40; III, 557; V, 949; VI, 1139; XI, 1927; XII, 2146; XVII, 3145, 3149, 3152, 3168; XVIII, 3345; *passim* (see also listings on "Leah," "Rachel," "Rebekah," and "Sarah" in Index).
MATTAN, VIII, 1485; X, 1781; XII, 2146.
MATTANAH, XII, 2146.
MATTANIAH, X, 1786; XII, 2146-2147; XV, 2719; XXI, 4021.

INDEX 4155

MATTATHA, XII, 2147.
MATTATHAH, XII, 2147.
MATTATHIAS, XII, 2147.
MATTATHIAS OF MODIN (progenitor of the Maccabees), I, 186; II, 264; V, 880; VII, 1214, 1252; IX, 1663, 1688, 1701, 1704; X, 1798; XI, 2013, 2081; XII, 2147-2148; XIII, 2311; XIX, 3483.
MATTENAI, I, 136; XII, 2148.
MATTHAN, XII, 2148.
MATTHANIAS, XII, 2148.
MATTHAT, XII, 2148.
MATTHELAS, XII, 2148.
MATTHEW (Evangelist), I, 64, 136; III, 431; VI, 1089; VII, 1229; X, 1847, 1904; XI, 1937, 1994; XII, 2149-2153; XIV, 2523, 2528, 2579, 2625; XVI, 2973; XVII, 3125; XIX, 3563; XX, 3795.
MATTHEW, THE GOSPEL ACCORDING TO ST. (New Testament), I, 57, 132, 166; II, 212, 220, 335; III, 417, 429, 433, 436, 464, 501, 538; IV, 585, 589, 599, 685, 688, 704, 708, 716; V, 782, 788-789, 819, 826, 887, 899; VI, 989, 1045, 1047, 1054, 1087-1098, 1112, 1117, 1133-1135, 1150; VII, 1183, 1200, 1270, 1286, 1312-1313; VIII, 1468, 1526; IX, 1576, 1584, 1602, 1641, 1680, 1693, 1712; X, 1735, 1737, 1761, 1794-1795, 1843-1845, 1847, 1882, 1904, 1916; XI, 1928, 1932, 1969, 1972, 1987, 1990, 2071, 2085, 2087, 2090, 2108, 2111; XII, 2123, 2133, 2149-2171, 2285, 2287; XIII, 2407, 2435, 2449-2450, 2453; XIV, 2512, 2521-2523, 2526, 2528, 2531, 2533, 2535, 2562, 2678; XV, 2750, 2768, 2770, 2818, 2840; XVI, 2887, 2906, 2973, 2983, 2990, 2993, 3020; XVII, 3149, 3155, 3181, 3216, 3239, 3264; XVIII, 3276, 3278, 3300, 3357, 3380, 3408, 3410; XIX, 3496-3497, 3549, 3561, 3592-3594, 3597, 3599-3603, 3621, 3631; XX, 3678, 3685, 3769, 3781, 3795, 3821, 3831; XXI, 3880, 3888, 3893, 3927, 4020.
MATTHEW'S BIBLE, III, 440, 449-450, 452; IV, 661; VII, 1208; X, 1854; XII, 2173; XIX, 3636.
MATTHIAS (Apostle), I, 166; II, 220; IV, 615; X, 1737; XII, 2174-2175; XVI, 3006; XX, 3795.
MATTITHIAH, XII, 2175.
Maximian (Roman emperor), VII, 1274.
Maximinus Thrax, XX, 3704.
Maximus of Gallipoli, III, 465.
Mayflower Compact, VI, 1144.
Mazarin, Jules Cardinal, VII, 1216.
Mazdaism, XV, 2773.
MAZITIAS, XII, 2175.
MAZZAROTH, XII, 2175.
MEAH, XII, 2176, 2187.
MEAL-OFFERING, XII, 2176, 2187; XVIII, 3292.
MEALS, XII, 2176.
MEANI, XII, 2187.

MEARAH, XII, 2187.
MEAT-OFFERING, III, 507; VII, 1260; XII, 2187-2188; XV, 2775, 2817; XVIII, 3292-3293.
MEBUNNAI, VII, 1340; XII, 2188.
Mecca, VII, 1224; IX, 1543; XVII, 3175.
Mecharah, XII, 2188.
MECHERATHITE, XII, 2188.
MEDABA, XII, 2188-2190.
MEDAD, V, 878; XII, 2189.
MEDAN, XII, 2189.
MEDEBA, II, 334; III, 426; IX, 1688, 1704; XII, 2188-2190; XV, 2697.
MEDES, MEDIA, I, 58-59, 96, 186, 189; II, 278, 298, 303, 305, 308; III, 555; IV, 699, 722-723; V, 802, 848, 876, 951; VII, 1184; VIII, 1398, 1432; X, 1760, 1785, 1823; XI, 2042; XII, 2190-2191, 2223-2224; XIII, 2436, 2462, 2493-2494; XIV, 2560, 2562; XVII, 3117, 3151-3152; XVIII, 3380; XX, 3714, 3736; XXI, 4029.
MEDICINE, IV, 624; VI, 1099; XII, 2191-2196; XIII, 2409; XVI, 2954.
Medina, IX, 1543.
MEEDA, XII, 2196, 2201.
MEGIDDO, I, 111; II, 243, 251, 253, 255, 259-260, 267, 335; III, 504, 531; V, 776; VI, 1118, 1124; VII, 1216, 1221, 1297, 1332; VIII, 1432, 1481; IX, 1634; X, 1751, 1760, 1786; XII, 2196-2199; XIII, 2472; XV, 2725; XVI, 2904; XVII, 3239; XIX, 3517, 3609; XX, 3714, 3763; XXI, 3973.
MEGILLOTH, VI, 974; VII, 1227-1228; XII, 2199-2200; XVIII, 3274; XIX, 3529.
MEHETABEL (-BEEL), XII, 2145, 2200, 2232.
MEHIDA, XII, 2196, 2200-2201.
MEHIR, XII, 2201.
MEHOLATHITE, XII, 2201.
MEHUJAEL, XII, 2201.
MEHUMAN, XII, 2201.
Mehunim, XI, 2074.
Mehunims, XI, 2075.
Meier of Rothenburg, XX, 3668.
MEJARKON, XII, 2201.
Mejdal, XII, 2249.
Mejdel, IV, 705.
Mekemer, XVI, 2925.
MEKONAH, XII, 2201.
Melanchthon, III, 466, 471.
MELATIAH, XII, 2201.
MELCHI, XII, 2201.
MELCHIAS, XII, 2201.
MELCHIEL, XII, 2201.
MELCHISEDEC, XII, 2201.
MELCHISHUA, XII, 2201; XVIII, 3369.
Melchite Christians, III, 473.

MELCHIZEDEK (Priest-king of Salem), I, 37; VII, 1181, 1262-1253; IX, 1546; XII, 2201-2202; XVI, 3011; XVII, 3082; XVIII, 3297-3298; XX, 3728; XXI, 3874.
MELEA, XII, 2202.
MELECH, XII, 2202.
MELICU, XII, 2202.
MELITA (Malta), II, 358; III, 556; XII, 2202-2204, 2291; XVII, 3125; XIX, 3604.
Melito of Sardis, XIII, 2480; XIV, 2518.
Melkarth, XVIII, 3319.
Melqart (deity), VII, 1301.
Melville, Herman, VIII, 1409.
MELZAR, XII, 2204.
MEM, XII, 2204.
MEMMIUS, QUINTUS, XII, 2204; XX, 3734.
MEMPHIS, IX, 1724; XII, 2204-2205, 2249; XIV, 2580; XV, 2783; XX, 3687, 3726.
Memra, III, 444.
MEMUCAN, XII, 2205.
MENAHEM (king of Israel), VI, 1112; VII, 1303, 1322; VIII, 1431; XII, 2205; XIII, 2316; XV, 2818, 2820; XVII, 3233; XVIII, 3308, 3420, 3434; XIX, 3499; XX, 3712, 3724; XXI, 3923.
MENAN, XII, 2205.
Menander, VII, 1177, 1301.
Mendelssohn, Felix (composer) (1809-1847), II, 311; V, 899.
Menderes River, XII, 2250.
MENE, MENE, TEKEL, UPHARSIN, III, 391; IV, 719; X, 1819-1820; XII, 2205-2207.
MENELAUS (High Priest), I, 167, 186-187; II, 325; IV, 616, 662; VIII, 1476; XI, 2003, 2008, 2013-2014; XII, 2207; XV, 2701; XVIII, 3380.
Menelik I (Ethiopian monarch), VI, 987; XI, 1963; XVII, 3133.
Menes (monarch), V, 864; XVI, 2902.
MENESTHEUS, XIII, 2207.
MEN OF THE GREAT SYNAGOGUE, VI, 1018, 1034; VII, 1262; XI, 1946; XII, 2209, 2296; XVIII, 3379; XX, 3757.
Mentuhotep (monarch), IV, 866.
MEONENIM, XII, 2209.
MENOTHAI, XII, 2209.
MEPHAATH, XII, 2209.
MEPHIBOSHETH (son of King Saul; grandson of King Saul), II, 269, 328; IV, 743, 747-748, 768; IX, 1701; XI, 1964, 2042; XII, 2209-2211, 2217, 2241; XIV, 2622; XVII, 3243; XIX, 3621.
MEPHIBOSHETH (son of Jonathan), XXII, 4045.
MERAB (daughter of King Saul), I, 94; II, 364; IV, 734; XII, 2201, 2211-2212, 2245; XVIII, 3366.
MERAIAH, XII, 2212.

MERAIOTH, XII, 2212.
MERAN, XII, 2212.
MERARI (third son of Levi), III, 426; IV, 696; V, 804, 857; VI, 986; VII, 1227, 1299; VIII, 1352, 1436, 1462, 1479, 1504, 1526, 1534; IX, 1689; X, 1838, 1869; XI, 1935, 1937, 1942-1944, 1947, 1959, 2054, 2056, 2061; XII, 2209, 2212-2214; XIII, 2393, 2419; XIV, 2589; XV, 2715; XVI, 3014; XVII, 3162, 3186, 3241; XVIII, 3438, 3446-3447, 3455; XIX, 3487, 3618, 3637; XXI, 3852, 3992; XXII, 4061.
MERATHAIM, VI, 993; XII, 2214.
MERCURIUS, XII, 2214-2215.
MERCY SEAT, II, 265, 320; III, 489, 491, 571; XII, 2215, 2260; XV, 2705; XVI, 3015; XIX, 3491; XXI, 3862.
MERED, III, 484; VIII, 1498; XII, 2215-2216; XVI, 2904.
MEREMOTH, X, 1879; XII, 2216; XX, 3840; XXI, 3848.
MERES, XII, 2216.
MERIBAH, I, 14, 17; XII, 2216-2217; XIII, 2346; XIV, 2591, 2648; XXII, 4050-4051.
MERIB-BAAL, II, 331; XII, 2209, 2217.
MERIBAH-KADESH, X, 1837; XII, 2217; XIII, 2345.
MERIMOTH, III, 553; XII, 2217.
Merkabah, VI, 1021.
Mermnad Dynasty, XVIII, 3352.
Merneptah (Pharaoh) (1236-1223 B.C.), II, 239; VI, 1009; XV, 2731; XVI, 2904, 2923; XX, 3724.
MERODACH, XII, 2217; XIX, 3571.
MERODACH-BALADAN (king of Babylon), III, 405, 564; VII, 1292; VIII, 1398; X, 1783-1784; XII, 2217; XVIII, 3356, 3400, 3402; XIX, 3555.
Meroujah (monarch), III, 445.
MEROM, THE WATERS OF, VIII, 1443; IX, 1659; XII, 2217-2218, 2301; XV, 2729.
Meronoth, XII, 2218.
MEROZ, XII, 2218.
MERUTH, XII, 2218.
MESHA (king of Moab, and others), II, 277-278; III, 426, 567; V, 803; VII, 1289; VIII, 1462, 1488, 1492; X, 1867-1868; XII, 2190, 2218, 2303-2304; XIII, 2311, 2314-2315, 2460; XV, 2697; XXI, 3975.
MESHACH, I, 18, 88; IV, 718, 722; V, 836; XII, 2218, 2279, 2295; XIII, 2470; XIX, 3541 (*see also* "Song of the Three Holy Children" in Index).
MESHECH, VI, 1132; VIII, 1478; XII, 2142, 2218, 2220.
MESHELEMIAH, XII, 2220; XVIII, 3420; XXI, 4012.
MESHEZABEEL, XII, 2220.
MESHILLEMOTH, XII, 2220.

Meshio, XII, 2226.
MESHOBAB, XII, 2220.
MESHULLAM, (various personages), III, 404-405; XII, 2220; XIV, 2631; XVIII, 3420, 3440.
MESHULLEMETH, VII, 11251; XII, 2220.
MESOBAITE, XII, 2220.
Mesolithic Age, I, 98; *passim*.
MESOPOTAMIA, I, 35, 40, 98, 101, 108, 149-150, 170, 185; II, 231-232, 235, 259, 305, 332, 339, 342, 344, 346-347, 350; III, 402, 472, 532, 565, 571; IV, 625, 652, 666; V, 802, 845, 857, 859, 866; VI, 1074-1075, 1132, 1143; VII, 1246, 1273, 1330, 1342; VIII, 1353, 1355-1356, 1384, 1413-1414, 1432, 1445; IX, 1650, 1683, 1713; X, 1760, 1804, 1874, 1880, 1891, 1895; XI, 1927, 1975, 2080-2081, 2107; XII, 2190-2191, 2220-2226, 2253, 2266, 2302; XIII, 2316; XIV, 2560, 2566; XV, 2719-2720, 2722, 2724, 2853, 2867, 2869; XVI, 2901, 2932, 2990; XVII, 3146, 3168, 3239, 3246; XVIII, 3288, 3339, 3356, 3380, 3383, 3398, 3438, 3448, 3454; XIX, 3555, 3563, 3570, 3572-3574, 3579, 3604, 3606, 3621, 3638; XX, 3761, 3768, 3801, 3809, 3811, 3813, 3837; XXI, 3851, 3857, 3901, 3917, 3938, 3975, 3977, 3980; XXII, 4041.
Messalina (consort of Emperor Claudius), IV, 622; XIII, 2443.
Messenia, XIX, 3553.
MESSIAH, I, 64, 69, 166, 174, 177, 179; II, 202-203, 207-208, 295, 298, 317, 326; III, 417, 427, 431, 443-444, 512, 546, 549; IV, 586, 589-590, 612-613, 642, 644, 676, 678, 680, 723, 766-767; V, 887, 899, 933-934, 954, 956, 959; VI, 999, 1092, 1094, 1119, 1133, 1135; VII, 1183, 1306, 1312; VIII, 1360-1363; IX, 1559, 1569, 1573, 1584-1585, 1602, 1628, 1678-1680, 1683; X, 1740, 1742, 1835, 1843, 1849, 1851, 1886, 1907, 1915-1917; XI, 1965, 1967, 1984, 1986, 1994, 1997, 2053, 2090, 2098, 2100; XII, 2121, 2153, 2165, 2201, 2226-2232; XIII, 2451, 2453, 2528, 2531; XIV, 2631, 2671, 2687; XV, 2770, 2777, 2797, 2840; XVI, 2910, 2915, 2931, 3002; XVII, 3088, 3095, 3099, 3101-3102, 3181, 3225; XVIII, 3283, 3312, 3344, 3436, 3446; XIX, 3472, 3488, 3529, 3564, 3577, 3624; XX, 3659, 3776, 3780, 3784; XXI, 3928, 3951, 4017, 4020-4021.
Mestrop, III, 445.
Metamorphosis (Ovid), III, 483.
Metatron, XIIV, 2594.
METERUS, XII, 2232.
METHEG-AMMAH, VI, 1126; XII, 2232; XVI, 2929.
Methodism, III, 452.
Methodist Church, IV, 765; XVII, 3232; *passim*.
METHUSAEL, XII, 2332.
METHUSELAH, IV, 608; V, 933; VII, 1273; X, 1889; XII, 2145, 2232.

Meunites, I, 148.
Meunim, XI, 2074.
Mexico, XIX, 3576.
MEZAHAB, XII, 2232.
Mezzuzah, VII, 1335.
MIAMIN, XI, 2043; XII, 2232.
MIBHAR, VII, 1227; XII, 2232.
MIBSAM, XII, 2232.
MIBZAR, XII, 2232.
MICAH THE EPHRAIMITE, III, 416, 488; IV, 711; V, 943; VI, 1052; VIII, 1390; IX, 1701; X, 1811; XII, 2232-2235; XIV, 2611; XVIII, 3341; XX, 3678.
MICAH THE MORASHITE (Prophet), II, 202, 317, 352; III, 443; V, 792, 956; VII, 1292; VIII, 1362; X, 1763, 1880; XI, 2080; XII, 2226, 2232, 2235-2239, 2244; XIII, 2326, 2330; XIV, 2683; XV, 2828; XVI, 3028, 3057; XVIII, 3288, 3310, 3344; XIX, 3528; XXI, 3968.
MICAH, THE BOOK OF (Prophet), III, 417, 428, 435, 443, 496, 545; V, 956; VIII, 1362; IX, 1661; XI, 2006, 2101; XII, 2236-2239; XIV, 2635-2636, 2683; XVI, 2972; XVIII, 3454.
MICAIAH (Prophet), VII, 1160, 1329; VIII, 1359; XI, 2005; XII, 2239-2240, 2243; XIII, 3040, 3043; XVIII, 3424.
MICHA, XII, 2209, 2240-2241.
MICHAEL (Archangel), I, 172; II, 253, 297-298; X, 1804; XII, 2241-2243; XVII, 3165, 3225; XXI, 3848.
MICAH, XII, 2243.
MICHAL (daughter of King Saul), I, 94; II, 256, 349; IV, 716, 734, 738, 742; V, 942; VI, 1104, 1119; VII, 1336; VIII, 1406; X, 1885; XII, 2211, 2243-2244; XVI, 2902, 3006; XVIII, 3366.
MICHEAS, XII, 2244.
Michelangelo Buonarroti (artist) (1475-1564), IV, 666, 690. 751; VI, 1018; VIII, 1511 XIII, 2365.
MICHMAS, XII, 2244.
MICHMASH, III, 408, 495; VI, 1128; IX, 1699, 1705; XI, 2008, 2016; XII, 2244-2245; XV, 2704, 2860; XVI, 2926; XVIII, 3360, 3399; XIX, 3463.
MICHMETHAH, XII, 2245.
MICHRI, XII, 2246.
MICHTAM, XII, 2246.
Midas, King, XVI, 2936.
MIDDIN, XII, 2246.
Middle Stone Age, I, 98; *passim*.
MIDIAN (son of Abraham), V, 877; VII, 1273; XII, 2212, 2246-2247.
MIDIAN, MIDIANITES, I, 23, 142; II, 288, 351; III, 409, 423, 499, 507; IV, 635, 661, 672, 696; V, 879, 947; VI, 997, 1079, 1139, 1146; VII, 1162-1163, 1249, 1308-1309, 1330, 1339; VIII, 1502; IX, 1622, 1634-1635, 1662, 1710, 1714, 1722; X, 1775, 1811,

The little children brought to Christ from a 19th-century engraving (*Counsel Collection*).

INDEX 4159

1838, 1841, 1843; XI, 2042, 2051, 2067; XII, 2246-2248, 2259; XIII, 2329, 2351, 2355, 2361, 2384, 2442; XIV, 2509, 2578; XV, 2705, 2732, 2768, 2823, 2858, 2870; XVI, 2931, 2938, 2989; XVII, 3168, 3185, 3208, 3212; XIX, 3480, 3499, 3609, 3618; XX, 3761; XXI, 4007-4009, 4027; XXII, 4041, 4056, 4061.
MIDRASH, II, 283, 285; III, 444; V, 806, 852; VII, 1262; IX, 1695; X, 1766, 1791; XII, 2248-2249; XIII, 2400, 2455; XVII, 3102, 3179; XVIII, 3345-3346, 3349-3350, 3379; XIX, 3479-3480, 3624; XX, 3681.
MIGDAL-EL, XII, 2249.
MIGDAL-GAD, XII, 2249.
MIGDOL, XII, 2249.
MIGRON, XII, 2249.
MIJAMIM, XII, 2249.
MIKLOTH, XII, 2249.
MIKNEIAH, XII, 2249.
MILALAI, XII, 2249.
Milan, Italy, III, 540; XVII, 3263.
MILCAH (various personages), III, 572; VII, 1340; VIII, 1404; XII, 2249; XIII, 2423; XVI, 2940; XXI, 3852.
MILCOM (deity), III, 567; X, 1848; XI, 2060; XIX, 3579 (see also "Molech" in Index).
MILETUS, MILETUM, XII, 2249-2250, 2298; XV, 2782-2783, 2802; XX, 3792-3793.
Milhaud, Darius (composer), IV, 666.
Milkili (monarch), II, 242.
MILLENNIUM, XII, 2250-2251; *passim*.
MILLO, XII, 2251-2252; XIX, 3517.
Milton, John (poet) (1608-1674), II, 335; IV, 640; VI, 1109; VII, 1270; XII, 2243; XVII, 3165; XX, 3738; XXI, 3849.
MINAEANS, II, 296; XII, 2252-2253.
MINAIMIN, XII, 2268.
MINERALS OF THE BIBLE, XII, 2253-2268; *passim*.
Minerva (deity), XVII, 3263.
Minhah, XII, 2187-2188; XVIII, 3288.
MINNI, II, 291; XII, 2268.
MINNITH, XII, 2268.
Minoan Civilization, IV, 668-669.
Minotaur, the, IV, 668.
MIPHKAD, XII, 2268.
Miphkad Gate, IX, 1564.
MIRACLES OF THE BIBLE, XII, 2268-2291; XIII, 2398; XVI, 3043; XIX, 3585; *passim*.
Miracle of the Gadarene Swine, XI, 1931.
MIRIAM (sister of Moses and Aaron), I, 14, 161; III, 519; IV, 716; V, 775; VI, 989; VIII, 1256; IX, 1659; X, 1837; XI, 1934; XII, 2291-2293, 2295; XIII, 2335, 2343; XIV, 2590, 2647; XVI, 3038-3040; XVII, 3084;
XXI, 3938, 3960; XXII, 4050.
MIRMA, XII, 2295.
MISGAB, XII, 2295.
MISHAEL, IV, 718; XII, 2218, 2295.
MISHAL, XII, 2142.
MISHAM, XII, 2295.
MISHEAL, XII, 2142.
MISHMA, XII, 2295.
MISHMANNAH, XII, 2295.
MISHNAH, II, 354; III, 484, 524; V, 825; VI, 1080; VII, 1314, 1331-1332, 1335-1336; X, 1791-1792; XI, 2103; XII, 2295-2296; XIII, 2459; XIV, 2617; XV, 2834, 2840; XVI, 2957, 3062; XVII, 3142, 3178; XVIII, 3283, 3379; XIX, 3558, 3623-3627; XXI, 3925, 3943.
Mishnayyot, XII, 2296; XIX, 3625.
MISHRAITES, XII, 2297.
MISPERETH, XII, 2297, 2301.
MISREPHOTH-MAIM, XII, 2297.
Missionary Sermon, the, XII, 2159.
Mission to the Gentiles (Paul's), I, 66; *passim*.
Mittani, Kingdom of, VII, 1306, 1308, 1342; XII, 2224; XIX, 3606, 3638.
MITHCAH, XII, 2297.
MITHNITE, XII, 2297.
Mithras (deity), IV, 638; XIX, 3635.
MITHREDATH, XII, 2297.
Mithridates, V, 784, 787; VI, 1113; X, 1830; XI, 2025.
Mithridates I, XII, 2299; XV, 2771; XVI, 2986.
Mithridates VI Eupator, XVI, 2986.
Mithridates, VI, XVII, 3264.
Mithridates of Pontus, XVI, 2979.
Mitra (deity), XII, 2190.
MITRE, XII, 2297-2298.
MITYLENE, XII, 2298-2299.
MIXED MULTITUDE, XII, 2299.
MIZAR, XII, 2299.
Mizbeah, XVIII, 3288.
Mizmor, XVII, 3079.
MIZPAH, MIZPEH, II, 363; III, 399, 401, 409, 411; V, 936; VI, 1129; VII, 1159, 1170; VIII, 1409, 1511; IX, 1569; 1663; X, 1780, 1788, 1838; XI, 2013; XII, 2142, 2299, 2301, 2303; XIII, 2400, 2465; XIV, 2550-2551; XVI, 2926; XVII, 3158; XVIII, 3323-3324, 3340, 3420, 3439; XIX, 3614, 3629.
MIZPAR, XII, 2301.
MIZRAIM, I, 162; V, 873; VII, 1231-1232; XI, 1932; XII, 2301; XIII, 2443; XVI, 2923.
MIZZAH, XII, 2301.
MNASON, XII, 2301; XVIII, 3297.
Mn-nfr, XII, 2205.
MOAB, MOABITES, I, 22, 102, 113, 142, 147-148, 156; II, 228-229, 238, 261, 277-278, 293, 331, 334,

349-350, 352, 376, 379; III, 399, 410, 412, 415, 491, 496, 560, 575; IV, 618, 743, 766; V, 796, 803-804, 819, 863, 873, 879, 905, 910, 923-924, 931, 945; VI, 997, 1022, 1084, 1111, 1133, 1139, 1152; VII, 1169, 1289, 1318; VIII, 1359, 1398, 1417, 1427-1428, 1434, 1437, 1441, 1462, 1486, 1488, 1492; IX, 1543, 1569, 1645, 1710; X, 1747, 1778, 1823, 1842, 1848, 1865, 1867-1868, 1911; XI, 1939, 1977, 1980, 2043, 2056, 2060; XII, 2189-2190, 2209, 2218, 2222, 2247, 2263, 2273, 2276, 2295, 2301-2303; XIII, 2311, 2314-2315, 2344, 2346, 2378, 2382, 2415, 2436, 2460; XIV, 2558, 2581, 2583, 2590, 2593, 2609, 2647, 2681; XV, 2697, 2715, 2721-2722, 2726, 2728, 2731, 2737, 2742, 2745-2746, 2840, 2858, 2864, 2872; XVI, 2942, 3049, 3062; XVII, 3187, 3209; XVIII, 3273-3274, 3277-3278, 3352-3353, 3356, 3388-3389, 3398, 3400, 3419-3420, 3442, 3448, 3454; XIX, 3463, 3474, 3479-3480, 3527, 3556, 3563, 3619; XX, 3742, 3803; XXI, 3852, 3907, 3934, 3938, 3975, 4010, 4023, 4032; XXII, 4039, 4057-4058.

MOABITE STONE, II, 277, 293, 334; III, 410, 426, 567; IV, 605; V, 803; VI, 1112; VIII, 1462, 1488; X, 1867, 1895; XII, 2189, 2218, 2303; XIII, 2311, 2460; XIV, 2633; XV, 2697; XXI, 3975, 3988.

MOADIAH, XIII, 2311.

Moby Dick (Melville), VIII, 1409.

MOCHMUR, XIII, 2311.

MODIN, III, 560; VI, 1151; VII, 1214; X, 1798; XI, 2013; XII, 2147-2148; XIII, 2311.

Moed, XII, 2295; XIX, 3625.

Moesea, VIII, 1359.

MOETH, XIII, 2312; XVIII, 3281.

Moffatt, James, III, 454, 464.

Moffatt's Bible, III, 440, 464.

Mohammed, I, 98; II, 230, 234; III, 444; V, 891; VI, 974; VIII, 1406; XIV, 2595; XIX, 3646; XX, 3670.

Mohammedans, VI, 1138; XIX, 3591.

Mohar, XI, 2107.

MOLADAH, XIII, 2312.

MOLE, XIII, 2312.

MOLECH, MOLOCH, IV, 708; VI, 1131; VII, 1270, 1300; X, 1783; XIII, 2312, 2314; XVIII, 3341; XIX, 3579; XX, 3751.

MOLI, XIII, 2314.

MOLID, XIII, 2314.

MOMDIS, XIII, 2314.

Monastery of St. Irenaeus (Lyons, France), III, 447.

Monastery of St. Mark (Jerusalem), IV, 762.

MONEY, III, 499; V, 789-790, 825; XIII, 2314-2326; XVI, 2940; XVIII, 3434-3435; XIX, 3563; *passim*.

MONOTHEISM, I, 41, 118, 122, 151, 154; II, 204, 311, 331-332, 336, 352, 363; III, 485, 495, 567; IV, 583, 616, 700; V, 791, 795, 797, 803, 867, 892; VI, 1006, 1010, 1016, 1071, 1138; VII, 1179, 1297-1298, 1309, 1314; VIII, 1353, 1380, 1395, 1413, 1417, 1425, 1485, 1495; IX, 1626, 1645, 1712; X, 1776, 1778, 1791, 1817, 1824, 1858, 1862; XI, 1941, 2047; XII, 2228, 2237; XIII, 2326, 2457; XIV, 2580, 2645, 2651, 2674; XV, 2731, 2788; XVI, 2902, 3036; XVII, 3090, 3165; XVIII, 3281, 3311, 3413; XIX, 3579; XXI, 3945, 3968.

Montanists, XIV, 2518.

Montanus, XX, 3749.

Monophytism, III, 459, 473.

Monteverdi, Claudio, XI, 1992.

Moors, the, XIX, 3551.

MOOSIAS, XIII, 2326.

MORASTHITE, XIII, 2326.

MORDECAI (hero of the Book of Esther), I, 96, 108; III, 400, 477, 575; IV, 619, 635; VI, 974, 976, 978-979, 981, 1065, 1107; VII, 1222, 1232, 1247; VIII, 1464; X, 1869; XI, 2080; XII, 2217; XIII, 2326-2329; XIV, 2513; XVI, 3063; XVII, 3125-3127; 3197-3198; XVIII, 3447; XX, 3675, 3678; XXI, 3984, XXII, 4041.

Mordecai's Day, XVII, 3126.

MOREH, HILL OF, VII, 1296; IX, 1710; XIII, 2329-2330, 2375, 2427; XVIII, 3430.

MOREH, OAK OF, XIII, 2330; XVIII, 3339.

MORESHETH-GATH, XII, 2235; XIII, 2330.

MORIAH, I, 39; VIII, 1382 (*see also* "Mount Moriah" in Index).

Morocco, XIX, 3551; XX, 3825.

MOSAIC LAW, I, 71, 76, 92, 94, 138-140, 145, 151, 185-186; II, 202, 219, 296, 324-325, 327, 352, 360, 363; III, 396, 428, 491, 501, 567; IV, 585, 595, 613, 617, 647, 657-659, 670, 676, 718, 722, 766; V, 782, 795, 803, 811, 860, 897; VI, 968, 1006, 1010, 1018, 1024, 1029, 1057, 1094, 1100, 1115, 1132; VII, 1168, 1175, 1238, 1251-1252, 1262-1263, 1271-1272, 1286, 1297-1299, 1303-1304, 1311, 1338, 1344; VIII, 1377, 1420, 1458, 1468, 1472, 1480, 1488, 1500, 1506; IX, 1568, 1571, 1582, 1591, 1626, 1641, 1653; X, 1735, 1765, 1791, 1835, 1858, 1886, 1900, 1905; XI, 1927, 1937, 1949, 1960, 1976, 1987, 2031, 2033, 2038, 2051, 2057, 2060, 2095, 2107; XII, 2153, 2159, 2187-2188, 2243; XIII, 2330-2331; XIV, 2510, 2512, 2539, 2541-2542, 2546, 2583, 2620, 2646, 2675; XV, 2697, 2706, 2788, 2795, 2798, 2823, 2845; XVI, 2909, 2922, 2930; XVII, 3101, 3141, 3258; XVIII, 3274, 3284, 3288; XIX, 3480, 3557, 3564, 3586; XX, 3735, 3742, 3752, 3756; XXI, 3895, 3917, 3956, 3965, 3968 (*see also* "Law" in Index).

MOSAIC SACRIFICES, XIII, 2331-2332; *passim*.

MOSERA, MOSEROTH, XIII, 2332.

MOSES, I, 13-17, 22, 24, 40, 87, 113, 115, 136, 140,

142, 146, 150, 154, 156, 161-162, 167, 169, 179; II, 219, 228, 260, 275, 287, 295, 297-298, 308, 334, 352; III, 396, 399, 409, 419, 428-429, 475, 490, 493, 495, 497, 506-507, 518, 535-536, 543-546, 560, 571, 575; IV, 608, 618-619, 622, 641-642, 647, 658, 671-672, 698, 710-711, 714, 731, 749, 767; V, 775, 782, 796-797, 812, 816, 819, 835, 840, 843, 856-857, 859, 867, 873, 877-879, 887, 889, 892, 897-899, 905, 921-922, 929, 934, 944-945, 950-951, 955-956, 960; VI, 988-989, 997, 1000-1010, 1015, 1034, 1036-1037, 1039, 1059-1060, 1066, 1094, 1107, 1110-1112, 1116, 1131, 1136, 1146-1147, 1151-1152; VII, 1179, 1181-1182, 1185-1186, 1201, 1207, 1213, 1238-1240, 1244, 1256, 1262-1263, 1267, 1274, 1292, 1297-1298, 1308-1309, 1327, 1339; VIII, 1355, 1358, 1363, 1366, 1390, 1393, 1413, 1415-1416, 1434, 1436, 1440-1441, 1444, 1464, 1472, 1475, 1496, 1504; IX, 1564, 1568, 1571, 1573, 1575, 1622-1623, 1632, 1645, 1651-1653, 1659, 1663, 1701, 1711-1712, 1724; X, 1744-1747, 1765, 1773, 1775-1776, 1791, 1804, 1809, 1812, 1814, 1837, 1839, 1841-1842, 1874, 1877, 1882, 1895, 1911-1913, 1916-1917; XI, 1934-1935, 1937-1939, 1941-1942, 1944, 1946-1947, 1949, 1952-1954, 1963, 2005, 2042, 2051, 2056, 2067, 2070-2071, 2107; XII, 2142, 2178, 2189, 2193, 2212, 2215-2217, 2242, 2247, 2249, 2254, 2263, 2270-2273, 2280, 2291, 2293, 2295-2296; XIII, 2314, 2326, 2331, 2333-2365, 2372, 2376, 2378, 2382, 2384-2385, 2390, 2393, 2412, 2421, 2441, 2460, 2475, 2493, 2823; XIV, 2503, 2509-2510, 2518, 2538, 2558, 2566, 2583-2584, 2586, 2590-2591, 2593, 2595, 2599, 2607, 2620, 2622, 2635-2636, 2645, 2647-2648, 2650; XV, 2699, 2702, 2715, 2746, 2768-2774, 2780, 2803, 2820, 2826, 2830, 2832-2835, 2837-2838, 2870, 2872; XVI, 2888, 2904, 2906, 2911, 2930-2931, 2942-2948, 2967, 2973, 2995, 2997, 3006, 3010, 3013, 3015, 3027, 3029, 3037-3041, 3044, 3058, 3068; XVII, 3088, 3101-3102, 3152, 3155, 3163, 3165, 3168, 3178-3179, 3182, 3185, 3188, 3209, 3212; XVIII, 3271, 3282, 3288, 3292, 3322, 3339, 3342, 3353-3354, 3403, 3408, 3414, 3419, 3423-3424, 3426, 3430, 3435-3437, 3442, 3444, 3448; XIX, 3463, 3465, 3474, 3478-3481, 3497, 3499, 3505, 3520, 3527-3528, 3555, 3561, 3566-3567, 3579, 3583-3584, 3587, 3610, 3612-3613, 3619, 3622-3623, 3625, 3638, 3642; XX, 3657, 3659, 3662, 3664, 3691, 3699, 3706, 3710, 3722, 3728, 3750-3754, 3756-3758, 3769-3771, 3801, 3804, 3813; XXI, 3851, 3874, 3878, 3890, 3897-3898, 3908, 3915, 3937-3938, 3940, 3944, 3947, 3967, 3975-3977, 3986, 3989, 3992, 4000, 4010-4011; XXII, 4046, 4050, 4056.

Moses (Michelangelo), XIII, 2365.
Moses and Aaron (Schoenberg opera), I, 16; XIII, 2365.
Moses and Monotheism (Freud), I, 16; VI, 1010; XIII, 2356.
Moses in Egypt (Rossini opera), XIII, 2365.
Moses of Chorene, III, 445.
Moslems, XIX, 3636, 3646; *passim*.
MOSOLLAM, XIII, 2371.
Mosul, XIV, 2560.
Mot, XVII, 3166.
"Mountain of Megiddo," II, 267.
Mount Ararat, II, 233; *passim*.
MOUNT CARMEL, I, 60, 89, 98, 102; II, 287, 331; III, 508, 553-555; IV, 697; V, 823, 893; VI, 1118, 1131; VII, 1296; IX, 1634; XI, 2067; XII, 2196, 2275; XIV, 2604; XV, 2722, 2724; XVI, 2932; XVII, 3110; XVIII, 3424, 3444; XXI, 4011.
MOUNT EBAL, IV, 710; VII, 1296; XIII, 2330, 2371-2372; XV, 2833, 2857; XVIII, 3430.
MOUNT EPHRAIM, V, 946; VI, 1107; VII, 1340; IX, 1710; X, 1780; XI, 2069; XII, 2234; XIII, 2372; XIV, 2626; XVI, 2926; XVIII, 3322, 3389, 3423; XX, 3742.
MOUNT GERIZIM, VII, 1296; VIII, 1456; X, 1775; XI, 2021; XIII, 2330-2374, 2378, 2484-2485; XV, 2757; XVI, 2984; XVIII, 3298, 3310, 3312, 3338, 3430; XIX, 3481; XX, 3710.
MOUNT GILBOA, I, 29, 31; III, 419, 421; IV, 704, 738; V, 931; VII, 1249; VIII, 1405; IX, 1634, 1701; XI, 2042; XII, 2201, 2209; XIII, 2329, 2374-2375; 2427; XV, 2736; XVI, 2927-2928; XVII, 3143; XVIII, 3369; XIX, 3464; XXI, 3952; XXII, 4048.
MOUNT HEBRON, I, 115; III, 511; IV, 713; *passim* (*see also* "Hebron" in Index).
MOUNT HEBRON, II, 332-333; VII, 1253, 1255; IX, 1708; X, 1748; XI, 2004; XII, 2263, 2299, 2301; XIII, 2329, 2375; XIV, 2629; XV, 2722; XVI, 2911; XVIII, 3387, 3399; XIX, 3494-3495; XX, 3735.
MOUNT HOR, I, 14; XIII, 2332, 2345, 2375-2376; XV, 2872.
MOUNT HOREB, III, 507; V, 894, 898, 908; VII, 1296; XIII, 2336, 2341, 2355, 2376, 2383; XX, 3771.
Mount Massis, II, 233.
MOUNT MORIAH, VIII, 1382; XIII, 2374, 2376-2378; XXI, 4011.
Mount Mycale, XX, 3792.
MOUNT NEBO, XII, 2302, 2304; XIII, 2345, 2378; XV, 2833; XVI, 2942; XIX, 3527, 3613.
MOUNT OF BEATITUDES, XIII, 2378-2379.
MOUNT OF OLIVES, I, 172; II, 281; III, 406, 408, 419; V, 873; VI, 1149; IX, 1598; X, 1845, 1907; XI, 1995, 2098; XIII, 2379-2382, 2403; XIX, 3468; XXI, 3924.
MOUNT OLIVET, IV, 745; V, 841; XII, 2287; XIII, 2379, 2382; XVIII, 3283 (*see also* preceding entry in Index).

THE FAMILY BIBLE ENCYCLOPEDIA

Mount Olympus, XX, 3802; XXII, 4445.
Mount Pangaeus, XVI, 2917.
MOUNT PEOR, II, 334, 350; III, 419; XIII, 2382; XIX, 3479.
MOUNT PERAZIM, XIII, 2382.
MOUNT SEIR, I, 142, 148; V, 857-858; VII, 1317; VIII, 1492; XIII, 2382-2383; XIX, 3481.
MOUNT SINAI, I, 14; III, 447, 493, 549, 560; IV, 652; V, 782, 796, 823, 905, 945; VI, 1004-1005, 1036, 1060, 1110; VII, 1179, 1185-1186, 1246, 1256, 1263, 1296, 1309, 1339; VIII, 1355; X, 1744, 1775, 1791, 1814, 1911-1912; XI, 1927, 1937, 1939, 1942, 1957; XIII, 2326, 2341, 2376, 2382-2386; XIV, 2583-2584, 2586, 2589, 2595, 2607, 2635, 2646-2647; XV, 2731, 2767, 2796, 2826, 2830, 2832, 2838, 2872; XVI, 3013; XVII, 3241-3242; XVIII, 3282, 3403, 3408; XIX, 3491, 3494, 3610, 3612, 3622; XX, 3659, 3662, 3771, 3815; XXI, 3936-3937, 3986-3987, 3989 (see also "Sinai" in Index).
MOUNT TABOR, II, 328; 357; IV, 701-702; V, 775-777, 929; VII, 1163, 1296; XIII, 2386-2388, 2427; XVIII, 3419; XIX, 3496, 3618; XX, 3769; XXI, 3991, 4011.
Mount Taurus, V, 941; XV, 2747.
Mount Vesuvius, XX, 3730.
MOUNT ZEMARAIM, I, 25; VIII, 1536; XIII, 2388.
MOUNT ZION, II, 268; V, 955; X, 1907; XII, 2251; XIII, 2388; XVII, 3218; XXI, 4011.
MOURNING CUSTOMS, VII, 1228; XIII, 2388-2392, 2402; XV, 2842; XXI, 3928.
MOUSE, XIII, 2392.
Mouseion (at Alexandria), I, 130-131.
MOZA, XIII, 2392-2393.
MOZAH, XIII, 2393.

Mozart, Wolfgang Amadeus (1756-1791), XI, 1993.
Mucianus, Lucius, XX, 3728.
Muhammed Ahmed el Hamed, IV, 762.
Mukhmas, XII, 2244.
MULE, XIII, 2393.
"Multiple Source Hypothesis," the, XIX, 3602.
Munda, Battle of (45 B.C.), X, 1833.
Munster's Latin Old Testament, VII, 1208.
MUPPIM, III, 399; XIII, 2393; XVIII, 3440; XIX, 3465.
Murat Suyu, VI, 993.
Muratori, L. Antonio, III, 433, 540; XIV, 2516 (see also following entry in Index).
Muratori Canon (Muratori Fragment), III, 433, 540; VII, 1263; VIII, 1471; IX, 1665-1666; X, 1804; XI, 1982; XIV, 2516, 2521-2522; XV, 2804; XIX, 3551.
"Murderer's Bible," the, X, 1855.
Mursilis (dynasty), VII, 1306.
MUSHI, XII, 2212; XIII, 2393.
MUSIC AND MUSICAL INSTRUMENTS, VII, 1249-1251; XIII, 2393-2407; passim.
MUSTARD SEED PARABLE, III, 485; XI, 1928; XIII, 2407-2408; XV, 2750; XVI, 2598 (see also "Parables of Jesus Christ" in Index).
MUTH-LABBEN, XIII, 2408.
Mutins, XI, 2077.
Muwatallis (monarch), VII, 1307.
Mycenaeans, VII, 1210; passim.
MYNDUS, XIII, 2408.
MYRA, XI, 2001; XIII, 2408; XVIII, 3453.
MYRRH, I, 136; VIII, 1363; XIII, 2408-2409; XV, 2842; XVIII, 3427; XXI, 3942.
MYSIA, I, 94; II, 297; XI, 2001; XIII, 2409; XV, 2843; XX, 3706, 3791.

Carmelite Convent atop Mount Carmel where Elijah burned the pagan god Baal (*Counsel Collection*).

INDEX

N

NAAM, XIII, 2410.
NAAMAH (various personages), I, 147; X, 1889; XIII, 2410-2411; XVII, 3183.
NAAMAN (various personages), I, 18; III, 399; IV, 706; V, 910; VI, 1131; IX, 1711; X, 1848; XI, 1934; XII, 2276; XIII, 2411-2412; XVI, 2910; XVII, 3241.
NAAMATHITE, XIII, 2412.
NAAMITES, XIII, 2412.
NAARAH, I, 118; XIII, 2412.
NAARAI, VI, 1015; XIII, 2412-2413; XV, 2720.
NAARAN, XIII, 2413.
NAARATH, XIII, 2413.
NAASHON, XIII, 2413.
NAASSON, XIII, 2413.
NAATHUS, XIII, 2413.
NABAJOTH, XIII, 2416.
NABAL (husband of Abigail), I, 23; III, 519, 554; IV, 736; V, 813; XI, 2074; XIII, 2413-2415, 2428; XIX, 3497.
NABARIAS, XIII, 2415.
NABATHITES (Nabateans), I, 149, 189, 191; II, 230, 261, 264; V, 858; VI, 1057; VII, 1283, 1344; VIII, 1464; IX, 1688; XI, 2023, 2025, 2059; XII, 2304; XIII, 2415-2416, 2419, 2460; XIV, 2606; XVI, 2901, 2912; XVIII, 3389; XX, 3710.
Nablus, VII, 1172; XX, 3689, 3727, *passim*.
Nabonidus (Babylonian king) (reigned 556-539 B.C.), III, 391-392; IV, 722, 767; XII, 2226; XIII, 2496; XV, 2852; XIX, 3634; XX, 3829.
Nabopolassar (Babylonian king) (reigned 625-605 B.C.), II, 304, 339, 343; III, 564; XII, 2191, 2224, 2226; XIII, 2462, 2493-2494; XVIII, 3400.
NABOTH, I, 102; III, 477; V, 897; VIII, 1428; IX, 1629, 1631, 1636; X, 1858; XIII, 2416-2417; XVIII, 3286.
Nabu (deity), XIII, 2465.
NABUCHODONOSOR, I, 108; III, 567; XIII, 2417 (*see also* "Nebuchadnezzar" in Index).
NACHON, XIII, 2417-2418; XXI, 3853-3854.
NACHOR, XIII, 2418-2419.
NADAB (king of Israel), I, 24; II, 227, 336; V, 875; VII, 1159; VIII, 1425, 1536; XIII, 2419; XV, 2742.
NADAB (son of Aaron), I, 13-15; V, 908; VIII, 1436; XI, 1952-1953; XII, 2273, 2295; XIII, 2419; XIX, 3491.
NADABATHA, XIII, 2419.
NAGGE, XIII, 2419.
Nag Hammadi, II, 211; VII, 1177.
NAHALAL, XIII, 2419.
NAHALLAL, XIII, 2419.
NAHALIEL, XIII, 2419.
NAHALOL, XIII, 2419; XXI, 4010.
NAHAM, XIII, 2419.
NAHAMANI, XIII, 2419.
NAHARAI, II, 377; XIII, 2419, 2421.
Nahardea, XIX, 3590.
NAHASH (Ammonite general), I, 147; V, 879; VII, 1244; VIII, 1443; XIII, 2420-2421; XVIII, 3360, 3455.
NAHATH, XIII, 2421.
NAHBI, XIII, 2421; XXI, 3890.
NAHOR (person and place), I, 34; II, 231; III, 507, 530, 572; VI, 1112; VII, 1246, 1340; VIII, 1384, 1404; IX, 1636; XI, 2005; XII, 2249; XIII, 2418-2419, 2423; XVI, 2940; XVII, 3168, 3212; XIX, 3637; XX, 3686; XXI, 3852.
Nahr Barada River, I, 18.
Nahr el-'Asi, VII, 1232.
Nahr el-'Awaj, XVI, 2911.
Nahr el-Kebir, V, 883.
Nahr ez-Zerqa, XVIII, 3444.
NAHSHON, IV, 608; X, 1775; XIII, 2413, 2423.
NAHUM (Prophet), V, 919; XII, 2229; XIII, 2423-2424; XIV, 2562, 2638, 2683-2684; XX, 3688.
NAHUM, THE BOOK OF (Old Testament), III, 428, 435, 545; VII, 1340; XII, 2191; XIII, 2423-2425, 2453, 2494; XIV, 2562, 2564, 2635-2636, 2683-2684; XVI, 2972; XX, 3687.
NAIDUS, XIII, 2425.
NAIN, XI, 1994; XII, 2281; XIII, 2425, 2427.
NAIOTH, XIII, 2427.
NAMES, V, 874; XIII, 2427-2436; XVIII, 3419; *passim*.
Nana (deity), XIII, 2436.

NANEA, XIII, 2436.
Nanna (deity), XIX, 3576.
Nanni di Banco, VIII, 1394.
NAOMI (mother-in-law of Ruth), III, 491, 575; V, 879, 905, 949; XI, 2075; XIII, 2436-2439; XIV, 2622; XV, 2715; XVIII, 3273-3274, 3277-3278.
Napata, XX, 3726.
NAPHISH, XIII, 2439.
NAPHTALI (fifth son of Jacob), III, 478; IV, 709, 713; VII, 1216; VIII, 1446, 1464; IX, 1632; XIII, 2439; XIV, 2503; XVII, 3146; XVIII, 3420, 3444; XX, 3801.
NAPHTALI, TRIBE, I, 86-87, 115-116, 133; II, 287, 302, 328, 357, 366; III, 406, 423, 576; IV, 618, 710; V, 776, 779, 859, 932; VI, 1118, 1147; VII, 1163, 1234-1235, 1249, 1257, 1267, 1301, 1317, 1338; VIII, 1359, 1382, 1434, 1444, 1472, 1534, 1632; X, 1751, 1839, 1868, 1885; XI, 1944, 2070; XII, 2218, 2249; XIII, 2372, 2421, 2439-2442, 2474, 2493; XV, 2729, 2732, 2818-2819, 2857-2858; XVII, 3155, 3157; XIX, 3481; XX, 3667, 3676, 3736, 3804, 3813, 3815-3816; XXI, 3890, 3991, 4010; XXII, 4039, 4047.
NAPHTHAR, XIII, 2442-2443.
NAPHTUHIM, XIII, 2443.
Naples, Italy, II, 227.
Napoleon Bonaparte (1769-1821), III, 446; V, 931; XIV, 2595; XVII, 3232, 3256.
Napoleon III, XIV, 2595.
Napoleonic Wars, XVII, 3256.
Naqb es-Safa, I, 123.
Naran-Sin (monarch), XIX, 3573.
NARCISSUS, XIII, 2443.
Nasaraeans, XV, 2834.
Nasatyas, XII, 2190.
NASBAS, XIII, 2443.
Nashim, XII, 2295; XIX, 3625.
Nash Papyrus, XXI, 3980.
NASITH, XIII, 2443; XIV, 2550.
NATHAN (Prophet), I, 91, 94; II, 368-369; III, 568; IV, 595, 743, 749; VII, 1203; VIII, 1479; XIII, 2395, 2406, 2443-2446; XV, 2758; XVI, 3040, 3042-3043; XVII, 3092, 3102; XVIII, 3434; XIX, 3510, 3639; XXI, 3847, 3991.
Nathan, Rabbi Isaac, IV, 640.
NATHANAEL (Apostle), II, 362; III, 530; VI, 1119; IX, 1666; XIII, 2428, 2448, 2455; XVI, 2915; XVII, 3142.
NATHANIAS, XIII, 2446, 2448.
NATHAN-MELECH, XIII, 2448-2449; XIX, 3579.
NATIVITY, XI, 1992, 2087; XIII, 2449-2453; *passim*.
Natufians, I, 98; XV, 2724.
Natural History (Pliny the Elder), VI, 969.
NAUM, XIII, 2453.

Navarra, Fernand, XIV, 2572.
NAVE, XIII, 2453.
NAZARENES, XI, 1984, 1986; XIII, 2451, 2453-2454.
NAZARETH, I, 64, 166, 177; III, 419, 530, 550, 572, 576; IV, 586, 602; V, 908, 929; VI, 1124, 1127; VII, 1313; VIII, 1352, 1474; IX, 1576, 1584, 1636; X, 1735; XI, 1993-1994, 2075; XII, 2123, 2167, 2232; XIII, 2386, 2448-2449, 2451, 2454-2457; XVIII, 3356, 3449; XIX, 3588.
NAZARITE, IV, 712; V, 783; VII, 1228, 1240; VIII, 1468; XI, 2073; XIII, 2453, 2457-2459; XIV, 2589; XV, 2803; XVII, 3175; XVIII, 3317-3319; XIX, 3490; XX, 3774-3775; XXI, 3892.
NEAH, XIII, 2459, 2493.
NEAPOLIS, XI, 2041; XIII, 2459-2460; XV, 2800; XVI, 2917; XVIII, 3314; XX, 3791.
NEARIAH, XIII, 2460.
NEBAI, XIII, 2460.
NEBAIOTH, NEBAJOTH, XIII, 2460.
NEBALLAT, XIII, 2460.
NEBAT, XIII, 2460.
Nebhel, VII, 1250-1251; XIII, 2405.
Nebiim Rishonim, V, 775.
Nebi Samwil, XII, 2301.
Nebi Yunus, XIV, 2560.
NEBO, XIII, 2378, 2460-2462 (see also "Mount Nebo" in Index).
NEBUCHADNEZZAR (Neo-Babylonian monarch), I, 18, 88, 108, 114, 140, 148, 164; II, 250, 263, 267, 291-292, 304, 328, 333, 339, 343, 347, 363; III, 391-392, 402, 416, 423, 518, 536, 546, 553, 564, 567; IV, 595, 609, 699, 716, 718, 720, 722-723, 758, 767; V, 791, 814, 826, 845, 848, 868, 876, 936, 956; VI, 975, 981, 993, 998-999, 1015-1016, 1018, 1021-1022, 1028, 1038, 1067, 1087, 1112, 1129; VII, 1162, 1204, 1218, 1224, 1238-1239, 1299, 1303, 1315-1316, 1324; VIII, 1381, 1409, 1420, 1483-1484, 1486, 1496, 1506, 1508-1509, 1511-1512, 1517, 1519, 1523, 1530; IX, 1553-1554, 1563-1564, 1653, 1660, 1662-1663; X, 1761, 1776-1777, 1786-1788, 1822-1825, 1838, 1849, 1852, 1856, 1858, 1865, 1884, 1889, 1913; XI, 1948, 2004, 2043, 2049, 2051; XII, 2146, 2191, 2204, 2226, 2229, 2249, 2279, 2297, 2301; XIII, 2328, 2413, 2417, 2442, 2462-2466, 2470, 2472-2474. 2481, 2486, 2492, 2494-2496; XIV, 2503, 2515, 2605, 2672, 2678, 2685; XV, 2745, 2763, 2777-2778, 2834, 2845-2846; XVI, 2904, 2929, 3044; XVII, 3079, 3140, 3144, 3149, 3152, 3155, 3163, 3174-3175, 3239; XVIII, 3292, 3314, 3334, 3357, 3407, 3423, 3440; XIX, 3463, 3470, 3541, 3619, 3629, 3642; XX, 3757, 3828-3829; XXI, 3972, 4017, 4021-4025, 4030; XXI, 4041.
NEBUCHADNEZZAR'S IMAGE, XIII, 2470.

INDEX 4165

NEBUSHASBAN, XIII, 2470; XVII, 3144.
NEBUZAR-ADAN, XIII, 2472.
NECHO, NECHOH (Pharaoh), II, 291; III, 553; V, 868; VI, 1127; VII, 1221; VIII, 1481, 1486, 1506, 1517; IX, 1634; X, 1760-1761, 1786; XII, 2199; XIII, 2462, 2472-2474, 2494; XVI, 2902, 2904; XVII, 3239.
NECODAN, XIII, 2474, 2493.
NEDABIAH, XIII, 2474.
NEEMIAS, XIII, 2474, 2478, 2480.
Nefertiti (Egyptian queen), I, 123.
NEGEB, I, 98; II, 278, 285, 331-332, 352, 373, 378; III, 409, 419, 424, 478, 519; V, 804, 919, 1027; VII, 1216, 1256, 1331-1332; VIII, 1437; X, 1751, 1776, 1782, 1842, 1845; XI, 2012, 2042; XII, 2201; XIII, 2312, 2474-2476; XV, 2722, 2735, 2860, 2869; XVI, 2926; XVII, 3145, 3158-3159, 3241; XVIII, 3344, 3387, 3438; XIX, 3480, 3495, 3612; XX, 3741-3742, 3761; XXI, 3856, 3937; XXII, 4047-4048, 4055-4056.
Negev Desert, II, 285; IV, 583; XIII, 2476; XV, 2722; XIX, 3480.
NEGINOTH, XIII, 2476.
NEHELAMITE, XIII, 2476.
NEHEMIAH (royal governor), I, 25, 88, 113, 143, 162-163; II, 199, 278, 281, 286, 309, 326-328, 330, 335, 362, 372; III, 396, 405, 411, 424-425, 429, 477-478, 502, 549, 567, 576; IV, 634, 657, 695, 720; V, 783, 791, 848, 855, 876, 888-889, 921; VI, 1015, 1030, 1032, 1042, 1064, 1073, 1079-1080, 1087, 1126, 1148; VII, 1170, 1172, 1174, 1204, 1220, 1231, 1238-1239, 1246, 1248-1249, 1251, 1253, 1256, 1294, 1308-1309, 1318, 1324, 1327, 1339; VIII, 1363, 1420, 1436, 1458, 1479, 1488; IX, 1543, 1554, 1556, 1564-1565, 1568, 1663, 1688, 1701; X, 1837-1839, 1865, 1879; XI, 2005-2007, 2054, 2058-2061, 2101; XII, 2176, 2200-2201, 2209, 2212, 2214, 2216, 2218, 2220, 2229, 2241, 2249, 2268, 2304; XIII, 2442, 2460, 2476-2478, 2481-2482, 2484, 2486-2488, 2492; XIV, 2563, 2565, 2605, 2632, 2661-2662; XV, 2701, 2721, 2779, 2818, 2820; XVI, 2901, 2906, 2909, 2925, 2940, 2972, 3062; XVII, 3174, 3182, 3185, 3187; XVIII, 3277, 3312, 3336-3338, 3387, 3407, 3420, 3429, 3434, 3436, 3438-3439, 3441, 3446, 3455; XIX, 3465, 3532, 3587, 3589, 3617; XX, 3735, 3756, 3761; XXI, 3851-3852, 3854, 3856, 3908, 3964, 3991, 3993, 3998-3999, 4001-4002; XXII, 4042, 4047.
NEHEMIAH, THE BOOK OF (Old Testament), I, 13, 88, 92, 95, 120, 146; II, 210, 238, 278, 353, 375; III, 428-429, 444-445, 459, 556, 563, 565; IV, 596, 656, 719, 731; V, 791-792, 804, 957-958; VI, 1016, 1029-1030, 1033-1034, 1037-1038, 1042, 1107; VII, 1172, 1227, 1252, 1265, 1301, 1309; VIII, 1363, 1377, 1496, 1531; IX, 1554, 1563-1564, 1659, 1707; X, 1837, 1863; XI, 1939, 2043; XII, 2209, 2244; XIII, 2312, 2380, 2419, 2460-2461, 2478-2490, 2495; XIV, 2509, 2605, 2629, 2631, 2635-2636, 2661-2662; XV, 2702, 2779; XVII, 3181; XVIII, 3283, 3299, 3342, 3426; XIX, 3476; XX, 3837; XXI, 3898, 4013.
NEHEMIAS, XIII, 2492.
NEHILOTH, XIII, 2492.
NEHUM, XIII, 2492; XVII, 3185, 3246.
NEHUSHTA, VIII, 1483; XIII, 2492-2493.
NEHUSHTAN, XIII, 2493; XX, 3678.
NEIEL, XIII, 2459, 2493.
NEKEB, XIII, 2493.
NEKODA, XIII, 2474, 2493; XIV, 2579.
NEMUEL, VIII, 1499; XIII, 2493.
NEO-BABYLONIAN EMPIRE, I, 87; II, 238, 240, 277, 304, 333, 342-343; III, 391, 518, 569; IV, 656, 699, 707, 716, 719-720, 731, 762; V, 791, 795, 802, 846, 848, 858; VI, 998, 1015, 1018, 1021, 1028, 1038, 1121, 1129; VII, 1218, 1226, 1238; VIII, 1363, 1398, 1420, 1433, 1483, 1506, 1515; IX, 1553, 1653; X, 1760-1761, 1778, 1785; XII, 2205, 2214, 2217, 2224, 2226, 2268; XIII, 2417, 2423, 2462, 2472, 2481, 2493-2496; XIV, 2503, 2511, 2581, 2605, 2658-2659, 2670, 2672, 2684-2685; XV, 2777, 2848; XVI, 2904, 2929, 2933; XVII, 3144, 3158, 3239; XVIII, 3310-3311, 3314, 3334, 3357, 3398, 3400, 3424, 3441; XIX, 3470, 3576, 3606, 3616, 3634; XX, 3662, 3757, 3808; XXI, 3972.
Neocaesarea, XVI, 2913.
Neo-Platonism, VII, 1177.
Neo-Sumerian Period, XIX, 3573.
Nepes, XIX, 3547.
NEPHEG, XIV, 2503.
Nepherites (monarch), V, 883.
NEPHEW, XIV, 2503.
Nephilim, VI, 1151.
NEPHTALI, XIV, 2503.
NEPHTALIM, XIV, 2503.
Nephthys (deity), VII, 1268.
NEPHTOAH, XIV, 2503.
NER, I, 23, 31; XIV, 2503.
NEREUS, XIV, 2503.
NERGAL, IV, 696; XIV, 2503.
NERGAL-SHAREZER, XIV, 2503; XVIII, 3314, 3424.
NERI, XIV, 2503.
NERIAH, II, 362; XIV, 2503; XVIII, 3407.
NERIAS, XIV, 2503.
Neriglissar (Babylonian king), XII, 2226; XIII, 2496; XIV, 2503.
NERO (Roman emperor), I, 62, 76; II, 214, 283; III, 512, 550; IV, 602, 622; V, 790, 821-822, 927; VI, 1062, 1119; IX, 1580; X, 1738, 1740, 1829; XI, 2093;

XIII, 2443; XIV, 2504-2508, 2549, 2595; XV, 2786; XVI, 2891, 2995; XVII, 3263-3264; XVIII, 3434; XX, 3723; XXI, 3865-3867.

Neronias, III, 512.

Nerva, Marcus Cocceinus, V, 822; XX, 3765.

Nesa, VII, 1306.

"Nesites," VII, 1306.

Nestle's Greek Text, XV, 2795.

Nestorians, III, 473; V, 942; XX, 3670.

NETHANEEL, VIII, 1434; XIV, 2508.

NETHANIAH, XIV, 2508-2509.

Netherlands Bible Society, III, 463.

NETHINIM (Temple servants), I, 60, 123; II, 349; III, 562, 565; IV, 702, 704; VI, 1032, 1040, 1124, 1128; VII, 1162, 1174, 1229, 1238, 1253; IX, 1566; XI, 1946; XII, 2187, 2196, 2200; XIII, 2439, 2443, 2493; XIV, 2509, 2550, 2579; XV, 2702, 2720, 2777; XVI, 2901-2902; XVII, 3168, 3234; XVIII, 3293, 3344, 3420; XIX, 3465, 3496, 3499, 3545, 3570, 3609; 3627.

NETOPHAH, XIV, 2509.

NETOPHATHI, XIV, 2509.

NETOPHATHITES, XIV, 2509-2510.

NEW AMERICAN BIBLE, III, 441, 457; XIV, 2510; XVII, 3232.

NEW COVENANT, III, 427, 490; IV, 659, 766; V, 957; VI, 969; VII, 1263; IX, 1680; X, 1850, 1915; XII, 2229; XIV, 2510-2512, 2518, 2544, 2607; XV, 2816; XVI, 3053, 3058; XXI, 3928.

NEW ENGLISH BIBLE, III, 440, 457; V, 847; VI, 1066, 1110, 1124, 1128; VII, 1274. 1297; VIII, 1360, 1445; IX, 1564, 1678; X, 1738, 1762, 1833, 1841, 1874; XI, 1960, 1971, 1977, 2075; XII, 2119, 2144, 2231; XIII, 2420, 2442, 2449, 2451, 2453, 2478; XIV, 2503, 2509, 2512-2513, 2581, 2599, 2636; XV, 2702, 2704, 2719, 2757-2758, 2761, 2763, 2768, 2794, 2817; XVI, 2922, 2970, 2989, 3019, 3032, 3069-3070; XVII, 3079, 3095, 3125, 3144, 3152, 3159, 3163, 3220, 3232, 3241, 3245; XVIII, 3271-3272, 3299, 3306, 3377, 3390, 3399, 3402, 3419, 3429, 3441, 3456; XIX, 3586, 3618, 3628, 3636-3637; XX, 3685, 3722, 3750, 3778, 3794, 3831, 3834, 3837; XXI, 3852, 3862, 3914, 3932, 3954.

NEW JERUSALEM, V, 821, 934; VI, 1018, 1124; VIII, 1444, 1477; IX, 1625; XIII, 2392; XIV, 2513, 2515; XV, 2702, 2712, 2818; XVII, 3225, 3228, XVIII, 3345, 3353; XIX, 3530, 3577; XX, 3750.

NEW MOON, FESTIVAL OF THE, VI, 1064; XIII, 2395; XIV, 2515; XIX, 3490, 3587, 3616; XX, 3794.

NEW TESTAMENT, I, 47, 64, 82, 95, 98, 101, 121, 136, 163, 165, 172, 174, 177, 179; II, 208, 210-211, 213, 216, 219, 253, 283, 294, 305, 308, 313, 317, 319-320, 323, 335, 344, 353, 358, 376, 378-379; III, 391, 402-403, 420, 427, 429, 431, 433, 436, 439-440, 443-445, 447-449, 452, 454, 457, 459-461, 465, 468, 471, 475-476, 482-483, 485-486, 488-489, 495, 499, 508, 512, 523, 536, 538, 546-547, 549-550, 556, 558, 560, 564, 573; IV, 583, 585-586, 592, 598-605, 608, 612, 615-616, 619, 625, 635-636, 640, 642, 644, 646-648, 651, 658-660, 666, 674, 676-677, 695, 697, 705, 707, 716, 724, 731, 758-759, 767; V, 782, 785, 790, 792, 798-799, 801, 811, 818, 821, 825, 828-830, 835-836, 844-845, 847, 860, 883, 888, 891, 908, 924, 926, 931, 933-934, 937, 939, 943, 949-951, 954, 956, 959; VI, 969, 989, 991, 995, 997-998, 1024, 1052, 1054, 1070, 1072, 1078, 1087-1089, 1091, 1094, 1100, 1112-1113, 1116, 1121, 1130-1131, 1133, 1138, 1143-1144, 1177; VII, 1179, 1182-1184, 1197, 1199-1200, 1206-1207, 1226, 1229, 1240-1241, 1246, 1259-1261, 1263, 1269-1270, 1272, 1274-1275, 1286-1288, 1295, 1301, 1311, 1313-1314, 1320-1321; VIII, 1357, 1360, 1362, 1366-1367, 1372, 1377, 1394, 1433, 1444, 1450, 1456, 1464, 1466, 1468-1469, 1478, 1499, 1526; IX, 1567, 1576, 1584, 1598, 1625, 1641, 1663-1664, 1668, 1677-1678, 1687, 1690, 1693, 1699, 1711; X, 1737-1738, 1766, 1791, 1804, 1819-1820, 1822, 1833, 1835-1836, 1842, 1847, 1852, 1873, 1915-1917; XI, 1928, 1937, 1940, 1946, 1957, 1963-1967, 1969, 1980, 1982, 1984, 1987, 1999, 2001, 2038-2039, 2042, 2071, 2085, 2090, 2101, 2111; XII, 2142, 2145, 2149-2150, 2153, 2173-2174, 2178, 2192, 2201, 2221, 2226, 2229, 2231, 2250, 2268, 2279; XIII, 2326, 2382, 2403-2404, 2413, 2428, 2436, 2453, 2455; XIV, 2503, 2510, 2512, 2516-2549, 2551, 2565, 2568, 2571, 2578, 2595, 2601, 2621, 2630-2631, 2688; XV, 2705, 2712, 2748, 2756, 2764, 2768, 2783, 2810, 2812-2813, 2818, 2840; XVI, 2887, 2902, 2906, 2909, 2913, 2923, 2931, 2952, 2972-2973, 2981, 2983, 3000, 3003, 3005-3007, 3015, 3020, 3022, 3027, 3040, 3044, 3058, 3062, 3065; XVII, 3079, 3084, 3094, 3101-3102, 3105, 3142, 3155, 3163, 3175-3176, 3181, 3186, 3198, 3201, 3207, 3216, 3229-3230, 3232-3233, 3235-3236. 3238, 3256, 3261, 3264; XVIII, 3272, 3283, 3296, 3299, 3311, 3313, 3338-3339, 3344-3345, 3359, 3375, 3380, 3383-3384, 3387, 3390, 3404, 3406-3407, 3414, 3434, 3436, 3449, 3452-3453; XIX, 3469, 3472, 3478, 3486-3488, 3490, 3495, 3502, 3534, 3546-3547, 3558-3559, 3577, 3581, 3584, 3587-3588, 3590, 3592-3593, 3597, 3600, 3603, 3614, 3621, 3626, 3635-3636; XX, 3657, 3659, 3681, 3684-3685, 3692, 3696, 3699, 3700-3701, 3707, 3718, 3722, 3731-3732, 3749, 3770-3771, 3776, 3780, 3790, 3795, 3799, 3801, 3821-3823, 3830; XXI, 3847, 3876, 3878, 3890, 3893, 3930, 3934, 3951-3952, 3955-3957, 3970, 3980-3981, 3992, 3995, 3998, 4000-4001, 4021; XXII, 4041, 4060.

NEZIAH, XIII, 2443; XIV, 2550.

NEZIB, XIV, 2550.

Nezikim, XII, 2295; XIX, 3625.

INDEX 4167

NIBHAZ, XIV, 2550; XIX, 3636.
NIBSHAN, XIV, 2550.
NICANOR (Syrian governor), I, 87; III, 526, 551; V, 785, 790; VI, 1066; VII, 1311; X, 1798, 1800; XI, 2002, 2015, 2035; XIV, 2550-2552; XV, 2786; XVI, 2989; XVII, 3166; XX, 3690, 3735.
Nicanor's Day, XI, 2037; XIV, 2550.
Nicene Creed, XVI, 2981.
Nicholas I, Czar, III, 471; XIX, 3626.
Nicholas of Hereford, III, 449.
NICODEMUS (Pharisee leader), III, 505; X, 1738, 1850; XIV, 2552-2553; XVI, 2909.
NICOLAITANS, I, 172; XIV, 2553.
NICOLAS, XIV, 2553.
Nicolaus of Damascus, VII, 1214; X, 1740.
Nicomedia, V, 927.
NICOPOLIS, II, 279; III, 461; V, 925; XI, 2041; XIV, 2153-2054; XXI, 4029.
NIGER, XIV, 2554.
NIGHTHAWK, XIV, 2554.
Nike (deity), XIX, 3563.
Nikkal, XVII, 3166; XXI, 3881.
Nikolaos Louvaris, III, 466.
NILE River, I, 130; II, 293, 298, 306; IV, 695; V, 863-864, 866, 883, 951; VI, 1009; VII, 1199, 1210, 1231, 1240, 1268, 1342; IX, 1723-1724; XI, 1940; XII, 2204, 2266; XIII, 2335, 2337, 2473; XIV, 2554, 2556, 2558, 2593; XV, 2701, 2783; XVI, 2939; XVII, 3105-3106, 3112, 3115-3116, 3122, 3139, 3242; XVIII, 3398, 3451; XIX, 3474, 3487, 3494, 3513, 3556, 3587, 3619, 3638; XX, 3686-3687, 3726, 3813; XXI, 3945, 3980; XXII, 4057.
NIMRAH, III, 419; XIV, 2558.
NIMRIM, XIV, 2558.
NIMROD (hunter, empire founder), I, 54; II, 243, 340, 342; III, 526; V, 951; VII, 1232; XIV, 2559-2561, 2619; XVIII, 3448.
Nimrud, XVIII, 3420.
NIMSHI, XIV, 2560.
NINEVEH, II, 250, 296, 305, 375; III, 505, 516; VI, 1074; VII, 1294, 1340; IX, 1553, 1693, 1695; X, 1760, 1825; XII, 2191; XIII, 2423-2424, 2462, 2494-2495; XIV, 2560-2564, 2681, 2684; XVI, 3000, 3044; XVII, 3163, 3185, 3197; XVIII, 3310, 3400; XIX, 3573, 3632; XX, 3688, 3716, 3725, 3735, 3738.
Ninhursag (deity), VI, 1124; XIX, 3576.
Ninmah (deity), XIX, 3576.
Nintu (deity), XIX, 3576.
Ninurta (deity), XIV, 2560.
Nippur, III, 565; XIX, 3576.
Nir, XIX, 3558.
NISAN, I, 23; V, 847; VI, 1000; X, 1905-1906; XIV, 2563.

Nisbet, Murdoch, XXI, 3982.
NISROCH, I, 93; V, 951; XIV, 2564-2565; XVIII, 3424.
"Nitini of Ashkelon," II, 291.
NO, XX, 3686.
NOADIAH, XIV, 2565; XXI, 3960.
NOAH, I, 34, 133, 138; II, 230, 291, 336, 339; III, 555; IV, 606, 622, 658, 695, 708; V, 804, 848, 918, 933-934; VI, 1051, 1074-1075, 1078, 1132, 1136, 1138, 1143; VII, 1184, 1195, 1231-1232, 1263, 1289, 1306, 1338; VIII, 1472; IX, 1643; X, 1889; XI, 1957, 1980; XII, 2218, 2232; XIV, 2565-2570, 2578, 2599, 2615; XV, 2695, 2785, 2820, 2830; XVI, 2930; XVII, 3139, 3151, 3155, 3207; XVIII, 3288, 3293, 3397, 3414, 3437, 3449; XIX, 3573, 3632-3633; XX, 3691, 3724, 3794; XXI, 3848, 3874.
NOAH'S ARK, II, 233; III, 454; V, 825; VI, 1136; VII, 1199, 1231; XII, 2263; XIV, 2570-2572, 2595, 2599; XV, 2830; XVI, 2960; XIX, 3573.
Noah Webster's Entire Bible, III, 452.
NOB (Royal Sanctuary), I, 22, 113, 115; IV, 735; V, 820, 942; XIV, 2577; XVI, 2926; XVIII, 3367, 3446, 3456; XIX, 3614.
NOBAH, XI, 2069, 2071; XIV, 2577-2578.
NOD, XIV, 2578.
NODAB, XIV, 2578.
NOE, XIV, 2565, 2578-2579.
NOEBA, XIV, 2579.
NOGAH, XIV, 2579.
NOHAH, XIV, 2579.
NOMADS, XIV, 2579-2580; XVIII, 3398, 3455; XX, 3761; *passim.*
NON, XIV, 2580.
NOPH, XII, 2205; XIV, 2580.
NOPHAH, XIV, 2581.
North Africa, II, 292; *passim.*
NORTH COUNTRY; LAND OF THE NORTH, XIV, 2581.
North Galatian Hypothesis, VIII, 1352.
Norway, III, 468.
Norwegian Bible Society, III, 468.
Nuba, XIII, 2462.
Nubia, VI, 988; XII, 2266; *passim.*
Numantia, XIX, 3550.
NUMBERS, THE BOOK OF (Old Testament), I, 14, 29, 108, 133, 173; II, 319, 349, 351-352, 375; III, 408, 428, 488, 560, 562, 567; IV, 671, 710, 731, 796; V, 803, 824, 905; VI, 1005-1006, 1071, 1100, 1112, 1132, 1147; VII, 1181, 1215, 1232, 1244, 1294, 1309-1310; VIII, 1411; IX, 1709; X, 1775, 1806, 1837, 1841, 1865, 1877, 1913; XI, 1939, 1942, 1946-1947, 1952, 1989, 2073; XII, 2187, 2216-2217, 2247, 2293, 2299, 2302, 2331; XIII, 2333, 2343-2344, 2375, 2383,

2412, 2459-2460; XIV, 2515, 2577, 2581-2593, 2647-2648; XV, 2715, 2719, 2823, 2832, 2837, 2872; XVI, 2901, 2940, 2972, 3013, 3015; XVII, 3131, 3182, 3241; XVIII, 3283, 3310, 3342, 3407, 3441, 3449, 3456; XIX, 3463, 3563, 3588, 3616; XX, 3728, 3751, 3773, 3803, 3809, 3815; XXI, 3907-3908, 3914, 4001-4002; XXII, 4039, 4049-4050, 4056, 4059.

NUMENIUS, XIV, 2593.
NUMEROLOGY, II, 208; IV, 606; XIV, 2593-2599; *passim.*
NUN, XII, 2453; XIV, 2580, 2599.
Nunc Dimittis, XI, 1992, 1994.
NYMPHAS, XIV, 2599.
Nuzi excavations, V, 891; VIII, 1447; X, 1882; *passim.*

O

OATHS, XIV, 2600-2602; XXI, 3890; *passim.*
OBADIAH (Prophet), III, 428, 435-436, 545; IX, 1567; XI, 1965; XII, 2229; XIII, 2428; XIV, 2603-2606, 2681.
OBADIAH (various minor personages), XIV, 2604-2605, 2619.
OBADIAH, THE BOOK OF (Old Testament), VII, 1230; XIV, 2605-2607, 2635-2636, 2681; XVI, 2972; XVIII, 3352, 3402.
OBAL, V, 847; XIV, 2607.
OBDIA, XIV, 2607.
OBED (various personages), III, 492; XIII, 2437, 2439; XIV, 2607, 2622; XVIII, 3276.
OBED-EDOM, XIV, 2607; XVI, 2901; XVIII, 3438.
OBEDIENCE, XIV, 2607, 2609.
Obeid Period, XIX, 3572.
OBETH, XIV, 2609.
OBIL, XIV, 2609.
OBOTH, XIV, 2609.
OCCUPATIONS AND PROFESSIONS, XIV, 2609-2627; *passim.*
OCHIEL, XIV, 2627.
OCIDELIUS, XIV, 2627.
OCINA, XIV, 2627.
OCRAN, XIV, 2627.
Octavia (wife of Marc Antony), IV, 630; XI, 2078.
Octavius Caesar (*see* "Augustus" in Index).
OBED (Prophet), I, 110, 143; XIV, 2627-2628.
ODONARKES, XIV, 2628.
Odysseus, XVII, 3235.
Odyssey (Homer), XIV, 2636.
OG (king of Bashan), I, 149; II, 292; V, 859; VI, 1103, 1152; VIII, 1443; XIV, 2628-2629; XVII, 3139, 3188; XXI, 3898, 3923.

OHAD, XIV, 2629; XIX, 3478.
OHEL, XIV, 2629.
OINTMENTS, XIV, 2629; XV, 2696; XVI, 2954.
Old Gate, IX, 1564.
OLD TESTAMENT, I, 41, 54, 60, 64, 79, 82, 89, 91, 94-95, 97-98, 113, 118, 128, 133, 150, 154, 162, 167-170, 174, 177, 179; II, 202, 208, 210, 216, 228, 230-231, 240, 267, 277-278, 280, 283, 292-296, 305, 308, 317, 319, 326, 331-332, 335, 339, 342, 348-349, 351, 353-354, 362, 373, 375-376, 378-379; III, 391, 393-394, 399, 402, 404-405, 409-410, 412, 417, 421-422, 426-429, 431, 433, 435-436, 439-440, 443-445, 447-449, 454-455, 457, 459-461, 463, 465-466, 468, 471-472, 474-475, 478, 481, 483, 485-486, 488, 491-492, 495, 497, 502, 508, 516, 518-519, 523, 526, 535-536, 538, 541-550, 553, 555, 558, 560, 562-565, 567, 571, 573, 575-576; IV, 583, 590, 592, 595, 605-612, 618, 620, 622, 634, 638, 642, 644-645, 647, 656-658, 660, 662, 666, 669-671, 676, 680, 687-688, 696-697, 702, 704-705, 707, 713, 719-720, 729-731, 759, 762, 767-768; V, 775, 778, 783, 788, 790-791, 795, 798-799, 803, 807, 811, 818, 820-821, 823, 825, 828-831, 840, 843-845, 847-848, 850, 855-857, 873, 875-876, 879, 882-883, 887-889, 891, 899, 906, 908, 918-919, 921, 930-931, 933-934, 936, 942-943, 945, 950-952, 955-957, 959-960; VI, 968, 974, 985-986, 997-999, 1014-1015, 1018, 1027, 1034, 1036, 1049-1051, 1054, 1060, 1065, 1072, 1074, 1079, 1083-1084, 1089, 1092, 1094, 1108-1109, 1115, 1118-1119, 1121, 1124, 1126, 1128-1129, 1131-1132, 1134, 1136, 1143-1144, 1148, 1151; VII, 1159-1160, 1168-1171, 1174, 1177, 1179, 1181-1184, 1197, 1199, 1205-1207, 1217-1219, 1224, 1226-1227, 1234, 1238-1241, 1246, 1251, 1254, 1257, 1260-1262, 1267, 1269-1270, 1273, 1285, 1289-1291, 1294-

Simon the Tanner's house in Jaffa (*Counsel Collection*).

1298, 1300, 1302-1303, 1306, 1308-1309, 1311, 1313-1314, 1317-1318, 1320-1321, 1327, 1329, 1339; VIII, 1351, 1353, 1356-1358, 1360-1361, 1363, 1365-1366, 1369, 1372, 1377, 1392, 1394, 1404, 1411, 1414, 1430, 1436, 1441, 1443-1444, 1456, 1458, 1464, 1472-1475, 1478-1480, 1482, 1486, 1488, 1495, 1498, 1504, 1506, 1515, 1526, 1534; IX, 1543, 1550, 1567-1569, 1571, 1573, 1585-1586, 1622-1624, 1634-1635, 1638, 1641, 1645-1647, 1651, 1653, 1661, 1663, 1690, 1693, 1705, 1707, 1712, 1722; X, 1737, 1742, 1744, 1747, 1763, 1766, 1776, 1791, 1808, 1811, 1817, 1819, 1822, 1834, 1836-1837, 1841-1842, 1847, 1851-1852, 1856, 1863, 1868-1870, 1872-1873, 1875, 1879-1880, 1884, 1886, 1889, 1895, 1897, 1900, 1910-1911, 1915-1916; XI, 1930, 1937, 1940, 1946, 1949, 1952, 1954-1955, 1963, 1965, 1967-1968, 1979-1980, 1986-1987, 1989, 1999, 2004, 2006-2007, 2010, 2038, 2042-2043, 2045, 2047, 2053-2054, 2057-2058, 2060, 2063, 2071, 2083, 2100-2101, 2103; XII, 2142, 2144, 2146, 2148, 2153, 2158, 2163, 2173, 2175, 2178, 2187, 2190, 2201, 2209, 2217, 2220-2221, 2226, 2228, 2231-2232, 2235-2238, 2244, 2248, 2268, 2279, 2295, 2301; XIII, 2311-2312, 2320, 2326, 2331, 2348, 2375, 2379, 2382-2384, 2392, 2413-2415, 2419-2421, 2423-2425, 2427-2428, 2435-2437, 2443, 2453-2454, 2460, 2470, 2474-2478, 2480, 2486, 2488, 2493, 2496; XIV, 2503, 2508, 2512-2513, 2515-2516, 2518, 2521, 2526, 2528, 2533, 2544, 2558, 2560, 2562-2563, 2565, 2577, 2593, 2595-2596, 2601, 2603, 2605, 2607, 2622, 2630-2688; XV, 2705-2706, 2712, 2719, 2750, 2755-2758, 2764, 2768, 2770, 2774-2775, 2777, 2782, 2786, 2812, 2818, 2820, 2822-2823, 2838-2840, 2849, 2856; XVI, 2892, 2901-2902, 2906, 2910, 2923, 2931, 2943, 2953, 2960, 2966, 2972-2973, 2977, 2989-2990, 2995, 3000, 3003, 3005-3007, 3027-3030, 3032-3033, 3036-3038, 3040, 3049, 3058, 3060, 3062, 3068; XVII, 3079, 3083-3084, 3093-3094, 3099, 3101, 3105, 3123, 3131, 3139, 3145, 3155, 3163, 3165, 3168, 3175-3176, 3186-3187, 3197-3198, 3226, 3229-3230, 3232-3233, 3235-3236, 3241-3242, 3246, 3258, 3264; XVIII, 3271, 3273-3274, 3281, 3284, 3287-3288, 3293-3294, 3296-3297, 3299, 3313-3314, 3326, 3336, 3338-3339, 3342, 3344, 3357-3358, 3370, 3374, 3377, 3383, 3387, 3389, 3403-3404, 3406-3407, 3414, 3418-3420, 3423-3427, 3430, 3432, 3434-3436, 3438-3440, 3446-3449, 3451, 3454; XIX, 3463-3464, 3469-3470, 3472, 3476, 3481-3483, 3487-3488, 3490, 3494, 3496, 3499, 3505, 3529-3530, 3532, 3541, 3547, 3556, 3559, 3564, 3570, 3572, 3576-3577, 3584, 3587, 3596, 3614, 3618-3619, 3622, 3626-3627, 3630, 3632, 3636, 3638-3639; XX, 3657, 3678, 3683, 3686, 3690-3692, 3696, 3712, 3714, 3716, 3718, 3722-3724, 3727, 3733, 3735, 3751, 3771, 3790, 3794, 3801-3803, 3813, 3821, 3823, 3825, 3831, 3833, 3836-3837, 3840; XXI, 3850, 3862, 3874, 3878, 3888, 3892, 3908, 3915, 3928, 3930-3931, 3943, 3948-3949, 3952, 3964, 3967, 3975, 3981, 3983, 3987, 3988-3989, 3991-3992, 4001, 4007, 4011, 4015, 4025, 4029-4030; XXII, 4039, 4046-4048, 4055-4056, 4058-4059, 4061.

OLIVE, XV, 2695-2696.
Olivetan, Pierre Robert, III, 464.
OLYMPAS, XV, 2696-2697.
Olympias (mother of Alexander the Great), I, 25.
OMAERUS, XV, 2697.
OMAR, XV, 2697.
OMENS, XV, 2697; XIX, 3471; *passim*.
OMRI (king of Israel), I, 102-103, 112-113; III, 393, 396; IV, 608; V, 875, 912; VII, 1159, 1204, 1254, 1327; VIII, 1419, 1421, 1427-1428, 1462, 1488, 1496; XII, 2239, 2303-2304; XIII, 2311, 2416; XV, 2697-2699, 2742; XVIII, 3306, 3308, 3311, 3420, 3439; XIX, 3532; XX, 3711; XXI, 3908, 3975; XXII, 4048.
ON, XIII, 2357; XV, 2699; XVI, 2989; XIX, 3579.
ONAM, II, 308; XV, 2699, 2821; XVIII, 3423.
ONAN (son of Judah), X, 1770, 1774; XV, 2699; XVI, 2955; XVIII, 3436; XIX, 3627.
I and II Clement, III, 447.
ONESIMUS (slave of Philemon), II, 254; IV, 637-638; XIV, 2544; XV, 2699-2700, 2812-2813; XVI, 2913-2915; XIX, 3502.
ONESIPHOROUS, XV, 2700.
ONIAS (four High Priests), I, 167, 186; II, 261; IV, 626, 628, 730; VII, 1297; VIII, 1476; IX, 2008; XII, 2207; XV, 2700-2701; XVIII, 3396; XIX, 3482, 3487, 3553.
Onias (general), IV, 626.
Onkelos, Targums of, XVIII, 3311.
On Modesty (Tertullian), VII, 1263.
ONO, XI, 1963; XV, 2701-2702.
On the Cosmos (Aristotle), XIX, 3568.
On the Principles (Origen), II, 297.
ONUS, XV, 2702.
ONYCHA, XV, 2702.
ONYX, XV, 2702.
Op (deity), II, 293.
"Operation Flying Carpet," VIII, 1398.
OPHEL, XV, 2702; XIX, 3590.
OPHEL, XV, 2702.
OPHIR, VI, 1027; VIII, 1365, 1439; XV, 2702-2704, 2713; XVII, 3180; XVIII, 3429, 3449; XIX, 3513, 3632; XX, 3763, 3837.
OPHNI, XV, 2704.
OPHRAH, VII, 1162; VIII, 1496; XV, 2704; XIX, 3463.
ORACLE, XV, 2695, 2704-2705.
Oral Tradition, III, 476; XVIII, 3283; *passim* (see also "Biblical Criticism" and "Talmud" in Index).

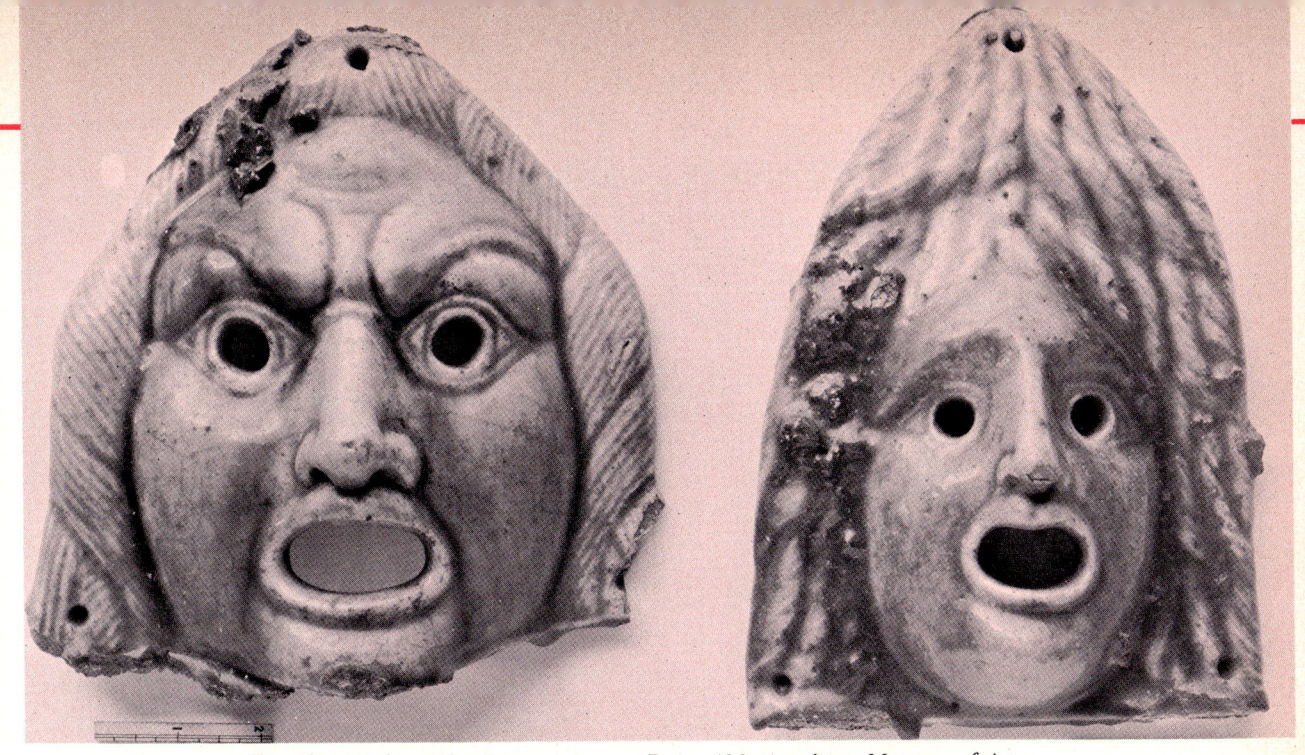

Egyptian tragic masks, 1st-century A.D. Rome (*Metropolitan Museum of Art; Carnarvon Collection, Gift of Edward S. Harkness, 1926*).

OREB AND ZEEB, VII, 1163; XV, 2705; XXI, 4007, 4027.
OREN, XV, 2705.
Oriental Institute of Chicago, XVIII, 3399.
Origen (Adamantius Origenes, Church Father) (c. A.D. 184-254), I, 132; II, 297; III, 405, 460-461, 463, 473-474, 501, 540; V, 939; VI, 991; VII, 1264, 1275, 1290-1291; X, 1742, 1822; XIV, 2522, 2525, 2631; XVII, 3260; XVIII, 3405-3406; XIX, 3530; XXI, 3893.
Original Sin, doctrine of, X, 1792.
Orion, XVIII, 3319.
ORNAMENTS OF THE BIBLE, XV, 2705-2713; XVI, 2970; *passim*.
ORNAN (Araunah), II, 234; XIII, 2376; XV, 2713; XVIII, 3341; XIX, 3518.
ORONTES River, I, 121, 180; V, 787; VII, 1307; XI, 1930; XV, 2713, 2515, 2742; XVII, 3239; XVIII, 3390-3391; XIX, 3606, 3608.
ORPAH (daughter-in-law of Naomi), III, 575; XIII, 2436; XV, 2715; XVIII, 3274, 3277.
ORTHOSIAS, XV, 2715; XX, 3794.
Orvieto, Italy, IV, 651.
OSAIAS, XV, 2715.
OSEA, XV, 2715.
OSEAS, XV, 2715.
OSEE, XV, 2715; XX, 3672.
OSHEA (Joshua), X, 1747; XIII, 2352; XIV, 2590; XV, 2715.
Osiris (deity), V, 864, 866; VII, 1268; VIII, 1357; XIV, 2596; XV, 2800; XIX, 3530.
Osorkon I (monarch), XVIII, 3454.
Osorkon IV (monarch), XIX, 3505.
OSPRAY (Osprey), X, 1871; XV, 2715.
OSSIFRAGE, XV, 2715.
OSTRICH, XV, 2715-2717.
Ostrog Bible, the, III, 469.
OTHNI, XV, 2717.
OTHNIEL (Judge of Israel), I, 60; III, 519; IV, 616, 768; VII, 1253; X, 1771, 1775, 1777, 1809, 1811-1812, 1819, 1841; XV, 2717, 2719, 2733, 2858.
Otho (Roman emperor), X, 1740; XXI, 3866.
OTHONIAS, XV, 2719.
Ottoman Turks, XV, 2746; XIX, 3608.
Ovid (Roman poet), III, 483.
OWL, XV, 2719.
OX, III, 556; XV, 2719.
Oxford Annotated Bible, the, XIV, 2510.
Oxford University, England, II, 217; III, 449; X, 1852; XIX, 3636.
Oxyrhynchus, II, 213.
Oxyrhynchus Papyri, I, 98.
Oxyrhynchus Sayings of Jesus, II, 212-213.
Oxus River, II, 278.
OZEM, XV, 2719.
OZIAS, X, 1824; XV, 2719.
OZIEL, XV, 2719.
OZNI, VI, 1015; XV, 2719.
Oznites, VI, 1015.
OZORA, XV, 2719.

P

PAARAI, II, 235; XIII, 2413; XV, 2720.
Pactolus River, XVIII, 3352.
PADAN-ARAM, V, 804; VIII, 1386; X, 1770, 1880; XI, 1927, 1935; XII, 2222; XV, 2720, 2870; XVII, 3148; XVIII, 3430; XIX, 3478; XXI, 3890, 4009.
Padi (monarch), XVIII, 3400.
PADON, XV, 2720.
P. Aelius Hadrianus, XX, 3768.
PAGIEL, II, 287; XIV, 2627; XV, 2720.
Pagninus, VI, 1143.
PAHATH-MOAB, XV, 2720-2721; XVI, 2901.
PAI, XV, 2721.
Palai-Tyros, XX, 3823-3824.
PALAL, XV, 2721.
Palatine Hill, XVII, 3261.
PALESTINE, I, 35, 67, 98, 104, 113, 120, 125, 133, 142, 146, 149, 181-184, 188-189, 191; II, 199, 238, 244-245, 248, 251, 254, 260-261, 269, 287, 289-290, 292, 296, 298, 303-304, 324, 347, 360, 363, 373, 376, 378-379; III, 391, 393, 395-397, 399, 404, 411, 444, 459, 463, 472, 474, 497, 507-508, 518, 530, 553, 558-559, 565, 568, 575; IV, 616, 624-628, 642, 655, 662, 694, 698, 703, 714, 723, 761; V, 775, 782, 786, 796, 802, 811, 824, 830, 846-847, 852, 856, 859, 862, 863, 868, 875, 945; VI, 967-968, 1006, 1047, 1054, 1057, 1066-1068, 1071, 1075, 1079, 1117, 1121, 1127-1128, 1144, 1148, 1151-1152; VII, 1160, 1163, 1168, 1191, 1207, 1210, 1212, 1216, 1220, 1226, 1232, 1248-1249, 1254, 1256, 1265, 1267, 1275, 1281-1282, 1284-1285, 1289, 1308, 1317-1318, 1329-1330, 1332, 1334, 1340, 1342-1343; VIII, 1351, 1354, 1356, 1359, 1369, 1372, 1376-1377, 1413, 1415, 1438, 1440, 1483, 1486, 1504; IX, 1546, 1551, 1561, 1573, 1582, 1626-1627, 1629, 1634-1635, 1651-1652, 1668; X, 1744, 1747-1748, 1760, 1775, 1804, 1806, 1811, 1817, 1833, 1839, 1841, 1858, 1872, 1895; XI, 1933-1934, 1940, 1962, 2030, 2070, 2081; XII, 2148, 2177, 2187, 2192, 2196, 2235, 2248, 2260, 2263, 2267, 2299, 2301-2302; XIII, 2312, 2316, 2344, 2372, 2375, 2378-2379, 2392, 2408-2409, 2460, 2462, 2472, 2474-2475, 2493-2494; XIV, 2554, 2581, 2586, 2606, 2615, 2625, 2645; XV, 2695, 2712, 2715, 2721-2746, 2773, 2846, 2848, 2851, 2877; XVI, 2908, 2911, 2923, 2925, 2929, 2939, 2942, 2952, 2954, 2957, 2959, 2961-2962, 2964, 2966, 2968, 2978-2979, 2990-2991; XVII, 3106, 3111-3112, 3114, 3116, 3118-3120, 3136, 3155, 3159, 3161, 3166, 3236, 3239, 3243, 3250, 3264; XVIII, 3271, 3283, 3306, 3329, 3338, 3341, 3356, 3360, 3377, 3383, 3395, 3398, 3400, 3420, 3432-3433, 3437, 3439-3440, 3444, 3449, 3451, 3453; XIX, 3465-3466, 3499, 3517, 3527, 3551, 3555, 3576, 3579, 3584, 3586-3587, 3600, 3604, 3606, 3609, 3612, 3621-3624, 3626, 3629, 3632, 3636, 3644; XX, 3685, 3706, 3708, 3712, 3724-3725, 3728, 3741-3742, 3756, 3761, 3764, 3768, 3801, 3813, 3815; XXI, 3874, 3894, 3895, 3901, 3917, 3937-3938, 3940, 3943, 3957, 3973-3975, 3980, 4010; XXII, 4042.
Palestinian Pentateuch Targum, III, 444.
Palestinian Syriac Version, III, 473.
Palestinian Talmud, XIX, 3625-3626 (see also "Talmud" in Index).
Palestrina, Giovanni, XI, 1992.
Palkovic, Jan, III, 471.
Pallas (Roman official), VI, 1062; XV, 2804.
PALLU, XV, 2746.
Palm Sunday, IX, 1591; passim.
Palmyra, X, 1897; XIX, 3619.
PALTI, III, 399; XV, 2746-2747; XVII, 3165.
PALTIEL, XV, 2747.
PALTITE, XV, 2747.
PAMPHYLIA, I, 70, 183; II, 322; IV, 617; VI, 1113; IX, 1664; XV, 2747, 2843; XVI, 2942; XIX, 3468.
Pan (deity), III, 512.
Paneas, III, 511.
Panias, XVI, 2917.
Panion, Battle of (c. 198 B.C.), I, 185; XVII, 3118; XVIII, 3392.
PANNAG, XV, 2747.
Pannonia, VIII, 1359; XX, 3710.
Pantaenus, XII, 2152.
Papacy, the, I, 179; passim.
Paphlagonia, XVI, 2986.
PAPHOS, II, 358; V, 922; XV, 2747-2748; XVIII, 3297, 3408.
Papias (bishop of Hierapolis), XI, 2083, 2085; XII,

2152.
Parable of the Ewe Lamb, XIII, 2445; XV, 2758.
PARABLE AND ALLEGORY IN THE OLD TESTAMENT, XV, 2755-2764; XVIII, 3434; *passim.*
PARABLES OF JESUS CHRIST, I, 47; II, 360; III, 485; V, 826; VI, 1045-1047, 1067, 1073, 1099; VII, 1197, 1208-1209, 1294-1295; VIII, 1366; IX, 1586; X, 1850, 1882; XI, 1928, 1972, 1980, 2108; XII, 2159; XIII, 2407-2408; XV, 2748-2755, 2818; XVI, 2906, 2908, 2952, 2956, 2993-2994, 3020, 3022; XVII, 3239; XVIII, 3434; XIX, 3502, 3549, 3599, 3621-3622, 3626, 3631; XX, 3676-3678, 3819, 3831-3834, 3836-3837; XXI, 3877, 3908, 3927-3928.
"Parables of Similitudes," V, 933-934.
PARACLETE, IV, 615; VII, 1313; XV, 2764.
PARADISE, II, 217; III, 549; IV, 708; V, 934, 955; VI, 997, 1124; VII, 1169, 1294; X, 1819; XII, 2228; XV, 2764-2767; XVII, 3165; XX, 3714.
Paradise Lost (Milton), II, 335; VI, 1109; VII, 1270; XII, 2243; XVII, 3165; XX, 3738; XXI, 3849.
PARAH, XV, 2767.
Paralipomena of Jeremiah, XVII, 3102.
PARAN, IV, 736; VII, 1224; VIII, 1407; X, 1763; XIII, 2343; XIV, 2590, 2647; XV, 2767-2768; XIX, 3555, 3610, 3612; XXI, 3937; XXII, 4050-4051.
PARBAR, XV, 2768.
Paris, France, III, 446; IV, 661; VII, 1208.
Parker, Matthew (Archbishop of Canterbury), III, 452, 483.
PARMASHTA, XV, 2768.
PARMENIAS, XV, 2768.
PARNACH, XV, 2768; XIX, 3638.
Parni, XV, 2771-2772.
PAROSH, XV, 2768.
PAROUSIA, V, 954; VI, 1054, 1094; VIII, 1469; X, 1851; XI, 1984, 2075, 2098, 2103; XII, 2155, 2159, 2250; XIV, 2528, 2533, 2543; XV, 2753, 2764, 2768, 2770, 2805, 2813; XVI, 2891; XVII, 3181; XIX, 3502; XX, 3678, 3692, 3694, 3696, 3771.
PARSHANDATHA, XV, 2770.
PARTHIA, PARTHIANS, I, 125, 180, 183, 185, 188-189; IV, 627, 698; V, 787, 802; VII, 1277, 1344; IX, 1627, 1688; X, 1833; XI, 2002, 2013, 2018, 2026, 2078, 2080; XIV, 2506; XV, 2770-2773; XVIII, 3392, 3396; XIX, 3483; XX, 3703, 3768.
PARTRIDGE, XV, 2773-2774.
PARUAH, XV, 2774.
PARVAIM, XII, 2259; XIII, 2317; XV, 2774.
PASACH, XV, 2774.
PASCHAL LAMB, VI, 989; X, 1889, 1904; XV, 2774-2775, 2777, 2780; XVI, 2958; XVIII, 3290; XIX, 3470, 3501; XX, 3670.

PAS-DAMMIM, V, 936; VIII, 1475; XV, 2777; XVI, 2929.
PASEAH, XV, 2777; XVI, 2911.
PASHUR (various personages), III, 402; VIII, 1363, 1508; IX, 1563; XI, 2054, 2060; XV, 2777-2779; XVI, 2901.
PASSION OF JESUS CHRIST, XV, 2779; XIX, 3792, 3597; *passim.*
PASSOVER, FESTIVAL OF, I, 64, 166; II, 296, 356, 366; III, 408, 484, 499; IV, 678, 685, 688; V, 847, 860, 899, 947; VI, 968, 989-990, 999, 1006, 1064; VII, 1230, 1251, 1292, 1299; IX, 1575, 1584, 1591, 1594, 1598, 1602; X, 1735, 1886, 1905-1906, 1913, 1917; XI, 1927, 1950, 1955, 1987, 1994, 1997, 2069, 2100; XII, 2200; XIII, 2393; XIV, 2563, 2590, 2646; XV, 2774, 2779-2780, 2782, 2786, 2837; XVI, 2948, 2958, 2982; XVIII, 3088, 3179, 3252; XVIII, 3290; XIX, 3470, 3490, 3501, 3529-3530, 3612, 3616, 3625; XXI, 3917, 3959.
PASTORAL EPISTLES, III, 445, 538; XIV, 2521, 2543; XV, 2782, 2805, 2813, 2816; XX, 3720, 3723, 3732, 3734, 3821; *passim.*
PATARA, XI, 2001; XV, 2782.
"Pater Noster," XI, 1969.
PATHEUS, XV, 2782.
PATHROS, XV, 2783.
PATHRUSIM, XV, 2783.
Patient Husbandman, Parable of the, III, 485.
PATMOS, I, 172; IX, 1677; XV, 2783, 2785; XVII, 3216, 3227.
Patras, I, 167; II, 214.
PATRIARCHS, I, 34, 97, 142; II, 342; III, 532; IV, 605, 662, 666; V, 848, 949; VI, 1132, 1136; VII, 1265, 1296, 1330; VIII, 1355, 1382, 1413, 1445; X, 1765-1766, 1776; XI, 1977, 2063, 2081; XII, 2146; XIV, 2607, 2633; XV, 2785, 2826, 2867; XVI, 3006-3007, 3044; XVII, 3168, 3257; XVIII, 3278, 3339-3340, 3419, 3430; XIX, 3576; XX, 3753, 3809; *passim.*
PATROBAS, XV, 2786.
PATROCLUS, XIV, 2550; XV, 2786.
Paturisi, XV, 2783.
PAU, XV, 2786.
PAUL THE APOSTLE, I, 16, 57, 61-62, 66-73, 75-76, 82, 94-95, 97, 124, 136, 161, 163, 167, 182; II, 199-200, 207, 213-220, 222, 227-228, 260-261, 263, 279, 297, 308, 313-314, 316, 319-320, 322, 324-325, 354, 356, 358-360; III, 391, 399, 401, 403-404, 429, 431, 433, 440, 476, 484, 501, 508, 510-511, 537-538, 549-550, 555-556, 559, 576; IV, 583, 586, 589, 591-601, 612, 614-617, 619-621, 625, 634, 637-640, 644, 646-655, 658, 668-669, 676, 697-698, 705, 707-708, 759; V, 782, 785, 789-790, 801, 803, 810, 812, 821, 836,

844-845, 862, 873, 922, 936-938, 940-941, 950-951, 957; VI, 974, 989, 991-993, 995, 997, 999, 1015, 1045, 1062-1063, 1066, 1087, 1089, 1091, 1095, 1112-1116, 1119; VII, 1177, 1179, 1206-1207, 1215, 1240, 1261-1265, 1274-1275, 1284, 1288, 1298, 1312-1314, 1334, 1343; VIII, 1352, 1356-1359, 1367, 1436, 1450, 1469, 1471-1472, 1477; IX, 1575-1576, 1579, 1591, 1664, 1667, 1674, 1683; X, 1744, 1792, 1822, 1829, 1833-1836, 1842, 1845, 1850, 1899-1901, 1903-1904, 1916; XI, 1927, 1962, 1966, 1968, 1980, 1982, 1984, 1987, 1992, 1999-2001, 2003, 2039-2041, 2063, 2075, 2083, 2085, 2093, 2101, 2103, 2111; XII, 2149-2150, 2155, 2159, 2202-2204, 2214-2215, 2250, 2287-2288, 2290-2291, 2298, 2301; XIII, 2326, 2392, 2403-2404, 2408-2409, 2443, 2453, 2459-2460; XIV, 2503, 2506, 2515, 2521-2522, 2526, 2528, 2531, 2533, 2536, 2538-2544, 2554, 2609, 2617; XV, 2697, 2699-2700, 2747-2748, 2755-2756, 2764, 2767, 2770, 2777, 2782, 2786-2816, 2840, 2843; XVI, 2887, 2890-2892, 2895-2896, 2909, 2912-2923, 2930-2032, 2934, 2936-2939, 2942-2943, 2955, 2987, 2995, 2999-3000, 3003, 3006-3007, 3009-3010, 3015, 3019, 3065-3066; XVII, 3111, 3125, 3128-3129, 3131, 3152, 3176, 3181, 3201, 3218, 3232, 3234-3236, 3238, 3250, 3256-3261, 3264; XVIII, 3272, 3297-3299, 3314, 3319, 3344, 3371, 3374-3375, 3380, 3383, 3387-3389, 3391, 3408, 3413, 3452-3453; XIX, 3466, 3468, 3470, 3472, 3474, 3476, 3478, 3502, 3545, 3547, 3549, 3551, 3561, 3563-3564, 3568, 3570, 3579, 3588, 3604, 3632, 3635, 3645; XX, 3678, 3680, 3692, 3694-3696, 3704, 3706, 3718-3723, 3731-3734, 3749, 3791-3795, 3801-3802, 3821, 3823, 3830, 3834, 3840; XXI, 3864, 3878, 3892, 3895, 3897, 3928, 3940, 3951, 3955, 3964, 4029; XXII, 4044-4045.
PAULINE EPISTLES (New Testament), I; 18, 61-62, 72-73, 75-76; II, 218, 354, 356, 358; III, 433, 443, 457, 463, 466, 476, 537-538, 540, 556; IV, 583, 589, 591, 602, 638, 655, 676; V, 785, 792, 801, 821, 846, 937, 940; VI, 1098, 1121; VII, 1261-1265, 1275; VIII, 1357, 1359; IX, 1575; X, 1903; XI, 1987, 2078; XII, 2155; XIV, 2516, 2521-2522, 2524-2526, 2531, 2533, 2536, 2538, 2543-2544, 2546, 2554, 2688; XV, 2782, 2789-2790, 2796, 2798, 2805, 2810-2816; XVI, 2892, 2901, 2913-2914, 2919, 2939, 2972, 2998; XVII, 3175, 3250, 3256-3261; XVIII, 3283; XIX, 3474, 3477, 3547, 3559, 3593; XX, 3694, 3698, 3718, 3722, 3790, 3821; XXI, 3952.
Paullus, L. Aemilius, XI, 2042.
Paul of Tella de-Mauzeleth, III, 473; XVIII, 3406.
Pausanias, IV, 759.
Pax Romana, II, 324; VII, 1286; XVI, 2934; XVII, 3250.
Pazzuoli, XVII, 3128.
PEACE-OFFERING, III, 507; XI, 1952, 1957; XV, 2817; XVIII, 3290, 3292-3293; XIX, 3491, 3614; XX, 3686.
PEACOCK, XV, 2817.
PEARL, XV, 2817-2818; XVI, 2959.
PEARL OF GREAT PRICE PARABLE, VII, 1294; XII, 2165; XV, 2715, 2818 (*see also* "Parables of Jesus Christ" in Index).
PEDAHEL, XV, 2818.
PEDAHZUR, XV, 2818.
PEDAIAH, XI, 2069; XV, 2818; XVI, 2901; XVIII, 3272, 3427; XXII, 4041.
PEKAH (king of Israel), I, 109-110, 143; II, 261, 302; III, 404; IV, 595, 706; V, 919; VII, 1171, 1258, 1322, 1324; VIII, 1359-1360, 1392, 1431-1432; X, 1840; XII, 2220; XIV, 2627-2628; XV, 2818-2820; XVII, 3185, 3233-3234; XVIII, 3308-3309; XIX, 3609.
PEKAHIAH (king of Israel), II, 261-262; VII, 1322; VIII, 1431; XII, 2205; XV, 2818, 2820; XVII, 3185; XX, 3712.
PEKOD, X, 1874; XV, 2820.
Pelahiah of Regensburg, XX, 3675.
PELAIAH, III, 426; XV, 2820.
PELALIAH, XV, 2820.
PELATIAH, III, 393; XV, 2820.
PELEG, XV, 2820; XVI, 2902.
PELET, XV, 2820.
PELETH, XV, 2820-2821.
PELICAN, XV, 2821-2822.
PELIAS, II, 375; XV, 2822.
Pella, V, 782.
PELONITE, XV, 2747, 2822.
Peloponnesian Wars (431-404 B.C.), II, 314; VII, 1211; XVII, 3236; XX, 3704.
Peloponnesus, XIX, 3552-3553.
Pelusium, XVII, 3243; XIX, 3487.
Penance, VIII, 1471; XIV, 2545.
Penderecki, Krzysztof (composer), XI, 1993.
Penhase, XIX, 3619.
PENIEL, VIII, 1448; XV, 2822-2823, 2839.
PENINNAH (wife of Elkanah), V, 919; VII, 1240; XII, 2183; XV, 2823.
PENTATEUCH (first five Old Testament books), I, 183; II, 210, 320, 348; III, 428-429, 431, 433, 444, 448-449, 452, 460, 465, 472, 475-476, 543, 545; IV, 592, 658, 660, 671, 674; V, 795, 798, 931, 952; VI, 1034, 1037, 1064, 1066, 1094, 1136; VII, 1207, 1213, 1250-1251, 1291, 1309, 1311; VIII, 1366, 1379; IX, 1653; X, 1747, 1765, 1791, 1817, 1852, 1911, 1915; XI, 1939, 1941-1942, 1952, 2051; XII, 2153, 2173, 2193, 2296; XIII, 2330, 2333, 2346, 2348, 2352, 2382, 2446, 2475; XIV, 2526, 2631, 2635-2636, 2646, 2661; XV, 2779, 2823-2838, 2851; XVI, 2909, 2925, 2972, 3015, 3037, 3072; XVII, 3079, 3082-3083,

3102, 3114, 3165, 3233, 3242; XVIII, 3284, 3288, 3310, 3312, 3379-3380, 3403-3404, 3406, 3410, 3413; XIX, 3481, 3488, 3527, 3587-3588, 3616; XX, 3664, 3728, 3751-3752, 3821, 3823; XXI, 3852, 3944, 3947, 3989.

Pentateuchal Targums, III, 444.

PENTECOST, FESTIVAL OF, I, 64, 67, 77, 175; II, 217, 281, 353, 358; III, 553; IV, 612, 615, 651, 669; V, 957; VI, 969, 1059, 1064, 1066, 1098; VII, 1251, 1311-1312; XI, 1972; XII, 2200, 2287; XIII, 2373; XV, 2802, 2814, 2837-2839; XVI, 2888, 2987, 3002; XVIII, 3387; XIX, 3616; XX, 3736, 3748-3749; XXI, 3917, 3959.

PENUEL, VI, 1111; VII, 1163; VIII, 1411, 1425; XI, 2055; XV, 2839.

PEOR, III, 419; XV, 2840; XVIII, 3454.

Pepi I (monarch), XII, 2205.

PERAEA, IX, 1592; XII, 2170; XV, 2840; XVI, 2982; XX, 3707; XXI, 3865.

Perdiccas (Macedonian general) (d. 321 B.C.), VI, 1146; XVII, 3112; XVIII, 3395.

PERDITION, SON OF, XV, 2840-2841.

PERESH, XV, 2841.

PEREZ (son of Judah), I, 79; XV, 2705, 2841; XVI, 2906; XX, 3686.

PEREZ-UZZAH, XII, 2275; XV, 2842; XXI, 3854.

PERFUME, XIII, 2409; XV, 2842-2843; XVI, 2954; XIX, 3555.

PERGA, I, 70; II, 322; IX, 1664; XI, 2085; XV, 2747, 2797, 2843; XVI, 2937.

PERGAMUM (Pergamos), I, 131, 172, 183; II, 199, 261, 322; IV, 637; V, 927; VI, 991, 1113; VII, 1277; XI, 2001; XIII, 2409; XV, 2843-2845; XVI, 2913, 2937; XVII, 3227, 3263; XVIII, 3396; XIX, 3503; XX, 3706.

Pergolesi, Giovanni Battista (composer), XI, 1992.

Pericles (Athenian statesman), II, 314; VII, 1211.

PERIDA, XV, 2845.

PERIOD OF THE BABYLONIAN CAPTIVITY, I, 13, 18, 25, 54, 58, 60, 79, 87, 89, 92, 94-95, 105, 108, 114, 120, 123, 128, 133, 136, 140, 143, 146, 149, 161-164, 168, 170, 178-179; II, 200-201, 210, 231, 253, 260, 262, 277-281, 285-287, 294, 296, 298, 309, 311, 313, 316, 322, 325-328, 330, 335-336, 347-349, 352-353, 358, 360, 362-364, 366, 372-373, 375-376, 378, 381; III, 391, 393, 396, 399, 402, 404-405, 411, 417, 419, 424-426, 429, 477-478, 482, 493, 499, 502, 508, 518, 523, 526, 536, 543, 545-546, 553, 555-556, 559-560, 562-563, 565, 567-569, 576; IV, 592, 595, 609, 612, 618, 634, 647, 656-657, 662, 695, 699, 702, 704, 720, 722, 725, 751, 758; V, 783, 791-793, 795, 802, 804, 819, 846, 850, 856-857, 860, 874, 876, 879-880, 882, 888-889, 891, 899, 906-907, 919-920, 923, 926, 929-930, 936, 948, 957, 959; VI, 968, 986, 989, 991, 999, 1014-1015, 1018, 1027-1028, 1036, 1052, 1060, 1064, 1073, 1107, 1113, 1119, 1124, 1126, 1128, 1130, 1133, 1148; VII, 1159, 1162, 1174, 1204, 1216-1217, 1220, 1222, 1224, 1227, 1229, 1231, 1238-1239, 1246, 1248, 1251-1253, 1256, 1261, 1265, 1268, 1273, 1294-1295, 1299, 1303, 1308-1309, 1324, 1327, 1339; VIII, 1353, 1358, 1363, 1377, 1398, 1404, 1406, 1409, 1411, 1420, 1422, 1436, 1441, 1444, 1458, 1462-1463, 1472, 1475, 1477, 1479-1480, 1482, 1484-1485, 1488, 1496, 1499, 1505, 1508, 1511-1512, 1515, 1517, 1519-1520, 1523, 1526, 1531; IX, 1553-1554, 1563-1564, 1567-1568, 1571, 1629, 1632, 1638, 1641, 1645, 1653, 1659, 1661-1663, 1688, 1695, 1701, 1707, 1711-1712; X, 1747, 1761-1763, 1771, 1776, 1780, 1792, 1806, 1822, 1829, 1834, 1837-1838, 1841-1842, 1852, 1856, 1863, 1875, 1882, 1884, 1897, 1913, 1915; XI, 1928, 1934, 1939, 1946, 1948-1949, 1952, 1964, 1979-1980, 2005-2008, 2021, 2043, 2047, 2054, 2057-2058, 2060-2063, 2071, 2074, 2103; XII, 2142, 2145, 2147-2148, 2175-2176, 2187, 2196, 2200-2202, 2212, 2214, 2216, 2220, 2226, 2229, 2232, 2236, 2241, 2243-2244, 2246, 2249, 2263, 2270, 2279, 2295-2297, 2301; XIII, 2311-2312, 2314, 2326-2327, 2371, 2373, 2380, 2393, 2396, 2405, 2412-2413, 2415, 2419, 2425, 2428, 2442-2443, 2446, 2448, 2460-2462, 2470, 2474-2476, 2478, 2481, 2492-2494; XIV, 2508-2510, 2550, 2563, 2565, 2579, 2581, 2583, 2599, 2605, 2607, 2609, 2612, 2627, 2629, 2631-2632, 2640-2641, 2656, 2661-2663, 2671, 2675, 2681; XV, 2697, 2701-2702, 2715, 2719-2721, 2745, 2763, 2768, 2776, 2777, 2780, 2782, 2818, 2820-2821, 2823, 2845; XVI, 2901-2902, 2906, 2911-2912, 2929, 2936, 2940, 2960, 2972, 3015, 3037, 3040-3041, 3054, 3072; XVII, 3079, 3127, 3139, 3158, 3162, 3166, 3168, 3181, 3185, 3187, 3234, 3236, 3239, 3241-3242, 3246, 3263; XVIII, 3277, 3281, 3283-3284, 3286, 3288, 3292-3293, 3298-3299, 3303, 3310, 3313, 3326, 3336, 3344-3345, 3352, 3357, 3359, 3378-3379, 3387, 3389-3390, 3397-3398, 3402, 3407, 3413-3414, 3418-3420, 3423-3424, 3426, 3429, 3434, 3436-3442, 3447-3449, 3455; XIX, 3463, 3481, 3483, 3490, 3496, 3499, 3527-3529, 3532, 3541, 3545, 3547, 3570-3571, 3576, 3581, 3587-3588, 3609, 3616, 3622-3623, 3627, 3636, 3638-3639; XX, 3666, 3684, 3690, 3692, 3716, 3735, 3756, 3764, 3774, 3808, 3828, 3831, 3836; XXI, 3848, 3850-3852, 3854, 3856, 3859, 3864, 3915, 3945, 3968, 3991-3993, 3995, 3998-3999, 4001-4002, 4007, 4009, 4012, 4015, 4017, 4025; XXII, 4039, 4041, 4046-4048, 4060.

PERIOD OF THE CONQUEST AND JUDGES, I, 118, 120, 149, 165; II, 234, 238, 254, 260, 276-277, 285, 288, 290, 328, 332, 346-347, 357; III, 393, 399, 411, 413, 485, 495, 502, 516, 534, 564, 568; IV, 594,

624, 701, 703, 714, 768; V, 775, 798, 856, 924; VI, 967, 1039, 1107, 1110-1111, 1126, 1130, 1152; VII, 1171, 1178, 1202, 1228, 1256-1257, 1274, 1310; VIII, 1355, 1416, 1419, 1434, 1443, 1528; IX, 1546, 1659, 1710; X, 1744, 1773, 1775-1776, 1817, 1839; XI, 1934, 1939, 1944, 2043, 2056, 2069, 2080, 2103; XII, 2197, 2303; XIII, 2439, 2457, 2462, 2474; XIV, 2578, 2629; XV, 2731, 2742, 2837, 2856-2859, 2872; XVI, 2923, 2926, 2931; XVII, 3139, 3144, 3155, 3158, 3165, 3183, 3185; XVIII, 3292, 3297-3298, 3303, 3340, 3344, 3387, 3398, 3417, 3422, 3432, 3441-3442, 3444, 3448; XIX, 3474, 3570, 3609, 3616, 3622, 3630, 3639; XX, 3699, 3741, 3803, 3831; XXI, 3862, 3898, 4007, 4010.

PERIOD OF THE MONARCHY, I, 16, 98, 118, 169; II, 232, 238, 249, 260, 275, 280, 326, 334-335, 347, 364, 378; III, 393, 401, 411, 413, 532, 564; IV, 705; V, 790, 802, 874, 876, 947; VI, 967, 993, 1086, 1111, 1126, 1131; VII, 1159, 1224, 1257, 1317, 1331; VIII, 1351, 1416, 1436, 1462, 1477, 1496, 1499; IX, 1547; X, 1806, 1817, 1838, 1845, 1856, 1874, 1884; XI, 2103; XII, 2190, 2192, 2196, 2274, 2301; XIII, 2399; XIV, 2583, 2640; XV, 2823, 2837, 2856, 2859-2967; XVI, 2970, 2993, 3014-3015; XVIII, 3326, 3383, 3417, 3420, 3427, 3432-3433, 3439, 3446; XIX, 3465, 3476, 3579, 3587, 3616; XX, 3678, 3757-3758, 3803; XXI, 3862, 3944; XXII, 4060.

PERIOD OF THE PATRIARCHY, I, 34, 54, 98, 169; II, 249, 320, 342, 346, 376-377; III, 410, 499, 516, 531, 565, 575; IV, 642, 672; V, 775, 804, 806-807, 857, 876, 923, 931, 955; VI, 999, 1071; VII, 1178, 1181, 1200-1201, 1220, 1223, 1256-1257, 1291, 1330, 1340; VIII, 1413; IX, 1645, 1651-1652, 1710, 1863; X, 1880; XI, 2103; XII, 2142, 2232, 2249; XIII, 2474; XIV, 2580, 2619, 2633; XV, 2786, 2826, 2835, 2867-2870; XVI, 2904, 2925, 2995, 3010; XVII, 3102, 3106; XVIII, 3288, 3314, 3339, 3398, 3419, 3426, 3433, 3436, 3448; XIX, 3497, 3529, 3606; XX, 3728, 3752, 3811; XXI, 3930, 3974, 3987; XXII, 4048.

PERIOD OF THE WILDERNESS, I, 14, 16, 18, 22, 29, 41, 87, 113, 115-116, 118, 134, 139-140, 142, 146-147, 162, 178; II, 228, 231, 277, 285, 287, 326, 331, 334, 352-353, 366, 375-376; III, 393, 399, 404, 410-411, 415, 419, 486, 493, 497, 518, 555, 560, 564, 568, 571, 576; IV, 607-608, 618, 622, 647, 661, 671, 710, 731; V, 790, 803-804, 812, 857, 859, 873, 877-879, 887, 889, 905, 918-919, 921-922, 929, 942, 945, 950, 955, 997, 1005, 1027, 1079, 1084, 1110, 1112; VII, 1168, 1178, 1201-1202, 1215, 1220, 1238, 1244, 1246, 1251, 1256, 1262, 1267, 1272, 1309, 1317, 1330, 1339; VIII, 1359, 1406, 1416, 1434, 1436, 1440-1441, 1444, 1462, 1464, 1475, 1479, 1496, 1535; IX, 1623, 1632, 1636, 1645, 1663; X, 1744, 1747, 1775, 1806, 1817, 1841-1842, 1877; XI, 1937, 1941-1942, 1952, 2042, 2056-2057, 2060, 2067, 2071; XII, 2146, 2189, 2193, 2212, 2217, 2247, 2249, 2295, 2299; XIII, 2332, 2341, 2351, 2372, 2376, 2413, 2421, 2423, 2439, 2474, 2493; XIV, 2503, 2558, 2578, 2583, 2609, 2627, 2647; XV, 2699, 2720, 2731, 2746-2747, 2767-2768, 2818, 2820, 2823, 2826, 2870-2872; XVI, 2904, 2925, 2931; XVII, 3125, 3131, 3165, 3168, 3186, 3209, 3241; XVIII, 3340, 3342, 3353, 3408, 3414, 3419, 3424, 3426, 3435-3436, 3444, 3447-3449; XIX, 3465, 3474, 3479-3480, 3505, 3527, 3555, 3610, 3619, 3631, 3639; XX, 3742, 3752, 3803, 3808; XXI, 3862, 3890, 3897, 3936-3937, 4002, 4010; XXII, 4039, 4048, 4056, 4061.

PERIZZITES, III, 426; IV, 616; VI, 1133; XI, 2069; XV, 2877; XVII, 3187.

Persephone (deity), II, 293.

PERSEPOLIS, I, 125; XV, 2877, 2880.

PERSEUS, X, 1873; XV, 2880.

Perseus (king of Macedon), XI, 2042.

Persia (modern), XI, 2045; XVII, 3246; XVIII, 3380, 3392.

PERSIAN EMPIRE, I, 54, 59, 96, 108, 125, 128, 130; II, 241, 243, 248, 274, 308, 314, 344; III, 429, 564; IV, 617, 696, 699-700, 707, 719-720, 723, 731, 767; V, 791, 802, 869, 876; VI, 974-975, 981, 1028, 1030, 1037-1038, 1072, 1083, 1121; VII, 1204, 1210-1212, 1224, 1239; VIII, 1365, 1377, 1399, 1420, 1439; IX, 1554, 1645, 1661; X, 1766, 1839, 1848, 1893, 1897; XI, 1930, 2001, 2058; XII, 2190-2191, 2209, 2226, 2297; XIII, 2327, 2397, 2461, 2466, 2473, 2477-2478, 2481, 2493, 2495; XIV, 2503, 2563, 2661, 2680, 2687; XV, 2745, 2771; XVI, 2902, 2931, 2933, 2986; XVII, 3125-3127, 3166, 3263; XVIII, 3283, 3310-3311, 3336, 3352, 3380, 3398, 3434-3435, 3448; XIX, 3465, 3470, 3499, 3532-3553, 3576, 3587, 3606, 3608, 3621, 3634, 3643-3644; XX, 3714, 3724, 3727, 3756, 3761, 3829; XXI, 3930, 4017.

Persian Apocalypse of Daniel, IV, 719.

Persian Gulf, VI, 1074; XVIII, 3451; XIX, 3572; XX, 3716, 3768, 3831.

Pertinax, XVI, 2995.

Peru, XIX, 3576.

PERUDA, XV, 2845.

Peshitta, III, 444, 472-473; *passim.*

PETER (Simon Peter, the Apostle), I, 61, 63-64, 67-68, 73, 75-76, 95, 163, 165-166, 172, 175, 182; II, 213-214, 216, 358, 360; III, 420, 431, 478, 501, 510, 512, 550, 562; IV, 589, 600, 615, 644, 648, 655, 766; V, 938; VI, 1072-1073, 1088, 1091, 1098, 1113, 1115, 1119, 1150; VII, 1177, 1240, 1287, 1329, 1335; VIII, 1466, 1468, 1471; IX, 1580, 1598, 1668, 1670, 1674,

INDEX 4177

1685, 1690, 1699, 1706; X, 1737, 1795, 1843-1845, 1882, 1906-1907; XI, 1989, 1994-1995, 1997, 2061, 2083, 2085, 2087, 2090, 2093-2094; XII, 2133, 2150, 2153, 2159, 2163, 2165, 2173, 2177, 2232, 2279-2280, 2284, 2287-2288; XIV, 2506, 2522-2523, 2531, 2533, 2536, 2541, 2546-2547, 2553, 2599, 2617, 2619; XV, 2789-2790, 2795-2796, 2798, 2812, 2814; XVI, 2887-2899, 2915, 2987, 3000, 3002, 3006, 3015, 3019; XVII, 3236, 3264; XVIII, 3312, 3359, 3435, 3452; XIX, 3474, 3478, 3482, 3485; XX, 3703, 3732, 3749, 3769, 3778, 3795, 3797, 3799, 3832-3833; XXI, 4028.

PETER, FIRST EPISTLE OF (New Testament), III, 433, 484, 540; IV, 615, 708; V, 938, VI, 1113; VIII, 1352; XI, 2083, 2085, 2088, 2090; XIV, 2522, 2524, 2531, 2546-2547; XV, 2777; XVI, 2891-2892, 2895-2897, 2901, 2908, 2986; XVII, 3181, 3216; XIX, 3474, 3547.

PETER, SECOND EPISTLE OF (New Testament), III, 538, 540; IV, 601; VII, 1270, 1275; X, 1804, 1851; XIV, 2522, 2524, 2546-2547; XV, 2812; XVI, 2891-2892, 2895-2897, 2901; XIX, 3547, 3559; XX, 3768-3769.

Peter the Great, Czar, III, 469.
PETHAHIAH, XV, 2782; XVI, 2901.
PETHOR, II, 349, 351, XVI, 2901.
PETHUEL, XVI, 2901.
PETRA, II, 229-230; V, 858; IX, 1690; XV, 2796; XVI, 2901; XVIII, 3389.
Petri, Laurentius, III, 468.
Petrie, Sir Flinders, XVI, 2991.
PETRINE EPISTLES, III, 553; XVI, 2891, 2901; *passim*.
Petronius (Syrian governor), III, 526.
Petronius (Roman general), IV, 696; XV, 2796.
PEULTHAI, XVI, 2901.
PHAATH MOAB, XVI, 2901.
PHACARETH, XVI, 2901.
Phaesel, XI, 2025; XVI, 2911.
Phaesel Tower, the, IX, 1559.
Phaestos, IV, 668.
PHAISUR, XVI, 2901.
PHALDAIUS, XV, 2818; XVI, 2901.
PHALEAS, XVI, 2902.
PHALEL, XVI, 2902.
PHALLU, XV, 2746; XVI, 2902; XVII, 3208.
PHALTI, VI, 1119; X, 1885; XII, 2244; XVI, 2902.
PHALTIEL, II, 349; XVI, 2902.
PHANUEL, XVI, 2902.
PHARACIM, XVI, 2902.
PHARAOH, I, 13; II, 285; III, 483; IV, 695; VI, 1000-1001, 1005-1006, 1008-1009, 1146; VII, 1168-1169; VIII, 1414-1415, 1434, 1449-1450, 1452, 1464, 1472; IX, 1645, 1713-1715; XIII, 2333, 2335, 2337-2338; XIV, 2645; XVI, 2902-2905, 2943-2946; XVIII, 3346-3347, 3449; *passim*.

PHARAOH'S DAUGHTER, XII, 2291; XIII, 2335; XVI, 2904-2906.
PHARATHONI, XVI, 2906, 2941.
PHARES, XVI, 2906.
PHAREZ, VII, 1294; X, 1770, 1774; XV, 2768, 2841; XVI, 2906, 2911, 2936; XIX, 3627.
PHARIRA, XVI, 2906.
PHARISEE AND PUBLICAN PARABLE, XI, 1995; XV, 2750; XVI, 2906-2908 (*see also* "Parables of Jesus Christ" in Index).
PHARISEES, I, 64, 75, 124-125, 129; II, 202, 296; III, 486, 512; IV, 614, 625, 659, 708; V, 787-789, 811, 959; VI, 968, 1060, 1092, 1100, 1119; VII, 1206, 1208, 1252, 1272, 1274, 1283; VIII, 1380, 1422, 1471; IX, 1591, 1626, 1688, 1693; X, 1738-1739, 1764, 1767, 1792, 1804, 1835, 1850, 1916-1917; XI, 1972, 1974, 1980, 1984, 1994-1995, 2021-2023, 2033, 2090, 2095, 2098; XII, 2153, 2159-2160, 2162, 2168, 2182, 2283, 2296; XIII, 2403-2404, 2454; XIV, 2552, 2620, 2625; XV, 2750, 2780, 2786, 2790, 2798, 2804; XVI, 2906, 2908-2910, 3015, 3022; XVII, 3099, 3102, 3142, 3198, 3264; XVIII, 3272, 3283, 3294-3296, 3342, 3379, 3411; XIX, 3468, 3472, 3482-3483, 3487, 3559, 3570, 3623, 3626; XX, 3683, 3834; XXI, 3878, 3949, 4002.

Pharnaces, XVI, 2986.
Pharos, I, 130; XVIII, 3404.
PHAROSH, XV, 2768; XVI, 2911.
PHARPAR River, IV, 706; XIII, 2411; XVI, 2910-2911.
Pharsalus, Battle of (47 B.C.), X, 1832; XI, 2077; XVI, 2981.
PHARZITES, XVI, 2911.
PHASEAH, XV, 2777; XVI, 2911.
PHASELIS, XVI, 2911.
PHASIRON, XVI, 2912.
PHASSARON, XVI, 2901, 2912.
PHEBE, III, 559; XVI, 2912.
PHENICE, XVI, 2912.
PHENICIA, XVI, 2912.
PHICOL, I, 118; XVI, 2912.
Phidias (sculptor), II, 314; XIX, 3563.
PHILADELPHIA, I, 172; V, 782; XI, 2001; XV, 2840; XVI, 2913; XVII, 3141, 3227; XIX, 3503.
PHILARCHES, XVI, 2913.
PHILEMON, II, 227, 254; IV, 637; XIV, 2544; XV, 2699-2700, 2816; XVI, 2913-2914, 2919; XX, 3729.
PHILEMON, EPISTLE TO (New Testament), III, 538; IV, 638, 759, 937; VII, 1314; X, 1900; XI, 2083; XIV, 2524, 2544; XV, 2699-2700, 2810, 2813; XVI, 2913-2915, 2921; XIX, 3502.

PHILETIUS, XVI, 2915.
PHILIP THE APOSTLE, XII, 2287; XIII, 2455; XV, 2793; XVI, 2915; XX, 3659, 3795.
PHILIP THE EVANGELIST, I, 66-67, 166; II, 287; III, 420, 459, 510, 535; VI, 988, 991, 995, 1088; X, 1850; XIII, 2448; XVI, 2915-2917; XVIII, 3310, 3312; XIX, 3485.
PHILIP (son of Herod), II, 324; III, 420, 512, 559; VII, 1281, 1286; VIII, 1438-1439; IX, 1582; XVI, 2917; XVIII, 3301; XX, 3685.
Philip (Seleucid regent), I, 186-188; XI, 2014.
Philip II (king of Macedon) (382-336 B.C.), I, 125; VII, 1212; VIII, 1377; XI, 2041; XVI, 2917; XVII, 3112; XIX, 3563.
Philip V (king of Macedon) (237-179 B.C.), IV, 625-626; XV, 2880; XVI, 2917.
Philip of Ituraea, VII, 1284.
PHILIPPI, III, 538; IV, 625; V, 936, VI, 992, 1092; XI, 1982, 2001, 2041; XII, 2228; XIII, 2459-2460; XIV, 2542; XV, 2768, 2800-2801, 2815; XVI, 2917-2919, 3019; XVII, 3129; XIX, 3476, 3568, 3590; XX, 3706, 3718.
Philippi, Battle of (42 B.C.), XI, 2077, XVI, 2917-2918; XIX, 3635.
PHILIPPIANS, EPISTLE TO THE (New Testament), IV, 637; V, 936-937; VII, 1263; X, 1842; XI, 2001; XIV, 2542-2543; XV, 2802, 2810, 2813, 2815; XVI, 2917, 2919-2923, 2995; XIX, 3568.
PHILISTIA, V, 910; VII, 1256; VIII, 1398; X, 1778, 1782-1783, 1786; XI, 1959, 2014, 2018, 2023; XV, 2721-2722, 2737; XVI, 2923; XVII, 3159, 3233-3234; XVIII, 3369, 3400; XIX, 3517; XX, 3712, 3824; XXI, 3852, 3855.
PHILISTIM, XVI, 2929.
PHILISTINES, I, 27-28, 94, 103, 110, 118, 121, 156, 162, 170; II, 201-202, 238, 240, 267, 276, 285-286, 290, 295, 326, 328, 334; III, 409, 413, 416, 421, 423, 495, 507, 534, 553, 568; IV, 583, 595, 618, 669, 702-704, 710-711, 714, 733-734, 736, 738; V, 775, 777, 783, 812, 835, 848, 868, 874-875, 879, 884, 921, 926, 929, 932, 936, 945; VI, 967, 985, 1022, 1060, 1084, 1126-1128, 1139, 1146, 1151-1152; VII, 1160, 1172, 1174, 1178, 1190-1191, 1203, 1249, 1292, 1315, 1330; VIII, 1352, 1355, 1385, 1404-1406, 1416-1417, 1425, 1443-1444, 1475, 1477, 1490, 1508, 1516; IX, 1551, 1634, 1699, 1701, 1705; X, 1747, 1775-1776, 1780, 1811, 1841, 1869, 1885, 1899; XI, 1932, 1972, 2073; XII, 2104, 2232, 2235, 2244, 2249, 2274-2275; XIII, 2375, 2382, 2392, 2399, 2418-2419, 2442, 2459; XIV, 2605, 2607, 2654, 2681; XV, 2697, 2704, 2722, 2731, 2733-2734, 2736-2737, 2758, 2777, 2856, 2858-2860, 2864; XVI, 2923-2929, 2932, 3019; XVII, 3159, 3185, 3188, 3233, 3239; XVIII, 3290, 3317-3319, 3323, 3326, 3329, 3340, 3344, 3360-3361, 3364, 3366, 3368, 3399, 3418, 3422-3423, 3440, 3445-3446, 3449, 3455; XIX, 3463-3464, 3466, 3495, 3513, 3546, 3613-3614; XX, 3717, 3759-3760; XXI, 3853, 3856, 3859, 3906, 4032; XXII, 4047-4048.
Philocrates, XVIII, 3404.
PHILO OF ALEXANDRIA (Philo Judaeus), I, 132; II, 354; III, 525; V, 802-803; VI, 968-969, 971; VII, 1214-1215; XI, 1965-1966; XII, 2209; XV, 2757, 2834; XVI, 2929-2931, 2973, 2982-2984, 3064; XVII, 3109; XVIII, 3404; XIX, 3534; XXI, 3945.
PHILOLOGUS, X, 1829; XVI, 2931.
Philoxemus of Mabbug, III, 473.
Phineas ben Samuel, XVI, 2932.
PHINEES, XV, 2777; XVI, 2931.
PHINEHAS, I, 30; III, 495; IV, 658, 661; V, 775, 812, 856, 879; VI, 1147-1148; VII, 1314-1315; VIII, 1352; XVI, 2931-2932; XVII, 3209; XXI, 3999, 4002; XXII, 4048. (see also "Hophni and Phinehas" in Index).
Phineka, XVI, 2936.
PHLEGON, XVI, 2932.
PHOENICIA, PHOENICIANS, I, 67, 102, 184; II, 279, 292; III, 394, 502, 530, 532, 558-559; IV, 617-618, 697; V, 779, 785, 791, 847, 866, 883; VI, 1072, 1128; VII, 1232, 1301; VIII, 1363, 1377, 1427-1428, 1440, 1492, 1496-1497; IX, 1629, 1634; X, 1895; XI, 1960; XII, 2196, 2203, 2263; XIII, 2314, 2441; XIV, 2617; XV, 2697, 2700, 2715, 2721-2722, 2731, 2737-2738, 2742, 2745, 2866; XVI, 2917, 2925, 2932-2935, 2993; XVII, 3131, 3133; XVIII, 3383, 3390, 3395-3396, 3398, 3400, 3435, 3449, 3451; XIX, 3468, 3470, 3495-3496, 3499, 3514, 3550, 3579, 3604, 3608, 3632, 3641; XX, 3704, 3758-3760, 3763-3764, 3790, 3823-3824, 3828; XXI, 4001, 4010; XXII, 4047.
PHOENIX, XVI, 2935-2936.
Pholemon (monarch), III, 404.
PHOROS, XV, 2768; XVI, 2936.
Phraortes, XII, 2191.
PHRYGIA, I, 71, 185; II, 292; IV, 637; VI, 1116; VII, 1295; VIII, 1352; X, 1899; XI, 2001; XV, 2800, 2802, 2815; XVI, 2936-2938; XIX, 3590, 3635; XX, 3718.
PHUD, XVI, 2938.
PHURAH, XVI, 2938.
PHURIM, XVI, 2938.
PHUT, IV, 612; VI, 1132, VII, 1231-1232; XVI, 2938; XVII, 3125.
PHUVAH, XVI, 2938-2939; XVII, 3123, 3125.
PHYGELLUS, XVI, 2939.
Piankhi (Piankhy; Egyptian king), IV, 696; X, 1783.
PI-BESETH, XVI, 2939.
Pieta, the (Michelangelo), IV, 690.
PIGEON, XVI, 2939-2940.

PI-HAHIROTH, XVI, 2940.
PILDASH, XVI, 2940.
PILEHA, XVI, 2940.
Pilgrim's Progress (Bunyan), VI, 1144; XV, 2756.
PILTAI, XVI, 2940.
PIM, XVI, 2940.
PINON, XVI, 2941.
"Pipes of Pan," XIII, 2406.
PIRAM, XVI, 2941.
PIRATHON, VII, 1300; XVI, 2906, 2941.
Pirkei de Rabbi Eliezer, XVIII, 3350.
Piscator, Johannes, III, 464.
PISGAH, II, 287; XIII, 2346, 2460; XV, 2757; XVI, 2942; XXII, 4059.
PISIDIA, I, 70, 181; II, 359; XV, 2747; XVI, 2937, 2942-2943; XIX, 3590.
Pisidian Antioch, XV, 2797, 2801; XIX, 3590.
Pisiris (monarch), XX, 3712.
PISON, VI, 1126; XVI, 2943.
PISPAH, XVI, 2943.
Pithanas (monarch), VII, 1306.
PITHOM, IV, 607; VI, 1009; XVI, 2904, 2943; XVII, 3139; XIX, 3570.
Pius Parsch, III, 465.
Pius X, Pope, IV, 599.
Pius XII, Pope, IV, 600.
"Placemaker's Bible," the, VI, 1144.
PLAGUES OF EGYPT, I, 13, 16; VI, 1000, 1006; VIII, 1370, 1415; XI, 1942, 1963; XII, 2268, 2270-2272; XIV, 2599; XV, 2774, 2780; XVI, 2943-2948; XVII, 3084, 3180; XIX, 3527.
Plain of Dor, XVIII, 3424.
PLANTS OF THE BIBLE, XVI, 2952-2970; *passim.*
Plathea, Battle of, VI, 976.
Plato, II, 314; V, 844; VII, 1214, 1261-1262; XI, 1965; XIV, 2544; XVIII, 3404; XIX, 3552; *passim.*
Platonism, XV, 2788; XVI, 2930.
PLEDGE, XVI, 2970; XX, 3765.
Pliny the Elder, V, 782; VI, 968-969; VIII, 1375; XX, 3667, 3730.
Pliny the Younger, IV, 602; XX, 3730, 3766-3768.
Plutarch (A.D. 46-120), XI, 1928, 2045, 2078; XIV, 2525; XVI, 2978; XXI, 3977.
POCHERETH, XVI, 2901, 2972.
Poema de Jose, IX, 1724.
POETRY OF THE BIBLE, II, 365: V, 779; XVI, 2972-2978; XIX, 3534; *passim.*
Poitiers, Battle of (A.D. 732), II, 231.
Polemon (king of Cilicia), VII, 1282; XVI, 2986-2987.
Polybius, XI, 2037.
Polycarp of Mabbug, III, 473.
Polycarp of Smyrna, III, 538; XVI, 2919.
Pomonia Graecina, XVII, 3253.

Pompeii, XX, 3730.
Pompeius Strabo, XVI, 2978.
POMPEY (Roman statesman), I, 124, 180, 191; II, 199, 230, 240, 264; III, 403, 484; IV, 630, 764; V, 782; VI, 1112-1113, 1146; VII, 1252, 1276, 1285, 1343; VIII, 1380, 1422; IX, 1556; X, 1768, 1830-1831, 1833; XI, 2025, 2033, 2077; XII, 2299; XIII, 2387; XV, 2771, 2793; XVI, 2978-2981, 2986; XVII, 3121-3122, 3248, 3264; XVIII, 3310, 3395; XIX, 3470, 3607, 3635; XX, 3698, 3830.
Pompnius Graecinus, XVIII, 3253.
Pontifical Biblical Commission, IV, 599-600.
Pontifical Biblical Institute of Rome, III, 466; XIX, 3603.
PONTIUS PILATE, II, 213, 356; III, 509, 512; IV, 589, 601, 644, 676, 682, 685; V, 827; VI, 1088, 1092, 1097, 1108; VII, 1283, 1287; IX, 1590-1591, 1601-1604, 1607, 1670; X, 1738, 1742, 1822; XI, 1987, 1997, 2001, 2100; XIV, 2533; XV, 2793; XVI, 2981-2984, 2995, 3020; XVII, 3251, 3264; XVIII, 3341, 3344; XX, 3710-3711, 3780-3781; XXI, 3868.
PONTUS, III, 460, 484, 553; VI, 1113; XI, 2025; XVI, 2892, 2986-2987; XVII, 3264.
Pontus Cappadocicus, XVI, 2987.
Pontus Galaticus, XVI, 2986-2987.
Pontus Polemoniacus, XVI, 2987.
Pool of Shelah, XIX, 3476.
Pope, Alexander, VI, 974.
Popillius Laenas, I, 186.
Poppaea Sabina (wife of Nero), X, 1738, XI, 2093; XIV, 2505, 2508.
Porcius Festus (*see* "Festus, Porcius" in Index).
Porphyry, IV, 720.
PORTERS, III, 392; V, 922; VIII, 1434; XVI, 2901, 2987-2988; XVII, 3187; XVIII, 3286; XIX, 3637.
Port Said, Egypt, XIX, 3487.
Portugal, II, 291; III, 475; XVII, 3246; XIX, 3549, 3551.
Poseidon (deity), IV, 669; XXII, 4045.
POSIDONIUS, XVI, 2989.
Posidonius of Apamea (philospher) (134-51 B.C.), XIX, 3568.
POTIPHAR, III, 488; VI, 991, 1139; IX, 1714, 1722-1724; XIV, 2619, 2626; XV, 2870; XVI, 2989; XIX, 3499.
POTIPHERA, II, 285; VII, 1268; IX, 1715; XV, 2699; XVI, 2989; XIX, 3579.
POTSHERDS, XVI, 2989-2990; *passim.*
POTTERY, XVI, 2990-2993; *passim.*
POTTER'S FIELD, XVI, 2990.
POUNDS PARABLE, XV, 2752-2753; XVI, 2993-2994; XIX, 3621; XXI, 3992 (*see also* "Parable of Jesus Christ" in Index).

Prado Museum (Madrid), V, 908.
PRAETORIAN GUARD, IX, 1559; X, 1822; XVI, 2994-2995.
Prague, Czechoslovakia, III, 469, 471.
Praxiteles, IV, 634.
PRAYER, IV, 644; VIII, 1469; X, 1737, 1873; XI, 1969; XVI, 2906, 2995-2999; XVIII, 3293; XIX, 3625, 3645; XX, 3834; XXI, 3969; *passim.*
Prayer of Asenath, XI, 1937.
Prayer of Azarias, XIX, 3541.
"Prayer of Habakkuk upon Shigionoth," IV, 696.
PRAYER OF MANASSES, KING OF JUDAH (Apocrypha), II, 208; III, 445; X, 1852; XI, 2071; XVI, 2999-3000.
Prayer of Nabonidus, III, 392; XIII, 2465-2466.
PREACHING, XVI, 3000-3004; XIX, 3564; *passim.*
PREDESTINATION, XVI, 3004-3009; XX, 3721; *passim.*
PRESBYTER, III, 482; XVI, 3009.
PRIDE OF JORDAN, XVI, 3009-3010.
PRIESTHOOD, I, 13-17, 22-25, 88, 118, 123, 133, 138-139, 143, 149-150, 162, 174, 179, 186-187; II, 275, 280, 285, 288, 296, 313, 317, 322, 328; III, 393, 478, 492, 495, 536, 543, 563; IV, 594, 658, 685, 714, 766; V, 783, 785, 795, 806, 818, 830, 843-844, 876, 884, 918, 923; VI, 968, 990, 1004, 1017, 1024, 1028, 1034, 1068, 1071, 1074, 1124, 1133, 1147; VII, 1169, 1172, 1217, 1260, 1277, 1292, 1297, 1339; VIII, 1379, 1411, 1416, 1436, 1475, 1479, 1488, 1496, 1536; IX, 1571, 1626, 1639, 1645, 1660-1661, 1688, 1701; X, 1746, 1748, 1751, 1763, 1771, 1789, 1811, 1819, 1863, 1877, 1916; XI, 1935, 1937, 1939, 1941, 1943, 1946-1949, 1952, 1955-1957, 1959, 1962, 2006-2007, 2047, 2057; XII, 2192, 2201, 2214, 2226, 2273; XIII, 2341, 2481; XIV, 2509, 2511, 2589, 2600, 2627, 2638, 2646, 2658, 2681, 2687; XV, 2735, 2774, 2777, 2782, 2817, 2820, 2823, 2829, 2842, 2851, 2872; XVI, 2909, 2926, 2931, 2940, 2959, 2961, 3006, 3010-3015, 3036-3037; XVII, 3099, 3101; XVIII, 3292-3293, 3299, 3322, 3338, 3370, 3374-3375, 3378, 3407, 3456; XIX, 3555, 3559, 3590, 3612, 3625, 3642, 3644; XX, 3803, 3840; XXI, 3851, 3856, 3915, 3945, 3960, 3967, 3993, 4023 (*see also* "High Priest" and "Levites" in Index).
PRIESTLY CODE, III, 545; IV, 671-672; VI, 1007, 1034, 1068; VII, 1311; XIII, 2331; XVI, 3015; XVIII, 3283, 3288; XIX, 3616; XX, 3728, 3756; XXI, 3914.
PRISON, XVI, 3015.
PRISON EPISTLES, V, 937; XVI, 3019; *passim.*
PROCHORUS, XVI, 3019.
PROCURATOR, III, 509, 553; IV, 621, 674; V, 844, 928; VII, 1252, 1276; VIII, 1422; IX, 1582; XVI, 2983, 3019-3020; XVII, 3125.

PRODIGAL SON PARABLE, IV, 716; X, 1884; XI, 1972, 1989; XV, 2752; XVI, 3020-3022; XIX, 3585; XX, 3834 (*see also* "Parables of Jesus Christ" in Index).
Prometheus (deity), IX, 1646.
PROMISED LAND, I, 14, 22, 113, 120, 146; II, 254, 256, 287, 363-364; III, 399, 411, 419, 495, 497, 507, 518, 530, 534, 555, 576; IV, 616, 658, 703, 710; V, 775-776, 796-797, 856, 879, 945; VI, 1000, 1005, 1068, 1084, 1141, 1146-1147; VII, 1244, 1256, 1262, 1291, 1294, 1297, 1314; VIII, 1355, 1358, 1416, 1456, 1504, 1526; IX, 1663, 1689, 1709, 1712; X, 1744, 1747, 1775, 1806, 1817, 1837, 1851, 1865, 1906; XI, 1935, 1938, 1943, 1960, 2067, 2071; XII, 2187, 2189, 2217, 2247, 2249, 2273, 2293, 2302; XIII, 2314, 2341, 2343-2344, 2371-2372, 2376, 2378, 2440, 2481, 2495; XIV, 2578, 2583-2584, 2589-2591, 2593, 2606, 2645-2646, 2648, 2650; XV, 2695, 2701, 2719, 2746-2747, 2768, 2826, 2830, 2856, 2870, 2877; XVI, 2925, 2929, 2931, 3044; XVII, 3152, 3243; XVIII, 3292, 3360, 3387, 3398, 3430, 3436-3437, 3440, 3449; XIX, 3474, 3505, 3527, 3555-3556, 3583, 3612-3613, 3622; XX, 3699, 3752; XXI, 3874, 3897, 3908, 3937-3938, 3967, 4002, 4021, 4032; XXII, 4050, 4055-4056.
Prophecy of Restoration, the, VIII, 1398.
PROPHETS, I, 64, 102, 105, 134, 150, 154; II, 283, 286, 380; III, 443, 476, 489, 496, 543, 545-546; IV, 585, 635, 716, 720, 723, 758, 761; V, 775, 792, 798, 846, 876, 891, 898, 908, 955-957; VI, 972, 1015-1016, 1018, 1021, 1024, 1029, 1049, 1057, 1070; VII, 1172, 1179, 1183, 1200, 1217-1218, 1224, 1250, 1263, 1297, 1306, 1320-1322; VIII, 1356, 1390, 1392, 1394-1395, 1397-1398, 1425, 1497, 1506, 1508-1509, 1511, 1512, 1516-1517, 1519-1520, 1530, 1536; IX, 1564, 1571, 1573, 1575, 1586, 1629, 1660, 1690, 1693; X, 1776, 1791, 1819, 1834-1835, 1848, 1852, 1890, 1913, 1916-1917; XI, 1937, 1965-1966, 1969, 1986, 2047, 2081, 2090, 2103; XII, 2235, 2237, 2239, 2296; XIII, 2326, 2365, 2398, 2423, 2457; XIV, 2513, 2518, 2603, 2605, 2607, 2627, 2631, 2636, 2638, 2653, 2662, 2675, 2678-2679; XV, 2698, 2753, 2820, 2845; XVI, 2976, 3000, 3006, 3027-3061, 3072; XVII, 3079, 3094, 3099, 3101-3102, 3179, 3181, 3187, 3216, 3226-3227, 3241; XVIII, 3284, 3286, 3288, 3293, 3310, 3322, 3324, 3326, 3341, 3360, 3370, 3406, 3438; XIX, 3470, 3488, 3515, 3528, 3530, 3564, 3566, 3587-3588, 3596; XX, 3659, 3666, 3675, 3694, 3758, 3808; XXI, 3849, 3930, 3944-3945, 3960, 3970-3971, 4012-4013, 4020, 4023, 4029-4031; XXII, 4041, 4045.
PROSELYTE, PROSELYTIZING, II, 354; V, 803; XIV, 2553; XVI, 2916, 2918, 3062-3065; XVIII, 3278, 3344; XIX, 3468, 3476; XX, 3698.
Prosphoria, VI, 989.

Protestant Bible Society of Paris, III, 464.
Protestant Reformation, the, I, 179; III, 439-440, 449-451, 463-464, 468, 471, 473, 541, 550; IV, 613, 660-661; VI, 989, 1116, 1143-1144; X, 1852; XI, 1999; XII, 2232; XIX, 3530; XX, 3822; XXI, 3982.
Protevangelium of James, II, 212; XII, 2119.
PROVERBS, THE BOOK OF (Old Testament), I, 87, 102; II, 369; III, 428, 435-436, 447, 546, 549, 575; IV, 708; V, 813, 850, 853, 855, 860; VII, 1168, 1215, 1227, 1270, 1318; VIII, 1360, 1436, 1464; IX, 1571, 1647; XI, 1933, 1957, 1965, 1980; XII, 2145, 2196; XIV, 2635-2636, 2663, 2666-2667; XV, 2755, 2763; XVI, 2972-2973, 2975, 3038, 3065-3066, 3068-3070, 3072; XVII, 3090. 3093, 3105, 3241; XVIII, 3293, 3378, 3435; XIX, 3522, 3529, 3531; XX, 3831; XXI, 3912, 3943, 3947-3948, 3950-3951, 3961.
"Proverbs of Solomon," the, XVI, 3069.
Providentissimus Deus, IV, 600.
Pruzbul, XVIII, 3286.
Psalmoi, XVII, 3079.
PSALMS, THE BOOK OF (Old Testament), I, 16, 28-29, 50, 87, 121, 123, 140; II, 369, 378; III, 428, 435-436, 448-449, 459, 461, 469, 475, 483, 546, 549, 551; IV, 642, 660, 666, 695, 704, 731, 742; V, 788, 798, 820, 887, 929, 945; VI, 1044, 1121; VII, 1172, 1208, 1227, 1230, 1232, 1258, 1262, 1270, 1290, 1295; VIII, 1462-1463; IX, 1571, 1647, 1659, 1667, 1705; X, 1848, 1852, 1875; XI, 1940, 1969, 2054, 2067; XII, 2142, 2145, 2174, 2201, 2204, 2220, 2226, 2246, 2299; XIII, 2408; XIV, 2513, 2622, 2635-2636, 2663, 2665-2666; XV, 2695, 2780, 2817, 2849; XVI, 2923, 2972, 2976, 2997, 3065, 3072; XVII, 3079-3099, 3101, 3105, 3175, 3197, 3235, 3298-3299; XVIII, 3313, 3389-3390, 3404, 3439, 3442, 3446, 3448, 3456; XIX, 3465, 3470, 3522, 3530, 3541, 3547, 3551, 3588, 3636; XX, 3684, 3830; XXI, 3862, 3893, 3911, 3930, 3943, 3947, 3950, 3967, 3970, 3989, 3998, 4007; XXII, 4056.
PSALMS OF SOLOMON, III, 447; VI, 1133; XVII, 3099, 3101, 3105; XX, 3696.
Psalterium, XVII, 3079.
Psammetichus (Pharaoh Necho), V, 868; XVI, 2904; XVIII, 3380.
PSEUDEPIGRAPHA, I, 168; II, 202, 204, 211, 283, 285, 297; III, 447, 465, 550; IV, 722, 767; V, 933-934; VII, 1259; VIII, 1394; X, 1764; XI, 2037-2038; XIV, 2553; XV, 2764, 2766; XVII, 3099, 3101-3102, 3105; XVIII, 3359, 3414; XX, 3667, 3681.
Psyche, XIX, 3547.
PTOLEMAIC DYNASTY, I, 126, 130, 180-186, 188-189; III, 559; IV, 625-633, 698; V, 786, 872; VII, 1204; VIII, 1354, 1379, 1420-1421; IX, 1556; X, 1766, 1893; XI, 2008; XII, 2298; XIV, 2558; XV, 2745; XVI, 2911, 2934; XVII, 3105-3123; XVIII, 3390, 3392, 3397, 3434-3435; XIX, 3644; XX, 3830.
Ptolemaica, XI, 2037.
PTOLEMAIS, I, 56; V, 787; XI, 2017-2018, 2023; XIII, 2454; XVII, 3110-3111; XX, 3831.
PTOLEMEE, I, 54; V, 819, 823; VIII, 1531; XI, 2020-2021, 2033; XIV, 2550; XVII, 3111-3112; XIX, 3483.
PTOLEMY I SOTER, V, 926; VII, 1212; VIII, 1377; IX, 1556; XVII, 3105-3106, 3112-3114; XVIII, 3392, 3395.
PTOLEMY II PHILADELPHUS, I, 183; VI, 1088; VII, 1213; XVII, 3102, 3111, 3114-3115, 3141; XVIII, 3404.
PTOLEMY III EUERGETES, I, 180; XV, 2700; XVII, 3115-3116; XVIII, 3395.
PTOLEMY IV PHILOPATOR, XI, 2037; XVII, 3105, 3108, 3116-3117.
PTOLEMY V EPIPHANES, I, 185; IV, 625-626; XVII, 3117-3120; XVIII, 3392.
PTOLEMY VI PHILOMETOR, IV, 626-627; V, 786, 823; XI, 2018; XV, 2701; XVII, 3120-3121; XVIII, 3391.
PTOLEMY VII PHYSCON, IV, 626-628; V, 787; IX, 1573; XVII, 3120-3121.
PTOLEMY VIII LATHYRUS, IV, 627-629; XI, 2023; XVII, 3121.
PTOLEMY IX ALEXANDER, IV, 627-628; XVII, 3121.
PTOLEMY X ALEXANDER, XVII, 3121.
PTOLEMY XI NEOS DIONYSIOS ("Auletes"), IV, 629; XVII, 3121.
PTOLEMY XII, IV, 630; XVI, 2981; XVII, 3121-3122.
PTOLEMY XIII, I, 132; IV, 630; X, 1832; XVII, 3122-3123.
PTOLEMY XIV CESARION, IV, 630; XVII, 3123.
Ptolemy, Claudius, I, 131.
Ptolemy Keraunos, XVII, 3114; XVIII, 3395.
Ptolemy of Megalopolis, XI, 2037.
PUA, XVI, 2939; XVII, 3123, 3125.
PUAH, VI, 1000; VIII, 1434; XVI, 2939; XVII, 3123; XVIII, 3449.
PUBLICAN, IX, 1678; XVI, 2906; XVII, 3123, 3125.
PUBLIUS, V, 812; X, 1829; XII, 2204, 2291; XVII, 3125.
Publius Cornelius Scipio Africanus, XIX, 3550.
Publius Cornelius Scipio Africanus ("the Younger"), XIX, 3550.
PUDENS, XVII, 3125.
Puetoli, I, 71; II, 227.
PUHITES, XVII, 3125.
PUL, XII, 2205; XVII, 3125; XX, 3712.
PULSE, XVII, 3125.

Punic Wars, XVII, 3235, 3263.
PUNITES, XVI, 2939; XVII, 3123, 3125.
Punjab (northern India), I, 125.
PUNON, XVII, 3125.
Punt, XV, 2704.
PURIM, VI, 974, 978-979, 981, 1065; XII, 2200, 2209; XIII, 2329; XVII, 3125-3128; XIX, 3625; XXI, 3985.
PUT, XI, 1959; XVI, 2938, 3128.

PUTEOLI, XV, 2804; XVII, 3128, 3234; XVIII, 3453; XX, 3704-3705.
PUTIEL, XVII, 3128.
Puzzuoli, Italy, I, 71; II, 227; XV, 2804.
Pydna, Battle of, XI, 2042; XV, 2880; XVI, 2917.
PYGARG, XVII, 3128-3129.
Pythagoras (philosopher/mathematician). II, 306; VI, 1017; XIV, 2594; XVIII, 3314.
PYTHON, XVII, 3129.

Q

"Q" Source, III, 433; IV, 559; XII, 2160-2161; XIX, 3594, 3596-3597, 3602 (see also "Biblical Criticism" in Index).
Qaloniyeh, V, 924.
Qanah, X, 1838.
Qanawat, X, 1841.
Qarn Hattin, XI, 2043.
Qataban, Qatabanians, XII, 2262-2253.
QUAIL, XVII, 3131.
"Quaker's Bible," the, III, 452.
Qarqar (Karkar), Battle of (853 B.C.), II, 300; III, 395; VIII, 1428; XV, 2742.
QUARTUS, XVII, 3131.
QUATERNION, XVII, 3131.

QUEEN OF HEAVEN, VI, 1016; XVII, 3131-3132.
QUEEN OF SHEBA, IV, 594, 695; V, 877; VI, 987; VII, 1169; IX, 1623; X, 1775; XI, 1963, 2107; XV, 2712; XVII, 3133, 3239, 3241; XVIII, 3427, 3429; XIX, 3478, 3514, 3521, 3553; XXI, 3950.
Quintus Sertorius, XVI, 2978.
Quirinal Hill (Rome), XVII, 3263.
Quirinus, Publius Sulpicius, IV, 698-699.
QUMRAN, I, 134; III, 504, 524; IV, 761-762, 767; VI, 968-969, 971, 999; VII, 1262; VIII, 1394, 1523; IX, 1585, 1653, 1673; X, 1906; XI, 1946; XIII, 2465; XIV, 2635; XVI, 2990; XVII, 3101, 3136; XX, 3681, 3739; XXI, 3951 (see also "Essenes" and "Dead Sea Scrolls" in Index).

Ruins of ancient Ephesus (*Counsel Collection*).

R

Ra (deity), XIX, 3579.
RAAMAH, XII, 2259; XVII, 3139.
RAAMIAH, XVII, 3139, 3181.
RAAMSES (RAMESES), IV, 607; VI, 1009; XVI, 2904, 2943; XVII, 3139, 3159-3161; XIX, 3570; XXII, 4057.
RABBAH, VII, 1232, 1246; IX, 1636; XIV, 2629; XV, 2864; XVII, 3139-3141; XVIII, 3455; XXI, 3847.
RABBATH, VIII, 1442.
RABBI, IV, 615; XVI, 2909; XVII, 3141-3143; XIX, 3590.
RABBITH, XVII, 3142-3143.
RABBONI, XVII, 3143.
RAB-SARIS, XVII, 3143-3144; XVIII, 3402.
RAB-SHAKEH, II, 278; VII, 1273; IX, 1638; XVII, 3144; XVIII, 3402, 3429.
RACA, XVII, 3144.
RACHAB, XVII, 3144-3145.
RACHAL, XVII, 3145.
RACHEL (second wife of Jacob), II, 289; III, 396, 399, 402, 416, 478, 557, 575; IV, 709; V, 825, 856, 908, 943, 945, 949; VI, 1139; VII, 1246; VIII, 1355, 1419, 1433, 1445-1450, 1452, 1520; IX, 1712-1713, 1717; X, 1752; 1873, 1880, 1882; XI, 1927, 2065, 2067; XII, 2146, 2249; XIII, 2423, 2439; XIV, 2645; XV, 2720, 2826, 2870; XVII, 3145-3149, 3152, 3155, 3158, 3168, 3171, 3207-3208; XX, 3678, 3801, 3813, 3815-3817; XXI, 3957, 4028.
"Rachel Tribes," the, XVII, 3149; *passim.*
Racine, Jean Baptiste (dramatist), II, 311; VI, 974.
RADDAI, XVII, 3151.
Radday, Yehuda, III, 442; V, 794.
RAGAU, XVII, 3151, 3207.
RAGES, XVII, 3151-3152; XX, 3736.
RAGUEL (various personages), II, 848; V, 857; VII, 1308-1309; IX, 1622; XVII, 3152; XVIII, 3345.
RAHAB (harlot of Jericho), II, 256; VI, 1134; VIII, 1469; X, 1746; XVI, 3062; XVII, 3144, 3152; XVIII, 3276; XIX, 3470.
RAHAM, XVII, 3152.
RAHEL, XVII, 3152, 3155.
RAINBOW, XVII, 3155; XIX, 3470.
RAKEM, XVII, 3155.
Rakhotis, I, 130.
RAKKATH, XVII, 3155.
RAKKON, XVII, 3155.
RAMAH, II, 269, 280, 336; III, 393, 557; IV, 618, 734; V, 775, 947; VI, 1128; VII, 1297, 1320; VIII, 1427, 1520; X, 1780; XIII, 2427; XVII, 3149, 3152, 3155, 3157-3158; XVIII, 3323-3325, 3366, 3387; 3447; XIX, 3614.
RAMATHAIM-ZOPHIM, II, 262; V, 919; VII, 1240; XVII, 3158; XVIII, 3322.
RAMATHEM, XVII, 3158.
RAMATHITE, XVII, 3158.
RAMATH-LEHI, V, 932; XVII, 3158.
RAMATH-MIZPEH, XII, 2301; XVII, 3158-3159.
RAMATH OF THE SOUTH, XVII, 3158-3159.
Rameses I (monarch), XVII, 3159.
RAMESES II ("Pharaoh"), II, 239; IV, 607; V, 867; VI, 1009; VII, 1220, 1307, 1343; IX, 1723; XI, 1940; XVI, 2904, 2923; XVII, 3139, 3159-3169; XX, 3688, 3824; XXII, 4057.
Rameses III (monarch), VI, 1152; XVII, 3160.
RAMIAH, XVII, 3161-3162.
RAMOTH, XII, 2213; XVII, 3162.
RAMOTH-GILEAD, I, 105; III, 395; IV, 619, 731; VI, 1129; VII, 1170-1171; VIII, 1428, 1488, 1492, 1496; X, 1780; XII, 2239; XIII, 2417; XVI, 3043; XVII, 3158, 3162; XVIII, 3306.
RAM'S HORN, XVII, 3163; XVIII, 3284.
RANGES, XVII, 3163.
RAPHA, XVII, 3163, 3187.
RAPHAEL (Archangel), I, 172; II, 253, 294; VI, 1014, 1072; XII, 2242; XIV, 2611; XVII, 3152, 3163, 3165; XX, 3735-3736, 3738-3739; XXI, 3848, 3895.
Raphael (Raffaello Santi) (1483-1520), I, 76; V, 908.
RAPHAIM, I, 60; XVII, 3165.
Raphana, V, 782.
Raphia, Battle of (217 B.C.), I, 184; XI, 2037; XVII, 3108, 3117.
RAPHON, XVII, 3165.
RAPHU, XVII, 3165.
Ras el-'Ain, VII, 1172.

Ras es-Siyaghah, XVI, 2942.
Rashi (Talmudist), III, 484; IX, 1662; XIX, 3626-3627.
Raskin, Saul, I, 154.
Ras Shamra, XVII, 3165.
RAS SHAMRA TABLETS, II, 334, 553; IV, 605; VII, 1219; VIII, 1362; XVII, 3165-3166, 3188; XVIII, 3288; XXI, 3881, 3973.
RASSES, XVII, 3166.
Rasun, XVII, 3233.
RATHUMUS, II, 376; XVII, 3166, 3185.
RAVEN, XVII, 3166.
RAZIS, XVII, 3166, 3168.
Re (deity), VII, 1268.
REAIA, XVII, 3168.
REAIAH, XVII, 3168.
REBA, XVII, 3168.
REBEKAH (wife of Isaac), I, 26-27, 40, 133; II, 376; III, 424, 488, 504, 556-557; V, 779, 825, 839, 952, 954; VI, 1052, 1054, 1139; VII, 1246, 1257; VIII, 1360, 1384-1386, 1445; X, 1841, 1880; XI, 2063, 2107; XII, 2146, 2178, 2222, 2249; XIII, 2320, 2423; XIV, 2622; XV, 2720, 2870; XVI, 2925; XVII, 3168-3169, 3171-3172; XX, 3747; XXI, 3862, 3957.
RECHAB (various personages), II, 335, 377; VIII, 1406, 1486; XI, 2054; XVII, 3174-3175, 3241.
RECHABITES, VII, 1219, 1272; VIII, 1441, 1488, 1496, 1512; X, 1842; XVII, 3174-3175; XIX, 3570.
RECHAH, XVII, 3175.
REDEMPTION, I, 72, 134; II, 207, 356; IV, 642; V, 938, 955; VI, 1114; VII, 1177, 1183; IX, 1591; X, 1791, 1834; XI, 1969, 1972; XIV, 2607; XV, 2750, 2823; XVI, 2892, 2997, 3037; XVII, 3099, 3175-3176; XIX, 3485, 3488, 3549; XX, 3721, 3733.
RED HEIFER, II, 289; XIII, 2380; XVII, 3176-3178; XXI, 3914.
RED SEA, I, 169; II, 227-228, 335; III, 399; IV, 696; V, 867, 905; VI, 1000-1001, 1006, 1027; VIII, 1365, 1415, 1417, 1490, 1492; X, 1780; XI, 1963, 2075; XII, 2249, 2272-2273, 2291; XIII, 2338, 2473; XIV, 2585, 2599, 2645; XV, 2866, 2872; XVI, 2925, 2940; XVII, 3083-3084, 3133, 3152, 3178-3181; XVIII, 3387; XIX, 3465, 3514, 3613, 3632; XX, 3668, 3699, 3763; XXI, 3911; XXII, 4056.
Reed Sea, XVII, 3180.
REELAIAH, XVII, 3139, 3181.
REELIUS, XVII, 3181.
REESAIAS, XVII, 3139, 3181.
REGEM, XVII, 3181.
REGEM-MELECH, XVII, 3181.
REGENERATION, II, 356; XVII, 3181-3182, 3187; XIX, 3488.
Reggio di Calabria, XVII, 3234.
REHABIAH, XVII, 3182.

REHOB, XVII, 3182-3183.
REHOBOAM (son of King Solomon; king of Judah), I, 24-25, 30, 50, 92-94, 120, 147; II, 257, 279, 322, 328; III, 401, 416, 424, 560, 562; IV, 608; V, 874, 887, 947; VI, 985, 1086, 1126; VII, 1186, 1203, 1222, 1265; VIII, 1353, 1419, 1423, 1534-1536; IX, 1551, 1567; X, 1778, 1852, 1861-1862, 1884; XI, 2004, 2054, 2080; XII, 2243; XIII, 2411; XIV, 2656; XV, 2739, 2742; XVI, 2929; XVII, 3183-3185, 3245; XVIII, 3334, 3432, 3437-3439, 3453, 3455; XIX, 3481, 3515, 3518, 3570, 3572, 3638; XX, 3807-3808; XXI, 3998; XXII, 4056-4057, 4060.
REHOBOTH, II, 296; XVII, 3185; XIX, 3555.
Rehoboth-ir, XVII, 3185.
REHUM, XIII: 2492; XVII, 3166, 3185, 3246; XVIII, 3448; XIX, 3636.
REI, XVII, 3185.
Reimarus, Hermann Samuel. III, 475.
REKEM, XVII, 3185.
REMALIAH, XVII, 3185.
Rembrandt van Rijn (artist) (1606-1669), II, 352; IV, 720; VI, 1018; VIII, 1452, 1512; IX, 1646, 1724; XI, 1992; XII, 2153; XVIII, 3319.
REMETH, XVII, 3185.
REMMON, XVII, 3186.
REMMON-METHOAR, XVII, 3186.
REMPHAN, XVII, 3186.
Remus, XVII, 3261.
Renan, Ernest, IX, 1594.
REPENTANCE, II, 298, 317, 360; III, 549; IV, 642; VII, 1321; IX, 1678; X, 1916; XIII, 2425; XVI, 2906, 3003, 3022, 3048; XVII, 3090, 3181, 3186-3187; XIX, 3488; XX, 3821.
REPHAEL, XVII, 3187.
REPHAH, XVII, 3187.
REPHAIAH, VII, 1339; XVII, 3187.
REPHAIM, II, 292, 334; V, 924; VI, 1152; VII, 1232; XII, 2302; XIV, 2629; XV, 2877; XVII, 3187-3188; XXI, 3999.
REPHIDIM, I, 13, 140, 142; VI, 1003-1004; VII, 1309; X, 1744; XII, 2142, 2216, 2273; XIII, 2340; XVII, 3188-3189; XXI, 3938.
REPTILES OF THE BIBLE, XVII, 3189-3196; *passim.*
Republic (Plato), XIX, 3552.
RESEN, XVII, 3197.
RESH, XVII, 3197.
RESHEPH, XVII, 3197.
REST OF THE CHAPTERS OF ESTHER (Apocrypha), I, 88; II, 208, 210; XI, 2080; XVII, 3197-3198; XVIII, 3404.
RESURRECTION, I, 74, 175; II, 202, 207, 213, 215, 220, 281, 283, 356; III, 443, 476, 488, 501, 512, 549;

IV, 599, 613, 621, 625, 636, 638, 650-651, 676, 723; V, 845, 847, 924, 933, 954; VI, 1062, 1088; VII, 1240, 1261, 1270, 1298, 1313, 1343; VIII, 1468; IX, 1543, 1607, 1638, 1674, 1695; XI, 1986, 1989, 2087, 2092, 2098; XII, 2124, 2133-2134, 2156, 2162, 2230, 2250, 2279; XIII, 2379, 2392; XIV, 2528, 2531, 2535-2536, 2540, 2544, 2683; XV, 2764, 2805, 2814, 2839; XVI, 2888, 2915, 3003; XVII, 3102, 3143, 3198, 3201; XVIII, 3283, 3294, 3312, 3344; XIX, 3472; XX, 3776, 3797; XXI, 3951.

RESURRECTION OF JESUS CHRIST, XV, 2801; XVII, 3201, 3203, 3205; XIX, 3485, 3561, 3635; XX, 3692, 3748, 3770, 3795, 3799, 3800; XXI, 3912, 3955; *passim.*

REU, XVII, 3151, 3207; XVIII, 3414.

REUBEN (eldest son of Jacob), II, 332; III, 478, 481, 493, 555; IV, 731; VI, 1068; VII, 1244, 1294; VIII, 1433, 1445-1446; IX, 1714, 1722; X, 1769, 1771; XI, 1927, 1935, 2070; XV, 2746; XVII, 3146, 3207-3210; XVIII, 3438; XIX, 3478; XX, 3801, 3804.

REUBEN, TRIBE OF, I, 88, 136; II, 277, 287, 327, 334, 353, 376, 379; III, 402, 409, 415, 419, 426, 555; IV, 592; V, 779, 803, 879, 887, 889, 919; VI, 997, 1110; VII, 1170, 1184, 1224, 1246, 1289, 1320; VIII, 1434, 1439, 1462, 1464, 1498; IX, 1661; X, 1752, 1776, 1839, 1868; XI, 1943-1944, 2004, 2067; XII, 2189, 2209, 2213, 2233, 2302-2303, 2372; XIII, 2439, 2460; XIV, 2578, 2586, 2593, 2629; XV, 2699, 2728, 2731, 2746, 2820; XVI, 2931, 2942; XVII, 3168, 3207, 3209-3211; XVIII, 3423, 3426, 3432, 3438, 3447; XIX, 3474, 3479; XX, 3666-3668, 3804, 3813, 3815, 3817; XXI, 3955, 3992, 4001, 4012; XXII, 4046.

REUEL, V, 790; VII, 1308; IX, 1622; X, 1841; XVII, 3211-3212; XVIII, 3423; XXII, 4056.

REUMAH, XIII, 2423; XVII, 3212; XIX, 3637; XX, 3686.

REVEL, V, 790; VII, 1308; IX, 1622; X, 1841; XVII, 3211-3212; XVIII, 3423.

REVELATION, VII, 1177; XV, 2753, 2764; XVI, 2998, 3004; XVII, 3212-3215; XIX, 3549, 3567.

Revelation of James, XII, 2119.

Revelation of Peter, XIV, 2522.

REVELATION OF ST. JOHN THE DIVINE (New Testament), I, 17, 170, 172; II, 204, 207, 216-217, 220, 267, 344, 352; III, 429, 433, 436, 443, 445, 459-460, 463, 495, 540, 550; IV, 601, 612, 713; V, 788, 821, 825, 846, 934, 949, 959; VI, 1024, 1126; VII, 1185, 1251, 1313; VIII, 1375, 1444; IX, 1631, 1664, 1666, 1675, 1687; X, 1819, 1850, 1852, 1889, 1899-1900; XI, 1965, 1968, 2070-2071; XII, 2242, 2250; XIV, 2513, 2516, 2522, 2524-2526, 2528, 2535, 2549, 2553, 2594-2595, 2597, 2599; XV, 2696, 2767, 2770, 2777, 2783, 2785, 2816, 2843, 2845; XVI, 2913, 2972; XVII, 3163, 3216-3229; XVIII, 3352, 3407; XIX, 3481, 3502-3504; XX, 3707, 3723, 3773, 3817; XXI, 3849.

REVISED STANDARD VERSION, I, 98, 134, 146; III, 405, 439, 457, 484, 518, 523, 535-536, 556, 564-565; IV, 616, 635, 655, 670, 672, 676, 694, 730; V, 783, 839, 847, 873, 889, 930, 950; VI, 993, 1047, 1049-1050, 1062, 1064, 1068, 1074, 1078, 1144; VII, 1168, 1176, 1181, 1235, 1250, 1256, 1272, 1274-1275, 1297; VIII, 1353, 1360, 1368-1369, 1372, 1374, 1376, 1445; IX, 1564-1565; X, 1738, 1744, 1833-1834, 1841, 1872, 1874, 1885; XI, 1959-1960, 2001, 2043, 2053, 2101; XII, 2144, 2176, 2187, 2205, 2229, 2267, 2297, 2301; XIII, 2312, 2320, 2372, 2405-2406, 2443; XIV, 2510, 2553-2554, 2581, 2599, 2636; XV, 2704, 2706, 2710, 2715, 2719, 2757, 2763, 2774, 2817, 2842-2843; XVI, 2952-2954, 2957, 2959-2964, 2969, 2973, 2988-2989, 3000, 3010, 3019, 3060, 3062-3063, 3066, 3069-3070; XVII, 3080, 3095, 3125, 3129, 3163, 3229-3233, 3241-3242; XVIII, 3271, 3354, 3359, 3375, 3377, 3383, 3402, 3419, 3454, 3456; XIX, 3470, 3474, 3490, 3553, 3557, 3559, 3584, 3586; XX, 3678, 3685, 3739, 3773, 3778, 3833; XXI, 3850, 3852; 3862, 3878, 3881, 3895, 3908, 3914, 3938, 3957.

REVISED VERSION, III, 535-536; IV, 723; VI, 993, 1062, 1068, 1144, 1235; VII, 1249, 1256, 1297; VIII, 1444; IX, 1564-1565; X, 1738, 1762, 1872; XI, 1959-1960, 2001; XII, 2187, 2205; XIII, 2312, 2453; XIV, 2599; XV, 2817; XVII, 3163, 3229-3230, 3232-3233, 3242; XVIII, 3271, 3359, 3375, 3402, 3419, 3441, 3454; XIX, 3474, 3485, 3490, 3559, 3584; XX, 3678, 3773; XXI, 3862, 3878, 3914, 3938, 3955-3956.

Revolt of the Satraps, VIII, 1377.

REZEPH, XVII, 3233.

REZIA, XVII, 3233; XX, 3831.

REZIN (king of Damascus), I, 109-110; II, 302; V, 877; VIII, 1360, 1393, 1395, 1431-1432; IX, 1551; XV, 2818-2819; XVII, 3233-3234; XIX, 3609; XX, 3712, 3735.

REZIN (various minor personages), IV, 704, 706; XVII, 3234.

REZON (Damascene general), IV, 705; V, 887; VII, 1294; XVII, 3234; XIX, 3517.

Rhea (deity), II, 292; XXII, 4044.

RHEGIUM, XVII, 3234-3235; XVIII, 3453.

Rheguma, XIX, 3633.

RHEIMS-DOUAY BIBLE, III, 440, 452, 454, 457; X, 1852, 1854; XII, 2144; XIV, 2510; XVII, 3235-3236; XX, 3739.

Rhescuporis, XX, 3704.

RHESA, XVII, 3236.

Rhine River, XVII, 3246; XXI, 3868.

RHODA, XVI, 2964; XVII, 3236.
RHODES, IV, 634; VII, 1277; X, 1830; XVI, 2911; XVII, 3236, 3238, 3263; XIX, 3633; XX, 3830; XXI, 3976.
Rhodians, XIX, 3468.
RHODOCUS, XVII, 3238.
Rhodogune, V, 787.
RHODUS, XVII, 3238.
Rhoemetacles, XX, 3704.
RIBAI, XVII, 3238.
RIBLAH, VI, 1028; X, 1786, 1788, 1863; XVII, 3238-3239; XVIII, 3407; XXI, 4025, 4030.
RICH FOOL PARABLE, XIV, 2510; XV, 2750; XVII, 3239 (*see also* "Parables of Jesus Christ" in Index).
RIDDLE, XVII, 3239, 3241; XIX, 3521.
Rilke, Rainer Maria, XII, 2126.
RIMMON, III, 401; V, 804, 910; VII, 1221; XIII, 2411; XVI, 2955; XVII, 3186, 3241.
RIMMON (place), XVII, 3241.
RIMMON-PAREZ, XVII, 3241-3242.
RIMNAH, XVII, 3242.
RIPHATH, VII, 1195; XVII, 3242; XX, 3741.
RISSAH, XVII, 3242.
RITHMAH, XVII, 3242.
Ritual Code, the, XX, 3662.
RIVER OF EGYPT, XVII, 3242-3243; XX, 3712.
Riverside New Testament, III, 454.
RIZPAH (wife of King Saul), I, 31, 120; II, 268; IV, 748; VIII, 1405; XII, 2211; XVII, 3243, 3245.
ROBOAM. XVII, 3245.
"Rock of Divisions," XVIII, 3390.
"Rock of Escapes," XVIII, 3390.
Rodanim, XIX, 3633.
Rodin, Auguste, IV, 666.
ROE, VI, 1049, 1128; XVII, 3245.
ROGELIM, XVII, 3246.
Rogers, John, III, 440, 449, 451; XII, 2173.
Rohacek, Josef, III, 471.
ROHGAH, XVII, 3246.
ROIMUS, XVII, 3185, 3246.
Roma (deity), V, 789, 926.
Roma et Augustus, V, 927.
ROMAMTI-EZER, XVII, 3246.
Roman Catholic Church, I, 167, 179; II, 210, 212, 220, 379; III, 439-440, 450-452, 475, 483, 501, 541, 546, 550; IV, 600, 613, 615, 660, 719; V, 855, 908, 931, 956; VI, 990, 1036; VII, 1295, 1306, 1313-1314; VIII, 1390, 1466; IX, 1567; X, 1737, 1822, 1826, 1843, 1891, 1902; XI, 1928, 2040, 2101; XII, 2119, 2121, 2126, 2153, 2298; XIV, 2572; XV, 2770; XVI, 2887-2888, 2973, 3000, 3006; XVII, 3101, 3232, 3235-3236, 3256, 3261; XIX, 3527, 3529, 3531; XX, 3692, 3739; XXI, 3868, 3894.
ROMAN EMPIRE, I, 25, 57, 67, 71, 73, 94-95, 122, 125, 128-129, 132, 167; II, 199, 202, 230, 240, 275, 277, 316, 323-324, 344, 356, 359; III, 404, 484, 508, 524-527, 550, 553, 555, 562, 576; IV, 600, 609, 614, 617, 620-622, 632-633, 637-638, 646-647, 655, 659, 669, 674, 676, 696, 698, 705, 722, 761; V, 782, 784, 789-790, 802-803, 821-822, 858, 873, 926-928, 940, 942; VI, 969, 1097, 1112-1113, 1119, 1133, 1146; VII, 1215, 1219, 1252, 1272, 1274-1275, 1284-1285, 1298, 1329, 1343-1344; VIII, 1359, 1367, 1380, 1436, 1439; IX, 1559-1560, 1575, 1581, 1584, 1609, 1625-1626, 1664; X, 1738, 1766, 1785, 1804, 1833, 1873, 1893, 1899, 1904; XI, 1930-1931, 1946, 1984, 1999, 2008, 2042, 2077, 2083; XII, 2148, 2155, 2250, 2298; XIII, 2398, 2409, 2416, 2443; XIV, 2504-2508, 2516, 2538, 2625; XV, 2746, 2771-2773, 2775, 2786, 2788, 2814; XVI, 2901, 2917, 2919, 2929, 2931, 2978, 2987, 2993, 2995, 3015, 3019, 3062; XVII, 3111, 3125, 3127, 3246, 3248, 3250-3253, 3256; XVIII, 3297, 3389, 3391, 3434; XIX, 3468, 3301, 3503, 3551, 3619, 3621, 3635, 3644; XX, 3678, 3684, 3692, 3696, 3698-3699, 3704-3706, 3709, 3723, 3728, 3765-3766, 3768, 3776, 3791, 3830; XXI, 3864, 3868, 3895, 3901, 3925, 3924.
ROMANS, EPISTLE TO THE (New Testament), I, 132; II, 356, 358; III, 429, 436, 473, 559; IV, 648, 655, 708; V, 950; VI, 1113, 1144; VII, 1207, 1313; VIII, 1357, 1477; X, 1829, 1916; XIII, 2443; XIV, 2524, 2538-2541; XV, 2786, 2802, 2810, 2813-2814; XVI, 2887, 2912, 2930-2931, 3007; XVII, 3256-3261; XVIII, 3272; XIX, 3510, 3547, 3549, 3551, 3559; XX, 3678.
Roman Forum, XVII, 3263.
Roman Psalter, the, III, 463.
Roman Republic, II, 323 (*see also* "Roman Empire" and "Rome" in Index).
ROME, I, 56, 68-69, 71-72, 76, 94, 132, 163, 167, 180, 185-186, 188, 191; II, 214, 227-228, 230, 274, 293, 323-324, 344, 360; III, 403-404, 429, 511, 524-525, 540, 556; IV, 599, 602, 615, 617, 620-621, 625-626, 630, 632-634, 637-638, 646, 668-669, 698; V, 784-785, 789, 821, 926-927, 936; VI, 989, 991, 993, 1092, 1097, 1113; VII, 1214, 1252, 1263, 1275-1277, 1279, 1281-1285, 1343-1344; VIII, 1422, 1436, 1477; IX, 1579-1580, 1586, 1680, 1687; X, 1738-1740, 1768, 1801, 1829-1833, 1872; XI, 1980, 1982, 1984, 2001, 2008, 2015, 2018, 2025-2026, 2030, 2041, 2075, 2077-2078,

Ancient Greek statuary (*upper right*), and (*lower right*) digging at the ruins of the 2nd Herodian Temple in Jerusalem (*Counsel Collection*).

INDEX 4187

2093, 2111; XII, 2153, 2203-2204, 2408; XIII, 2443; XIV, 2503-2504, 2506, 2521, 2524, 2533, 2538, 2541-2543, 2546, 2549, 2593; XV, 2677, 2699-2700, 2786, 2790, 2793, 2796, 2800, 2802, 2804, 2810, 2814-2816, 2844-2845, 2880; XVI, 2887, 2891-2892, 2914, 2919, 2929, 2931-2932, 2935, 2978-2979, 2984, 2995; XVII, 3121-3123, 3125, 3128, 3131, 3234, 3238, 3246, 3252-3253, 3258, 3260-3261, 3263-3264; XVIII, 3272, 3293, 3299, 3314, 3389, 3394, 3452; XIX, 3466, 3470, 3483, 3551, 3553, 3561, 3590, 3607-3608, 3621; XX, 3684, 3698, 3704, 3706, 3709-3710, 3721-3722, 3728, 3730, 3792, 3840; XXI, 3865-3868, 3940, 3976.

Romulus, XVII, 3261, 3263.
Romulus Augustulus (Roman emperor), XVII, 3253.
Rosary, the, I, 177.
Rosensweig, Franz, III, 465.
ROSE OF SHARON, XVIII, 3271, 3425.
ROSH, III, 399; XVIII, 3271.
Rosh Hashona, XIII, 2407; XVII, 3163; XVIII, 3281; XIX, 3616, 3625; XX, 3794.
Roskilde, Denmark, III, 468.
Rossini, Giacchino (composer) (1792-1868), XII, 2126; XIII, 2365.
Ruah, XIX, 3547.
Rubens, Peter Paul, IV, 690.
Rubicon River, X, 1832.
RUBY, XII, 2266; XVIII, 3271-3272.
RUE, XVIII, 3272.
RUFUS, XVIII, 3272.
Rufus, Verginius, XIV, 2508.
RU-HUMAH, XVIII, 3272.
RULER OF THE SYNAGOGUE, XVIII, 3272.
"Rules for the War of the Sons of Light with the Sons of Darkness," IV, 762, 766; XIII, 2394.
RUMAH, XV, 2818; XVIII, 3272.
Russia, III, 469.
RUTH, I, 101; III, 491-492, 575; V, 905-906; VI, 1079; VIII, 1352; IX, 1569; X, 1855, 1867; XI, 1951, 2056-2057, 2075; XII, 2177, 2303; XIII, 2436-2437, 2439; XIV, 2607, 2622, 2653; XV, 2715; XVI, 2906, 3063; XVII, 3145, 3175; XVIII, 3273-3274, 3276-3278, 3299.
RUTH, THE BOOK OF (Old Testament), III, 416, 428, 435, 491, 546; VI, 974, 1057; VII, 1176, 1227, 1294; X, 1855, 1867; XI, 1940, 1951; XII, 2200, 2303; XIII, 2413; XIV, 2635-2636, 2652-2653; XV, 2715, 2823, 2839; XVI, 2972, 3028, 3062; XVIII, 3273-3278; XIX, 3529-3530.
Rylands Papyrus 457, IX, 1666; XIV, 2536.

S

Sa'adya (892-942), III, 444.
Saba (Sheba), XII, 2252.
Sabaean Arabs, XVIII, 3427-3428.
Sabaean-Himayarites, XVIII, 3429.
Sabazios (deity), IV, 638.
SABAT, XVIII, 3281.
SABATEAS, XVIII, 3281, 3419.
Sabatos River, XX, 3667.
SABATUS, XVIII, 3281.
Sabines, XVII, 3263.
SABBAN, XVIII, 3281.
SABBATH, I, 69; II, 217, 324; IIII, 488, 495, 524; IV, 591, 656, 664, 672, 682, 684; V, 813; VI, 971, 1036, 1064, 1073, 1100, 1136; VII, 1230; IX, 1594, 1670; X, 1766, 1886, 1905, 1912, 1915-1916; XI, 1950, 1955, 1994, 2012-2013 2032, 2066, 2071, 2095; XII, 2134, 2155, 2250, 2295; XIII, 2478, 2482; XIV, 2599; XV, 2788, 2797, 2851; XVI, 2909; XVII, 3252; XVIII, 3281-3284, 3292, 3338, 3456; XIX, 3471, 3501, 3587-3588, 3599, 3623, 3625; XX, 3758, 3794; XXI, 3924, 3969.
SABBATH DAY'S JOURNEY, XVIII, 3283-3284.
SABBATHEUS, XVIII, 3284, 3419.
SABBATICAL YEAR Festival, I, 189; VI, 1064; IX, 1687; X, 1766; XI, 1949-1951, 1955, 2021; XVIII, 3281, 3284-3286; XIX, 3616, 3625.
Sabbatic River, XX, 3667.
Sabbekha, XIII, 2405.
SABBEUS, XVIII, 3286.
SABI, XXI, 4009.
Sabines, XVII, 3263.
Sabkhat Barodwil, XVII, 3180.
Saboraim, the, XIX, 3624, 3626.
SABTA, SABTAH, XVIII, 3286.

INDEX 4189

SABTECHA, XVIII, 3286.
SACAR, XVIII, 3286, 3424.
"Sackbut," XIII, 2405.
SACKCLOTH, XVIII, 3286-3287.
SACRIFICES AND OFFERINGS, I, 20, 134, 136; 174; II, 308, 320-321; III, 400, 411, 493, 507, 562; IV, 714, 722, 767; V. 798, 824; VI, 1017, 1024, 1083, 1099; VII, 1215-1216, 1260; IX, 1594; X, 1886; XI, 1943, 1949, 1952, 1955, 2059; XII, 2187, 2237, 2263; XIII, 2315, 2332, 2341, 2459; XIV, 2590, 2630, 2646; XV, 2817, 2851; XVI, 2954; XVIII, 3287-3293, 3432; XIX, 3490-3491, 3584, 3587, 3610, 3616, 3639; XX, 3728, 3758, 3793; XXI, 3915; *passim*.
SADAMAIS, XVIII, 3293.
SADAS, XVIII, 3293.
SADDEUS, XVIII, 3293.
Saddok, XXI, 4002.
SADDUC, XVIII, 3294.
SADDUCEES, I, 64, 124-125, 129, 163, 174; IV, 766; VI, 968; VII, 1252, 1274, 1298; VIII, 1422, 1468; IX, 1597, 1688; X, 1738, 1792, 1804; XI, 1940, 1946, 2021, 2023, 2030; XII, 2167, 2287, 2296; XIII, 2454; XVI, 2908-2909, 3015; XVII, 3099, 3198, 3264; XVIII, 3294-3296, 3342, 3379; XIX, 3468, 3623; XXI, 4003.
Sadler, John, XX, 3672.
SADOC, XVIII, 3296; XXI, 3998.
Safed, VII, 1321.
Sahak, III, 445.
Sahem el-Jolan, VII, 1185.
Saida, Lebanon, IX, 1589.
St. Augustine (Aurelius Augustinus, Church Father) (354-430), III, 461, 540; VII, 1263; IX, 1643; X, 1822; XVII, 3261; XIX, 3593; XX, 3662, 3721.
St. Cher, Hugh, IV, 640.
St. Cyril, III, 468-469.
St. Daniel's Day, IV, 719.
St. Denys, V, 810.
St. Gregory of Nazianzus, IX, 1652.
St. Helena, III, 527.
St. Ignatius of Antioch, X, 1904; XV, 2812; XVI, 2914; XIX, 3609.
St. Jerome (Eusebius Hieronymus, Church Father) (c. 340-420), II, 211; III, 460-461, 463; III, 501, 540-541; V, 853, 882, 939; VIII, 1471; X, 1890; XIII, 2446, 2479; XIV, 2512, 2522; XV, 2790; XVIII, 3298; XIX, 3523, 3530; XX, 3686, 3830; XXI, 3892-3894.
St. John Chrysostom, IX, 1646; X, 1903.
St. Justin Martyr, X, 1904.
St. Paul's Bay, Malta, XII, 2204.
St. Peter's Basilica (Rome), XVI, 2891.
St. Petersburg (Leningrad), III, 447.

"St. Peter's Fish," VI, 1072.
St. Polycarp, IX, 1665; XVI, 2896.
Saint-Saens, Charles Camille, IV, 784; XVIII, 3319.
St. Thomas Aquinas, X, 1901.
Sais (monarch), VII, 1327; XIII, 2472.
Saite Dynasty (Egyptian), XIII, 2472.
Sajur River, XVI, 2901.
Sak el-Farwein, XV, 2774.
SALA, SALAH, XVIII, 3296, 3436.
Saladin, IX, 1561.
Salah-ad-Din, IX, 1561.
Salamanu, XII, 2304.
SALAMIS, XVIII, 3296-3297; XIX, 3590; XX, 3768.
Salamis, Battle of (480 B.C.), II, 314; VI, 976; XVIII, 3297.
SALASDAI, XVIII, 3297.
SALATHIEL, XVIII, 3297, 3426.
Salathiel Apocalypse, II, 203; V, 958.
SALCAH, SALCHAH, XVIII, 3297.
SALEM, VII, 1181; XII, 2201; XVIII, 3297-3298.
Salem Witch Trials, IV, 672.
SALIM, I, 95; XVIII, 3298.
Salkhad, Syria, XVIII, 3297.
SALLAI, VI, 1107; XVIII, 3298-3299.
SALLU, XVIII, 3298-3299.
SALLUMUS, XVIII, 3299.
SALMA, XVIII, 3299.
SALMANASAR, XVIII, 3299.
SALMON, XVIII, 3276, 3299.
SALMONE, XVIII, 3299.
SALOM, XVIII, 3299.
SALOME (daughter of Herodias), III, 412; IV, 716; VII, 1284, 1286; IX, 1680; XI, 2097; XVI, 2917; XVIII, 3300-3301.
SALOME (sister of Herod), II, 287; VII, 1277, 1279; XI, 2027, 2083; XVIII, 3301.
SALOME (wife of Zebedee), XII, 2134; XVIII, 3300-3301.
Salome (Wilde drama), XVIII, 3301.
Salonika (Salonica), III, 468; XV, 2813.
SALT, CITY OF, XVIII, 3303.
Salt, Valley of (see "Valley of Salt" in Index).
SALUM, XVIII, 3293; XVIII, 3303.
SALVATION, II, 213, 219, 317, 356; IV, 585, 613, 642, 669, 758; V, 955; VI, 989, 1118; VII, 1176, 1179, 1205, 1261, 1321; X, 1791, 1822, 1835, 1916; XI, 1995, 2108; XII, 2228; XIV, 2607, 2679; XV, 2753, 2798, 2853; XVI, 2915, 3000, 3003, 3057; XVII, 3094, 3175, 3181, 3218, 3258; XVIII, 3303-3305, 3339, 3380; XIX, 3487, 3549, 3559; XXI, 3911, 4019.
SAMAEL, XVIII, 3306.
SAMAIAS, XVIII, 3306.

SAMARIA, I, 60, 63, 93, 102, 112, 118, 143, 149, 162, 184, 189; II, 200-201, 253, 260, 289, 293, 325, 331, 365; III, 391, 395, 411, 508, 518, 559; IV, 615, 620, 696, 706; V, 783, 787, 809, 818, 876, 892, 910-911, 927, 931, 946-947, 951; VI, 1022, 1054, 1086, 1117, 1119, 1128; VII, 1197, 1220, 1229, 1240, 1276, 1279, 1283, 1292, 1320, 1324, 1327; VIII, 1356-1357, 1392-1393, 1395, 1420, 1427-1428, 1431-1432, 1439, 1456, 1481-1482, 1488, 1497, 1536; IX, 1551, 1634, 1636, 1667, 1688; X, 1766, 1856, 1859; XI, 1963, 2013, 2018, 2021, 2056; XII, 2155, 2236-2237, 2239, 2287; XIII, 2316, 2372, 2417, 2478, 2481, 2486; XIV, 2503, 2508, 2550, 2599, 2628; XV, 2697, 2704, 2722, 2727-2728, 2731, 2745, 2794, 2818, 2820, 2840; XVI, 2890, 2916, 2982, 2990, 2993; XVII, 3158, 3234; XVIII, 3306-3311, 3336-3338, 3356, 3402-3403, 3420, 3422, 3427, 3439-3440; XIX, 3464, 3485, 3505, 3532, 3579, 3610, 3631, 3636, 3643; XX, 3666, 3674, 3685, 3712, 3724, 3727, 3827-3828; XXI, 3865, 3980.

SAMARITAN PENTATEUCH, III, 444; XII, 2145; XVIII, 3310-3311.

SAMARITANS, I, 163, 167; II, 201; III, 444; IV, 595; V, 883, 948; VI, 1039; VII, 1197, 1226; VIII, 1433, 1466; XI, 2021; XIII, 2373-2374, 2378, 2484, 2486; XV, 2756; XVI, 2916, 2984; XVIII, 3298, 3310-3313, 3338, 3556, 3403; XIX, 3485; XX, 3710, 3718; XXI, 4017.

Samaritan Schism, V, 883.

Samaritan Targum, III, 444.

SAMATUS, XVIII, 3313.

Sambatyon (-ion) River, XX, 3667-3668.

SAMECH, XVIII, 3313.

SAMEIUS, XVIII, 3313.

SAMGAR-NEBO, XVIII, 3314.

SAMI, XVIII, 3314, 3455.

SAMIS, XVIII, 3314.

SAMLAH, XII, 2142; XVIII, 3314.

SAMMUS, XVIII, 3314.

SAMOS, XVIII, 3314; XX, 3792.

SAMOTHRACE, XVI, 2918; XVIII, 3314; XX, 3791.

Samothraki, XVIII, 3314.

SAMPSAMES, XVIII, 3315.

Sampson, Thomas, VI, 1143.

Samsi, Queen, XVIII, 3428.

SAMSON (Judge of Israel), I, 169-170; II, 290, 295; III, 497; IV, 608, 617, 703, 709, 711-712; V, 783-784, 843, 921, 932; VI, 967, 985, 1098, 1127; VII, 1228; VIII, 1416; X, 1809, 1811-1812, 1819; XI, 1932, 2055, 2073, 2104; XII, 2186, 2274; XIII, 2457; XIV, 2589; XV, 2758, 2859; XVI, 2926, 3019; XVII, 3158, 3239; XVIII, 33155-3319; XIX, 3545-3546, 3557-3558; XX, 3717, 3747; XXI, 3878, 3950; XXII, 4060.

Samson et Dalila (opera), V, 784; XVIII, 3319.

Samsum, XVIII, 3315.

SAMUEL (Judge-Prophet), I, 22, 96, 136, 142; II, 326, 378; III, 409, 411, 416, 505, 546; IV, 617, 711, 733; V, 775, 836, 848, 884, 887, 889, 919, 942, 944, 947; VI, 1060, 1071; VII, 1159, 1172, 1203, 1240-1242, 1272, 1297, 1314-1315, 1329, 1335; VIII, 1394, 1416, 1499; IX, 1543, 1569, 1661; X, 1776, 1808, 1812, 1814, 1817, 1819; XI, 2053, 2073; XII, 2183, 2226, 2275; XIII, 2315, 2389, 2420-2421, 2427, 2457-2458; XIV, 2589, 2622-2623, 2631, 2653-2654, 2658; XV, 2734, 2768, 2823, 2859-2860; XVI, 2923, 2926, 3030-3031, 3040-3041, 3044, 3058; XVII, 3158; XVIII, 3290, 3292, 3322-3329, 3340, 3360, 3362, 3364, 3366, 3369, 3387, 3439, 3444; XIX, 3559, 3613-3614, 3618; XX, 3735, 3807; XXI, 3859, 3861, 3878, 3890, 3895, 3952-3953, 4029, 4059, 4061.

SAMUEL, THE FIRST BOOK OF (Old Testament), I, 22, 24, 30, 47, 95-96, 116; II, 267, 358, 374-375; III, 411, 428, 545, 571; IV, 592, 595, 608, 731-732; V, 798, 863, 875, 884; VI, 967; VII, 1159, 1178, 1182, 1190, 1240, 1261, 1314; VIII, 1352, 1411; IX, 1543, 1699; X, 1747, 1765-1776, 1806, 1856; XI, 1939, 1949; XII, 2244; XIII, 2375, 2413, 2420, 2475; XIV, 2503, 2577, 2631, 2635-2636, 2653-2654; XV, 2768, 2777, 2856, 2860; XVI, 2923, 2926, 2972, 3029; XVII, 3159; XVIII, 3322, 3326-3334, 3359; XIX, 3463, 3495; 3851, 3952, 4028; XXII, 4056, 4059.

SAMUEL, THE SECOND BOOK OF (Old Testament), I, 22, 24, 30, 47; II, 269, 334-335, 366, 377; III, 428, 545, 560; IV, 592, 594-596, 608, 612, 768; V, 798, 821, 884, 906; VII, 1160, 1163, 1178, 1182, 1244, 1270, 1294, 1301, 1318, 1339; VIII, 1359, 1404, 1411, 1436-1437, 1441; IX, 1636, 1710; X, 1747, 1765, 1806, 1856, 1863, 1885; XI, 1939, 1949, 2004; XII, 2189, 2244; XIII, 2380, 2418, 2421; XIV, 2631, 2635-2636, 2653-2654; XV, 2860; XVI, 2923, 2925, 2972; XVII, 3139, 3174, 3234, 3243; XVIII, 3326-3334, 3423, 3426-3427, 3446-3447, 3455; XIX, 3621, 3628; XX, 3735, 3742; XXI, 3847, 3853, 3944.

Samurais, XX, 3673-3674.

Sanabassarus, XVIII, 3441.

SANASIB, XVIII, 3336.

SANBALLAT (Persian governor), V, 783, 883; VII, 1318; IX, 1688, 1701; XIII, 2478, 2481-2482; XIV, 2565; XV, 2702; XVIII, 3336-3338.

Sanchuniathon, VII, 1301-1302.

SANCTIFICATION, IV, 642; XVIII, 3338-3339; XIX, 3547; *passim*.

SANCTUARY, IV, 620; VIII, 1458; XVIII, 3339-3341; XIX, 3491, 3515, 3561; *passim*.

Sandan (deity), VII, 1274; XIX, 3635.

San el-Hagar, XVII, 3139.

INDEX 4191

SANHEDRIN, I, 64, 71, 73; V, 879; VI, 1066, 1119; VII, 1204-1205, 1276-1278; VIII, 1436; IX, 1560, 1597-1598, 1601-1602; X, 1738-1739, 1767, 1794, 1804; XI, 1946, 1997, 2003, 2022-2023, 2030, 2100; XII, 2170, 2207; XIV, 2506, 2552, 2625; XV, 2791, 2793, 2795; XVI, 3000, 3009; XVII, 3142, 3264; XVIII, 3295-3296, 3341-3344, 3380; XIX, 3561, 3564, 3588, 3623; XX, 3699, 3776, 3778.
SANSANNAH, XVIII, 3344.
Sanskrit, XIX, 3532.
SAPH, XVIII, 3344; XIX, 3466.
SAPHAT, XVIII, 3344.
SAPHETH, XVIII, 3344.
SAPHIR, XVIII, 3344.
SAPPHIRA, I, 72, 163; V, 814; XII, 2287; XVIII, 3344.
SAPPHIRE, XVIII, 3344-3345.
SARABAIS, XVIII, 3345.
SARA, XVIII, 3345; XX, 3736, 3738.
SARAH (wife of Abraham), I, 26, 28, 34-35, 37-40; III, 504, 556-558, 575; IV, 618, 641, 767; V, 891, 949; VI, 1052, 1115, 1124, 1138-1139; VII, 1168, 1223-1224, 1265; VIII, 1382, 1384-1385, 1404, 1406; X, 1842-1843, 1868; XI, 2063; XII, 2146, 2178, 2247; XIII, 2326, 2389; XV, 2869-2870; XVI, 2904, 2925; XVIII, 3345-3350, 3352; XIX, 3497; XX, 3747; XXI, 3957.
SARAH (minor personages), II, 294; V, 848; XVII, 3163, 3165.
SARAI (Sarah), XVIII, 3352.
SARAIAS, XVIII, 3352.
SARAMEL, XVIII, 3352.
SARAPH, XVIII, 3352.
SARCHEDONUS, XVIII, 3352.
SARDEUS, XVIII, 3352.
Sardinia, XVIII, 3449; XIX, 3513, 3550.
SARDIS, I, 172, 183; IV, 699; XI, 2001; XIII, 2320; XVI, 2913; XVII, 3227; XVIII, 3352-3353, 3402.
SARDITES, XVIII, 3353, 3408.
SARDIUS, XII, 2266; XVIII, 3353-3354.
SAREA, XVIII, 3354.
SAREPTA, XVIII, 3354; XXI, 4001.
Sar-etir-Assur, XVIII, 3424.
Sargent John Singer (artist) (1856-1925), I, 154; VII, 1321; VIII, 1394; IX, 1661.
SARGON I (Assyrian monarch), I, 54; II, 306; V, 876; XII, 2223; XIII, 2348; XVIII, 3354, 3356, 3398; XIX, 3573, 3606.
SARGON II (Assyrian monarch), II, 238, 286, 303; III, 518, 553; IV, 696; VI, 1126; VII, 1327; VIII, 1392, 1395, 1432; IX, 1552; X, 1783-1784; XII, 2217, 2224; XIV, 2503, 2550; XVIII, 3309-3310, 3354, 3356, 3399-3400, 3422; XIX, 3636; XX, 3666.

Sargonid Dynasty, II, 344; XIX, 3573.
SARID, XVIII, 3356.
SARON, XVIII, 3356, 3425.
Sarona, X, 1901.
Saronian Gulf, XVIII, 3297.
SAROTHIE, XVIII, 3357.
SARSECHIM, XVII, 3144; XVIII, 3357.
SARUCH, XVIII, 3357, 3414.
Sassanid Parthians, XV, 2773.
SATAN, I, 171, 179; II, 202, 204, 207, 213, 319, 335; III, 391; IV, 708; V, 788-789, 799, 825, 844; VI, 995; IX, 1643, 1653; X, 1766, 1822; XI, 1980; XII, 2232, 2250; XVII, 3219; XVIII, 3357-3359, 3375, 3413-3414; XIX, 3549; XX, 3659; XXI, 3849, 4017-4018 (*see also* "Devil" in Index).
SATHRUBUZANES, XVIII, 3359.
Saturninus, XX, 3765.
SATYR, XVIII, 3359.
Saturn, IV, 583; XIX, 3563.
SAUL (first Hebrew monarch), I, 16, 22, 28-32, 94-96, 111, 113, 115-116, 118, 120, 142, 147; II, 202, 256, 268-269, 276, 288, 290, 293, 328, 331, 335, 364, 375, 377; III, 399-401, 403, 409, 413, 421, 426, 478, 493, 495, 504, 554, 568; IV, 592, 594, 607-608, 619-620, 635, 645, 704, 732-736, 738, 742, 747-748; V, 814, 820, 825, 836, 848, 857, 863, 879, 883-884, 907, 921, 929, 931, 947, 959; VI, 967, 976, 1014, 1060, 1084, 1110-1111, 1119, 1126, 1128, 1130, 1151; VII, 1159, 1161, 1172, 1191, 1203, 1220, 1238, 1248-1250, 1297, 1309, 1335; VIII, 1370, 1404-1406, 1409, 1411, 1416-1417, 1443, 1474-1475, 1480, 1498, 1504; IX, 1568-1569, 1634-1636, 1662, 1699-1701; X, 1776, 1782, 1806, 1812, 1817, 1842, 1856, 1869, 1885, 1912; XI, 1964, 2042, 2047, 2054, 2074; XII, 2146, 2179, 2183, 2201-2202, 2209-2212, 2217, 2233, 2241, 2243-2244, 2301, 2303; XIII, 2374-2375, 2389, 2391, 2393, 2399, 2402, 2413, 2420-2421, 2427, 2442, 2446, 2457; XIV, 2503, 2515, 2577, 2605, 2631, 2636, 2654; XV, 2734-2736, 2774, 2837, 2859-2860; XVI, 2902, 2923, 2926-2928, 2931, 2943, 3006, 3029-3031, 3033, 3040-3041, 3065; XVII, 3080, 3145, 3158, 3163, 3174, 3187, 3210, 3241, 3243, 3245; XVIII, 3290, 3292, 3324-3326, 3328-3329, 3340-3341, 3359-3371, 3374, 3387, 3390, 3399, 3419, 3423, 3427, 3434, 3446, 3455-3456; XIX, 3463-3464, 3499, 3517, 3614, 3618, 3621; XX, 3670, 3678, 3802, 3804; XXI, 3851, 3895, 3904, 3907, 3952-3953, 3997, 4007, 4012, 4027; XXII, 4041, 4045, 4048, 4056, 4058.
SAUL (king of Edom), V, 884; XVIII, 3371, 3426.
SAUL OF TARSUS (Paul the Apostle), II, 359; V, 862; XII, 2287; XV, 2786; XVIII, 3374.
Saul (Handel oratorio), XVIII, 3371.
Saur, Christoph, III, 465.

SAVARAN, V, 880; XVIII, 3374.
SAVIAS, XVIII, 3374.
Sayce, Archibald Henry, VII, 1306.
SCAPEGOAT, II, 320; XI, 1952; XVII, 3177; XVIII, 3374-3375; XIX, 3490.
Scaurus, Marcus Aemilius, II, 264; XI, 2025; XVI, 2979.
SCEVA, VI, 1015; XVIII, 3375.
Schonberg, Arnold (composer) (1874-1951), I, 16; XIII, 2365.
Schubert, Franz (composer) (1797-1828), XI, 1992.
Schweitzer, Albert, IV, 600.
Scipio, Melethus, XI, 2025.
Scotland, I, 167; XX, 3668.
Scottish Free Church, XVII, 3232.
SCOURGE, SCOURGING, XVIII, 3375, 3377; *passim.*
SCREECH OWL, XVIII, 3377.
SCRIBES, II, 210, 326, 362; IV, 606, 702; IV, 708; V, 848, 859-860, 918; VI, 1028-1030, 1040, 1092, 1131, 1135; VII, 1206, 1213, 1262; VIII, 1379, 1443, 1471, 1499, 1508; IX, 1571, 1591, 1693; XI, 1937, 1946, 1972, 1980, 1994-1995, 2095, 2098; XII, 2142, 2153, 2159-2160, 2162, 2209, 2220, 2281; XIV, 2599, 2621; XV, 2812; XVI, 2909; XVIII, 3283, 3354, 3377-3380, 3408, 3410, 3423, 3429, 3438, 3442, 3446, 3453; XIX, 3570, 3587, 3624; XX, 3678, 3758; XXI, 3930.
Scylla, Rock of, XVII, 3234.
SCYTHIANS, II, 304; V, 951; VII, 1184; VIII, 1506; IX, 1661-1662; X, 1785-1786; XII, 2190; XIV, 2562; XVIII, 3380-3381, 3383; XX, 3672, 3704; XXI, 4029.
SCYTHOPOLIS, V, 782; XVIII, 3298, 3383.
SEA GULL, XVIII, 3383.
SEAL, XVIII, 3383-3384; XIX, 3573.
"Sea of Edom," XVII, 3180.
SEA OF GALILEE, I, 86, 118, 165-166; II, 228, 235, 292; III, 406, 419-420, 423, 496, 530, 550, 576; IV, 618, 655, 704; V, 949; VI, 1071-1072, 1083, 1112, 1118, 1144, 1146; VII, 1185, 1234, 1253, 1294, 1321, 1338; VIII, 1466; IX, 1589, 1646, 1673-1674, 1708; X, 1751, 1804; XI, 2043; XII, 2159, 2165, 2254, 2281, 2285, 2301; XIII, 2454; XIV, 2536, 2619; XV, 2722; XVI, 2887, 3010; XVII, 3155; XVIII, 3383-3385, 3387, 3440, 3452; XIX, 3549, 3631; XX, 3685, 3707; XXI, 4009; XXII, 4047.
Sea of Reeds, VIII, 1415.
SEBA, XVIII, 3387.
Sebaste, XVIII, 3310, 3312.
Sebastiyeh, XVIII, 3310.
SEBAT, XVIII, 3387.
SECACAH, XVIII, 3387.
SECHENIAS, XVIII, 3387.
SECHU, XVIII, 3387.
"Second Baruch," XVII, 3102.
SECOND COMING, I, 179; II, 207, 281; IV, 759; V, 956; VI, 1045; VII, 1263; VIII, 1469; IX, 1665; X, 1851; XI, 1984; XVIII, 3387; XX, 3771; XXI, 3908 (*see also* "Parousia" in Index).
Second Council of Constantinople (A.D. 353), XIX, 3531.
Second Enoch, V, 934.
Second Missionary Journey (of Paul), I, 69, 71; II, 314, 360; III, 559; V, 941; VI, 995, 1116; VIII, 1477; XI, 1982, 2003, 2085; XIII, 2409; XIV, 2541-2543; XV, 2798, 2800, 2802; 2814-2815; XVI, 2918-2919, 2937; XVII, 3238; XVIII, 3391; XIX, 3474; XX, 3692, 3698, 3718.
Second Punic War, XIX, 3550.
"Second Return," the, VI, 1032.
Second Syrian War, XVII, 3114.
Second Triumvirate (Roman), II, 323.
Second Vatican Council (1962), IV, 600; XX, 3692.
Secrets of Enoch, XII, 2250.
SECUNDUS, XVIII, 3387-3388.
Sedarim, XII, 2295; XIX, 3625.
SEDECIAS, XVIII, 3388.
Seder, III, 484.
Seder 'Olam Zuta, XXII, 4041.
Seed Growing of Itself, Parable of the, III, 485 (*see also* "Parables of Jesus Christ" in Index).
Sefer ha-Yashar, IX, 1724; XVIII, 3347, 3350.
Sefer tehillim, XVII, 3079.
SEGUB, XVIII, 3388.
Seilun, XVIII, 3444.
SEIR, V, 818; VII, 1272, 1314, 1317; VIII, 1448; XIII, 2382; XV, 2699, 2768; XVIII, 3388-3389, 3440; XXI, 3991.
SEIR, LAND OF, XVIII, 3388-3389.
SEIRATH, XVIII, 3389.
SELA, XVIII, 3389.
SELAH, XVII, 3080; XVIII, 3389-3390.
SELA-HAMMAHLEKOTH, XVIII, 3390.
Selbit, XVIII, 3417.
SELED, XVIII, 3390.
SELEMIA, XVIII, 3390.
SELEUCIA, I, 70, 181; II, 344; XVIII, 3390-3391; XX, 3716.
Seleucia Pieria, XVIII, 3390.
SELEUCID DYNASTY, I, 67, 88, 124-126, 128-129, 180-189, 191; II, 218, 248, 261, 296, 344; III, 525, 559; IV, 625-628, 637, 707, 723; V, 785-788, 790, 921; VI, 991; VII, 1204, 1212, 1244, 1252, 1267, 1273, 1277, 1311; VIII, 1365, 1379, 1420-1421, 1476; IX, 1556, 1573, 1687-1688, 1705; X, 1766, 1798-1799, 1824, 1830, 1893; XI, 2001-2002, 2008, 2012-

Young Israelis enjoy the view overlooking the Red Sea (*Counsel Collection*).

2014, 2016, 2018, 2021, 2023, 2030, 2032; XII, 2147, 2207, 2298; XIV, 2678; XV, 2700, 2746, 2770-2771, 2773; XVI, 2934, 2979; XVII, 3105, 3107-3108, 3110-3112, 3114, 3116, 3118-3120, 3263; XVIII, 3342, 3353, 3389-3397, 3434-3435; XIX, 3463, 3483, 3606, 3634-3635, 3644; XX, 3704, 3706, 3716, 3791, 3794, 3830; XXI, 4019; XXII, 4045.
SELEUCUS I NICATOR, I, 180, 182; IV, 723; V, 926; VII, 1212; VIII, 1377; XVII, 3112-3113; XVIII, 3390, 3392, 3394-3395; XIX, 3606; XX, 3706.
SELEUCUS II CALLINICUS, I, 180-181, 183; IV, 723; XVIII, 3395-3396.
SELEUCUS III KERAUNUS, I, 184, 187; IV, 723; XVIII, 3395-3396.
SELEUCUS IV PHILOPATOR, I, 185-188; II, 217; IV, 625, 723; V, 785; VII, 1267; XV, 2700-2701; XVIII, 3396.
SELEUCUS V, I, 189; IV, 627; XVIII, 3396-3397.
SELEUCUS VI EPIPHANES NICATOR, XVIII, 3397.
Selwan, XIX, 3476.
SEM, XVIII, 3397.
SEMACHIAH, XVIII, 3397.
SEMEI, XVIII, 3397.
SEMELLIUS, XVIII, 3397.
SEMIS, XVIII, 3397.
SEMITES, XVIII, 3397-3398, 3437; XIX, 3573-3574; *passim*.
Semitic Accadian Dynasty, XVIII, 3354, 3356.
Semo Sancus, XIX, 3485.
SENAAH, I, 174; XVIII, 3398.
Senaar, XVIII, 3449.
Seneca (philosopher) (c. 3 B.C.-A.D. 65), VI, 1119; XV, 2802; XIV, 2504, 2506; XIX, 3568.
SENEH, III, 495; XVIII, 3399.

SENIR, XVIII, 3399.
SENNACHERIB (Assyrian monarch), I, 93, 143; II, 250, 286, 291, 303; III, 505; V, 812, 888, 921, 951; VI, 1086, 1100; VII, 1205, 1246, 1273, 1292-1294; VIII, 1395, 1398; IX, 1552-1553, 1560; X, 1784-1785, 1884-1885; XI, 1959; XII, 2217, 2252; XIII, 2316, 2402, 2465; XIV, 2561, 2563, 2618, 2670; XVII, 3143-3144, 3233; XVIII, 3356, 3399-3402, 3420, 3424, 3429; XIX, 3476-3477, 3621, 3634, 3636; XX, 3724-3725.
SENUAH, VII, 1253; XVIII, 3402.
SEORIM, XVIII, 3402.
SEPARATE PLACE, XVIII, 3402.
Separation, Water of (see "Water of Separation" in Index).
SEPHAR, XVIII, 3402.
SEPHARAD, XVIII, 3352, 3402.
Sephardics, XVIII, 3402.
Sephardim, II, 291.
SEPHARVAIM, I, 93, 162; XVIII, 3356, 3402-3403.
SEPHARVITES, XVIII, 3403.
Sephela (see "Shephelah" in Index).
Sepphoris, XXI, 3865.
SEPTUAGINT, I, 48, 58, 67, 87-88, 128, 130, 150, 164; II, 208, 234, 358, 373, 375, 379; III, 392, 428, 439, 444-445; 447-448, 459-461, 463, 466, 473, 516; IV, 612, 615, 660, 724; V, 795, 803, 806, 847, 850, 891, 958; VI, 1005, 1050, 1088, 1124, 1131; VII, 1213, 1224, 1230, 1264, 1272, 1274, 1291, 1303, 1329; VIII, 1361, 1369, 1420, 1475, 1478, 1496, 1512; IX, 1567, 1624, 1645; X, 1742, 1856, 1889-1890; XI, 1933, 1942, 1952, 1965-1966, 1969, 1990, 2037, 2040, 2045, 2080; XII, 2144, 2155, 2220; XIII, 2312, 2458, 2486; XIV, 2512, 2516, 2524, 2526, 2528, 2565, 2583, 2599, 2631, 2688; XV, 2719, 2764, 2786, 2790, 2836; XVI, 2892, 2923, 2929, 2970, 3062, 3064; XVII, 3079, 3083, 3102, 3115, 3128, 3198; XVIII, 3274, 3297, 3310, 3326, 3390, 3398, 3403-3407, 3440-3441; XIX, 3476, 3481, 3529, 3541, 3547, 3584, 3621, 3636; XX, 3727, 3831; XXI, 3892-3893, 3897, 4020, 4028; XXII, 4039.
Seqenen-re (monarch), VII, 1342-1343.
SERAH, II, 287; XVIII, 3407.
SERAIAH (various personages), II, 362; VI, 1028-1029; VIII, 1496; XVIII, 3378, 3407, 3426; XXI, 3975.
SERAPHIM, I, 170; VIII, 1390; XIV, 2598; XVIII, 3407.
SERED, XVIII, 3353, 3408.
SERGIUS PAULUS, II, 358; IV, 698; XV, 2748, 2786; XVIII, 3408.
Sermon by the Lake, the, XII, 2159.
Sermon in Parables, the, XII, 2159.

SERMON ON THE MOUNT, I, 134, 140; II, 374; VI, 1094; IX, 1576; X, 1762, 1850; XI, 1969, 1989, 1994; XII, 2153, 2159; XIV, 2510, 2526, 2528, 2533; XVI, 2997; XVII, 3079, 3125, 3144; XVIII, 3408-3411; XIX, 3490; XX, 3681.
Sermon on the Plain, XIV, 2533; XVIII, 3408.
SERON (Syrian general), III, 414; X, 1798; XI, 2013; XVIII, 3413.
SERPENT, THE, V, 799; VI, 1048, 1083; VIII, 1353, 1398; XII, 2230; XVIII, 3413-3414; XIX, 3488; XX, 3721.
Sert-Kalessi, XVIII, 3352.
SERUG, XVIII, 3357, 3414.
SESIS, XVIII, 3414.
SESTHEL, III, 426; XVIII, 3414.
Set (deity), V, 865; VII, 1268.
SETH (third son of Adam), I, 20; III, 516; V, 933-934; VI, 997, 1136, 1152; X, 1889; XIV, 2565; XVIII, 3414, 3441.
Sethos (monarch), XVI, 2904; XVII, 3159; XX, 3824.
SETHUR, II, 287; XVIII, 3414.
Seti I (Pharaoh) (c. 1308-1298 B.C.), II, 240; VI, 1009; XVI, 2904.
SEVENTY, THE, IV, 668; VII, 1329; XI, 1989, 1995; XVII, 3131; XVIII, 3414; XIX, 3561.
SEVEN WOES, IX, 1586; XI, 1995; XII, 2159; XVIII, 3414-3416.
Seven Wonders of the Ancient World, I, 131; II, 344; XIII, 2465, 2495; XVII, 3238.
Severus, Julius, IX, 1628.
Seville, Spain, XIX, 3551.
SHAALABBIN, XVIII, 3417.
SHAALBIM, XVIII, 3417.
Shaalbon, XVIII, 3417.
SHAALBONITE, XVIII, 3417.
SHAAPH, XVIII, 3417-3418.
SHAARAIM, XVIII, 3418, 3424, 3426.
SHAASHGAZ, XVIII, 3418.
Shabataka, XX, 3724.
Shabbath, XVIII, 3283.
SHABBETHAI, XVIII, 3284, 3418-3419.
Shabuel, XIX, 3463.
SHACHIA, XVIII, 3419.
SHADDAI, IX, 1650; XIV, 2594; XVIII, 3419; *passim*.
SHADRACH, I, 18, 88; IV, 718, 722; V, 836; VII, 1239; XII, 2279; XIII, 2470; XVIII, 3419; XIX, 3541 (see also "Song of the Three Holy Children" in Index).
Shaf-Hetib, XIX, 3590.
SHAGE, XVIII, 3419.
SHAHARAIM, II, 336; VII, 1340; XVIII, 3419.
SHAHAZIMAH, XVIII, 3419.

Shakespeare, William (1564-1616), I, 15; III, 440; IV, 630; IX, 1701; X, 1829, 1856; XI, 2075, 2077; XIV, 2669; XX, 3736.
Shalbon, XVIII, 3417.
SHALEM, V, 804; XVIII, 3298, 3419.
Shalim, XVII, 3166.
SHALIM, LAND OF, XVIII, 3419.
SHALISHA, LAND OF, XVIII, 3419.
SHALLECHETH GATE, XVIII, 3419; XIX, 3465.
SHALLUM (various personages), VII, 1248, 1322; VIII, 1431, 1443, 1481; X, 1879; XII, 2205; XVIII, 3293, 3299, 3308, 3419-3420, 3444; XXI, 4012.
SHALLUN, IV, 634; VI, 1087; IX, 1564; XVIII, 3420.
SHALMAI, XVIII, 3420.
SHALMAN, III, 408; XVIII, 3420.
SHALMANESER (three Assyrian monarchs), I, 104-105; II, 230, 277, 300, 302; III, 395, 516, 518; V, 929; VII, 1205, 1255, 1327; VIII, 1392, 1428, 1430, 1432, 1497; XII, 2190, 2224; XVI, 2901; XVII, 3233; XVIII, 3299, 3309, 3356, 3420-3422; XIX, 3470, 3633; XX, 3828.
SHAMA, VII, 1329; XVIII, 3422.
SHAMARIAH, XVIII, 3422, 3439.
Shamash (deity), XIX, 3576.
Shamash-shum-ukin (monarch), II, 343.
SHAMED, XI, 1963; XV, 2701; XVIII, 3422.
SHAMER, XVIII, 3422, 3455.
SHAMGAR (Judge of Israel), V, 921; X, 1819; XV, 2858; XVIII, 3422-3423.
SHAMHUTH, XVIII, 3423.
SHAMIR, XVIII, 3423; XX, 3742.
SHAMMA, XVIII, 3423.
SHAMMAH, I, 97; XVIII, 3423, 3446-3447.
SHAMMAI, XVIII, 3423.
Shammai, Rabbi, V, 819, 850, 862; XIV, 2625; XVII, 3142; XVIII, 3380; XIX, 3529, 3624.
SHAMMOTH, XVIII, 3423.
SHAMMUA, XVII, 3209; XVIII, 3423; XXI, 3992.
SHAMSHERAI, XVIII, 3423.
SHAPHAM, XVIII, 3423.
SHAPHAN (Scribe), II, 326; VI, 1131; XII, 2220, 2243; XVIII, 3423-3424.
SHAPHAT, I, 89; V, 908; XVIII, 3424; XIX, 3479.
SHAPHER, XVIII, 3424.
SHARAI, XVIII, 3424.
SHARAIM, XVIII, 3418, 3424.
SHARAR, XVIII, 3286, 3424.
SHAREZER, V, 951; XIV, 2561, 2563; XVIII, 3402, 3424.
SHARON, II, 201; XV, 2722; XVIII, 3356, 3424-3425, 3454; XIX, 3505.
SHARONITE, XVIII, 3425.
Shatt-el-Arab, VI, 1029; XX, 3716.

SHARUHEN, VI, 1086; XVIII, 3418, 3426.
SHASHAI, XVIII, 3426.
SHASHAK, XVIII, 3426.
SHAUL, XVIII, 3420, 3426; XIX, 3478-3479.
SHAULITES, XVIII, 3426.
SHAVEH, Valley of, X, 1865; XVIII, 3426.
SHAVEH-KIRIATHAIM, XVIII, 3426.
SHAVSHA, XVIII, 3407, 3425, 3442.
Shavuoth, XII, 2200.
Shayznu, IX, 1546.
SHEAL, XVIII, 3426.
SHEALTIEL, XV, 2818, 2846; XVIII, 3297, 3426-3427; XXII, 4041.
SHEARIAH, XVIII, 3427.
SHEARING-HOUSE, XVIII, 3427.
SHEAR-JASHUB, V, 955; VIII, 1390, 1397; XVI, 3053; XVIII, 3427.
SHEBA (various personages), I, 21; II, 230; III, 477; VII, 1232; IX, 1637; XV, 2737; XVIII, 3427.
Sheba, Queen of (see "Queen of Sheba" in Index).
SHEBA, LAND OF, XII, 2269; XV, 2702; XVII, 3133; XVIII, 3387, 3427-3429.
SHEBAH, XVIII, 3429.
Shebam, XVIII, 3442.
SHEBARIM, XVIII, 3429.
Shebat, XVIII, 3387.
SHEBER, XVIII, 3429.
SHEBNA, V, 880; XVIII, 3429-3430.
SHEBUEL, XVIII, 3430.
SHECANIAH, XVIII, 3430.
SHECHANIAH, XVIII, 3430.
SHECHEM, V, 805; VIII, 1448; XVIII, 3430.
SHECHEM (place), I, 26, 35; II, 279, 332; III, 531; IV, 617, 619, 642; V, 788, 804, 806-807, 823, 825, 859, 882, 926, 946, 949; VI, 1107, 1139; VII, 1164, 1181, 1203, 1220, 1238, 1296; VIII, 1355, 1419, 1423, 1448, 1450, 1456, 1535; IX, 1714, 1722; X, 1746-1747, 1771, 1778, 1819, 1838, 1861; XI, 1931, 1935, 1939, 2023; XII, 2245, 2251; XIII, 2330, 2371-2372, 2378; XV, 2725, 2757, 2826, 2869-2870; XVI, 2941; XVII, 3183; XVIII, 3298, 3339, 3419, 3430-3432, 3444; XIX, 3478-3479, 3505, 3586, 3619, 3630; XX, 3689, 3718, 3727, 3807; XXI, 3973, 3998, 4009.
SHEDEUR, XVIII, 3432.
SHEEP, III, 556; XVIII, 3432-3434.
SHEEP GATE, VII, 1318; IX, 1565; XII, 2176; XVIII, 3434.
SHEEP MARKET, XVIII, 3434.
SHEHARIAH, XVIII, 3434.
Sheikh Abu Zarad, XIX, 3631.
SHEKEL, III, 391; V, 821, 825; VII, 1318; XIII, 2315, 2317; XVI, 2940, 2955; XVIII, 3434-3435; XIX, 3621.

SHEKEL OF TYRE, XVIII, 3435.
SHEKINAH, XVIII, 3435-3436.
SHELAH, V, 950; X, 1770, 1774; XVIII, 3352, 3436; XIX, 3627-3628.
SHELEPH, XVIII, 3436.
SHELEMIAH, XVIII, 3436.
SHELESH, XVIII, 3436.
SHELOMI, XVIII, 3436.
SHELOMITH, IV, 710; IX, 1567; XVIII, 3436-3437.
Shelomo Itzhaki, Rabbi, XIX, 3636.
SHELUMIEL, XVIII, 3437; XIX, 3479; XXII, 4061.
SHEM (first son of Noah), I, 25, 34; II, 231, 278, 296; IV, 606; V, 804, 848, 876; VI, 1132, 1136, 1138, 1149; VII, 1231-1232, 1256, 1338; VIII, 1472; IX, 1659, 1689; XI, 1980; XII, 2142, 2220; XIV, 2566, 2570; XV, 2820; XVII, 3151, 3207; XVIII, 3296, 3397, 3427, 3437-3438; XXI, 3852.
SHEMA, II, 327; XVIII, 3438.
SHEMAAH, XVIII, 3438.
Shemaah, VII, 1335.
Shemah, XIX, 3586.
SHEMAIAH (various personages), V, 783; VIII, 1423; X, 1778; XI, 2061; XII, 2200; XIII, 2476; XIV, 2508; XVII, 3183; XVIII, 3286, 3313, 3430, 3438-3439.
SHEMARIAH, XVIII, 3439.
SHEMEBER, XVIII, 3439; XXI, 4009.
SHEMER, XV, 2697; XVIII, 3306, 3311, 3439.
SHEMIDA, XVIII, 3439.
Shemidaites, XVIII, 3439.
SHEMINITH, XVIII, 3439.
SHEMIRAMOTH, XVIII, 3439.
Shemoneh Esreh, XIX, 3588.
SHEMUEL, I, 147; XVIII, 3439; XIX, 3479.
SHEN, XVIII, 3439-3440.
SHENAZAR, XVIII, 3440.
SHENIR, XIII, 2375; XVIII, 3399, 3440.
SHEOL, II, 285; V, 933; VII, 1269; XVII, 3198 (*see also* "Hell" in Index).
SHEPHAM, XVIII, 3440, 3449.
SHEPHATHIAH, XVIII, 3440.
SHEPHATIAH (various personages), I, 31; XI, 2005; XII, 2146; XVIII, 3344, 3440.
SHEPHELAH, I, 88-89, 94; II, 327; III, 410; IV, 584; V, 804, 928, 930; VI, 1130, 1151; VII, 1222; IX, 1636, 1690; X, 1751, 1841, 1885; XI, 1958, 2057; XII, 2301; XIII, 2311; XV, 2729; XVIII, 3440, 3455; XIX, 3631.
Shepherd of Hermes, II, 211; III, 447, 540; VII, 1275; XIV, 2522.
SHEPHI, XVIII, 3440.
SHEPHO, XVIII, 3440.
SHEPHUPHAN, XVIII, 3440; XIX, 3465.

SHERAH, III, 413; XVIII, 3440; XXI, 3854.
SHEREBIAH, V, 959; XVIII, 3440-3441.
SHERESH, XVIII, 3441.

Ruins near the present day Kolonia believed to be the biblical Mozah (*Counsel Collection*).

INDEX 4197

SHEREZER, XVIII, 3441.
SHESHACH, XVIII, 3441.
SHESHAI, I, 162; VII, 1265; XVIII, 3441.
SHESHAN, I, 118; II, 321; VIII, 1474-1475; XVIII, 3441.
SHESHBAZZAR, VI, 1038; XV, 2852-2853; XVIII, 3441; XXII, 4041.
Sheshonk I (Pharaoh), II, 243; XVI, 2904; XVIII, 3453.
Shetach, XIX, 3483.
SHETH, XVIII, 3441.
SHETHAR, XVIII, 3441.
SHETHAR-BOZENAI, XVIII, 3359, 3442.
SHEVA, XVIII, 3378, 3426, 3442.
Shewbread (*see* "Showbread" in Index).
SHIBBOLETH, V, 947; VIII, 1502; IX, 1710; X, 1809; XVIII, 3442.
SHIBMAH, XVIII, 3442.
SHICRON, XVIII, 3442.
SHIGGAYON, XVII, 3079; XVIII, 3442.
Shigionith, XVIII, 3442.
SHIHOR-LIBNATH, XVIII, 3442, 3444.
Shikkeron, XVIII, 3442.
SHILHI, XVIII, 3444.
SHILHIM, XVIII, 3426, 3444.
SHILLEM, XIII, 2439; XVIII, 3420, 3444.
Shillemites, XVIII, 3444.
SHILOAH, XVIII, 3444.
SHILOH, I, 113; II, 267; III, 400-401; V, 818, 856, 884; VII, 1240-1242, 1314-1315; VIII, 1352, 1436, 1506, 1508; IX, 1548; X, 1746-1747; XI, 1968; XIV, 2577, 2622, 2650; XV, 2731, 2735, 2857, 2860; XVI, 2926; XVII, 3209; XVIII, 3322, 3329, 3340, 3370, 3444-3446; XIX, 3613-3614, 3616; XXI, 3902.
SHILONI, XVIII, 3446.
SHILONITE, XVIII, 3446.
SHILSHAH, XVIII, 3446.
SHIMEA, XVIII, 3423, 3446-3447.
SHIMEAH, XVIII, 3423, 3446-3447.
SHIMEAM, XVIII, 3446.
SHIMEATH, XVIII, 3446.
SHIMEATHITES, XVIII, 3446.
SHIMEI (various personages), II, 349; V, 875; VI, 1145, 1147; X, 1845; XI, 2052; XVII, 3158, 3185; XVIII, 3423, 3447; XIX, 3497, 3512-3513.
Shimenei Atzeret, XIX, 3616.
SHIMEON, XVIII, 3447.
SHIMHI, XVIII, 3447; XXII, 4048.
SHIMI, XVIII, 3447.
SHINITES, XVIII, 3447.
SHIMMA, XVIII, 3446-3447.
Shimmur the Levite, IV, 767.
SHIMON, I, 149; XVIII, 3447; XX, 3716.
SHIMRATH, XVIII, 3447.
SHIMRI, XVIII, 3448.
SHIMRITH, XVIII, 3448, 3455.
SHIMRON, VIII, 1434; XVIII, 3448.
Shimronites, XVIII, 3448.
SHIMRON-MERON, XVIII, 3448.
SHIMSHAI, XVIII, 3397, 3448.
SHIN, XVIII, 3448.
SHINAB, XVIII, 3448.
SHINAR, I, 54, 161; II, 336, 340, 342; III, 526, 565; VII, 1232; XIV, 2560; XVIII, 3448-3449, 3451; XIX, 3572; XX, 3712.
Shinwari, XX, 3672.
SHION, XVIII, 3449.
SHIPHI, XVIII, 3449.
SHIPHMITE, XVIII, 3449; XXI, 3991.
SHIPHRAH, VI, 1000; XVII, 3123; XVIII, 3449.
SHIPTAN, XVIII, 3449.
SHIPS AND BOATS, XVIII, 3449-3453; *passim*.
"Ships of Tarshish," XIX, 3632.
Shir, XVII, 3079.
Shiraz, XV, 2877.
Shir Hashirim asher, XIX, 3529.
Shir Hashirim Rabba, XIX, 3531.
SHISHA, XVIII, 3427, 3453.
SHISHAK (Egyptian monarch), II, 243; V, 868, 874; VI, 1086, 1151; VIII, 1425, 1534, 1536; IX, 1551; X, 1778, 1780; XI, 1959; XII, 2198; XVI, 2904, 2929, 2939; XVII, 3183-3184; XVIII, 3453-3454; XIX, 3518, 3572, 3609, 3642; XX, 3688.
SHITRAI, XVIII, 3425, 3454.
SHITTAH TREE, XVIII, 3454.
SHITTIM, II, 334; XVI, 2931; XVIII, 3454.
SHIZA, XVIII, 3454.
SHOA, X, 1874; XVIII, 3454-3455.
SHOBAB, II, 330; VII, 1249; XVIII, 3455.
SHOBACH, XVIII, 3455.
SHOBAI, XVIII, 3314, 3455.
SHOBAL, I, 118; XVIII, 3455; XXII, 4060.
SHOBEK, XVIII, 3455.
SHOBI, XIII, 2420; XVIII, 3455.
SHOCO, XVIII, 3455; XIX, 3505.
SHOCHO, XVIII, 3455; XIX, 3505.
SHOCHOH, XVIII, 3455; XIX, 3505.
SHOHAM, XVIII, 3455.
Shohar, XVII, 3166.
Shofar, X, 1748; XVII, 3163; *passim*.
Sholom Aleichem (author), XIX, 3534.
Sholom of Safed, XIX, 3534.
SHOMER, XVIII, 3448, 3455.
Shophach, XVIII, 3455.
SHOPHANI, VI, 1111; XVIII, 3456.
SHOSHANNIM, XVIII, 3456.

SHOWBREAD, III, 536; V, 820, 844; VI, 1099; XIV, 2577; XVIII, 3292, 3456; XIX, 3463, 3612.
SHOWBREAD, TABLE OF, XVIII, 3292-3293; XIX, 3463, 3612, 3642, 3645; XX, 3729.
Shu (deity), VII, 1268.
SHUA, XIX, 3463.
SHUAH, III, 477, 573; X, 1770, 1774; XV, 2699; XIX, 3463.
SHUAL, XIX, 3463.
SHUAL, LAND OF, XIX, 3463.
SHUBAEL, XVIII, 3430; XIX, 3463.
Shu'eib, VII, 1309.
SHUHAM, XIX, 3463.
Shuhamites, XIX, 3463.
SHUHITE, XIX, 3463.
SHULAMITE, II, 366; XIX, 3463-3465, 3530, 3532; XX, 3727.
Shulchan Aruch, Orah Hayyim, VI, 1029.
SHUMATHITES, XIX, 3463-3464.
Shumush-shum-ukin, XI, 2065.
SHUNAMITE WOMAN, III, 535; V, 910; VI, 1106, 1131; XIX, 3463-3364, 3512, 3532.
SHUNEM, VI, 1131; XIX, 3463-3465.
SHUNI, XIX, 3465.
SHUPHAM, XIII, 2393; XIX, 3465.
Shuphamites, XIX, 3465.
Shuppiluliuma, XVII, 3159.
SHUPPIM, XVIII, 3340; XIX, 3465.
SHUR, VII, 1224; XII, 2273; XIX, 3465.
Shush, Iran, IV, 719; XIX, 3465.
SHUSHAN, VI, 976, 981; XII, 2268; XIII, 2328, 2477, 2481; XVIII, 3353; XIX, 3465; XX, 3831.
SHUSHAN-EDUTH, XVIII, 3456; XIX, 3465.
SHUTHALHITES, XIX, 3465.
SHUTHELAH, V, 945; XIX, 3465.
SIA, XIX, 3465.
SIAHA, XIX, 3465.
Siamun (monarch), XVI, 2904.
Sibbecai, XIX, 3466.
SIBBECHAI, VII, 1340; XII, 2188; XVIII, 3344; XIX, 3465-3466.
Sibmah, XVIII, 3442; XXI, 3875.
SIBRAIM, XVIII, 3402; XIX, 3466.
SIBYLLINE ORACLES, XVIII, 3102; XIX, 3466.
Sibyl of Cumae, XIX, 3466.
SICARII, V, 873; XIX, 3466-3468; XXI, 4002.
Sicily, XII, 2202; XIX, 3550, 3604.
Sichem, V, 948; XVIII, 3430.
SICYON, XIX, 3468.
Siddim, Vale of (see "Vale of Siddim" in Index).
SIDE, XIX, 3468.
SIDON, II, 287; III, 487; IV, 697; VII, 1234, 1255, 1277; VIII, 1356; IX, 1589; X, 1829; XI, 1930, 1987, 2098; XII, 2284, 2297; XIV, 2531, 2619; XVI, 2934; XVIII, 3400, 3420, 3451; XIX, 3468-3470, 3495, 3499; XX, 3725, 3791, 3823-3824, 3828-3830; XXI, 4001, 4023; XXII, 4047.
Sidra, Gulf of, XIX, 3608.
SIGNS, XIX, 3470-3472, 3474; *passim*.
SIHON (Amorite monarch), I, 149-150; VII, 1171, 1289; VIII, 1443; X, 1839; XIII, 2344; XIV, 2558; XIX, 3474; XXI, 3897.
SIHOR, XIV, 2558; XVII, 3243; XIX, 3474.
SILAS (companion of Paul the Apostle), I, 71, 161; II, 217; III, 403, 484; X, 1792; XI, 2000; XII, 2288; XIII, 2403; XV, 2800-2802; XVI, 2892, 2918-2919, 2938; XVIII, 3391; XIX, 3474, 3476, 3478; XX, 3694, 3718-3719.
SILLA, XIX, 3476.
SILOAH, XIX, 3476.
SILOAM, IX, 1551-1552; X, 1783, 1865, 1867; XVIII, 3444; XIX, 3476-3477, 3617.
Silva, Flavius, XII, 2136.
SILVANUS (Silas), XIV, 2547; XVI, 2892; XIX, 3474, 3477-3478 (see also "Silas" in Index).
SIMALCUE, XIX, 3478.
SIMEON (second son of Jacob), III, 481; V, 804-807; VII, 1220; VIII, 1433, 1444, 1446, 1448, 1472, 1475, 1479, 1499; IX, 1718; X, 1769, 1771; XI, 1927, 1935, 1939, 2066; XII, 2232; XIII, 2460, 2493; XIV, 2629; XVIII, 3420, 3426, 3430; XIX, 3478, 3482; XX, 3801, 3804, 3811; XXII, 4039, 4059.
SIMEON (New Testament personages), XI, 1989, 1993-1994; XIII, 2554; XIX, 3472, 3478.
SIMEON, TRIBE OF, I, 89-90, 121, 133, 143; II, 285, 294, 328, 332, 352, 377; III, 319, 409, 415, 419, 424, 426, 478; IV, 583; V, 779, 806, 906, 921, 945; VI, 985-986, 1027, 1110, 1131; VII, 1238, 1256, 1317; VIII, 1441, 1444, 1472, 1497; IX, 1568-1569, 1661; X, 1744, 1752, 1762, 1775-1776; XI, 1935, 1944, 2005; XII, 2220, 2232, 2295; XIII, 2312, 2314, 2475, 2493; XIV, 2629; XV, 2719, 2729, 2820, 2862; XVII, 3158-3159, 3186, 3209, 3241; XVIII, 3344, 3407, 3424, 3426, 3437-3440, 3447-3449; XIX, 3478-3481; XX, 3672, 3741-3742, 3803-3805, 3813, 3815, 3817; XXI, 3856, 3992, 3999, 4032; XXII, 4047-4048, 4057, 4059, 4061.
Simhath Torah, XIX, 3616.
SIMON (brother of Jesus), III, 501; IX, 1576, 1585; XIX, 3482.
SIMON (High Priest), XI, 2037; XIX, 3482.
Simon bar Cochba (Kochba), IV, 722, 767; VI, 1133; VIII, 1422; IX, 1628-1629; X, 1769; XVII, 3252; XX, 3768.
SIMON BAR-JONA, XII, 2150; XIX, 3482.
Simon ben Johanan, IX, 1573.

SIMON BEN-SHETACH (Pharisee leader), I, 129; V, 860; XI, 2023; XIX, 3482-3483.
SIMON CHOSAMAEUS, XVIII, 3447; XIX, 3483.
SIMON MACCABEUS, I, 88, 188; II, 243, 275, 294, 313; III, 409, 559-560; V, 787, 819, 921; VI, 1118, 1151; VII, 1214, 1252; VIII, 1380, 1421, 1464, 1531; IX, 1556, 1687-1688, 1701, 1706; X, 1766, 1792, 1799; XI, 2013, 2018, 2020-2041, 2030, 2033; XII, 2148; XIII, 2311; XIV, 2593; XVII, 3111-3112; XVIII, 3294, 3352, 3434, 3451; XIX, 3483, 3485, 3638; XX, 3686, 3794.
SIMON MAGUS, VII, 1177; XI, 2045; XVI, 2916; XVIII, 3312; XIX, 3485.
SIMON OF CYRENE, I, 124; IV, 678, 685; XI, 2100; XII, 2171; XVIII, 3272; XIX, 3485.
SIMON PETER (see "Peter" [the Apostle] in Index).
SIMON THE APOSTLE, XIX, 3485-387; XX, 3795; XXI, 4002, 4028.
SIMON THE BENJAMINITE, XII, 2207; XV, 2700-2701; XIX, 3487.
Simon the Canaanite (see "Simon the Apostle" in Index).
SIMON THE JUST, IX, 1556; XV, 2700; XVIII, 3379; XIX, 3482.
SIMON THE LEPER, XI, 2111; XII, 2133; XIII, 2381; XIX, 3487.
Simon the Prince of Israel, IV, 767.
SIMON THE ZEALOT, IX, 1584; X, 1907; XI, 2100 (see also "Simon the Apostle" in Index).
Simon, Richard, III, 475; XV, 2835.
Simon II (High Priest), XV, 2700.
Simon Zelotes, XIX, 3486.
Simoni Deo Sancto, XIX, 3485.
SIMRI, XIX, 3487.
Sin (deity), XIX, 3576.
SIN, IV, 642; VI, 997, 1048; VII, 1177, 1205; IX, 1591, 1665; X, 1834, 1916; XI, 1980; XII, 2229; XVII, 3258; XIX, 3487-3488, 3490; XX, 3771, 3833; XXI, 3890.
Sin, Wilderness of (see "Wilderness of Sin" in Index).
Sinaitic Syriac Manuscript, III, 472.
SIN-OFFERING, I, 139; II, 319-320; III, 489, 491, 558, 575; VI, 990; VII, 1215; X, 1889; XI, 1952-1953, 2047; XII, 2215; XV, 2777; XVI, 2939; XVIII, 3288, 3290, 3292; XIX, 3490-3491, 3561, 3610, 3612; XX, 3773-3775.
Sinope, XIV, 2518.
SINA, XIX, 3491.
SINAI (Desert and Peninsula), I, 169, 185; II, 228-229; V, 866, 868, 894; VI, 1004; VIII, 1413, 1415-1416; X, 1748, 1833, 1842, 1845, 1895; XI, 2072; XIII, 2336, 2340, 2356, 2376, 2382, 2384, 2474; XIV, 2583-2585, 2590, 2609; XV, 2721, 2767-2768, 2796, 2860; XVI, 2961; XVII, 3112, 3118, 3120, 3131, 3178, 3180, 3188, 3243; XIX, 3465, 3474, 3491, 3494, 3619, 3631; XX, 3659, 3750; XXI, 3936, 3940, 3973, 3999; XXII, 4056.
SINIM, XIX, 3494.
SINITE, XIX, 3494.
SION, XIX, 3494-3495.
SIPHMOTH, XIX, 3495.
SIPPAI, XVIII, 3344; XIX, 3495.
Sippar (deity), XIII, 2465.
Siq, XVIII, 3389.
SIRACH, XIX, 3495.
SIRAH, THE WELL OF, XIX, 3495.
SIRION, XI, 1930; XIII, 2375; XIX, 3495.
SISAMAI, XIX, 3495.
SISERA (Canaanite leader), II, 357-358; IV, 702; V, 776-777, 779, 923, 929; VI, 1249; VII, 1260; VIII, 1443, 1458; IX, 1634; X, 1826, 1842, 1870; XI, 2069; XII, 2198, 2218; XIII, 2439; XIX, 3481, 3496, 3609; XXI, 3991.
SISINNES, XIX, 3496.
Sistine Chapel (Vatican), IV, 666; VI, 1018; VIII, 1511.
SITNAH, V, 959; XIX, 3496.
SIVAN, XIX, 3496.
Six-Day War (1967), II, 228; IV, 767; IX, 1561.
Sixtus V, Pope, XVIII, 3406; XXI, 3894.
SLAUGHTER OF THE INNOCENTS, IV, 599; VII, 1286; VIII, 1381; XVII, 3155; XIX, 3496-3497.
SLAVERY, III, 404; IV, 674; V, 798; VI, 999, 1006, 1115; X, 1912; XI, 1955; XIII, 2481; XIV, 2610; XIX, 3497, 3499-3502, 3570; XXI, 3852.
Slavonic Book of Enoch, V, 934.
Slovenian Bible, the, III, 471.
Sluter, Claus (sculptor), I, 154; VII, 1321; VIII, 1394; IX, 1661.
SMYRNA, I, 172; II, 200; V, 926; IX, 1666; XVI, 2913, 2919; XVII, 3227; XIX, 3502-3504.
SO, VII, 1327; XIX, 3504-3505.
SOCHO, XIX, 3505.
SOCHOH, XIX, 3505.
Society of Gideon, III, 436.
Socinians, III, 469.
SOCOH, VII, 1265; XIX, 3505.
Socrates, II, 314; V, 852; XV, 2790.
SODI, XIX, 3505.
SODOM, I, 37-38; III, 402, 481, 502, 565-566; IV, 620, 759; V, 891; VI, 1139; VII, 1195, 1329; IX, 1710; X, 1804, 1901; XI, 1976-1977, 1979; XII, 2263; XV, 2870; XVI, 2995; XVIII, 3426; XIX, 3505, 3507, 3510; XX, 3691, 3712; XXI, 3857, 4009.
SODOMA, XIX, 3510.
SODOMITISH SEA, IV, 761; XIX, 3510.

Soferim, XIX, 3624.
Sogdiana, XVIII, 3392.
Solem, XIX, 3464.
SOLOMON (king of Israel), I, 18, 22-23, 25, 29, 31, 90-92, 94, 102, 113-114, 116, 120, 133, 136, 138-139, 146-147, 165; II, 199, 201, 228, 234, 243, 253, 257-259, 267, 276-277, 279, 293-294, 326, 332, 335-336, 366, 368-369, 392; III, 392-393, 402, 404-405, 413, 422-423, 492, 497, 502, 508, 524, 535, 546, 558, 560, 562-564, 567-568, 571, 576; IV, 586, 592, 594-595, 606-608, 612, 620, 641, 656, 695, 705, 712, 730-731, 743, 749, 751, 757; V, 783, 823, 829, 848, 850, 852, 857, 875-877, 879, 888, 921, 931, 947; VI, 979, 986-987, 1008, 1014, 1027, 1039, 1049, 1051, 1079, 1084, 1104, 1110, 1118, 1127, 1129-1130, 1147, 1151; VII, 1161-1162, 1169, 1171, 1186, 1203, 1220, 1227, 1232, 1234, 1250, 1257, 1269, 1272-1273, 1289, 1292, 294-1295, 1297-1298, 1301-1303, 1318, 1331-1332, 1334, 1336, 1339; VIII, 1353, 1356, 1365, 1392, 1397, 1404, 1417, 1419, 1421, 1423, 1428, 1430, 1436, 1439, 1441-1442, 1444, 1464, 1477, 1479-1480, 1492-1493, 1506, 1534-1536; IX, 1548-1549, 1551-1553, 1563, 1567, 1635, 1637, 1652, 1663, 1701, 1705, 1771, 1775, 1777-1779, 1782, 1792; X, 1812, 1841, 1851, 1856, 1858, 1861, 1865, 1873-1874, 1912; XI, 1930, 1933, 1939, 1946, 1963, 2004-2005, 2054, 2057, 2103, 2107; XII, 2142, 2179, 2198, 2214, 2237, 2251, 2257, 2260, 2263, 2303; XIII, 2315-2316, 2331, 2376-2377, 2380, 2394, 2400, 2402, 2411, 2441-2442, 2445-2446; XIV, 2513, 2597, 2599, 2612, 2617, 2619, 2625, 2628, 2641, 2656-2657, 2666-2667, 2685; XV, 2695, 2697, 2701-2702, 2704, 2712-2713, 2737, 2739, 2758, 2774, 2780, 2817, 2823, 2845, 2859-2860, 2862, 2865-2866, 2877; XVI, 2929, 2955, 2959-2961, 2972, 2988, 2997, 3006, 3015, 3042, 3062, 3065, 3069-3070, 3072; XVII, 3079, 3083, 3099, 3133, 3162-3163, 3180, 3183-3185, 3234, 3241, 3245; XVIII, 3289, 3294, 3334, 3340-3341, 3344, 3357, 3370, 3378, 3397, 3417, 3426-3429, 3432, 3447, 3449, 3451, 3453; XIX, 3463, 3478, 3499, 3500, 3505, 3510, 3512-3515, 3517-3518, 3520-3523, 3527, 3529-3532, 3547, 3553, 3587, 3609-3610, 3612, 3614, 3616-3618, 3629, 3632, 3638-3642, 3644; XX, 3672, 3724, 3754, 3758, 3763-3764, 3801, 3807-3808, 3823, 3826, 3840; XXI, 3862, 3923, 3945, 3947, 3949-3950, 3967, 3971, 3991, 3997-3998, 4002, 4009; XXII, 4047, 4053.
Solomon, Psalms of (see "Psalms of Solomon" in Index).
Solomon, Song of (see "Song of Solomon" in Index).
SOLOMON'S TEMPLE, XIX, 3527 (see also "Temple" in Index).
SOLOMON, THE WISDOM OF (Apocrypha), XIX, 3527.
Solon, XXI, 3977.

Somaliland, XV, 2702, 2704.
Somerak, XVIII, 3423.
SONG OF DEBORAH, VIII, 1458; X, 1776, 1809, 1811; XI, 1939, 2069; XIII, 2442; XIV, 2636; XVI, 2977, 3040; XVII, 3084; XIX, 3527, 3609; XXI, 3988.
Song of Lamech, X, 1911.
"Song of the Lord's Vineyard," XVI, 2976-2977.
SONG OF MOSES, XII, 2344; XV, 2833; XVI, 2976; XIX, 3527-3529; XXI, 3873, 3955; *passim.*
SONG OF SOLOMON (Old Testament), III, 428, 435, 447, 463, 549; V, 825, 850; VI, 974, 1098; VII, 1227; VIII, 1360; IX, 1650; XI, 2107; XII, 2200; XIV, 2635-2636, 2638, 2663, 2667, 2669; XVI, 2953, 2964, 2972, 2978, 3070; XVII, 3083, 3101, 3133; XIX, 3463-3465, 3522-3523, 3529-3541; XX, 3727; XXI, 3943, 3961.
SONG OF THE THREE HOLY CHILDREN (Apocrypha), I, 87-88; II, 208, 210; IV, 719; XIX, 3541.
SONS OF GOD, IV, 589; VII, 1206; IX, 1573, 1679; XI, 1986, 1993; XIV, 2553; XIX, 3543-3544; XX, 3776, 3780; XXI, 3928; *passim.*
SON OF MAN, X, 1819; XI, 2100; XIX, 3543-3544; *passim.*
SOPATER, XIX, 3545, 3547.
Sopher, XV, 2702.
SOPHERETH, II, 326; XIX, 3545.
Sopherim (see "Scribes" in Index).
Sophocles, II, 314; XVII, 3116.
SOPHONIAS, XIX, 3545.
Sorbonne University, IV, 762.
SOREK, VALLEY OF, III, 423; V, 783, 874; XVIII, 3319; XIX, 3545-3546; XXII, 4060.
SOSIBIUS, XVII, 3117.
SOSIPATER, XIX, 3545-3547.
SOSTHENES, IV, 647; VI, 1119; XIX, 3547.
SOSTRATUS, IV, 662; XIX, 3547.
SOTAI, XIX, 3547.
SOUL, XIX, 3547, 3549.
Source Criticism (see "Biblical Criticism" in Index).
South Galatian Hypothesis, VIII, 1352.
SOWER PARABLE, I, 101; XI, 1994, 2097; XII, 2168; XIII, 2408; XV, 2752; XIX, 3549 (see also "Parables of Jesus Christ" in Index).
SPAIN, XVII, 3260; XVIII, 3402; XIX, 3549-3551; XX, 3759, 3825, 3828; *passim.*
Spain (modern), I, 76; II, 291; III, 475; VI, 1132; X, 1832; XVI, 2978; XVII, 3246.
Spanish Inquisition, III, 471-473, 475; VII, 1208; XII, 2232; XIX, 3551.
SPARROW, XIX, 3551.
SPARTA, SPARTANS, VII, 1211, 1277; VIII, 1478;

X, 1884; XI, 2033; XIX, 3552-3553; *passim*.
Spartacus, XVI, 2979; XX, 3704.
SPECKLED BIRD, XIX, 3553.
Spenser, Edmund (poet), III, 440; XIV, 2669.
SPICES, VIII, 1363; XIX, 3553, 3555.
SPIES, THE, I, 115, 146, 162; II, 287; III, 399, 518; IV, 710; V, 945, 960; VI, 1112, 1113, 1151; VIII, 1358, 1504; IX, 1712; X, 1744, 1775, 1837; XI, 2005, 2042, 2067, 2070; XIII, 2343, 2421, 2475; XIV, 2583, 2590, 2647; XV, 2746, 2768, 2872; XVII, 3165, 3182; XVIII, 3414, 3423-3424; XIX, 3479, 3505, 3555-3556, 3583, 3612; XXI, 3874, 3890, 3937, 3992; XXII, 4010, 4050.
SPINNING AND WEAVING, XIX, 3556-3559.
Spinoza, Baruch (philosopher) (1632-1677), III, 475; XV, 2834.
SPIRITUAL GIFTS, XIX, 3559, 3561; XX, 3749.
SPITTING, XIX, 3561.
Sporades Islands, XV, 2783.
SPRINKLING-OFFERING, XIX, 3561.
STACHYS, XIX, 3561.
STAR OF THE MAGI, XIX, 3561, 3563.
STATER, XIX, 3563.
States-General Bible, III, 463.
Stations of the Cross, IX, 1606.
Statius (poet), VI, 1119.
Stein, Gertrude, XIII, 2436.
STELE, XIX, 3563.
STEPHANAS, VI, 1087; XIX, 3563-3564; XXI, 3970.
Stephanus (1498-1559), III, 464; XV, 2813.
STEPHEN (the martyr), I, 64, 66-67, 71, 76, 181; IV, 591, 698; VI, 995; VIII, 1450; X, 1916; XI, 1989; XII, 2287; XIV, 2538; XV, 2793, 2795-2796; XVI, 2916; XIX, 3564-3567, 3570; XX, 3780.
Stiorn, III, 468.
STOICISM, I, 132; III, 435, 474; IV, 590; V, 852, 860, 950; XI, 1965; XIV, 2536, 2638; XVI, 2930; XIX, 3567-3568.
STONING, IV, 671, 674; V, 897; VII, 1287, 1303; XV, 2793; XVIII, 3344; XIX, 3568, 3570, 3579.
STORK, XIX, 3570.
Strabo (geographer/historian) (c. 63 B.C.-A.D. 24), I, 57, 94; V, 802; X, 1742; XI, 2045; XIX, 3635; XX, 3689.
Straits of Gibraltar, XX, 3825.
Straits of Messina, XVII, 3234.
Strassburg, III, 464.
Stratonice, I, 182.
Straton's Tower, III, 508.
Strauss, Richard (composer), XVIII, 3301.
Strymon River, I, 161.
Stuttgart, Germany, III, 465.
SUAH, XIX, 3570.
SUBA, XIX, 3570.

SUCHATHITES, XIX, 3570.
SUCCOTH (place), V, 879; VI, 986; VII, 1163, 1170, 1331; IX, 1708; XVI, 2948; XIX, 3570-3571, 3609; XXI, 4002.
Succoth (holiday), V, 850, 853; VI, 1036, 1039; XII, 2200; XVIII, 3281.
SUCCOTH-BENOTH, XIX, 3571.
SUD, XIX, 3465, 3571.
Sudan, IV, 695; VI, 988.
SUDIAS, XIX, 3571.
Suetonius (historian), III, 525; IV, 621; V, 821; XI, 2093.
Suez, Gulf and Isthmus of, XI, 2075; XVII, 3179; XIX, 3465, 3491; XXI, 3936.
Suez Canal, XIX, 3487, 3491.
Suisharishkun (monarch), XIV, 2562.
SUKKIMS, XIX, 3572.
Suleiman the Magnificent, IX, 1560.
Sulla, Lucius Cornelius (Roman general), II, 314; X, 1830; XVI, 2978-2979; XVII, 3121.
SUMER, SUMERIANS, I, 150; II, 253, 274, 292; III, 531; IV, 666; V, 811, 859, 951; VI, 1007, 1014, 1074, 1124-1125; X, 1892; XI, 1941, 2080; XII, 2223; XIV, 2560-2561, 2633; XVI, 2935; XVIII, 3356, 3398, 3449; XIX, 3534, 3572-3574, 3576; XX, 3823, 3840; XXI, 3901, 3972.
Sumra, XXI, 4029.
SUN AND SUN WORSHIP, XIX, 3576-3577, 3579.
Suppiluliumas (monarch), VII, 1306.
SUR, XIX, 3579.
Sura, III, 444; XIX, 3571.
Surius (Church historian), III, 451.
SUSA, I, 125; IV, 719; V, 876; X, 1899; XIII, 2477, 2481; XIX, 3465 (see also "Shushan" in Index).
SUSANCHITES, XIX, 3579.
SUSANNA, VII, 1303-1304, 1306; IX, 1638; XIX, 3579, 3581 (see also "History of Susanna" in Index).
SUSANNA (New Testament personage), XII, 2134; XIX, 3581.
Susanna, History of (see "History of Susanna" in Index).
SUSI, XIX, 3583.
SWALLOW, XIX, 3583-3584.
SWAN, XIX, 3584.
SWINE, XIX, 3584-3586.
Switzerland, XVI, 2984; XVII, 3246.
SYCAMINE, XIX, 3586.
SYCHAR, VIII, 1452; XIX, 3586; XXI, 3964.
SYCOMORE, XIX, 3586; XX, 3773.
SYCHEM, XIX, 3586.
SYELLUS, XIX, 3586.
SYENE, VI, 987; XIX, 3494, 3586-3587.
Symmachus, III, 460; VIII, 1362; XVIII, 3405.

Two photographs of Ophrah. General view of the present day village of Taiyibeh (*left*), and (*below*) ruins of a church named for St. Jerome (*Counsel Collection*).

SYNAGOGUE, I, 64, 134, 145; II, 316; III, 444, 545, 575; IV, 647, 698, 763; V, 813, 850, 855, 860, 941; VI, 999, 1024; VII, 1230, 1261, 1271, 1313; VIII, 1379; IX, 1584; X, 1916; XI, 1984; XII, 2155; XIII, 2398; XIV, 2621; XV, 2788, 2793, 2838-2839, 2851, 2853; XVI, 2887, 2909, 2918, 3064; XVIII, 3079, 3099, 3142, 3179, 3222; XVIII, 3283, 3375, XIX, 3547, 3564, 3587-3590, 3592, 3623, 3645; XX, 3758, 3784; XXI, 3968 (*see also* "Men of the Great Synagogue" in Index).
Synagogue of the Libertines, XV, 2793.
Synodal Version, the, III, 464.
SYNOPTIC GOSPELS, I, 145, 166; II, 207, 220, 281, 283, 356, 362; III, 419, 429, 431, 476, 538, 550; IV, 586, 589, 591-592, 598-599, 601, 685; V, 782, 801, 889, 899, 907, 931; VI, 968, 989, 1087, 1096-1097, 1112, 1133, 1144; VII, 1199-1200, 1284, 1286-1287, 1312-1313; VIII, 1531; IX, 1576, 1584-1585, 1590-1591, 1597, 1601, 1607, 1667-1668, 1673; X, 1744, 1794-1795, 1849, 1901, 1903-1904, 1915; XI, 1969, 1982, 2061, 2087; XII, 2149, 2153, 2163, 2230; XIII, 2381, 2407, 2439, 2448-2449; XIV, 2503, 2531, 2536, 2607; XV, 2753, 2764, 2768; XVI, 2916, 2983; 3000; XVII, 3093, 3125, 3233, 3264; XVIII, 3408; XIX, 3485, 3487, 3549, 3592-3594, 3596-3597, 3599-3602, 3614; XX, 3659, 3699, 3768-3769, 3778, 3790, 3795; XXI, 3864, 3927, 4009.
SYNOPTIC PROBLEM, IV, 599; VI, 1087; XIX, 3597, 3599-3604.
SYNTYCHE, XVI, 2922-2923; XIX, 3604.
SYRACUSE, XVIII, 3453; XIX, 3604.

SYRIA, SYRIAN EMPIRE, I, 125, 128, 180-181, 183, 191; II, 231-232, 278-280, 292, 300, 302; III, 394-395, 405, 420, 459, 516, 553, 559; IV, 617, 626-628, 646, 697-698, 705, 723, 743; V, 782, 785-788, 824, 835, 883, 897, 911, 926; VI, 968, 1054, 1062, 1066, 1071, 1148; VII, 1210, 1212, 1219-1220, 1254-1255, 1267, 1276, 1294, 1307-1308, 1317, 1330, 1343; VIII, 1354, 1360, 1365, 1377, 1380, 1392, 1395, 1397, 1417, 1419, 1427, 1446-1447, 1480-1482, 1488, 1497, 1530, 1536; IX, 1546, 1551, 1560, 1582, 1584, 1634, 1687-1688, 1704-1705; X, 1763, 1781-1783, 1786, 1798, 1865, 1893; XI, 1928, 1999-2000, 2025, 2078; XII, 2179, 2223, 2298; XIII, 2411-2412, 2462, 2472, 2494; XIV, 2516, 2581; XV, 2713, 2717, 2727-2728, 2760, 2772, 2796, 2798, 2818, 2851; XVI, 2929, 2978-2979, 2982, 3020; XVII, 3102, 3114, 3117-3118, 3120-3121, 3159, 3165, 3263; XVIII, 3286, 3297, 3356, 3383, 3390, 3392, 3394-3398, 3400, 3402, 3455; XIX, 3483, 3514, 3556, 3590, 3604, 3606-3608, 3632, 3634-3635, 3639; XX, 3706, 3710, 3728, 3764, 3768, 3828.
Syria (modern), I, 25; II, 298; XV, 2746; XVI, 2954, 2961.
"Syriac Apocalypse of Baruch," II, 202.
SYRIA-MAACHAH, XIX, 3608.
Syrian Apocalypse of Baruch, II, 363.
Syro-Ephraimite War (734 B.C.), IV, 706.
Syro-Hexaplar, III, 473.
SYROPHOENICIAN, XIX, 3608.
SYRTIS, XIX, 3608.
Systematic Theology (Tillich), XVIII, 3339.

TAANACH, II, 335; VII, 1333; IX, 1634; XIX, 3609.
Taanach, III, 428.
Taanak, XIX, 3609.
TAANATH-SHILOH, XIX, 3609.
Tabal, XX, 3742.
Tabaoth, XIX, 3609.
TABBAOTH, XIX, 3609.
TABBATH, XIX, 3609.
TABEAL, XIX, 3609-3610; XX, 3735.
TABEEL, XIX, 3610; XX, 3712.

Tabellius, XIX, 3610.
TABERAH, XII, 2273; XV, 2705; XIX, 3610.
TABERNACLE, I, 14, 16-17, 23, 116, 118, 138-140; II, 287, 317, 320; III, 399, 425, 489, 497, 535-536, 571; IV, 613, 656, 710, 716, 878; V, 884, 923, 945; VI, 986, 1004, 1067, 1073, 1099, 1110, 1116, 1147; VII, 1299, 1339; VIII, 1355, 1434, 1436, 1479, 1482, 1496, 1499; IX, 1548; X, 1744, 1771, 1775, 1874, 1877, 1879, 1913; XI, 1938, 1941-1944, 1953, 1962, 2007, 2055, 2067; XII, 2212, 2215, 2249, 2260, 2273;

XIII, 2331, 2341, 2413, 2439; XIV, 2508-2509, 2584, 2586, 2589, 2612, 2627, 2630, 2646, 2650; XV, 2696, 2706, 2717, 2720, 2729, 2829, 2832, 2842, 2872; XVI, 2901, 2931, 2952, 2959-2960, 3013; XVII, 3209, 3226, 3246; XVIII, 3338-3339, 3430, 3432, 3435-3437, 3444-3446, 3454, 3456; XIX, 3463, 3479, 3487, 3499, 3518, 3555, 3559, 3590, 3610-3614, 3618, 3637, 3639; XX, 3662, 3754, 3804, 3836, 3840; XXI, 3862, 3864, 3925, 3967, 4007, 4010, 4012; XXII, 4041, 4046.

"Tabernacle of the Testimony," XIX, 3610.

TABERNACLES, FESTIVAL OF, I, 189; VI, 1039, 1064; VII, 1230, 1319; VIII, 1355; IX, 1592; X, 1886; XI, 1955, 2023; XII, 2200; XIII, 2373, 2380, 2482; XV, 2780, 2838; XVIII, 3281, 3284; XIX, 3490, 3614, 3616-3617, 3625; XXI, 3938, 3941, 3959.

Tabhah, XIX, 3590.

TABITHA, IX, 1706; XII, 2287-2288; XIX, 3617-3618.

Table of Nations, VII, 1184, 1232; VIII, 1472, 1478; X, 1891; XI, 1932, 1980; XII, 2190; XIV, 2559, 2568; XV, 2820, 2877; XVI, 2929, 2938; XVII, 3139, 3197; XVIII, 3286, 3296, 3387, 3397, 3402, 3437; 3449; XIX, 3494, 3632-3633; XX, 3724, 3741, 3794; XXI, 3852, 4029.

Table of Showbread (*see* "Showbread, Table of" in Index).

TABOR, XIX, 3618.

Tabor, Mount (*see* "Mount Tabor" in Index).

TABRIMMON (king of Damascus), I, 25; III, 393; IV, 705; XIX, 3618.

TACHE, XIX, 3618.

TACHMONITE, XIX, 3619.

Tacitus, Cornelius (Roman historian) (c. A.D. 55-after 117), I, 76; XI, 2093; XIV, 2525; XVI, 2981; XVII, 3253.

TADMOR, X, 1897; XIX, 3619.

Taffuh, III, 424; XIX, 3631.

Tafile, XX, 3750.

TAHAN, XIX, 3619.

Tahanites, XIX, 3619.

Taharqa, IV, 696.

TAHATH, XIX, 3619.

TAHPANHES, VII, 1316; XII, 2249; XIX, 3619-3620.

TAHPENES, XVI, 2904; XIX, 3620.

TAHREA, XIX, 3620-3621.

TAHTIM-HODSHI, LAND OF, XIX, 3621.

Tal'at ed-Damm, I, 95; VII, 1172.

TALENT (coin), XIII, 2320; XIX, 3621; *passim*.

TALENTS PARABLE, XV, 2753; XVI, 2993; XIX, 3621-3622 (*see also* "Parables of Jesus Christ" in Index).

TALITHA CUMI, XIX, 3622.

TALMAI (various personages), I, 47, 147, 162; II, 233; VI, 1148; VII, 1265; XI, 2004; XIX, 3622.

TALMUD, I, 98; II, 287-288; III, 399, 401, 444, 524; IV, 637, 709; V, 805, 843, 845, 855, 943, 945; VI, 999, 1017-1018, 1029, 1037, 1111; VIII, 1393-1394, 1397, 1433, 1436, 1472, 1512; IX, 1628, 1643, 1651, 1655; X, 1771, 1791, 1889-1890; XI, 1935, 1940, 2067; XII, 2145, 2209, 2295; XIII, 2380, 2455; XV, 2834; XVI, 2957, 2973; XVII, 3082, 3148, 3207-3208, 3210; XVIII, 3345, 3349, 3377, 3379; XIX, 3478, 3529, 3587, 3622-3627; XX, 3667-3668, 3752; XXI, 3945, 3951, 3980, 4011.

Talmud *Babli*, XIX, 3623.

Talmud *Yerushalmi*, XIX, 3623.

TALSAS, XIX, 3627.

TAMAH, XIX, 3627.

TAMAR (daughter-in-law of Judah), V, 839, 843, 950; VI, 1139; X, 1770, 1774; XI, 1940; XV, 2841; XVI, 2906, 2955, 2970; XVIII, 3436; XIX, 3627-3628; XX, 3686, 3717; XXI, 3862, 4000, 4002; XXII, 4039.

TAMAR (daughter of King David), I, 47, 149; IV, 594, 744; XI, 2004-2005; XV, 2699, 2758, 2865; XVI, 2955; XIX, 3622, 3627-3628.

TAMAR (daughter of Absalom), XVI, 2955; XIX, 3627-3628.

TAMAR (place), XVI, 2955; XIX, 3517, 3628.

TAMMUZ (deity), VII, 1221; VIII, 1356; XIII, 2392; XIX, 3530, 3576, 3628-3629.

Tanach, XIX, 3609.

Tancred, XIX, 3636.

Tangier, XIX, 3551.

TANHUMETH, XIV, 2510; XVIII, 3407; XIX, 3629.

Tanite Egyptian Dynasty, XIX, 3514.

Tanith (deity), II, 292.

Tannaim, XIX, 3626.

Tannaitic literature, XIX, 3587.

Tantura, VII, 1172.

Tanutenum (monarch), IV, 696.

TAPHATH, XIX, 3629.

Taphnes, XIX, 3619.

TAPHON, XIX, 3629-3630.

TAPPUAH, V, 936; XIX, 3630-3631; XX, 3724.

TARAH, XIX, 3631.

TARALAH, XIX, 3631.

TARES PARABLE, V, 826; XIII, 2408; XIX, 3631 (*see also* "Parables of Jesus Christ" in Index).

Targitaus (deity), XVIII, 3381.

Targum Jonathan bar-Uzziel, III, 444.

Targum of Onkelos, III, 444.

Targums, II, 288; III, 444-445, 460; VIII, 1390; XIII, 2439; XVIII, 3435; *passim*.

Targums of the Prophetic Books, III, 444.

Tarichaea, VI, 1071; X, 1739; XX, 3728.

INDEX 4205

Tarik, XIX, 3551.
Tariq es-Sultan, X, 1865.
TARPELITES, XIX, 3631.
Tarquin, XVII, 3263.
Tarraconensis, XIX, 3551.
TARSHISH (minor personages), XIX, 3631-3632.
TARSHISH (place), VII, 1302; VIII, 1477-1478; IX, 1693, 1705; XII, 2259-2260; XIV, 2561; XVIII, 3449; XIX, 3513, 3550, 3632; XX, 3686.
TARSUS, I, 66-67; II, 359; III, 510; IV, 617; VII, 1274; XI, 2061, 2077; XIV, 2526, 2538; XV, 2786, 2790, 2796; XVIII, 3374, 3449; XIX, 3632-3636.
TARTAK, XIX, 3636.
TARTAN, XVIII, 3356, 3402; XIX, 3636.
Tartarus, VII, 1270.
Tartessus, Spain, XVIII, 3449; XIX, 3550, 3632.
Tatian, III, 472; VI, 1091; XIV, 2522; XIX, 3600.
Tatian's Diatessaron, III, 464.
Tati Jews, XX, 3675.
TATNAI, VI, 1039-1040; XIX, 3496, 3636.
TAU, XIX, 3636.
Taurus Mountains, I, 185; IV, 617.
Taverner, Richard, III, 449-450; XIX, 3636.
TAVERNER'S BIBLE, III, 449-450; XIX, 3636.
Tax Collectors (*see* "Publicans" in Index).
TAXES, XIX, 3637-3639; XX, 3763.
TEBAH, XIX, 3639.
TEBALIAH, XIX, 3639.
TEBETH, VI, 1022; XIX, 3639.
Tefillah, XVII, 3079.
Tefnakht (monarch), XIX, 3505.
Tefnut (deity), VII, 1268.
Tehaphnehes, XIX, 3619.
Tehillim, XVII, 3079.
TEHINNAH, XIX, 3639.
Tehran, Iran, I, 59; XVII, 3151.
TEIL TREE, XIX, 3639.
TEKOA, I, 150-152, 154; II, 294; III, 412; VII, 1273; VIII, 1359; XII, 2235; XIII, 2412; XIV, 2680; XIX, 3639-3640; XX, 3690; XXI, 3945.
Tekoite, XIX, 3639.
TEL-ABIB, VI, 1015, 1017; XV, 2848; XIX, 3640.
Tel Abil, I, 22.
Tel Abu Hureirah, VI, 1146.
Tel Abu Matar, VII, 1331.
Tel Abu Sifri, I, 22.
TELAH, XIX, 3640.
TELAIM, XIX, 3640.
TELASSAR, II, 262; XIX, 3640; XX, 3690.
Tel Basta, XVI, 2939.
Tel Bolatan, V, 859.
Tel Casbah, V, 929.
Tel Defneh, XIX, 3619.

Tel ed-Duweir, II, 249.
TEL EL-AMARNA, I, 123; II, 293; V, 848; VII, 1220; XII, 2197; XIV, 2633; XIX, 3640-3641.
Tel El-Amarna Letters, II, 242, 250, 253, 267, 278, 292; VII, 1261; VIII, 1478; IX, 1546, 1722; X, 1884, 1899; XI, 1937, 1959; XII, 2197, 2202; XVII, 3110; XVIII, 3297, 3430, 3455; XIX, 3464, 3469, 3606, 3640-3641; XX, 3823.
Tel el-Balatah, XVIII, 3430.
Tel el-Beida, I, 60; III, 573; IV, 584.
Tel el-Fara, XVIII, 3426.
Tel el-Gudeideh, XIII, 2330.
Tel el-Hariri, IV, 732.
Tel el-Hesi, XVI, 2991.
Tel el-Jawah, XII, 2209.
Tel el-Jazar, VI, 1151.
Tel el-Kefrein, XVIII, 3454.
Tel el-Kheleifeh, XII, 2257.
Tel el-Khelife, VI, 1027.
Tel el-Maqlub, I, 22.
Tel el-Maskhutah, X, 1839.
Tel el-Semuniyeh, XVIII, 3448.
Tel el-Qadi, IV, 714.
Tel el-Qedah, VII, 1257.
TELEM, XIX, 3641.
Tel en-Nasbeh, XII, 2301.
Telepinus (monarch), VII, 1306.
Tel es-Retabeh, XVI, 2943.
Tel esh-Sheikh-Madhkus, I, 94.
Tel es-Safiyeh, VI, 1126; XII, 2301.
TEL-HARSA (-HARESHA), XV, 2848; XIX, 3641; XX, 3690.
Tel Hum, IV, 583.
Tel Ibrahim, IV, 696.
Tel Jemmeh, VI, 1144.
Tel Juran, II, 240.
Tel Keisan, I, 60.
Tellus (deity), II, 293.
TEL-MELAH, XV, 2848; XIX, 3641.
Tel Miryam, XII, 2249.
Tel Qades, X, 1841.
Tel Qeimun, IV, 697.
Tel Shaddua, XVIII, 3356.
Tel Sheikh Ahmed el-'Areini, VI, 1126.
Tel Waqas, II, 243.
TEMA, XIX, 3641.
TEMAN, V, 906; VII, 1340; XIX, 3641.
TEMENI, XII, 2412; XIX, 3641.
TEMPLE, I, 34, 57-59, 62, 64, 71, 111, 114, 134, 136, 138-139, 143, 145, 161, 167, 174, 178, 180, 185-186; II, 199, 210, 234, 254, 257-258, 262, 267, 280-281, 294, 296, 298, 302, 308-309, 311, 316, 324-327, 336, 348, 360, 362; III, 391, 393, 399-400, 402, 404-405,

408, 411, 429, 482, 490-492, 497, 502, 508, 524, 526, 535-536, 545, 551, 558, 563-564, 571; IV, 594-595, 606-608, 612, 616, 640, 644, 656, 682, 685, 699-700, 702, 704, 722-724, 731, 743, 767; V, 783, 785-786, 791-795, 798, 803, 815, 821, 842, 855, 876, 879, 889, 908, 922, 927, 934, 947, 957-958; VI, 968, 971-972, 1008, 1016-1017, 1021-1022, 1024, 1030, 1032-1034, 1038-1040, 1064, 1067, 1073, 1086, 1100, 1110, 1113, 1118, 1124, 1148, 1150; VII, 1162, 1170, 1174, 1185-1186, 1213-1214, 1217, 1224, 1226, 1238, 1244, 1248, 1251-1253, 1256, 1267, 1269, 1272-1273, 1277-1279, 1292, 1294-1295, 1297-1298, 1301, 1312, 1318-1319, 1329, 1331, 1334-1336, 1338-1339; VIII, 1355-1357, 1363, 1377, 1381, 1390, 1392, 1397, 1411, 1417, 1420-1423, 1425, 1444, 1462, 1464, 1468, 1471, 1477, 1479-1480, 1482, 1484-1485, 1495, 1506, 1508, 1511-1512, 1520, 1535; IX, 1548-1549, 1551, 1553-1554, 1556-1557, 1559-1561, 1563-1564, 1567-1568, 1573, 1575, 1582, 1584, 1594, 1597-1598, 1602, 1604, 1626-1627, 1638-1639, 1641, 1653, 1659-1660, 1688, 1705; X, 1735, 1737, 1740, 1747, 1757, 1759, 1771, 1778, 1780-1781, 1783, 1786, 1791, 1795, 1798-1799, 1812, 1822-1823, 1833, 1837, 1842, 1847, 1858, 1869, 1874, 1877, 1891, 1906, 1913, 1915-1916; XI, 1928, 1930, 1946, 1948, 1955, 1960, 1962, 1980, 1982, 1984, 1989, 1993-1995, 1997, 2002-2003, 2009-2010, 2013-2014, 2017, 2021, 2025, 2032-2033, 2035, 2037, 2055, 2058, 2060, 2064, 2069, 2098, 2100; XII, 2119, 2123, 2142, 2147-2148, 2175, 2178, 2200, 2207, 2209, 2214, 2220, 2233, 2243, 2259, 2268, 2287, 2298; XIII, 2315, 2320, 2331, 2373, 2376-2377, 2380, 2394, 2398, 2404, 2421, 2424, 2439, 2441-2443, 2445, 2448-2449, 2465, 2472, 2478, 2481-2482, 2484, 2486, 2488, 2493; XIV, 2508-2510, 2513, 2515, 2536, 2551, 2565, 2579, 2599, 2605, 2607, 2615, 2623, 2627, 2632, 2635, 2650, 2656, 2674, 2685, 2687; XV, 2695-2696, 2701-2702, 2704-2705, 2712-2713, 2768, 2770, 2774-2775, 2777, 2780, 2795-2796, 2803-2804, 2820, 2823, 2826, 2838, 2845-2846, 2849, 2851, 2853, 2866; XVI, 2901-2902, 2909, 2932, 2955, 2960-2961, 2979, 2984, 2988, 3014, 3020, 3035, 3042, 3060, 3062, 3064, 3072; XVII, 3079, 3083-3084, 3090, 3095, 3112, 3120, 3163, 3168, 3176, 3183-3184, 3187, 3226, 3234, 3239, 3251-3252; XVIII, 3284, 3286-3290, 3292-3293, 3303, 3308, 3310, 3312, 3314, 3341-3342, 3344, 3359, 3378-3380, 3396-3397, 3400, 3404, 3407, 3418-3420, 3424, 3429-3430, 3434-3436, 3438, 3440, 3442, 3446-3448, 3453, 3455; XIX, 3463, 3465, 3478, 3487, 3490, 3499, 3514-3515, 3518, 3527-3529, 3545, 3555, 3570-3571, 3579, 3584, 3586-3588, 3590, 3592, 3609-3610, 3612, 3614, 3616-3617, 3622-3627, 3636, 3641-3648; XX, 3662, 3684, 3690, 3704, 3710, 3728-3729, 3735, 3754, 3756-3758, 3775-3776, 3778, 3793, 3808, 3821, 3836, 3840; XXI, 3850, 3856, 3862, 3864, 3868, 3914-3915, 3923, 3930, 3945, 3964-3965, 3967-3968, 3970-3971, 3991, 3993, 3997, 4002-4003, 4012-4015, 4017-4018, 4023, 4025; XXII, 4041, 4044-4045, 4047, 4053.

Temple Scroll (see "Dead Sea Scrolls" in Index).
TEMPTATION, VIII, 1353; XIX, 3599; XX, 3657, 3659, 3772.
TEN COMMANDMENTS, I, 14, 94; II, 265, 267, 295; III, 448, 493; IV, 652, 656, 658; V, 782, 796; VI, 1004-1007, 1022, 1060; VIII, 1393, 1415; X, 1744, 1855, 1912-1913; XI, 1952, 2098; XII, 2170; XIII, 2326, 2331, 2341, 2372, 2393, 2449, 2470; XIV, 2566, 2583, 2595, 2599, 2607, 2609; XV, 2838, 2872; XVI, 2930; XVIII, 3282, 3403, 3410, 3497; XIX, 3561, 3588, 3612, 3623, 3626; XX, 3659, 3662, 3664, 3754; XXI, 3956, 3975, 3980.
Ten Days of Repentance, XVIII, 3281.
"TEN LOST TRIBES OF ISRAEL," II, 278; III, 402; IV, 712; V, 802, 883, 947, 959; VII, 1321; VIII, 1420, 1423, 1433, 1435; X, 1852; XI, 2070; XIII, 2442, 2486; XIV, 2658; XV, 2849; XVII, 3211, 3234; XVIII, 3311, 3334, 3356, 3422; XX, 3666-3668, 3670, 3672-3676, 3808; XXI, 4011.
Tent of Meeting, VI, 999; XVIII, 3339, 3445; XIX, 3590, 3610.
Tent of the Testimony, XIX, 3610.
TEN VIRGINS PARABLE, VI, 1047; XV, 2753; XIX, 3621; XX, 3676-3678; XXI, 3908 (see also "Parables of Jesus Christ" in Index).
TERAH (father of Abraham), I, 34-35; IV, 606; V, 1136, 1138; VII, 1246; VIII, 1413; XI, 1935, 1974-1975; XIII, 2326, 2423; XV, 2869; XX, 3678, 3686.
TERAPHIM, VIII, 1355; X, 1882; XI, 2047; XII, 2234; XVII, 3147; XVIII, 3430; XX, 3678.
Terebinth, VII, 1296; XIX, 3637; *passim*.
TERESH, III, 477; XX, 3678.
Tersous, XIX, 3632.
TERTIUS, XX, 3678, 3680.
Tertullian (Church Father) (c. A.D. 155-225), I, 97; II, 214; III, 550; IV, 586; VII, 1263; X, 1805; XIV, 2518, 2631; XV, 2834; XIX, 3551; XX, 3711, 3768.
TERTULLUS, IV, 614; VI, 1062; VII, 1274; XX, 3680.
Testament of Jacob, VIII, 1452.
Testament of Job, XVII, 3102.
"Testament of Moses," the, X, 1764; XVII, 3102.
Testament of Naphtali, XX, 3621.
TESTAMENTS OF THE 12 PATRIARCHS, I, 179; V, 934; VII, 1312; IX, 1724; XI, 1937; XVII, 3101, 3105; XX, 3681, 3683-3684.
Testimonium Flavianum, X, 1742.
TETA, XX, 3684.
TETH, XX, 3684.

St. Peter's church on the shores of Galilee in biblical Tabgha (*Counsel Collection*).

Tetrapla (*see* "Hexapla" in Index).
TETRARCH, XX, 3684-3685; *passim*.
Textus Receptus, XV, 2813.
THADDEUS THE APOSTLE, X, 1804; XI, 1931; XX, 3685-3686, 3795.
Thadmor, XIX, 3619.
THAHASH, XX, 3686.
Thales, II, 306; XII, 2250.
Thamah, XIX, 3627.
THAMAR, XX, 3686.
THAMNATHA, XX, 3686, 3718.
THANK-OFFERING, XX, 3686.
Thanksgiving Psalms, the (*see* "Dead Sea Scrolls" in Index).
Thapsus, X, 1833.
THARA, XX, 3686.
THARSHISH, XIX, 3632; XX, 3686.
Thasos, XVI, 2917.
THASSI, XX, 3686.
"The Admonitions to Righteousness," V, 934.
The Angel and the Prophet Balaam, II, 352.
The Antiquities of the Jews (Josephus), I, 61, 72, 96, 124, 128-130, 180; II, 261; III, 409; IV, 598; V, 873; VI, 969, 1029, 1040, 1042; VII, 1252, 1301, 1343; VIII, 1468; IX, 1575, 1683, 1687; X, 1738, 1740, 1742, 1890; XI, 2001; XII, 2147; XIII, 2411, 2459, 2482; XIV, 2614; XV, 2834; XVI, 2917, 3065; XVII, 3127, 3185; XVIII, 3301; XIX, 3463, 3483; XX, 3698, 3708.

"The Ascension of Moses," II, 297.
"The Assumption of Moses," II, 297; III, 550.
The Basic Bible, III, 455, 457.
THEBES, I, 123; II, 303; V, 867; VII, 1211; XIII, 2423-2424; XIV, 2564; XVI, 2932; XVIII, 3453; XIX, 3686-3689.
Thebes (Grecian), XIX, 3553.
THEBEZ, I, 26; XX, 3689-3690.
"The Catholic Bible," III, 464.
THECOE, XIX, 3638; XX, 3690.
The Confessions of Asenath, II, 285.
The Creation (Haydn oratorio), IV, 666.
The Dead Sea Scrolls: 1947-1969 (Wilson), IV, 767.
"The Destruction of Sennacherib" (Byron), VII, 1294.
"The Dream Visions," V, 934.
The Ethics of the Fathers, XXI, 3943.
The Ethiopic Version of Enoch, XVI, 2892.
The Feast of Belshazzar (Rembrandt), IV, 720.
The Frieze of the Prophets (Sargent), I, 154; VII, 1321; VIII, 1394; IX, 1661.
"The Heavenly Luminaries," V, 934.
The Jewish Wars (Josephus), I, 140; VI, 969-971; X, 1738, 1740, 1743; XII, 2136; XVI, 2931.
THELASAR, XX, 3690.
THELERSAS, XX, 3690.
"The Little Book of Comfort," VIII, 1517.
The Marriage Feast of Samson (Rembrandt), XVIII, 3319.
"The Martyrdom of Isaiah," II, 283.

The Masque of Reason (Frost), IX, 1646.
The Messiah (Handel oratorio), IV, 651; IX, 1655.
The Miracle of St. Mark (Tintoretto), XI, 2085.
"The Moon of Canaan," IX, 1724.
THEOCANUS, XX, 3690.
Theocritus (poet), I, 131.
Theodore of Mopsuestia (Syrian theologian), III, 474; IX, 1646, 1649; XIX, 3531.
Theodosius the Great (Roman emperor), XVII, 3253.
Theodotion (Church Father), III, 460-461; IV, 724; VII, 1291; VIII, 1362; XVIII, 3405.
Theodotus (son of Vetenus), XIX, 3590.
THEOPHANY, XX, 3690-3692; *passim*.
THEOPHILUS, I, 61; XIV, 2533; XX, 3692.
Theophilus of Antioch, III, 433.
THERAS, XX, 3692.
THERMELETH, XX, 3692.
Thermopylae, Battle of (191 B.C.), I, 185.
THESSALONIANS, FIRST EPISTLE TO THE (New Testament), III, 429, 443, 500; IV, 648; XIV, 2543; XV, 2801-2802, 2810, 2813; XVII, 3217; XIX, 3476; XX, 3692, 3694-3696.
THESSALONIANS, SECOND EPISTLE TO THE (New Testament), III, 429, 436, 443, 447; IV, 648; XIV, 2543; XV, 2801-2802, 2810, 2813; XIX, 3476; XX, 3692, 3694-3696, 3698.
THESSALONICA, I, 72, 161; II, 217; III, 403; V, 785; VI, 999; VIII, 1477; XI, 2041; XIII, 2460; XIV, 2543; XV, 2801-2802, 2813; XVI, 2918-2919; XVIII, 3387; XIX, 3476, 3590; XX, 3698, 3718.
Thessaly, I, 57; XXII, 4445.
"The Testament of Hezekiah," II, 283.
"The Testament of Moses," II, 297.
THEUDAS, I, 72; IV, 600-601; XIV, 2538; XX, 3698-3699.
"The Vision of Isaiah," II, 283.
"The Voyage of Wen-Amun," XVI, 2925.
The Well of Moses (Sluter), I, 154; VII, 1321; VIII, 1394; IX, 1661.
THIMNATHAH, XX, 3699.
Third Letter to the Corinthians, XIV, 2522.
Third Missionary Journey (of Paul), I, 69, 71; II, 263; III, 510; VI, 1112, 1116; XI, 1982; XII, 2250, 2298, 2301; XIV, 2540; XV, 2800, 2814; XVI, 2912, 2919, 2938; XVII, 3111, 3236, 3256, 3260; XVIII, 3314, 3388; XIX, 3545, 3547; XX, 3720, 3791, 3793, 3821, 3830.
Third Syrian War, XVIII, 3390.
Thirty-Nine Articles of the Roman Catholic Church, II, 210; X, 1902.
THOMAS THE APOSTLE, II, 213, 215, 217; V, 804; VI, 1088; XI, 1967; XVII, 3201; XX, 3699-3701, 3703, 3795, 3799.

"Thomas Matthew," III, 440, 449; XII, 2173.
Thomas of Heraclea, III, 473.
Thomoi, XIX, 3627.
Thorlaksson, Gudbrandur, III, 468.
Thoth (deity), V, 864.
Thothmes III (monarch), XIX, 3609.
THRACE, I, 125, 185; XX, 3703-3704.
THRASEAS, XX, 3704.
THREE TAVERNS, XX, 3704-3705; *passim*.
THRESHING FLOOR, II, 308; IV, 749; VII, 1295; IX, 1548; XI, 2107; XV, 2713; XVIII, 3341; XX, 3705-3706.
Thucydides, I, 73; II, 314.
Thusiai, VI, 989.
Thutmose II (Pharaoh), II, 274.
Thutmose III (Pharaoh), II, 242, 251; VII, 1343; XI, 1940; XII, 2197.
THYATIRA, I, 172; XI, 2001; XIV, 2617; XVI, 2918; XVII, 3227; XX, 3706-3707.
THYINE WOOD, XX, 3707.
Tiamat (deity), IV, 666, XI, 1940.
TIBERIAS, I, 87; IV, 621, 768; VII, 1234; IX, 1687; X, 1739, 1901; XII, 2218; XIII, 2454; XVII, 3155, 3241; XVIII, 3387; XX, 3703, 3707-3708.
TIBERIUS (Roman emperor), II, 324, 356; IV, 601; V, 790, 927; VII, 1283; VIII, 1359; XI, 2001; XVI, 2913, 2982, 2984, 2995, 3020; XVII, 3263; XVIII, 3353; XIX, 3503, 3590; XX, 3707, 3709-3711.
Tiberius Alexander, XVI, 2929; XX, 3728.
Tiberius Claudius Nero, XX, 3709.
Tiber River, XVII, 3261; XIX, 3608; XX, 3765.
TIBHATH, XX, 3711.
TIBNI, VII, 1172; VIII, 1427; XV, 2697; XX, 3711.
TIDAL, III, 402, 565; XX, 3711-3712.
Tigellinus, XIV, 2504.
TIGLATH-PILESER (three Assyrian kings), I, 22, 59, 109-110; II, 243, 267, 291, 298, 300, 302, 343; IV, 706; V, 946; VI, 1118; VII, 1171, 1204, 1222, 1258, 1303, 1320-1321, 1324; VIII, 1359-1360, 1392, 1431-1432, 1472; IX, 1551; X, 1783, 1809, 1840, 1867; XIV, 2560; XVI, 3044; XVII, 3110, 3125, 3211, 3233-3234; XVIII, 3309, 3400, 3421, 3434; XIX, 3470, 3517, 3638; XX, 3712-3714, 3828.
Tigranes (Armenian monarch), IV, 629; XIX, 3635.
Tigre, VI, 988.
TIGRIS River, I, 101; II, 298, 346; III, 516, 563; V, 876, 919; VI, 993, 1029, 1072, 1074, 1126; VII, 1210, 1237, 1294; IX, 1693; XII, 2190, 2220; XIII, 2326; XIV, 2560; XV, 2771, 2773, 2820; XVII, 3197; XVIII, 3398, 3449, 3451, 3455; XIX, 3572; XX, 3712, 3714, 3716, 3738, 3768; XXI, 3901.
TIKVAH, TIKVATH, XX, 3690, 3716.
Til-Ashuri, XIX, 3638.

Til-Assur, XIX, 3638.
Til Garimanu, XX, 3742.
Tillich, Paul (theologian), XVIII, 3339; XIX, 3568.
TILON, XX, 3716.
TIMAEUS, II, 362; XX, 3716.
Timbrels, XIII, 2407.
TIMNA, XX, 3716.
TIMNAH, IV, 710; X, 1776; XI, 2073, 2104; XVIII, 3317; XX, 3699, 3717.
TIMNATH, XIV, 2619; XIX, 3628; XX, 3686, 3717; XXI, 3874.
TIMNATH-HERES, VI, 1107; XX, 3717.
TIMNATH-SERAH, VI, 1107; X, 1747; XX, 3718.
TIMON, XX, 3718.
TIMOTHEUS, XVII, 3165; XX, 3717.
TIMOTHY (companion of Paul), I, 71-72; IV, 619, 637-638, 649, 652, 654; VI, 989, 991, 995; VII, 1240, 1263, 1265, 1343; XI, 1962, 1966, 2000, 2003; XIV, 2541, 2543, 2617; XV, 2800-2802, 2812-2814, 2816; XVI, 2915, 2918-2919, 2938; XVII, 3125; XIX, 3476, 3545; XX, 3694, 3718-3720, 3732, 3821; XXI, 3964.
TIMOTHY, THE FIRST EPISTLE TO (New Testament), III, 429, 433; IV, 759; XI, 2041; XIV, 2522, 2543; XV, 2782, 2811, 2813, 2816; XVI, 3009; XX, 3720-3723, 3734; XXI, 3930.
TIMOTHY, THE SECOND EPISTLE TO (New Testament), III, 429, 433; IV, 705; XI, 2003, 2053, 2083; XIV, 2522, 2543; XV, 2700, 2782, 2811, 2813, 2816; XVII, 3125; XX, 3720-3723, 3734, 3792.
Tina, the Plain of, XIX, 3487.
Tinsemet, XIX, 3584.
Tintoretto (artist), IV, 690; XI, 1992, 2085.
TIPHSAH, XX, 3723-3724.
TIRAS, VI, 1132; XX, 3724.
TIRATHITES, XX, 3724.
TIRHAKAH (Egyptian monarch), IV, 696; V, 952; VII, 1294; XVIII, 3400, 3402; XX, 3724-3726, 3828.
TIRHANAH, X, 3726.
TIRIA, XX, 3726.
TIRSHATHA, XVIII, 3441; XX, 3726.
Tirshatha, XIII, 2481.
TIRZAH, II, 279; V, 875; VIII, 1425, 1427; XV, 2697; XIX, 3532; XX, 3724, 3727; XXII, 4048.
Tischendorf, Konstantin von, III, 446-447; XVIII, 3406.
Tisha B'Av, X, 1891; XII, 2200.
Tishbe, V, 891; XX, 3727.
TISHBITE, XX, 3727.
Tishrei, XIX, 3616; XX, 3794.
TISHRI, III, 524; XX, 3727.
TITHES, I, 173; XIX, 3625; XX, 3728; *passim.*
Titian (artist), XI, 1992.
TITUS (Roman emperor), I, 62; III, 404, 511-512, 536; V, 821, 927-928; VI, 1054; VII, 1283; VIII, 1422; IX, 1560, 1580, 1627; X, 1740; XVI, 2932; XVII, 3252; XVIII, 3293; XIX, 3463, 3588, 3623, 3645; XX, 3728-3731; XXI, 3866-3868, 3872, 4003.
TITUS (companion of Paul), II, 279; IV, 648, 652-654, 669, 705; VI, 1115; X, 1836; XIV, 2522, 2541, 2543; XV, 2798, 2814, 2816; XVI, 2919; XX, 3731-3732, 3821; XXI, 4029.
TITUS, EPISTLE TO (New Testament), III, 429, 433; XIV, 2543-2544, 2554; XV, 2782, 2810-2811, 2813, 2816; XVII, 3181; XX, 3720, 3731-3734.
Titus Flaminius, V, 926.
TITUS MANLIUS, XX, 3734-3735.
TIZITE, XX, 3735.
Tjekar (Tjikar), XVI, 2925.
Tjekerbaal, XVI, 2925.
Tmolius Mountains, XVIII, 3352.
TOAH, XIII, 2421; XX, 3735.
TOB, THE LAND OF, II, 233; VIII, 1500; XX, 3735, 3794.
TOB-ADONIJAH, XX, 3735.
TOBIAH, II, 231; XIII, 2478, 2481, 2484; XV, 2702; XVII, 3114; XVIII, 3337-3338, 3430; XX, 3735.
TOBIAS, II, 294; V, 857; VI, 1072; VII, 1303; XIV, 2611; XVII, 3152, 3163; XVIII, 3306, 3345; XX, 3735-3736.
TOBIE, XX, 3735.
TOBIEL, XX, 3735.
TOBIJAH, XX, 3735.
TOBIT, I, 94, 162, 164, 174; II, 280, 327; III, 505; IV, 768; V, 857, 929; VI, 1072, 1107; XIII, 2443; XIV, 2611; XVII, 3163; XX, 3699, 3735-3736, 3738-3739; XXI, 3895.
TOBIT, THE BOOK OF (Apocrypha), I, 108, 143, 171, 208; II, 294; IV, 767; V, 848; XIV, 2562; XVII, 3151-3152, 3163; XVIII, 3404; XX, 3699, 3735-3736, 3738-3739; XXI, 3895, 3943.
TOCHEN, XX, 3741.
TOGARMAH, VII, 1195; XX, 3741-3742.
Togheret ed-Debr, IV, 768.
Tohorot, XII, 2295; XIX, 3625.
TOI, XX, 3742.
TOLA (Judge of Israel), V, 820; VIII, 1434, 1464; X, 1811, 1819; XV, 2859; XVII, 3123; XVIII, 3423; XX, 3742.
TOLA (son of Issachar), VIII, 1434, 1464; XX, 3742; XXI, 3854.
TOLAD, V, 921; XX, 3742.
Tolbanes, XIX, 3639.
Tolkien, J.R.R., IX, 1567.
Tomb of Rachel, XVII, 3149.
TOMBS, XX, 3742-3748.
TONGUES, GIFT OF, XX, 3748-3749; *passim.*

4210 THE FAMILY BIBLE ENCYCLOPEDIA

Two views of Beth Shemesh located in western Galilee, with excavations in the lower view (*Counsel Collection*).

INDEX 4211

TOPAZ, XX, 3749-3750.
TOPHEL, XX, 3750.
TOPHET, VII, 1297, 1300; XX, 3750-3751.
TOPHETH, XIII, 2312; XX, 3750-3751.
TORAH, II, 296, 363; III, 428, 444, 543, 545, 549; IV, 658, 767; V, 795, 860, 957-958; VI, 970, 1005, 1034, 1036-1037, 1040, 1066, 1094, 1136; VII, 1263; IX, 1573, 1661; X, 1791-1792, 1835, 1875, 1910-1911, 1915; XI, 1939, 1952, 2021; XII, 2295-2296; XIII, 2330, 2439, 2482; XIV, 2581, 2631, 2635, 2662, 2680; XV, 2823; XVI, 2909-2910, 2930, 3044; XVII, 3079, 3102, 3177, 3179; XVIII, 3283, 3288, 3293-3294, 3342, 3378, 3380, 3404, 3410, 3413, 3438; XIX, 3488, 3588-3589, 3616, 3622-3624; XX, 3662, 3728, 3751-3758; XXI, 3852, 3944-3945, 3951, 3980, 3989.
Tora Sebealpeh, X, 1791.
Tora Sebiketab, X, 1791.
Torrey, Charles C., VI, 1040.
Tosefta, XIX, 3624.
Tou, VII, 1222, 1232, 1234; IX, 1707 (*see also* "Toi" in Index).
Tower of Babel (*see* "Babel, Tower of" in Index).
Tower of Babel (Breughel), X, 1891.
Tower of Hananeel, IX, 1563, 1566.
Tower of the Furnace, IX, 1566.
Tower of the Hundred, IX, 1566.
Tower of Maecanas, XIV, 2504.
Tower of Meah, IX, 1566.
TRACHONITIS, VIII, 1438; IX, 1582; XX, 3758.
Tractatus Theologico-politicus (Spinoza), XV, 2834.
TRADE AND COMMERCE, VIII, 1365; XX, 3758-3765; *passim.*
TRAJAN (Roman Emperor), I, 97; II, 230; IV, 602, 698; V, 928; IX, 1627-1628, 1677; X, 1804, 1865; XIV, 2522; XV, 2772, 2844; XVI, 2987; XVII, 3253; XVIII, 3297, 3389; XIX, 3551; XX, 3723, 3765-3768.
Tralles, XVI, 2917.
TRANSFIGURATION, I, 166; IV, 636; V, 889, 899; IX, 1667, 1674; X, 1843; XI, 1995, 2092, 2098; XII, 2163, 2285; XIII, 2375, 2387; XIV, 2531; XVI, 2888, 2897, 3044; XIX, 3577, 3579; XIX, 3768-3771.
Transjordan, XVII, 3209; *passim.*
Travels of the Apostles, II, 214.
TREE OF KNOWLEDGE, I, 80; VI, 1048, 1083; XVIII, 3413; XX, 3771-3773.
TREE OF LIFE, I, 170; VI, 1049, 1083; XX, 3773.
TRESPASS-OFFERING, VII, 1215; XVIII, 3290; XIX, 3490-3491; XX, 3773-3776.
Tres Tabernae, XX, 3705.
TRIAL OF JESUS CHRIST, II, 213; III, 512; IV, 676; VI, 1088; VII, 1287; IX, 1602; XVI, 2981; XX, 3776, 3778, 3780-3781, 3784.

"Trigon," XIII, 2405.
TRINITY, THE, V, 854; VII, 1182, 1184, 1311, 1314; XII, 2229; XIV, 2596; XX, 3788, 3790.
Tripoli, V, 883; XXI, 4029.
TRIPOLIS, II, 267, 279; V, 785; XI, 1930; XX, 3790-3791.
Triptolemus (deity), VIII, 1357.
Tristram, Henry Baker, III, 479, 481.
Trito-Isaiah, V, 791-792, 794; VIII, 1398.
TROAS, II, 297; III, 555; IV, 652; VI, 995; XII, 2290; XIII, 2459; XV, 2800, 2802, 2805; XVI, 2918-2919, 2938; XVIII, 3314, 3388; XX, 3718, 3722, 3791-3792.
Trojan War, XV, 2731; XVII, 3235, 3261.
TROGYLLIUM, XX, 3792-3793.
TROPHIMUS, XX, 3793.
Truber, Primiz, III, 471.
TRUMPETS, FESTIVAL OF, VI, 1064; X, 1886; XVIII, 3281; XIX, 3490, 3616, 3625; XX, 3793-3794.
TRYPHENA AND TRYPHOSA, XX, 3794.
Trypho (Justin), XIX, 3485.
TRYPHON, I, 188-189; II, 364; V, 787; IX, 1705; XI, 2018, 2033; XV, 2715; XVII, 3111; XIX, 3478, 3483; XX, 3794.
TUBAL, VI, 1132; VII, 1184; VIII, 1478; XX, 3794.
TUBAL-CAIN, III, 497; X, 1889; XII, 2254, 2260; XIII, 2404, 2410; XIV, 2617; XX, 3794.
Tubias, XVII, 3114.
TUBIENI, XX, 3735, 3794.
Tudhaliash (monarch), III, 566; XX, 3712.
Tudhaliyas II (monarch), VII, 1306.
Tukulti-Ninurta I (monarch), XIV, 2560.
Tulul Dura, V, 845.
Tulul ed-Dhahab, XV, 2823.
Tunis, XIX, 3608.
Tunisia, X, 1832; XX, 3825.
Tunstall, Cuthbert, XX, 3822.
Turkey, I, 185; II, 233, 298, 322; III, 404; IV, 617, 637, 646, 698; VI, 1132; VII, 1220, 1230, 1246; X, 1747; XI, 2061; XII, 2221, 2250; XIII, 2320; XV, 2713, 2814; XVI, 2917; XVII, 3236; XVIII, 3314-3315, 3352; XX, 3706.
Turkish Ottoman Empire, V, 877; *passim.*
TURTLEDOVE, XX, 3794-3795.
Tushratta (king of the Mitanni), X, 1899.
Tutankamon (Egyptian pharaoh), I, 123; XX, 3688.
TWELVE APOSTLES, I, 61, 63-64, 165-166; II, 227, 283, 285, 361; IV, 586, 759, 766; V, 801, 811; VI, 1089, 1091; VII, 1329; VIII, 1466, 1471; IX, 1580, 1598, 1685, 1687; X, 1737, 1792, 1794, 1804, 1882, 1901, 1904, 1906; XI, 1931, 1989, 1994, 2038, 2093, 2095, 2097; XII, 2133, 2149-2150, 2153, 2174, 2279;

View of Kirjath-Jearim (Counsel Collection).

XIII, 2448; XIV, 2513, 2521, 2536, 2540, 2595; XV, 2750, 2764, 2775, 2789, 2795; XVI, 2887, 2915-2916, 3002-3003, 3006, 3009; XVIII, 3387, 3414, 3434, 3452; XIX, 3485, 3497, 3561, 3587, 3626; XX, 3585, 3699, 3748, 3784, 3795-3801, 3836; XXI, 3955, 3971, 4002, 4009.

TWELVE DUKES OF EDOM, I, 140; V, 875; VI, 1126; VIII, 1381, 1407, 1441; IX, 1622; X, 1877; XI, 2043; XII, 2232, 2301; XIII, 2421; XV, 2697; XVI, 2941; XVIII, 3388, 3423; XX, 3801; XXII, 4039.

TWELVE TRIBES OF ISRAEL, I, 16, 25, 32, 48, 87-88, 91-92, 113, 115, 136; II, 202, 257, 276, 285, 287, 334, 364, 366, 375; III, 396, 399, 401, 411, 416, 424, 478, 493, 500, 502, 518, 534, 543, 560, 569; IV, 592, 620, 703, 705, 709, 713, 731-732, 740; V, 775, 779, 795-796, 805, 856, 877, 879, 889, 893, 919, 942-943, 945; VI, 1009, 1059, 1110, 1139; VII, 1159, 1216, 1222, 1244, 1246, 1260, 1297; VIII, 1355, 1365, 1386, 1392, 1405, 1411, 1413, 1423, 1434, 1445, 1449, 1456, 1502, 1504, 1534; IX, 1548, 1561, 1624, 1663, 1665, 1670, 1674, 1689, 1712, 1722; X, 1744, 1746, 1751, 1769, 1771, 1773, 1775, 1777, 1806, 1812, 1817, 1839, 1841, 1852, 1856, 1879-1880, 1882, 1907, 1912; XI, 1927, 1935, 1937, 1942-1943, 1947, 1968, 2065, 2067, 2080; XII, 2198, 2213, 2249, 2266, 2273; XIII, 2343, 2372, 2382, 2439, 2443, 2458, 2474-2475, 2485, 2493; XIV, 2503, 2513, 2554, 2578-2579, 2583, 2589, 2593, 2597, 2645, 2647-2648, 2650, 2654; XV, 2712, 2719, 2727, 2733, 2746-2747, 2768, 2818, 2829, 2860, 2870; XVI, 2904, 2931, 2939, 2943, 2989, 3002; XVII, 3101, 3123, 3145, 3149, 3152, 3155, 3168, 3183, 3209, 3241, 3245; XVIII, 3277, 3282, 3326, 3334, 3360, 3387, 3404, 3427, 3431, 3433, 3436, 3438-3439, 3442, 3444-3446, 3449, 3453, 3456; XIX, 3463, 3474, 3478, 3482, 3517, 3527, 3555, 3576, 3579, 3610, 3614, 3622, 3639; XX, 3666-3667, 3690, 3692, 3717, 3735, 3784, 3786, 3788, 3801-3817; XXI, 3851, 3853, 3897, 3955, 3975, 4001, 4009; XXII, 4048, 4055, 4059.

TWO DEBTORS' PARABLE, XI, 1994; XV, 2753; XIX, 3487; XX, 3819, 3821 (*see also* "Parables of Jesus Christ" in Index).

TWO SONS PARABLE, XV, 2753; XX, 3821 (*see also* "Parables of Jesus Christ" in Index).

TYCHICUS, IV, 638; V, 937; XV, 2700; XVI, 2913; XX, 3821.

Tyndale, William, III, 439-440, 449-450; IV, 660-661; XII, 2173; XIV, 2518; XX, 3821-3823 (*see also following entry*).

TYNDALE'S VERSION, III, 439-440, 449, 451-452, 457, 468; IV, 660-661; VI, 1143; VII, 1208; X, 1762, 1854; XII, 2173; XVII, 3232; XIX, 3636; XX, 3821-3823; XXI, 3981.

TYRANNUS, V, 941; XV, 2802; XX, 3823.

TYRE, I, 60, 125, 156; II, 258, 279, 287, 365; III, 394, 423, 487, 497, 508, 536, 576; IV, 697; V, 787, 918, 951; VI, 1022, 1071, 1073, 1118, 1124, 1129; VII, 1232, 1235, 1255, 1273-1274, 1277, 1301-1302, 1318, 1339; VIII, 1377, 1398, 1427-1428, 1439, 1444, 1477; IX, 1548, 1624; X, 1784, 1838-1839, 1868, 1873, 1897; XI, 1930, 1987, 2098; XII, 2220, 2252, 2254, 2266, 2284, 2297; XIII, 2315, 2391, 2441, 2465, 2495; XIV, 2531, 2615, 2619; XV, 2702, 2742, 2745, 2782; XVI, 2932, 2934, 2958; XVII, 3157, 3180; XVIII, 3345, 3353, 3400, 3420, 3429, 3435, 3449, 3451; XIX, 3468-3470, 3499, 3514, 3518, 3521, 3579, 3641; XX, 3712, 3725, 3750, 3758, 3765, 3791, 3823-3830; XXI, 4001-4002, 4023; XXII, 4039, 4047.

Tyrrhenian Sea, XVII, 3246.

Tyropoeon Valley, IX, 1543, 1545-1546, 1548, 1552-1553; XIV, 2617; *passim*.

TYRUS, XX, 3830.

TZADDI, XX, 3830.

U

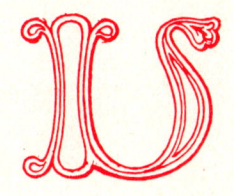

Ubaid, Ubaidians, XIX, 3572.
UCAL, VIII, 1436; XX, 3831.
UEL, X, 1829; XX, 3831.
Uffizi Gallery, Florence, VIII, 1386.
Ugarit, III, 553; IX, 1646; XVII, 3165; XXI, 3973; passim.
Ughabh, XIII, 2405.
ULAI, XIX, 3465; XX, 3831.
ULAM, XX, 3831.
Ulfilas, Bishop, III, 459, 464.
ULLA, XX, 3831.
Ulpian, XVI, 3019.
Ululai, XVIII, 3421.
UMMAH, XX, 3831.
Umm el-'Amad, III, 426.
Um Qeis, VI, 1112.
UNFORGIVING SERVANT PARABLE, XV, 2753; XIX, 3621; XX, 3831-3833 (see also "Parables of Jesus Christ" in Index).
UNICORN, XX, 3833.
Union Theological Seminary, III, 454.
Unitarian Church, XVII, 3232.
United Nations Plaza (N.Y.C.), VIII, 1394; XVI, 2970.
United Presbyterian Church, XVII, 3232.
University of Paris, III, 464.
UNJUST JUDGE PARABLE, VI, 1100; XI, 1995; XV, 2753; XX, 3834 (see also "Parables of Jesus Christ" in Index).
UNJUST STEWARD PARABLE, XI, 2061; XV, 2753; XX, 3834 (see also "Parables of Jesus Christ" in Index).
UNKNOWN GOD, XX, 3834, 3836.
UNLEAVENED BREAD, FESTIVAL OF THE, III, 499; V, 883; X, 1906; XI, 1950, 1955; XV, 2774-2775; XIX, 3616; XX, 3836.
UNNI, XX, 3836.
UNPROFITABLE SERVANT PARABLE, XV, 2753; XX, 3836-3837 (see also "Parables of Jesus Christ" in Index).
UPHAZ, XX, 3837.
Uppsala, Sweden, III, 468.

UR (father of Elophal), XX, 3837.
UR, UR OF THE CHALDEES, I, 34; II, 344; VI, 1138; VII, 1219, 1246; VIII, 1413; X, 1899; XI, 1975; XIII, 2326; XIX, 3573-3574; XX, 3837, 3840.
Urartu, II, 298, 302; XVIII, 3380.
URBANE, XX, 3840.
Urfa, Turkey, XIV, 2521.
URI, XX, 3840.
Uri (place), XX, 3840.
URIAH (various personages), VIII, 1390, 1393, 1486; XVI, 3062; XVIII, 3438; XX, 3840; XXI, 3850, 3954.
URIAH THE HITTITE, I, 116; II, 366, 368-369; IV, 743; IX, 1636; XIII, 2445; XIV, 2654; XV, 2758; XVII, 3092; XIX, 3510; XXI, 3847.
URIAS, XXI, 3847-3848.
URIEL, I, 172; XXI, 3848-3849.
URIJAH, V, 919; XXI, 3849-3850.
URIM AND THUMMIM, III, 500; V, 942; VII, 1297; XI, 2047, 2049; XVI, 3015; XXI, 3850-3851.
Ur-Nammu (monarch), XIX, 3573; XXI, 3917.
Ur-sa-li-im-mu, XVIII, 3297.
Uruk (deity), VI, 1074.
Uruk (place), XIII, 2436; XIX, 3576.
Uruk Period, XIX, 3573.
Uru-ka-gina of Lagash, VII, 1237.
Uru-salim, XII, 2202; XVIII, 3297.
Urushalimmu, IX, 1546.
Ussher, James, IV, 605.
USURY, XVI, 2970; XXI, 3851-3852, 3989.
UTA, XXI, 3852.
UTHAI, XXI, 3852.
Utica, XVI, 2932.
Utnapishtim (deity), VI, 1074-1075, 1143; XIV, 2566, 2572.
Utu (deity), VI, 1074; XIX, 3576.
Utuhegal (monarch), XIX, 3573.
UZ, XXI, 3852.
UZAI, XXI, 3852.
UZAL, XXI, 3852.
UZZA, XXI, 3852-3853.
UZZA, GARDEN OF, XXI, 3853.

UZZAH, I, 28, 116; III, 573; V, 813; XII, 2275; XIII, 2417-2418; XIV, 2607; XV, 2842; XXI, 3853-3854.
UZZEN-SHERAH, XVIII, 3440; XXI, 3854.
UZZI, VI, 1027; XVIII, 3374; XXI, 3854.
UZZIA, VII, 1329; XXI, 3854.
UZZIAH (king of Judah), I, 101, 145, 148, 150, 154; II, 238, 286, 326; III, 554, 562; IV, 595; V, 858; VI, 1084, 1112, 1126; VII, 1216, 1239; VIII, 1390, 1394, 1397, 1419, 1443, 1478, 1499; IX, 1551, 1565, 1567; X, 1763, 1782-1783; XI, 1934, 2075; XII, 2279; XIV, 2670; XVI, 2929; XVIII, 3451; XX, 3712; XXI, 3854-3856, 4012.
UZZIEL (various personages), V, 922; VII, 1248; X, 1874; XXI, 3856.

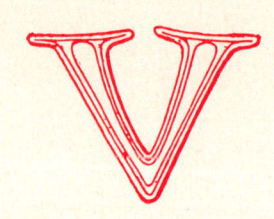

V

Vahmyatarsah, XII, 2191.
VAJEZATHA, XXI, 3857.
Valentinus, III, 538; VII, 1177.
VALE OF SIDDIM, II, 262; III, 565-566; IV, 759; XIX, 3507; XXI, 3857-3858; XXII, 4058.
Valera, Cipriano, III, 471.
Valerian, XVI, 2934.
Valerius Gratus, XVI, 2982.
Valetta, Malta, XII, 2204.
Valley Gate, IX, 1565.
VALLEY OF DECISION, VIII, 1493; XXI, 3858-3859.
Valley of Hinnom (see "Hinnom, Valley of" in Index).
"Valley of Moses," XVIII, 3389.
VALLEY OF REPHAIM, XVI, 2929; XVII, 3188; XXI, 3859.
VALLEY OF SALT, XV, 2761; XXI, 3859.
Valley of the Dry Bones, VI, 1016, 1024; XIV, 2675; XVII, 3187.
Vandals, the, XVII, 3253; XIX, 3551.
Van Gogh, Vincent (artist), IX, 1587.
VANIAH, XXI, 3859.
Varuna, XII, 2190.
VASHNI, XXI, 3859, 3861.
VASHTI (Persian queen), I, 18, 108; III, 485, 553; VI, 976; XI, 2109; XII, 2205, 2216; XXI, 3861, 3984.
Vatican, the, I, 76; III, 446, 472; IV, 666, 690; V, 931; XVII, 3232.
Vatican Ecumenical Council (1962), IX, 1724.
VAU, XXI, 3862.
VEIL, XXI, 3862, 3864.
Venice, Italy, III, 466, 471; IV, 640; XI, 2085; XIX, 3626.
Ventidius, XI, 2078.
Ventris, Sir Michael, VII, 1210.
Venus (deity), V, 926; X, 1829.
Verra, III, 403.
Vercelli Acts, II, 214.
Verdi, Giuseppe (composer; 1813-1901), XI, 1993.
VESPASIAN (Roman emperor), III, 404, 411, 511, 553, 576; V, 821, 927, 949; VI, 1146; VII, 1283; IX, 1560, 1580, 1627; X, 1739-1740; XIV, 2508; XV, 2701; XVI, 2987; XX, 3728-3730; XXI, 3864-3868, 4003.
VIA DOLOROSA, XXI, 3868-3873; *passim.*
Via Egnatia, I, 72; XI, 2041; XIII, 2460; XVI, 2918.
Vienna, Austria, III, 466; IV, 668; XVI, 2984.
Vilayet, XVI, 2917; XVIII, 3315.
Vincent of Milan, XX, 3668.
Vindex, C. Julius, XIV, 2508.
"Vinegar Bible," the, X, 1855.
VINE OF SODOM, XXI, 3873-3874.
VINEYARDS, XXI, 3874-3877.
VIOL, XXI, 3877-3878.
VIPER, XXI, 3878.
VIRGIN BIRTH, I, 177; III, 439; VI, 1133; VIII, 1361; IX, 1667; X, 1737; XIV, 2536; XXI, 3878, 3880-3881, 3888, 3890.
Virgin's Fountain, the, IX, 1543.
Visigoths, XIX, 3551.
Vision of the Book of Job (Rembrandt), IX, 1647.
Vita (Josephus), X, 1738, 1742.
Vitellius, Aulus (Roman emperor), X, 1740; XVI, 2984; XXI, 3866.
Vivaldi, Antonio (composer), XI, 1992.
Von Herder, J.G., XIX, 3531.
VOPHSI, XXI, 3890.
VOWS, XXI, 3890, 3892; *passim.*

INDEX 4215

VULGATE, I, 87; II, 208, 210, 379; III, 428, 437, 452, 461, 463, 466, 468-469, 471, 474, 541, 550; IV, 640, 660, 720, 759, 853; V, 882, 957; VI, 1005, 1037; VII, 1206, 1208, 1216, 1224, 1303, 1320; VIII, 1523; IX, 1567, 1650; X, 1856, 1889; XI, 1992; XII, 2144; XIII, 2479, 2486; XIV, 2510, 2512, 2631; XV, 2719; XVII, 3079, 3235, 3260; XVIII, 3274, 3326, 3390, 3402, 3420, 3440; XIX, 3527, 3529, 3641, 3636; XX, 3735, 3831; XXI, 3892-3894, 4028.
VULTURE, IV, 655; V, 846; X, 1871; XXI, 3894.

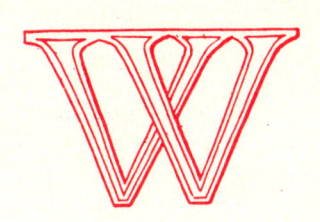

W

Wadi Amman, XVII, 3139.
Wadi el-Hamam, II, 235.
Wadi el-Malaqi, XVIII, 3390.
Wadi el-Mohib, II, 277.
Wadi en-Numeirah, IV, 2558.
Wadi es-Sarar, XIX, 3545.
Wadi Gharandel, V, 905.
Wadi Musa, XVIII, 3389.
Wadi Nimrin, II, 228.
Wadi Qumran, XVII, 3136.
Wadi Yabis, III, 569.
Wabi Murabbaat, IV, 762.
WAGES, XXI, 3895, 3897.
Waldensians, the, III, 463.
Waldo, Peter, III, 463.
Walsh, John, XX, 3822.
Walton, Sir William (composer), IV, 720.
Walton Polyglot, XVIII, 3406.
Wamitiarsi, XII, 2191.
WAR, XXI, 3897-3899, 3901-3902, 3904, 3906-3907; *passim*.
Warad-Sin, V, 919.
Warka, V, 951.
WARS OF THE LORD, BOOK OF THE, XXI, 3907-3908.
WATCH, XXI, 3908.
WATCHFUL PORTER PARABLE, VI, 1047; XV, 2753; XIX, 3621; XXI, 3908 (see also "Parables of Jesus Christ" in Index).
WATER, II, 353-354; XXI, 3908, 3911-3912; *passim*.
Water Gate, the, VI, 1034; VII, 1318; IX, 1566.
WATER OF BITTERNESS, I, 94; XXI, 3912, 3914.
WATER OF SEPARATION, XIII, 2381; XVII, 3177-3178; XXI, 3914-3915.
WAVE-OFFERING, XXI, 3915; *passim*.
WAYMARKS, XXI, 3915, 3917.

Wayyiqra, XI, 1952.
WEASEL, XXI, 3917.
WEEKS, FESTIVAL OF THE, VII, 1230, 1251; XI, 1955; XII, 2200; XIX, 3616; XXI, 3917.
WEIGHTS AND MEASURES OF THE BIBLE, III, 391, 499, 508; IV, 694; VII, 1239; XI, 1952; XII, 2205; XVI, 2940; XXI, 3917-3927.
Weiss, Johannes, IV, 648, 654; V, 939; VI, 1116; XVII, 3258.
Wellhausen, Julius, V, 860; XV, 2835.
Well of Job, the, V, 936; IX, 1646.
Well of Mary, the, XIII, 2457.
Well-Tempered Clavier (Bach), XI, 1992-1993.
Wen-Amun, XVI, 2925.
Weret, XVI, 2925.
Wesley, John, III, 452; XVII, 3263.
Western Text, the, XV, 2798.
Wetzstein, J.G., XIX, 3532.
Weymouth, Richard F., III, 454.
WHALE, XXI, 3927; *passim*.
WHIRLWIND, XXI, 3927; *passim*.
"Whitechurch's Bible," X, 1852.
White Nile, XIV, 2556.
Whitsunday, XV, 2839.
Whittingham, William, III, 451; VII, 1143.
"Wicked Bible," the, X, 1855.
WICKED HUSBANDMAN PARABLE, XI, 2098; XII, 2170; XV, 2753; XXI, 3927-3928 (see also "Parables of Jesus Christ" in Index).
WIDOW, VIII, 1365; XI, 2101; XXI, 3928, 3930; *passim*.
WIDOW'S MITE, XIII, 2326; XXI, 3930; *passim*.
"Wife Haters' Bible," X, 1855.
Wilde, Oscar, XVIII, 3301.
WILDERNESS, XIII, 2343, 2474; XIV, 2645, 2648; XIX, 3479, 3555; XX, 3754; XXI, 3930-3936;

passim.
WILDERNESS OF SIN, VI, 1003; XI, 2071; XVII, 3188; XVIII, 3282; XXI, 3936-3937," XXII, 4051.
WILDERNESS OF ZIN, XXI, 3937-3938.
Williams, Charles Kingsley, III, 457.
WILLOW, XXI, 3938.
WILLOWS, BROOK OF THE, XXI, 3938.
Wilson, Edmund, IV, 767.
WIMPLE, XXI, 3938.
WIND, XXI, 3938, 3940; *passim.*
WINE, XXI, 3874, 3940-3942.
WINEPRESS, 3942-3943; *passim.*
"Winged Victory of Samothrace," XVIII, 3314.
WISDOM LITERATURE, III, 435; V, 850, 853, 860; IX, 1571, 1650; XII, 2196; XIV, 2636, 2638, 2667; XV, 2812; XVI, 3038, 3065; XVII, 3093, 3101, 3105; XVIII, 3379, 3414; XIX, 3529-3530, 3532; XX, 3681; XXI, 3943-3952.
"Wisdom Psalms," XXI, 3943.
WITCH OF ENDOR, V, 929; XVIII, 3326; XXI, 3952-3954.
WITHS, XXI, 3954.
WITNESS, XXI, 3954-3956; *passim.*
Wolcott, S.W., XII, 2137.
WOLF, III, 400; XXI, 3956-3957.
WOMEN, STATUS OF, XXI, 3957, 3959-3961, 3963-3964; *passim.*
WOOD-OFFERING, FESTIVAL OF, VI, 1064, 1066; XXI, 3964-3965.
WORMWOOD, XXI, 3965-3966.
WORSHIP, IV, 714; VI, 1296; XIII, 2406; XVII, 3088; XVIII, 3283, 3287, 3339, 3410; XIX, 3515, 3555, 3587, 3612, 3623, 3639; XX, 3721, 3754, 3784; XXI, 3851, 3924, 3697-3971, 4018; *passim.*
WREATHEN WORK, XXI, 3971-3972.
WRITING, XIX, 3572; XXI, 3972-3981; *passim.*
Wujek, Jakub, III, 469.
Wyandotte Indians, XX, 3670.
Wycliffe, John, III, 439, 449; XX, 3821; XXI, 3981-3982 (*see also following entry*).
WYCLIFFE'S VERSION, III, 439, 449; VI, 1078; X, 1852; XXI, 3981-3982.

X

Xanthus River, XV, 2782.
Xenophon, II, 314; XI, 2078; XX, 3667.
XERXES, I, 108, 161; II, 278, 344; VI, 975-976, 981, 1038; VII, 1232; XIII, 2329, 2487; XV, 2877; XVII, 3198; XVIII, 3297; XIX, 3465, 3553; XXI, 3983-3985.

Y

Yadin, Yigael, XII, 2138.
YAHWEH, I, 167, 171; II, 204, 219, 265, 308, 319, 331, 334; III, 411, 427, 464, 488, 543, 554; IV, 594, 638, 656, 658-659, 758; V, 795-797, 827-828, 856, 883, 910, 955-956; VI, 991, 993, 1049, 1060, 1068, 1070, 1078, 1089, 1143; VII, 1163, 1177, 1179, 1181-1186, 1200-1201, 1203, 1219, 1230, 1272-1273; VIII, 1353-1356, 1363, 1366, 1379, 1413, 1415, 1419, 1423, 1428, 1430, 1462, 1478, 1496; IX, 1548, 1559, 1567, 1639, 1650; X, 1783, 1785-1786, 1778, 1791, 1817, 1819, 1834, 1841, 1848, 1862-1863, 1877, 1911; XI, 1967-1969, 2030-2031, 2047, 2073, 2101; XII, 2187,

2202, 2207, 2218, 2235, 2237-2239, 2247; XIII, 2312, 2326, 2336, 2338, 2340-2341, 2344, 2351-2353, 2355-2356, 2361, 2363, 2371; XIV, 2593, 2603, 2651; XV, 2719, 2732-2733, 2742, 2774, 2836, 2848, 2851, 2852-2853, 2870; XVI, 2926, 2935, 3032, 3040, 3062; XVII, 3082-3083, 3094, 3132, 3152, 3175, 3230; XVIII, 3283-3284, 3287, 3310-3311, 3339, 3341, 3413, 3419; XIX, 3467, 3488, 3496, 3616-3617; XX, 3659, 3664, 3757; XXI, 3848, 3850, 3862, 3890, 3902, 3911, 3967, 3986-3988, 4017-4018, 4021; XXII, 4045.
Yalvac, I, 182; XV, 2797.
Yam Mitsrayim, XVII, 3180.
Yam Suf, XVII, 3180.
Ya-Qob-har (monarch), VII, 1343.
Yaquir-'ammu, IX, 1546.
Yaquq, VII, 1338.
Yarmuk River, III, 393; VI, 1112; VII, 1170; IX, 1708.
Yarnold, G.D., XVI, 3004-3005.
Yazilikaya, VII, 1308.
YEAR OF JUBILEE, FESTIVAL OF THE, V, 782; VI, 1057; XI, 1955, 2059; XXI, 3988-3989.
Year of the Four Emperors (A.D. 67), X, 1740.
Yeb, V, 883.
Yebna, VIII, 1444.
Yehudah Hannasi, Rabbi, XVII, 3142.
Yemen, VII, 1302; VIII, 1375; XII, 2252; XVIII, 3427; XX, 3826; XXI, 3852.
Yeser hatob, X, 1792.
Yeser hara, X, 1792.
YHWH, VII, 1179, 1182; VIII, 1354, 1495-1496; XXI, 3951, 3987-3989.
YOM KIPPUR, IV, 765; VI, 1066; VII, 1252; IX, 1655, 1695; XI, 1953; XIII, 2407; XV, 2780; XVII, 3163; XVIII, 3281; XIX, 3616, 3625; XXI, 3909.
YODH, XXI, 3989.
Yugoslavia, I, 125; III, 471; IV, 705; XVI, 2917.

ZAANAN, XXI, 3991.
Zaanannim, I, 133; XXI, 3991.
ZAAVAN, XXI, 3991.
ZABAD, I, 118; V, 945; X, 1763; XVIII, 3281, 3446; XXI, 3991.
ZABADAIAS, XXI, 3991.
ZABADEANS, XXI, 3991.
ZABBAI, XXI, 3991.
ZABBUD, VIII, 1436; XXI, 3991.
ZABDEUS, XXI, 3991.
ZABDI, XVIII, 3449; XXI, 3991; XXII, 4046.
ZABDIEL, XXI, 3991.
ZABUD, XIII, 2446; XXI, 3991.
ZABULON, XXI, 3991-3992.
ZACCAI, IV, 647; XXI, 3992.
ZACCHAEUS, VIII, 1531; XI, 1995; XIV, 2624; XXI, 3992.
ZACCHUR, XXI, 3992.
ZACCUR, VIII, 1363; XXI, 3992-3993.
ZACHARIAH, XXI, 3993.
ZACHARIAS (father of John the Baptist), IV, 656; V, 814-815, 908; VI, 1108; IX, 1678; XI, 1989, 1993; XXI, 3890, 3993, 3995.
ZACHARIAS (others), II, 357; XXI, 3995.
ZACHARY, XXI, 3997-3998.
ZACHER, XXI, 3997, 4012.
ZADOK (High Priest and others), I, 22-23, 49, 91, 115, 118; II, 326, 335; III, 507; IV, 745, 749; V, 879; VI, 1015, 1018, 1028, 1040; VII, 1298; VIII, 1436; X, 1763; XI, 1946, 2006; XIII, 2402, 2406; XIV, 2627; XVI, 3014-3015; XVIII, 3294, 3296, 3420; XIX, 3510; XXI, 3997.
Zadokite Document (Fragment), IV, 765-766; IX, 1680.
Zagazig, XVI, 2939.
Zagros Mountains, XII, 2220.
ZAHAM, XXI, 3998.
Zahariyeh, VII, 1199.
Zahn, Theodore, VI, 1116.
ZAIN, XXI, 3998.
ZAIR, XXI, 3998.
ZALAPH, XXI, 3998.
ZALMON, VIII, 1359; XVIII, 3299; XXI, 3998-3999.
ZALMONAH, XXI, 3999.
Zalmunna (*see* "Zebah and Zalmunna" in Index).
ZAMBIS, XXI, 3999.

ZAMBRI, XXI, 3999.

Zamoth, XXI, 4002.

ZAMZUMMIMS, VI, 1152; VII, 1232; XVII, 3188; XXI, 3999.

Zancle, XVII, 3235.

Zangwill, Israel, XIX, 3534.

ZANOAH, XXI, 3999-4000.

ZAPHNATH-PAANEAH, IX, 1715; XXI, 4000.

ZAPHON, IX, 1708; XXI, 4000.

ZAPHON, XXI, 4000.

ZARA, XXI, 4000-4001.

ZARACES, XXI, 4000.

ZARAH, X, 1770, 1774; XVI, 2906; XIX, 3627; XXI, 4000-4002; XXII, 4039.

ZARAIAS, II, 277; XXI, 4001.

ZAREAH, XXI, 4001.

Zareathites, XXII, 4060.

Zared (see "Zered" in Index).

ZAREPHATH, V, 892; XI, 1930; XII, 2178, 2275; XVIII, 3354; XXI, 4001.

Zaretan, XXI, 4002.

ZARETH-SHAHAR, XXI, 4001-4002.

ZARHITES, XXI, 4002; XXII, 4059.

Zartanah, XXI, 4002.

ZARTHAN, XIX, 3570-3571; XXI, 4002.

Zathoe, XXI, 4002.

ZATHUI, XXI, 4002.

ZATTHU, XXI, 4002.

ZATTU, XXI, 4002.

Zavan, XXI, 3991.

ZAZA, XXI, 4002.

ZEALOTS, VII, 1205, 1283; VIII, 1422; IX, 1560, 1582, 1584, 1586, 1604, 1604, 1626-1627; X, 1739-1740, 1769, 1804; XII, 2136, 2231; XVI, 2908; XVII, 3252; XVIII, 3296, 3434; XIX, 3466-3468, 3486, 3559; XX, 3699, 3729; XXI, 4002-4003, 4028.

ZEBADIAH, VI, 1131; XXI, 3991, 4007.

ZEBAH AND ZALMUNNA, VII, 1163; IX, 1622; X, 1838; XIV, 2578; XV, 2713; XVIII, 3420; XIX, 3570; XXI, 4007-4009.

ZEBAIM, XVI, 2901; XXI, 4009.

ZEBEDEE, III, 491; VIII, 1466, 1468, 1471; IX, 1663, 1665-1666, 1674; XI, 2094; XIV, 2535; XVI, 2887; XVIII, 3300-3301; XX, 3795; XXI, 4009.

Zebhah, XVIII, 3288.

ZEBINA, XXI, 4009.

ZEBOIIM, III, 402, 481, 565; IV, 620; VII, 1195, 1340; XVIII, 3439; XIX, 3505, 3507; XXI, 3857, 4009.

ZEBUDAH, XVIII, 3272; XXI, 4009.

An ancient olive tree near Jerusalem (*Counsel Collection*).

ZEBUL, VI, 1107; XXI, 4009.
ZEBULUN (tenth son of Jacob), IV, 592; V, 921; VIII, 1446, 1463; X, 1769; XI, 1927; XVIII, 3408; XX, 3801; XXI, 3991, 4009.
ZEBULUN (place), XXI, 4009.
ZEBULUN, TRIBE OF, I, 146; II, 287, 357; III, 410-411, 415, 508, 572, 576; IV, 696, 701; V, 776-777, 779, 804, 887, 919, 921; VI, 1112, 1118, 1127; VII, 1163, 1244, 1272; VIII, 1352-1353, 1411, 1434, 1438, 1474; IX, 1636, 1689; X, 1751, 1775, 1838-1839, 1872; XI, 1944, 2075; XII, 2213; XIII, 2372, 2386, 2419, 2440, 2459, 2493; XIV, 2605; XV, 2729, 2732, 2768, 2857-2858; XVII, 3186, 3241; XVIII, 3353, 3356, 3408, 3448-3449; XIX, 3618; XX, 3667, 3804, 3815, 3817; XXI, 4009-4011.
ZECHARIAH (king of Israel), VII, 1322; VIII, 1536; XII, 2205; XVIII, 3419-3420; XIX, 2617; XXI, 3993, 4012.
ZECHARIAH (Prophet), I, 57, 88; II, 326; III, 404, 576; V, 791, 859, 874, 956; VI, 1039, 1121, 1124; VII, 1221, 1224, 1226, 1234, 1267, 1273; VIII, 1353, 1431; IX, 1563; X, 1848; XI, 1965; XII, 2229; XIII, 2380; XIV, 2685, 2687; XVI, 2929; XVII, 3093, 3181; XVIII, 3387; XIX, 3643; XX, 3678, 3735; XXI, 3855, 3930, 3997, 4011-4021, 4030; XXII, 4041.
ZECHARIAH (minor personages), VIII, 1478, 1485; XI, 2069; XVII, 3102; XIX, 3570; XXI, 4012.
ZECHARIAH, BOOK OF (Old Testament), I, 128, 150, 184; II, 204; III, 428, 545-546; IV, 707, 759; VI, 1121; VII, 1226; IX, 1634, 1708; X, 1794; XII, 2199; XIV, 2581, 2632, 2635-2636, 2685, 2687; XV, 2696; XVI, 2972, 2974, 2990, 3009; XVIII, 3358, 3413, 3447; XXI, 4013-4021.
ZEDAD, XXI, 4021.
ZEDEKIAH (king of Judah), II, 330, 362; IV, 609, 656, 717; V, 847; VI, 1018, 1021; VII, 1238-1239, 1315-1316; VIII, 1381, 1485, 1498, 1508-1509, 1511-1512, 1517, 1520, 1530; IX, 1563-1564; X, 1786-1788, 1826, 1863; XI, 1959; XII, 2146; XIII, 2464, 2486, 2494-2495; XIV, 2510-2511, 2670; XV, 2777-2779, 2845-2846; XVI, 3069; XVII, 3239; XVIII, 3388, 3407, 3436, 3440; XXI, 4000, 4021-4025, 4029.
ZEDEKIAH (minor personages), III, 567; XI, 2006; XVIII, 3388; XXI, 4025.
ZEEB, VII, 1163; XXI, 4007, 4027.
ZELAH, XVII, 3245; XXI, 4027.
ZELEK, XXI, 4027.
ZELOPHEHAD, VII, 1273, 1309; XI, 2056, 2067; XII, 2249; XIV, 2591; XXI, 4027.
ZELOTES, XXI, 4028.
ZELZAH, XXI, 4028.
ZEMARAIM, XIII, 2388; XXI, 4028-4029.

ZEMARITES, XXI, 4029.
ZEMIRA, XXI, 4029.
ZENAS, XXI, 4029.
Zeno, XIX, 3568.
Zenobia ("Queen of the East"), XIX, 3619.
ZEPHANIAH (Prophet), I, 143; III, 567; IV, 655, 696, 758; V, 874, 956; VI, 1024, 1130; VII, 1308, 1338, 1506; IX, 1567; XI, 2057, 2060; XVI, 2562, 2684-2685; XIX, 3545; XXI, 4029-4032.
ZEPHANIAH (minor personages), VII, 1273; X, 1761; XI, 1965; XXI, 4029-4030.
ZEPHANIAH, BOOK OF (Old Testament), II, 304; III, 428, 435, 484, 545; XIV, 2635-2636, 2685; XVI, 2972; XXI, 4029-4032.
ZEPHATH, VII, 1317; XXI, 4032.
ZEPHATHAH, THE VALLEY OF, XXI, 4032.
ZEPHO (ZEPHI), XXII, 4039.
ZEPHON, XXII, 4039.
ZER, XXII, 4039.
ZERAH (various personages), II, 280; VI, 986-987; VII, 1272; X, 1780; XX, 3686; XXI, 4001, 4032; XXII, 4039, 4059.
ZERAHIAH, II, 277; XXII, 4039.
Zeraim, XIX, 3625.
ZERED, XXII, 4039.
ZEREDA, XXII, 4039.
Zeredathah, XXI, 4002.
ZERERATH, XXII, 4041.
ZERESH, XXII, 4041.
ZERETH, XXII, 4041.
ZERI, XXII, 4041.
Zer'in, IX, 1635.
ZEROR, XXII, 4041.
ZERUBBABEL (leader of returned exiles), I, 25, 31, 88-89, 93, 109, 123, 162, 165; II, 278, 309, 328, 336, 358; III, 402, 404-405, 425, 477-478, 536, 556, 558, 560, 563-564, 569; IV, 731; V, 783, 889, 957; VI, 1032, 1038, 1112, 1134; VII, 1174, 1222, 1226, 1229, 1238-1239, 1248, 1251-1253, 1268, 1299, 1309; VIII, 1359, 1479, 1485; IX, 1554, 1559, 1567-1568, 1638, 1707; X, 1776, 1834, 1837, 1842, 1879; XI, 1928, 2005, 2043, 2061; XII, 2196, 2200, 2214, 2216, 2220, 2232, 2249, 2297, 2301; XIII, 2311, 2329, 2419, 2478, 2481-2482, 2485, 2492-2493; XIV, 2550, 2579, 2629, 2661, 2685; XV, 2701, 2720-2721, 2768, 2777, 2818, 2820, 2846, 2853; XVI, 2902, 2940, 2972, 3006; XVII, 3079, 3139, 3181, 3185, 3236, 3246; XVIII, 3281, 3297, 3336, 3359, 3397, 3407, 3426-3427, 3430, 3437-3438, 3440-3442, 3448; XIX, 3463, 3465, 3496, 3499, 3527, 3587, 3617, 3622, 3636, 3639, 3643-3645; XX, 3727; XXI, 3852, 3864, 3915, 3992, 4002, 4009, 4013, 4015, 4017-4018; XXII, 4041-4042, 4046-4047, 4060.

An orthodox Jew looks towards the historic Mount Zion (*Counsel Collection*).

ZERUIAH, IV, 738; IX, 1636; XIII, 2421; XXII, 4044.
ZemZem, VII, 1224.
Zeno, V, 950.
Zeraim, XII, 2295.
ZETHAN, XXII, 4044.
ZETHAR, XXII, 4044.
ZEUS (deity), III, 555-556; IV, 638, 668; X, 1833; XI, 2010, 2013; XV, 2797; XIX, 3635; XXII, 4044-4045.
Zeus Xenios, XVIII, 3312.
ZIA, XXII, 4045.
ZIBA, XII, 2209-2210; XIX, 3499; XXII, 4045.
ZIBEON, I, 162; XXII, 4045.
ZIBIA, XXII, 4045.
ZIBIAH, II, 378; XXII, 4045-4046.
ZICHRI, XXI, 3991; XXII, 4046.
ZIDDIM, XXII, 4046-4047.
ZIDKIJAH, XXII, 4047.
ZIDON, VI, 986; VII, 1232; XIX, 3469; XXII, 4047.
ZIDONIANS, XXII, 4047.
ZIF, III, 524; XXII, 4047.
ZIHA, XXII, 4047.
ZIKLAG, I, 89, 113, 142-143; II, 200, 309, 322, 326, 328, 373; III, 401, 403, 405, 419; IV, 736, 738; V, 887, 891, 919, 921-922; VI, 1027, 1131; VII, 1251, 1317; VIII, 1411, 1463, 1479, 1485, 1512; IX, 1543, 1569, 1632, 1641, 1662-1663, 1712; X, 1763; XI, 2042; XII, 2295; XIII, 2475; XIV, 2605; XV, 2820, 2860; XVI, 2927; XVII, 3145, 3159; XVIII, 3439-3440; XIX, 3495; XXI, 4007; XXII, 4047-4048.
ZILLAH, X, 1889; XIII, 2410; XX, 3794; XXII, 4048.
ZILPAH, II, 287, 289; III, 396; IV, 709; VI, 1109-

INDEX

1110; VIII, 1433, 1446; IX, 1713; X, 1880; XI, 1927; XIV, 2645; XVII, 3148; XX, 3801, 3804; XXII, 4048.
ZILTHAI, XXII, 4048.
Zimbabwe, XIX, 3513.
ZIMMAH, XXII, 4048.
ZIMRAN, XXII, 4048.
ZIMRI (king of Israel, and others), II, 279, 336; III, 393; IV, 661; VIII, 1427; XV, 2697; XVI, 2931; XX, 3711, 3727; XXI, 3991, 3999; XXII, 4048-4049.
Zimri-Lim (monarch), XI, 2080-2081.
ZIN, WILDERNESS OF, XII, 2273, 2293; XIV, 2591; XXII, 4049-4051; *passim*.
ZINA, XXII, 4051, 4057.
ZION, IV, 613; VIII, 1394-1395; XII, 2248; XIII, 2388; XVII, 3084; XIX, 3495; XXII, 4051-4053, 4055; *passim*.
ZIOR, XXII, 4055.
ZIPH, IV, 736; VII, 1265; IX, 1634; XXI, 3934; XXII, 4055-4056.
ZIPH, WILDERNESS OF, XVIII, 3367; XXII, 4056.
ZIPHAH, XXII, 4056.
ZIPHIMS, XXII, 4056.
ZIPHION, VI, 1110; XXII, 4039, 4056.
ZIPHITES, XXII, 4056.
ZIPHRON, XXII, 4056.
ZIPPOR, XXII, 4056.
ZIPPORAH (wife of Moses), V, 889; VI, 989, 1146; VII, 1308; IX, 1622; XI, 2107; XII, 2247, 2267; XIII, 2335-2336, 2343; XXII, 4056.
ZITHRI, XXII, 4056.
Ziusudra, VI, 1074.
ZIZ, CLIFF OF, XXII, 4056-4057.
ZIZA, XXII, 4057.
ZIZAH, XXII, 4051, 4057.
ZOAN, VII, 1240, 1265; XVII, 3139; XXII, 4057.
ZOAR, I, 147; II, 379; III, 402, 481, 565; IV, 620; XI, 1977; XIX, 3505, 3507; XXI, 3857; XXII, 4057-4058.
ZOBA, ZOBAH, II, 232; IV, 705; VII, 1221, 1234; XVII, 3182, 3234; XVIII, 3455; XX, 3711, 3742; XXII, 4058-4059.
ZOBEBAH, XXII, 4059.
ZOHAR, XIX, 3478; XXII, 4039, 4059.
ZOHELETH, THE STONE OF, XXII, 4059.
ZOHETH, III, 402; XXII, 4059.
ZOPHAH, VII, 1309; XIX, 3463; XXII, 4059.
ZOPHAI, XXII, 4059, 4061.
ZOPHAR, IX, 1643-1644, 1647; XIII, 2412; XXII, 4059.
ZOPHIM, II, 349; XXII, 4059.
ZORAH, ZOREAH, ZORAH-AZEKAH, IV, 710; VI, 967; XIX, 3546; XXI, 4001; XXII, 4059-4060.

ZORATHITES, I, 118; XXII, 4060.
ZORITES, XXII, 4060.
Zoroaster, II, 363; X, 1898; XV, 2773.
Zoroastrianism, II, 204; VII, 1177; XI, 2043, 2045.
ZOROBABEL, I, 95, 146; II, 309, 326, 328, 360; V, 930, 957-958; VIII, 1479; IX, 1659; XI, 1980; XVII, 3246; XVIII, 3281, 3297, 3426; XXII, 4041, 4060 (*see also* "Zerubbabel" in Index).
Zugoth, XIX, 3624.
Zulaika (Zulaikha), IX, 1724.
ZUPH, XVI, 3029; XXII, 4059, 4061.
ZUR, XXII, 4061.
Zurich, Switzerland, IV, 660.
Zurich Bible, the, III, 464.
ZURIEL, XXII, 4061.
ZURISHADDAI, XVIII, 3419; XXII, 4061.
ZUZIMS, VII, 1232; XVII, 3187; XXI, 3999; XXII, 4061.
Zweig, Stefan, VIII, 1512.
Zwingli, Ulrich, IV, 660.
Zwingli Bible, the, III, 465.

View of Jerusalem from the bell tower of the Russian Church (*Counsel Collection*).

St. Matthew, by Heromkla Roslin, in a Turkish Book of the Four Gospels dated 1265 (*Counsel Collection*).

BIBLIOGRAPHY

Albright, William Foxwell, *The Biblical Period From Abraham to Ezra,* Harper and Row, 1949.

Attwater, Donald, ed., *Catholic Dictionary,* 3rd. rev. ed., Macmillan Co., 1949.

Barclay, William, *The Making of the Bible,* Abingdon Press, 1965.

Barker, William P., *Everyone in the Bible,* Fleming H. Revell Co., 1966.

Brandon, S.G.F., *Jesus and the Zealots,* Charles Scribner's Sons, 1967.

Branscomb, B. Harris, *The Teachings of Jesus,* Abingdon Press, 1931.

Bridger, David, and Samuel Wolk, eds., *New Jewish Encyclopedia,* Behrman House, Inc., 1962.

Bridgwater, William, and Seymour Kurtz, eds., *Columbia Encyclopedia,* Columbia University Press, 1963.

Bright, John, *A History of Israel,* Westminster Press, 1959.

Buttrick, George Arthur, ed., *The Interpreter's Dictionary of the Bible,* Abingdon Press, 1962.

Buttrick, George Arthur, ed., *The Interpreter's Bible,* 12 vols., Abingdon Press, 1963.

Chamberlin, Roy B., and Herman Feldman, *The Dartmouth Bible,* Houghton Mifflin Co., 1961.

Cruden, Alexander, *Cruden's Complete Concordance,* John C. Winston, 1949.

Davis, J. D., and H. S. Gehman, *Westminster Dictionary of the Bible,* Westminster Press, 1944.

De Vaux, Roland, *Ancient Israel,* McGraw-Hill, Inc., 1961.

Douglas, J. D., ed., *The New Bible Dictionary,* William B. Eerdmans Publishing Co., 1962.

Driver, G. R., *Semitic Writing,* Oxford University Press, 1954.

Eiselen, Frederick Carl, et al., *The Abingdon Bible Commentary,* Abingdon Press, 1929.

Enslin, Morton S., *The Ethics of Paul,* Harper and Brothers, 1930.

Fakhry, Ahmed, *An Archaeological Journey to Yemen,* Cairo, 1952.

Finegan, Jack, *Light From the Ancient Past,* Princeton University Press, 1946.

Gray, John, *Archaeology and the Old Testament World,* Harper and Row, 1962.

Hastings, James, ed., *Dictionary of the Apostolic Church,* Charles Scribner's Sons, 1916.

Hastings, James, ed., *Dictionary of the Bible,* rev. ed., Charles Scribner's Sons, 1963.

Hertz, J. H., *The Pentateuch and Haftorahs—Genesis,* Oxford University Press, 1929.

Hitti, P. K., *History of the Arabs,* Oxford University Press, 1940.

Honor, Leo L., *Book of Kings I: A Commentary,* Union of American Hebrew Congregations, 1955.

James, Fleming, *Personalities of the Old Testament,* Charles Scribner's Sons, 1939.

Klausner, Joseph, *Jesus of Nazareth,* Macmillan Co., 1943.

Langer, William L., *An Encyclopedia of World History,* Houghton Mifflin Co., 1968.

Leach, Maria, and Jerome Fried, eds., *Funk and Wagnalls Standard Dictionary of Folklore, Mythology, and Legend,* Funk and Wagnalls, 1958.

MacGregor, Geddes, *The Bible in the Making,* J. B. Lippincott Co., 1959.

Margolis, Max L., and Alexander Marx, *History of the Jewish People,* World Publishing Co., 1962.

May, Robert G., and Bruce M. Metzger, eds., *The Oxford Annotated Bible,* Oxford University Press, 1962.

Miller, Madeleine S., and J. Lane Miller, *Harper's Bible Dictionary,* 6th ed., Harper and Row, 1959.

Mills, Dorothy, *Book of the Ancient Romans,* G. P. Putnam's Sons, 1927.

Moscati, Sabatino, *Ancient Semitic Civilizations,* G. P. Putnam's Sons, 1960.

Niebuhr, Reinhold, *The Nature and Destiny of Man,* Charles Scribner's Sons, 1963.

Olmstead, Albert Ten Eyck, *History of Palestine and Syria to the Macedonian Conquest,* Charles Scribner's Sons, 1934.

Oppenheim, A. Leo, *Ancient Mesopotamia,* University of Chicago Press, 1964.

Orlinsky, Harry, *Ancient Israel,* Cornell University Press, 1954.

Orr, James, ed., *The International Standard Bible Encyclopedia,* William B. Eerdmans Publishing Co., 1960.

Peloubet, F. N., and Alice D. Adams, *Peloubet's Bible Dictionary,* John C. Winston, 1947.

Pritchard, James B., *Ancient Near Eastern Texts Relating to the Old Testament,* Princeton University Press, 1950.

Russell, Bertrand, *A History of Western Philosophy,* Simon and Schuster, Inc., 1945.

Sarna, Nahum N., *Understanding Genesis,* McGraw-Hill, Inc., 1966.

Scofield, C.I., ed., *The Scofield Reference Bible,* rev. ed., Oxford University Press, Inc., 1945.

THE FAMILY BIBLE ENCYCLOPEDIA

ott, R. B. Y., *The Relevance of the Prophets,* Macmillan, 1944.

Simpson, E. K., and F. F. Bruce, *Commentary on Ephesians and Colossians,* William B. Eerdmans Publishing Co., 1958.

Smith, William, ed., *Smith's Bible Dictionary,* rev. ed., Holt, Rinehart, and Winston, 1948.

Steinberg, Milton, *Basic Judaism,* Harcourt, Brace, and Co., 1947.

Steinmuller, John E., and Kathryn Sullivan, *Catholic Biblical Encyclopedia,* Joseph F. Wagner, Inc., 1956.

Strong, James, *Exhaustive Concordance of the Bible With Hebrew and Chaldee Dictionary,* Abingdon Press, 1965.

Tenney, Merrill C., ed., *The Zondervan Pictorial Bible Dictionary,* Zondervan Publishing House, 1963.

Thiele, Edwin Richard, *The Mysterious Numbers of the Hebrew Kings,* William B. Eerdmans Publishing Co., 1958.

Thompson, Newton, and Raymond Stock, *Concordance to the Bible,* B. Herder Book Co., 1942.

Tillich, Paul, *Love, Power and Justice,* Oxford University Press, 1960.

Wilson, Edmund, *The Scrolls From the Dead Sea,* Meridian Books, 1959.

Wotts, Harold H., *The Modern Readers' Guide to the Bible,* Harper and Brothers, 1959.

Wright, G. Ernest, and Floyd V. Filson, eds., *The Westminster Atlas to the Bible,* rev. ed., the Westminster Press, 1956.

Present day view of the city of Zior (*Counsel Collection*).